Jw_cadで「できること」のすべてがここにある!

Jw_cad8のトリセツ（取扱説明書）

Obra Club 著

⚠ 本書をご購入・ご利用になる前に必ずお読みください

●本書の内容は、執筆時点（2021年11月）の情報に基づいて制作されています。これ以降に製品、サービス、その他の情報の内容が変更されている可能性があります。また、ソフトウェアに関する記述も執筆時点の最新バージョンを基にしています。これ以降にソフトウェアがバージョンアップされ、本書の内容と異なる場合があります。

●本書は、「Jw_cad」の解説書です。本書の利用に当たっては、「Jw_cad」がインストールされている必要があります。Jw_cadのインストール方法は、P.325を参照してください。

●本書は、パソコンやWindows、インターネットの基本操作ができる方を対象としています。

●本書は、Windows 10がインストールされたパソコンでJw_cadバージョン8.24a（以降「Jw_cadバージョン8」と表記）を使用して解説を行っています。そのため、ご使用のOSやソフトウェアのバージョンによって、画面や操作方法が本書と異なる場合がございます。

●本書および付録CD-ROMは、Windows 10に対応しています。

●本書で解説・収録しているソフトウェアの動作環境については、各ソフトウェアのWebサイト、マニュアル、ヘルプなどでご確認ください。なお、本書ではWindows 10でJw_cadバージョン8.24aを使用した環境で動作確認を行っております。これ以外の環境での動作は保証しておりません。

●本書に記載された内容をはじめ、付録CD-ROMに収録された教材データ、プログラムなどを利用したことによるいかなる損害に対しても、データ提供者（開発元・販売元・作者など）、著作権者、ならびに株式会社エクスナレッジでは、一切の責任を負いかねます。個人の責任においてご使用ください。

●本書に直接関係のない「このようなことがしたい」「このようなときはどうすればよいか」など特定の操作方法や問題解決方法、パソコンやWindowsの基本的な使い方、ご使用の環境固有の設定や機器に関するお問合せは受け付けておりません。本書の説明内容に関するご質問に限り、p.335のFAX質問シートにて受け付けております。

以上の注意事項をご承諾いただいたうえで本書をご利用ください。ご承諾いただけずお問合せをいただいても、株式会社エクスナレッジおよび著作権者はご対応いたしかねます。あらかじめご了承ください。

Jw_cadについて

Jw_cadは無料で使用できるフリーソフトです。そのため当社、著作権者、データの提供者（開発元・販売元）は一切の責任を負いかねます。個人の責任で使用してください。Jw_cadバージョン8.24aはWindows 10上で動作します。本書の内容についてはWindows 10での動作を確認しており、その操作画面を掲載しています。

◉ Jw_cadバージョン8.24aの動作環境

Jw_cadバージョン8.24aは以下のパソコン環境でのみ正常に動作します。

OS（基本ソフト）：上記に記載／内部メモリ容量：64MB以上／ハードディスクの使用時空き容量：5MB以上／ディスプレイ解像度：800×600以上／マウス：2ボタンタイプ（ホイールボタン付き3ボタンタイプを推奨）

・Jw_cadの付録CD-ROMへの収録と操作画面の本書への掲載につきましては、Jw_cadの著作権者である清水治郎氏と田中善文氏の許諾をいただいております。

Special Thanks：清水 治郎 ＋ 田中 善文／カバー・本文デザイン：坂内 正景／編集協力：鈴木 健二（中央編集舎）／印刷：株式会社ルナテック

はじめに

本書「Jw_cadのトリセツ」は、日々Jw_cadをお使いの方からJw_cadを使い始めて日の浅い初心者の方まで、広くご利用いただけるコマンド機能解説書です。既刊の『Jw_cadのトリセツ』(バージョン7対応)の改訂版でJw_cadバージョン8.24aに対応しています。ただし、Jw_cadでの作図操作を練習するものではありませんので、これからJw_cadを始めようという方には、『やさしく学ぶJw_cad 8』や『Jw_cad 8 製図入門』などの入門書の副読本として利用することをお勧めします。本書では、各コマンドでの基本操作や便利な応用操作を、絵や事例を多用してわかりやすく解説しています。

Jw_cadには、意外と知られていない隠れた多くの機能があります。例えば、

- 「□」コマンドで、面取りされた二重の枠(⬇)が描けること

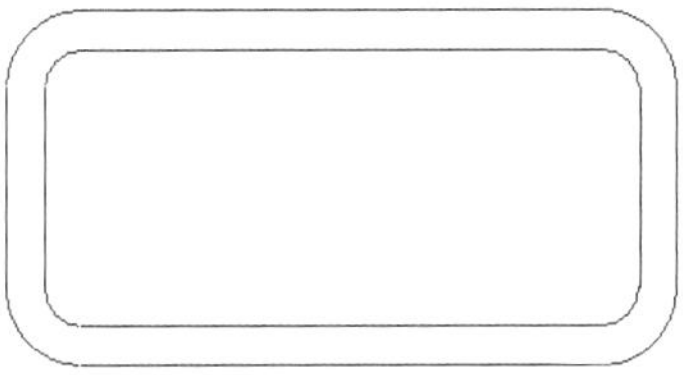

- 計算式を入力することで、計算結果を記入(⬇)できること

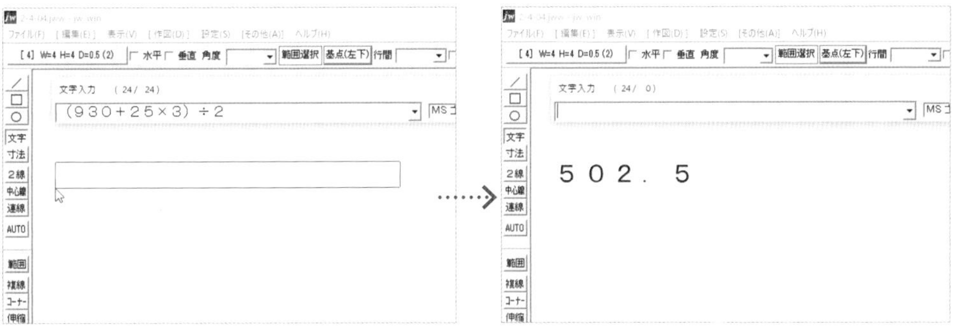

などなど、そのような機能についても網羅しています。このような機能は気付きにくいうえ、使用頻度が低いと次に使うときにはやり方を忘れてしまいがちですが、この本が手元にあれば、大丈夫。

また、環境設定ファイルで設定できる内容は多岐にわたり、ご自身で環境設定ファイルを作成・変更して活用されている方でもそのすべてを覚えておくことは難しいでしょう。そのような方のために、レイヤ整理ファイル・環境設定ファイルの内容解説や線記号変形データの修正方法などをまとめた本書の「【上級編】」を、付録CD-ROMにPDFファイルとして収録しています。PDFファイルの機能を利用して、目的の命令行のページを即座に参照できる「しおり」を付けており、単語検索でも目的の解説を容易に見つけられます。もちろん、プリンターで印刷して冊子としてご利用いただくことも可能です(A4判縦の単ページで作成)。

本書が、Jw_cadユーザー皆様のお役に立てることを願っております。

Obra Club

CONTENTS

第1章 知っておきたい13のポイント 13

第2章 メニューバーのコマンド 43

2 [編集] メニュー 74

3 [表示] メニュー 128

4 [作図] メニュー 134

5 [設定]メニュー 206

6 [その他]メニュー 248

7 [ヘルプ]メニュー 318

APPENDIX

CD-ROM

【上級編】付録CD-ROM収録のPDFファイル版

Jw_cadバージョン8 (8.24a) の主な新機能

バージョン7からの主なバージョンアップポイント

画像背景色の透過が可能▸p.108

挿入画像のファイルの種類を保持

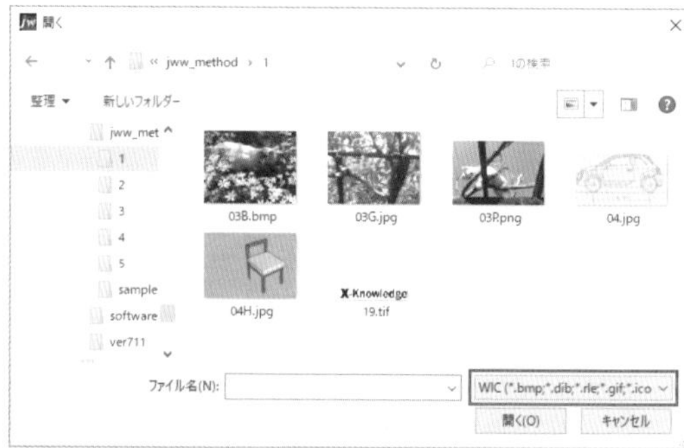

画像挿入のたびに「BMP」になる「ファイルの種類」が、一度変更するとJw_cad終了まで保持されるようになった。

Windows標準のコモンダイアログが利用可能▸p.31

「開く」「保存」コマンドで、Jw_cad特有の「ファイル選択」ダイアログに代わり、Windows標準のコモンダイアログの使用が可能になった。

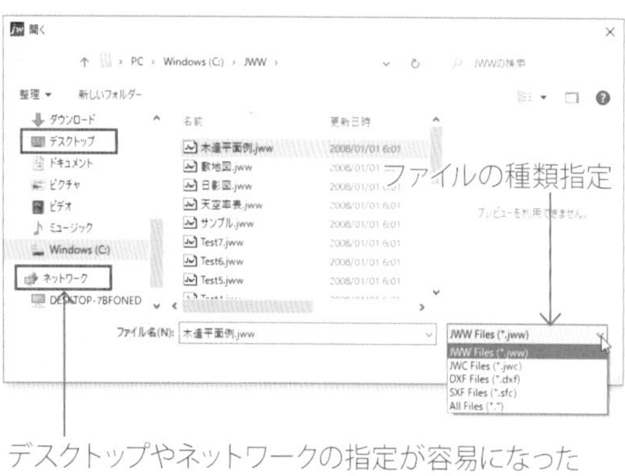

Windows 10/8のタッチパネル操作に対応▸p.28

タップ・ダブルタップ・ピンチアウトでの拡大表示、ピンチインでの縮小表示、スワイプでのスライドなどが可能になった。

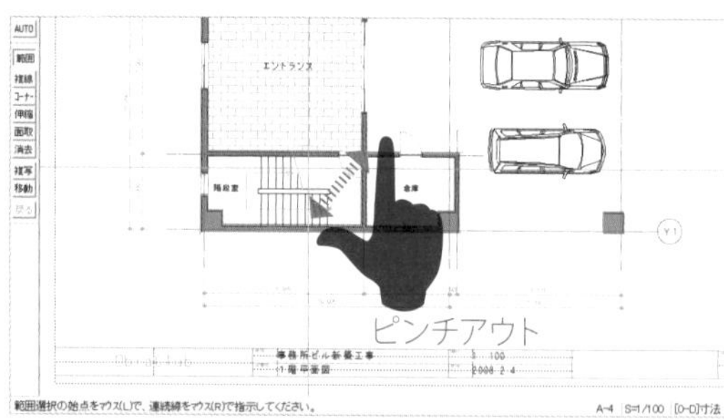

Shiftキー+㊀（または㊀）→による画面スライドを追加▸p.25

「包絡」コマンドに「建具線端点と包絡」を追加 ▶p.111

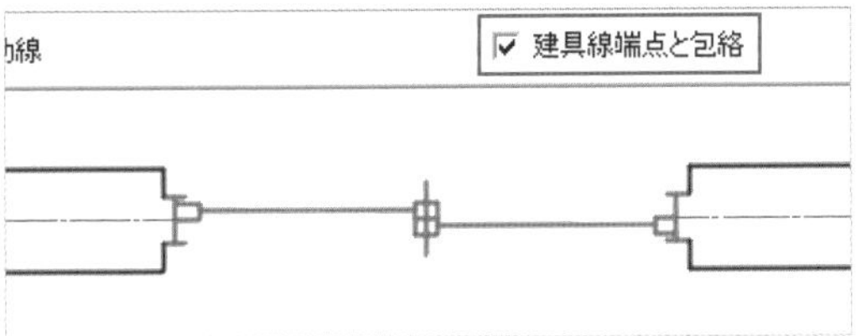

寸法部のグループ化機能を追加 ▶p.225

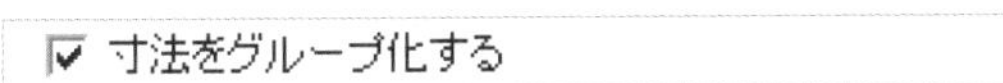

寸法線・引出線・端部実点または矢印をひとまとまりの1要素として扱えるようになった。

塗りつぶしタイプの端部矢印を追加 ▶p.224

寸法図形の寸法線の一括線色・線種変更が可能

従来、「範囲」コマンドの「属性変更」で寸法図形の寸法線の線色・線種は変更できなかったが、変更可能になった。

線記号変形のグループ化機能が追加 ▶p.252

指示した線と変形作図した記号をひとまとまりの1要素として扱えるようになった。

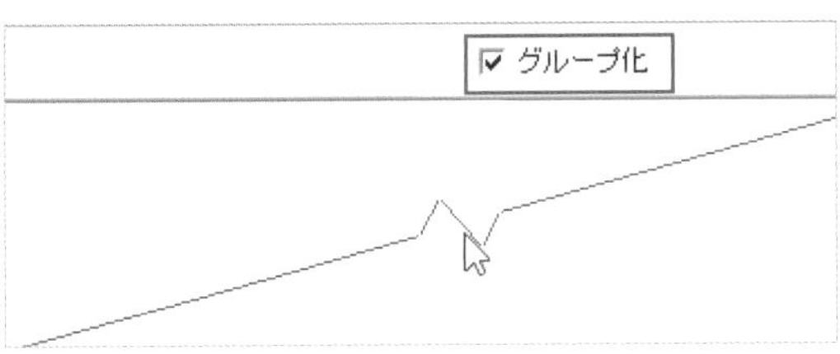

埋め込み文字の日付が令和に対応 ▶p.71

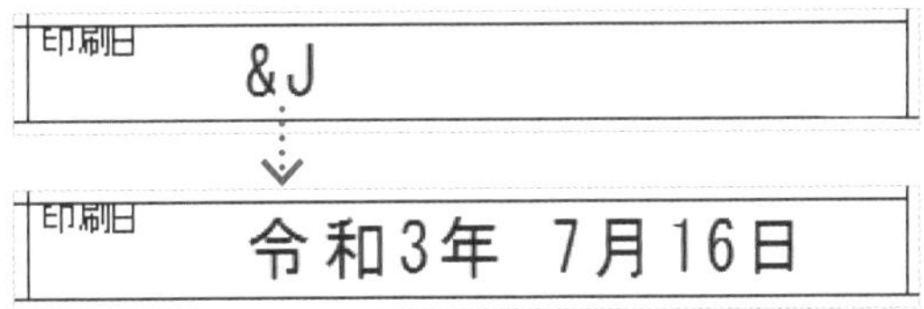

「分割」コマンドに円全体の分割機能を追加 ▶p.113

ユーザー設定ツールバー(3)～(6)と初期化を追加 ▶p.130

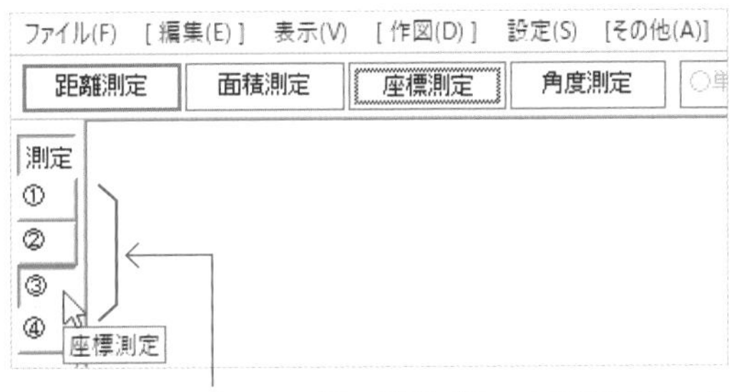

コントロールバーの一部の選択ボタンを配置することが可能になった

[表示]メニューに「Direct2D」と「ANTIALIAS」を追加 ▶p.133

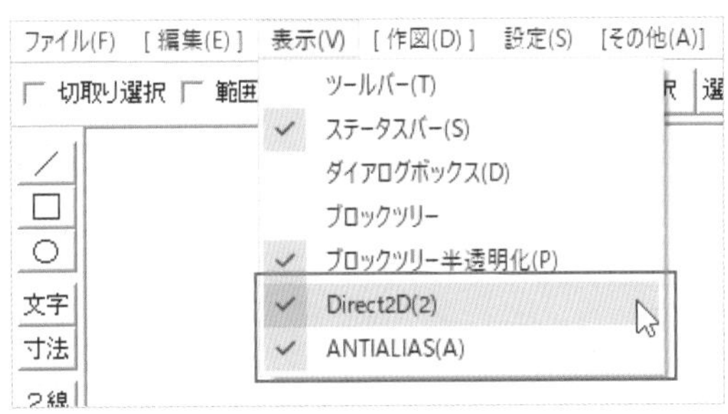

Jw_cadの概要

Jw_cadの画面と各部名称

以下は、解像度1280×800のパソコンにインストールしたJw_cadの画面である。画面の縦横比やタイトルバーの表示色、ツールバーの並びなどは、Windowsのバージョンや設定によって、下図とは異なる場合がある。

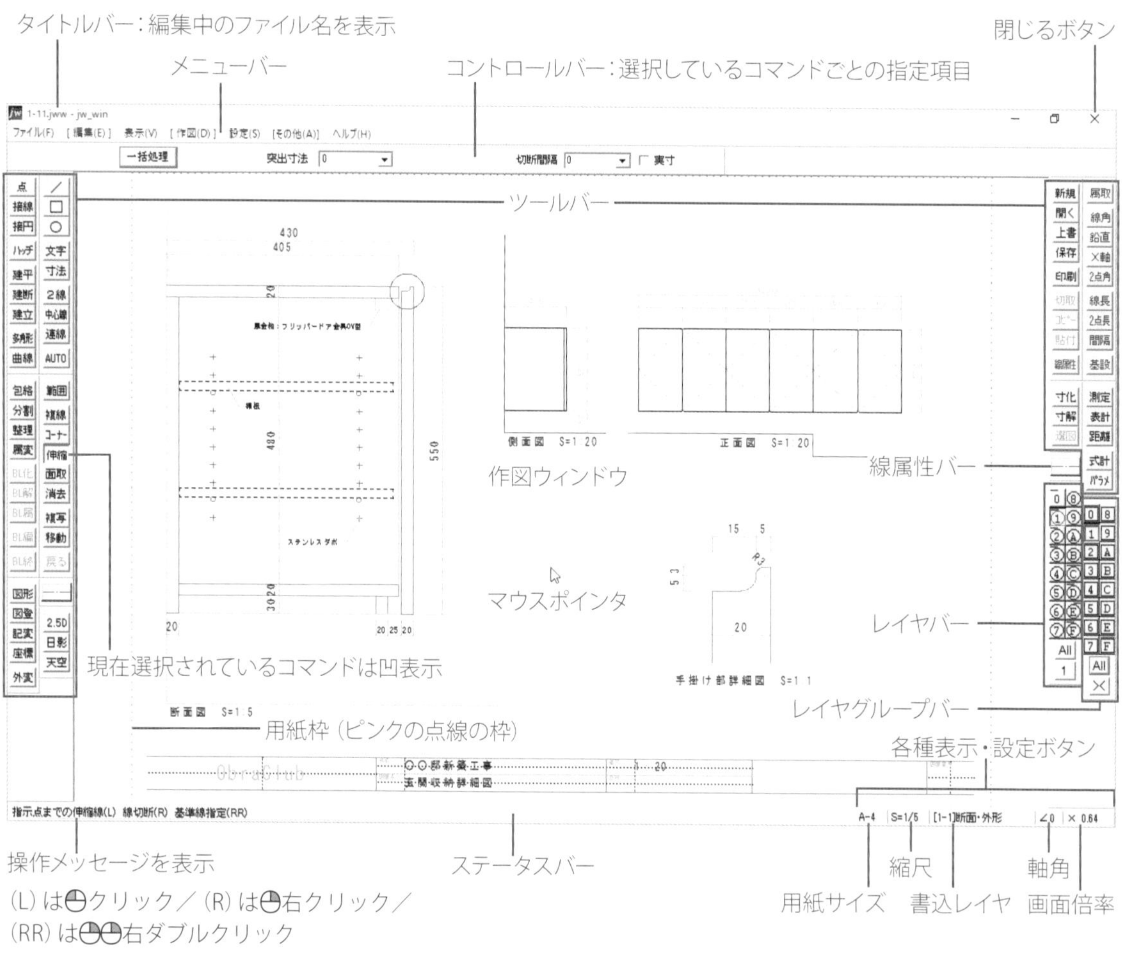

Jw_cadの特徴　⊖（クリック）と⊖（右クリック）の使い分け、ドラッグ操作の多用

図面上の点は⊖（右クリック）、点のない位置は⊖（クリック）で指示する。点指示時以外の⊖と⊖の使い分けは選択コマンドで異なり、操作メッセージに⊖は（L）、⊖は（R）と表記される（▶p.19）。
また、ドラッグ操作時に押すボタンと移動する方向で異なる機能が割り当てられている（▶p.40）。
以上の2点がJw_cad独自の機能であり、大きな特徴となっている。

書込線の線色・線種

標準線色9色と標準線種9種類が用意されている。「線色1」～「線色8」の標準線色は印刷時の線幅とカラー印刷時の印刷色の区別で、線色ごとに、基本設定のダイアログで印刷線幅・印刷色を指定する（▶p.212）

標準線色・標準線種の他にSXFファイルに対応した「SXF対応拡張線色・線種」が用意されている。「線属性」ダイアログの「SXF対応拡張線色・線種」にチェックを付けると、ダイアログが下図に切り替わる

書込線の線色・線種を指定する「線属性」ダイアログ（▶p.240）が開く

「線属性」コマンド

どちらかを⊖

「線属性」バー

書込線（これから作図する線）の線色・線種を表示

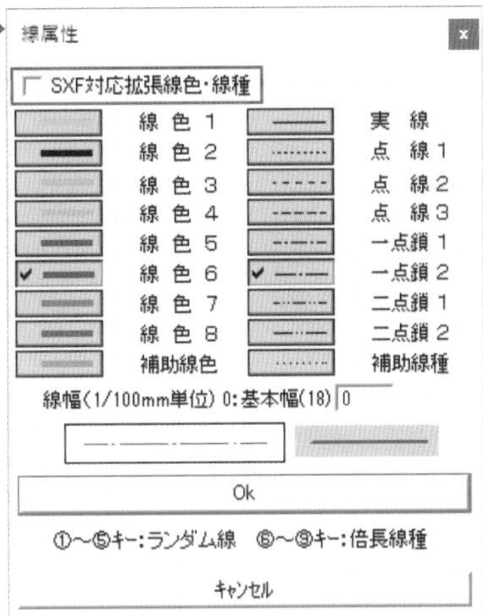

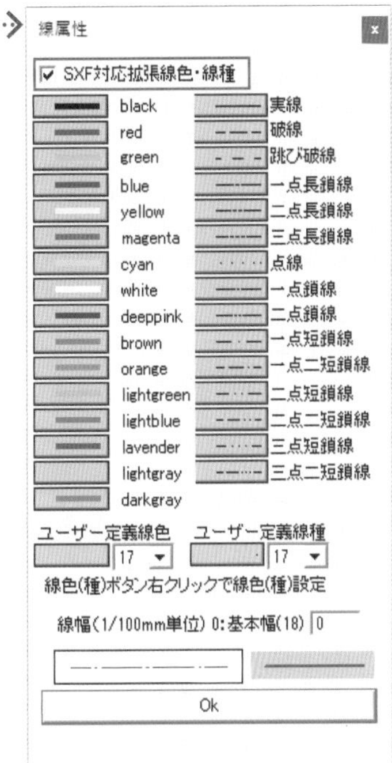

レイヤとレイヤグループ

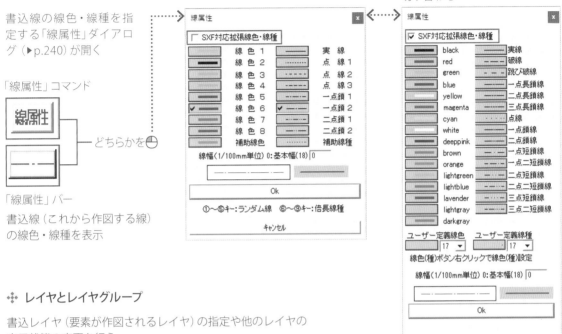

書込レイヤ（要素が作図されるレイヤ）の指定や他のレイヤの表示状態の変更を行う

「レイヤグループ一覧」ウィンドウ

各レイヤグループを表示。16レイヤを1セットにしたレイヤグループが16あり、レイヤグループごとに異なる縮尺を設定可能

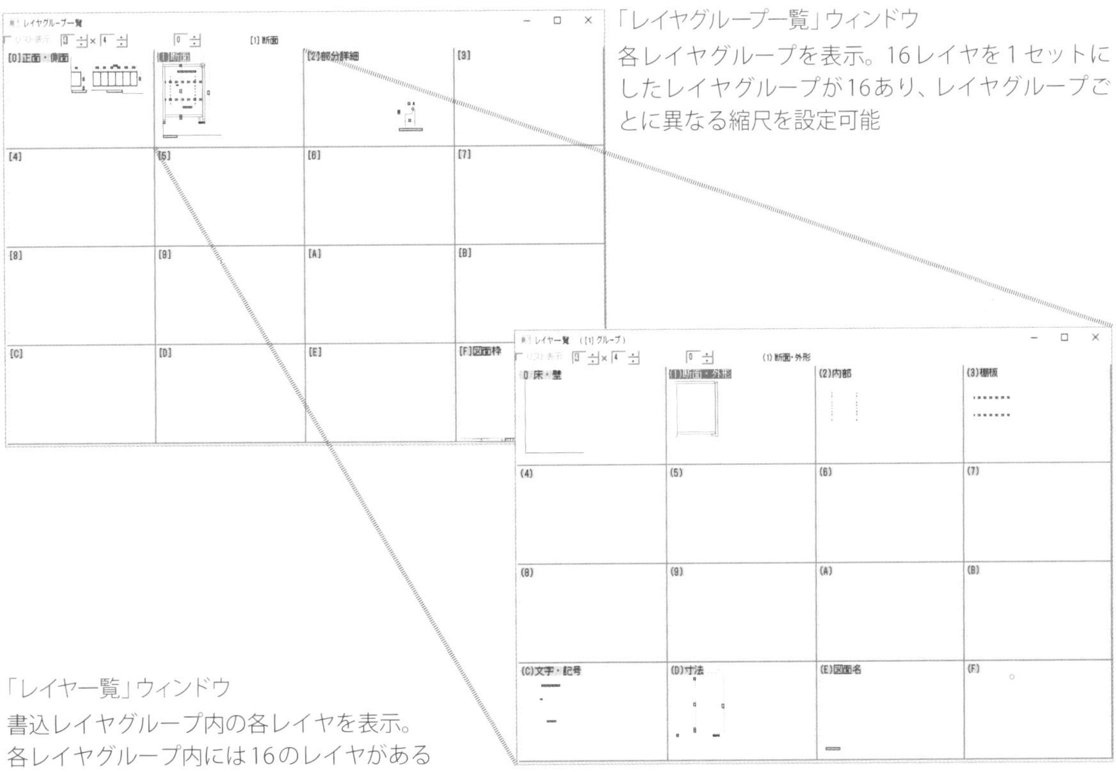

「レイヤ一覧」ウィンドウ

書込レイヤグループ内の各レイヤを表示。各レイヤグループ内には16のレイヤがある

本書の表記と凡例

マウス指示の表記

Jw_cadは、マウスの左右ボタンの使い分けやボタンを押したままマウスを移動するドラッグ操作に特徴がある。本書ではマウスからの指示を下記のように表記する。

クリック

- クリック　：左ボタンをクリック
- 右クリック：右ボタンをクリック
- 両クリック：左右両方のボタンを同時にクリック

ダブルクリック

- ダブルクリック　：左ボタンを続けて2回クリック
- 右ダブルクリック：右ボタンを続けて2回クリック

ドラッグ

ドラッグ操作により、押すボタンとマウスを移動する方向を組み合わせて以下のように表記する。

- 右ドラッグ：右ボタンを押したまま右方向にマウスを移動
- 両ドラッグ：左右両方のボタンを押したまま右下方向にマウスを移動

参考 ドラッグ操作によるクロックメニューの表記▶p.40

キーボード入力の表記

寸法・角度などの数値や文字を入力するには、入力ボックスを入力状態にしたうえで、キーボードから入力する（数値入力▶p.38）。本書では、入力する数値や文字に「　」を付けて表記する。また、キーボードの特定のキーを押す指示はキーの名称を □ で囲んで表記する。2つ以上のキーを同時に押す操作は Ctrl + S キーのように「＋」を使って表記する。

例）「寸法」ボックスに「700」を入力

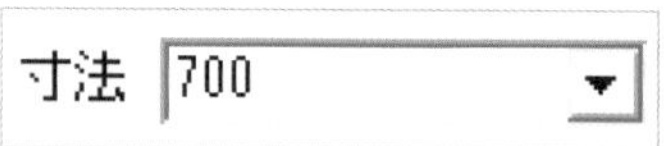

Jw_cadでは原則として数値入力後の Enter キーは押さない

コマンド選択の表記

コマンドの選択は、それぞれ下記のように表記する。

例）メニューバー［作図］－「円弧」を選択

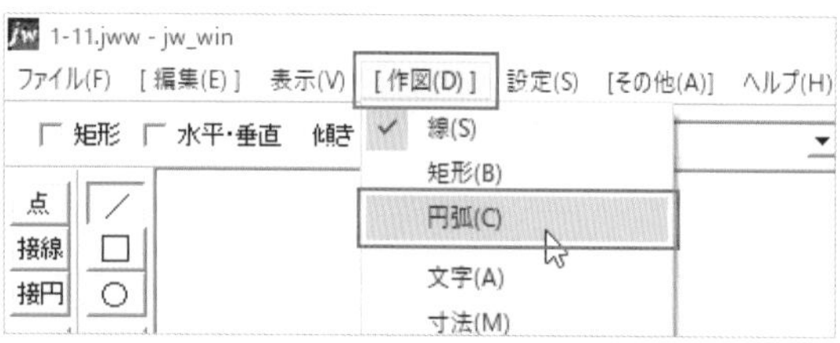

メニューバー［作図］をし、表示されるメニューの「円弧」を

例）「○」コマンドを選択

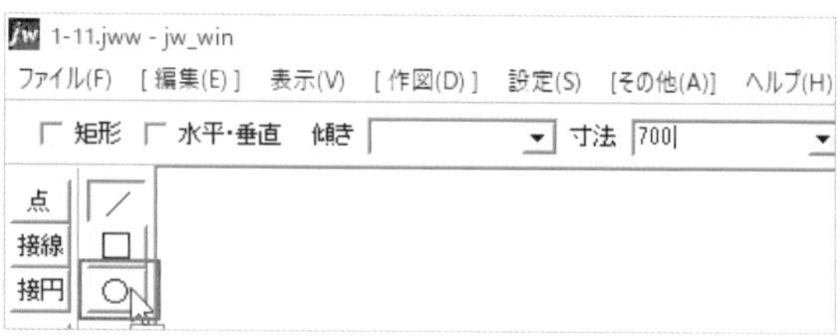

ツールバーの「○」コマンドボタンを

凡例

- POINT――覚えておきたい重要ポイントや注意事項
- できる――知って得する豆知識や応用操作
- CD-ROM 1-06.jww ―付録CD-ROM収録の図面ファイル名
- 参考 ― 詳細・関連事項の説明がある参照ページや、参考図書（別書）
- JWWトリセツ付録.pdf―付録CD-ROM収録の【上級編】（PDFファイル）

第1章

知っておきたい13のポイント

第1章では、Jw_cadを使ううえで知っておきたい13の機能および特徴について説明します。

1 図面を構成する「要素」と「属性」

CD-ROM 1-01.jww

図面を構成する線、円・弧、文字などの「要素」と、要素に付く性質である「属性」について

Jw_cadの図面は、線、円・弧、文字、点、ソリッドで構成されている。これらを「基本要素」と呼ぶ。要素とは別に、要素に付随する性質「属性」がある。

属性 寸法・寸法図形（寸法属性が付く）

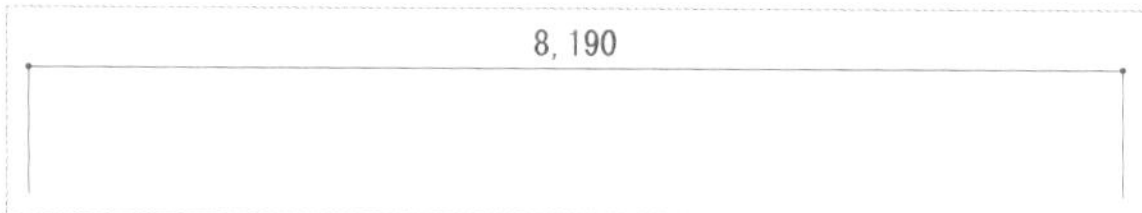

「寸法」コマンドで作図された寸法部（寸法線、寸法値、引出線、端部実点または矢印）には「寸法属性」が付く。そのうち、「寸法線と値を【寸法図形】にする」設定で記入された寸法線と寸法値（上図の赤い要素）が1セットの寸法図形（▶p.18）になる。

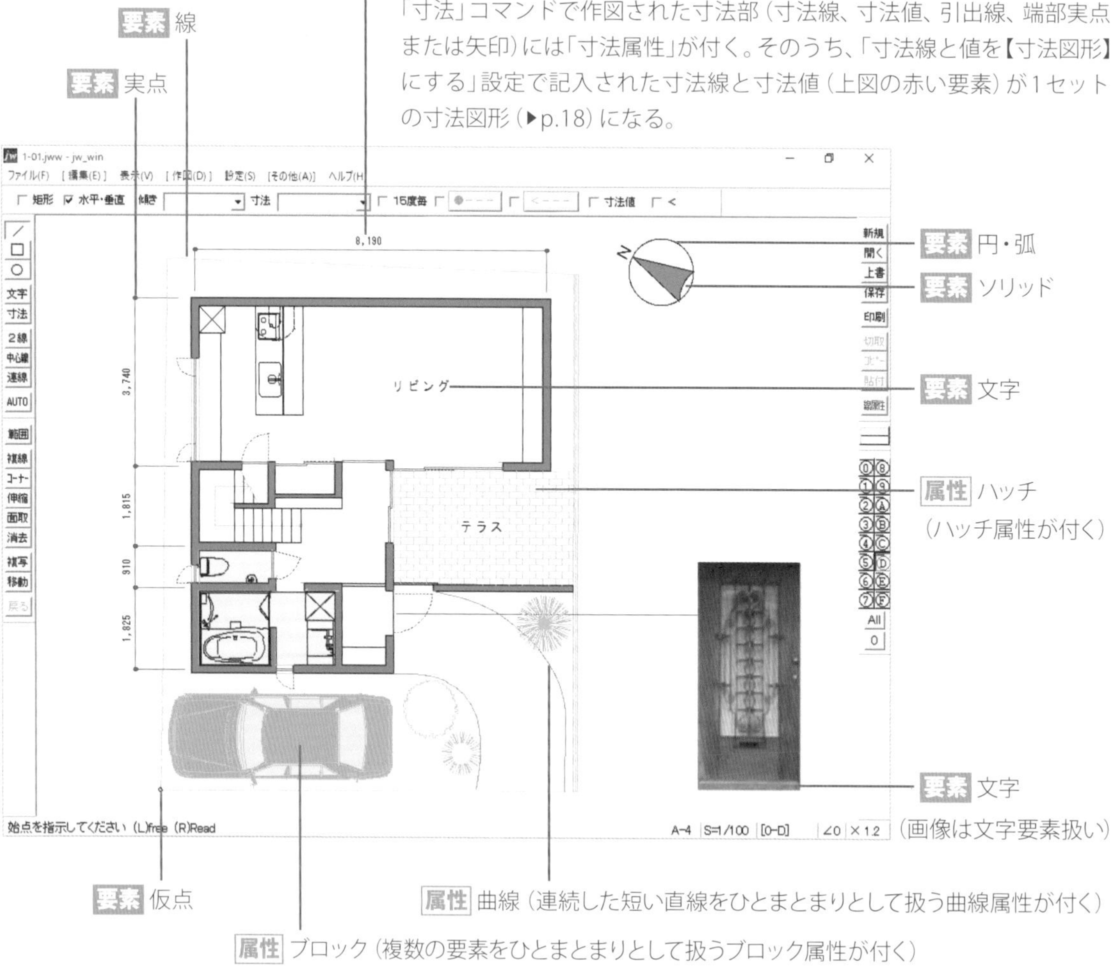

基本設定の「一般（1）」タブ（▶p.207）の最下行には、下図のように、編集中の図面に作図されている要素・属性の数が表示される。

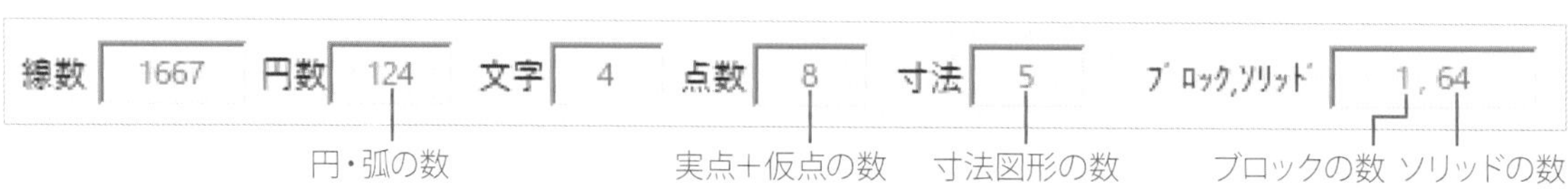

基本要素

線

両端に⊖で読み取れる端点を持つ。ハッチングの線、寸法線、引出線（寸法補助線）、端部の矢印などもすべて線要素である。曲線も短い直線が連続したものである。

円・弧

「○」「接円」コマンドで作図される円・弧、楕円・楕円弧がある。円弧・楕円弧は、両端に⊖で読み取れる端点を持つ。

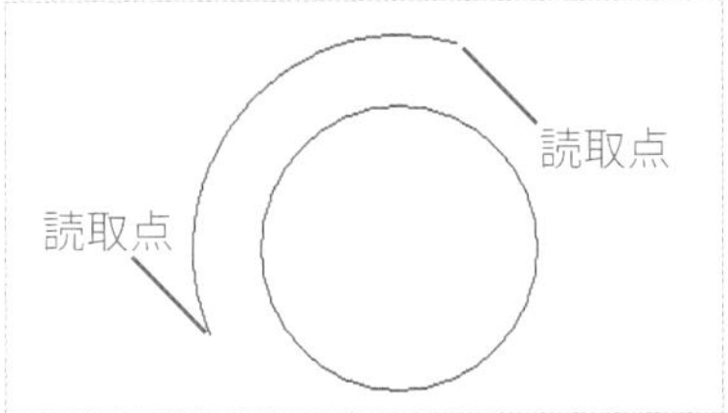

実点と仮点

実点と仮点は「点」「分割」「距離指定点」コマンドなどで作図される。実点は印刷される点、仮点は印刷されず編集操作の対象にもならない点である。どちらも⊖で読み取れる。

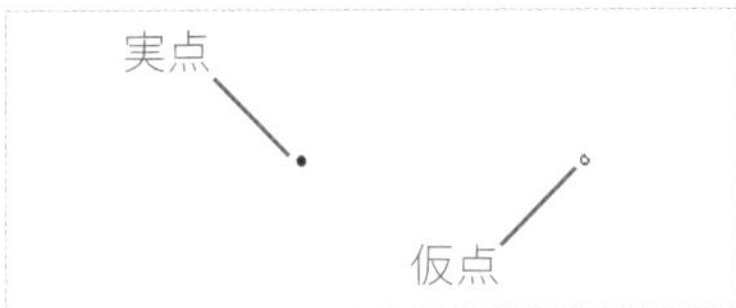

文字、画像（文字要素扱い）

文字は記入時の1行（「1文字列」と呼ぶ）を編集の最小単位とする。文字列の左下と右下に⊖で読み取りできる（見えない）点を持つ。

あらかじめ大きさと色No.（線色）が固定された10種類の文字種類と、自由に大きさを指定できる任意サイズがある。フォントは文字種類に関係なく文字列ごとに指定する。画像は左下に表示命令文（▶JWWトリセツ付録.pdf p.15）が記入されており、文字要素として扱う。

ソリッド

塗りつぶし部を「ソリッド」と呼ぶ。ソリッドは四角形や三角形に分割されて作成されるが、それらをひとまとまりとして扱う「曲線属性」を付けることができる。外形線に円・弧を含むソリッドは「円ソリッド」と呼ぶ。

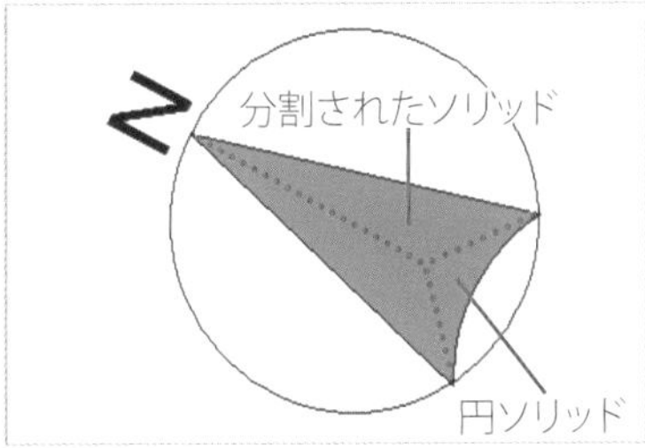

属性

線色・線種や文字種、作図されているレイヤなど、要素に付随する性質を「属性」と呼ぶ。これらの他に以下の属性がある。

寸法属性

「寸法」コマンドで作図した寸法部（寸法線、寸法値、引出線、端部実点または矢印）に付く。

ハッチ属性

「ハッチ」コマンドで作図したハッチングに付く。

図形属性

「図形」コマンドで読み込んだ図形に付く。

建具属性

「建具平面」「建具断面」「建具立面」コマンドで作図した建具に付く。「包絡」コマンドの編集対象にならない。

以下は、複数の要素をひとまとまり（1要素）として扱う属性である。

曲線属性（▶p.16）

「曲線」コマンドで作図した曲線、「日影図」コマンドで作図した日影線、グループ化を指定して記入した寸法部（寸法線・寸法値・引出線・端部実点または矢印）および線記号、「曲線属性化」を指定して作図したソリッドなどに付く。

ブロック（▶p.17）

複数の要素をひとまとまりとして基準点を指定し、名前が付けられている。

寸法図形（▶p.18）

「寸法線と値を【寸法図形】にする…」設定（▶p.224の**31**）で作図した、1セットになった寸法線と寸法値。

2 曲線属性

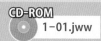

CD-ROM 1-01.jww

複数の要素をひとまとまり（1要素）として扱う

曲線属性は連続する複数の線分をひとまとまり（1要素）として扱うものである。「曲線」コマンドで作図した曲線（Jw_cadの曲線は短い直線の連続）、「日影図」コマンドで作図した日影線、グループ化を指定して記入した寸法部や線記号、曲線属性化で作図したソリッドに付くほか、指定要素に曲線属性を付加することも可能。また、他のCADで作図したポリライン、曲線、グループなどが曲線属性の付いた要素として読み込まれる場合もある。

曲線属性の特性

ひとまとまり(1要素) として扱える

曲線属性が付いた線を「消去」コマンドで⊖すると、⊖した線だけでなく、曲線属性が付いた要素全体が消える。

範囲選択時、その一部を⊖（連続線選択）することで、曲線属性の付いた要素全体が選択できる。

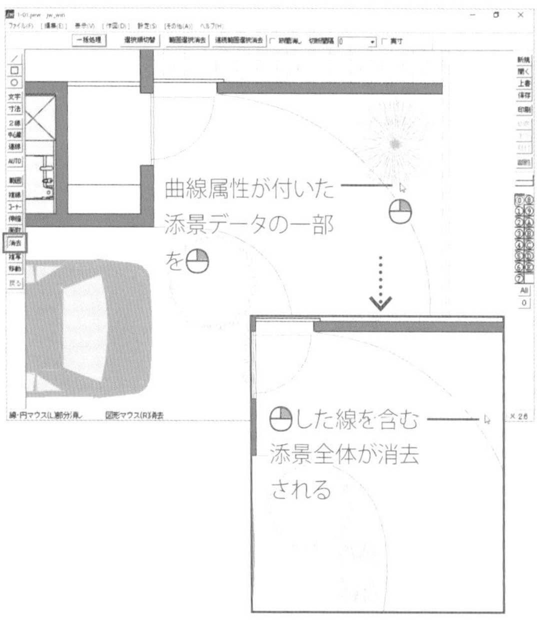

一部だけを編集することはできない

曲線属性が付いた要素は、「伸縮」「コーナー」「面取」コマンドで編集できない（「伸縮」コマンドの基準線にすることは可）。直線部分に限り、「消去」コマンドの部分消しはできるが、その場合、部分消しした線の曲線属性は解除される。

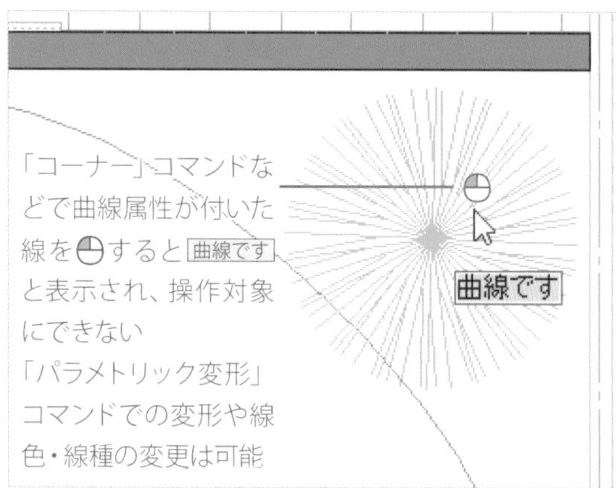

「コーナー」コマンドなどで曲線属性が付いた線を⊖すると 曲線です と表示され、操作対象にできない
「パラメトリック変形」コマンドでの変形や線色・線種の変更は可能
曲線です

※ グループ化した線記号や寸法部（寸法図形は除く）の編集は可能。

曲線属性化、曲線属性の解除

曲線属性化

「範囲」コマンドで選択した複数の要素（連続していなくてもよい）に「属性変更」のダイアログ（▶p.79）で「曲線属性に変更」を指定することで、曲線属性を付加できる。

曲線属性の解除

「範囲」コマンドで対象要素を選択し、「属性変更」のダイアログ（▶p.79）で「全属性クリアー」を指定することで、曲線属性を解除できる（他の属性もすべて解除される）。

3 ブロック

CD-ROM 1-01.jww

複数の要素をひとまとまり（1要素）として扱い、基準点とブロック名を持ち、その名前ごとの数を集計できる

ブロックは「ブロック化」コマンドで作成する。また、SXFファイルの部分図・寸法部・ハッチングや、DXFファイルとして開いた他のCAD図面のブロックも、Jw_cadのブロックとして読み込まれる。複数の要素をひとまとまり（1要素）として扱えるのは曲線属性と同じだが、ブロックは基準点情報と名前を持ち、名前ごとに数を集計できる。

ブロックの特性

ひとまとまり(1要素) として扱える

ブロックの一部を「消去」コマンドでした場合、ブロック全体が消去される。

一部だけを編集することはできない

ブロックは、一部を消去したり、線色・線種を変更するなどの編集はできない。編集するには、ブロックを解除してから行うか、「ブロック編集」コマンドで行う。

「コーナー」コマンドなどでブロックの一部をすると ブロック図形です と表示され、操作対象にできない

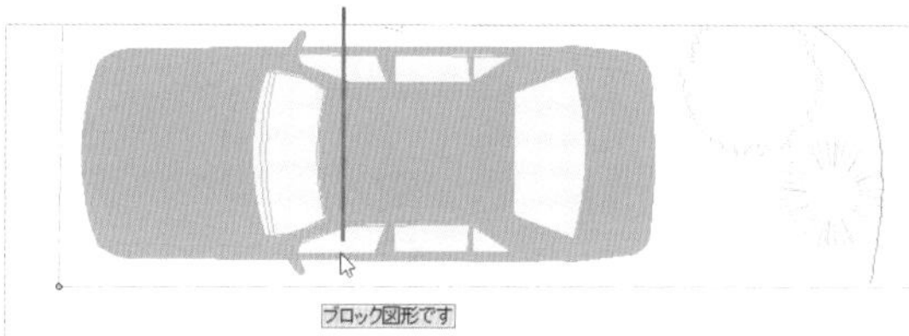

通常は、「範囲」コマンドの「属性変更」（▶p.79）でレイヤ変更はできるが、「元データのレイヤを優先する」指定のブロックはレイヤの変更もできない。

作成時の基準点情報を保持している

ブロック作成時の基準点で移動・複写を行える。ブロック全体を選択範囲枠に入れても、基準点が選択範囲枠外にあると、ブロックは選択されない。

図面上のブロック数を集計できる

「範囲」コマンドの「文字位置・集計」で図面上のブロック数をブロック名ごとに集計できる（▶p.81）。

多重構造にできる

ブロックをさらにブロック化する多重構造が可能である。ただし、ブロック集計やブロック解除の対象になるのは、最上層のブロックのみとなる。

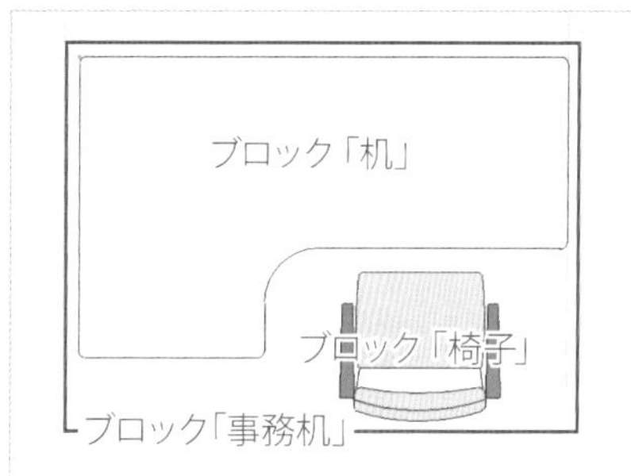

「ブロックツリー」ウィンドウで一覧できる

図面内に使われているブロックを、多重ブロックも含め、「ブロックツリー」ウィンドウで一覧できる（▶p.132）。

属性取得でブロック編集に移行できる

属性取得の対象としてブロックを指示すると、属性取得をするとともに、そのブロック編集を行うための「選択されたブロックを編集します」ダイアログが開き、「OK」ボタンをするとブロック編集モード（▶p.125）になる。ブロック編集を行わない場合は「キャンセル」ボタンをする。

ブロック化、ブロックの解除

ブロック化

対象を範囲選択して、基準点を指示し、メニューバー［編集］－「ブロック化」を選択する（▶p.122）。

ブロックの解除

対象ブロックを選択して、メニューバー［編集］－「ブロック解除」を選択する（▶p.123）。

4 寸法図形

CD-ROM 1-01.jww

寸法線とその寸法値を1セットとして扱う

「寸法設定」ダイアログ（▶p.224）で「寸法線と値を【寸法図形】にする…」を指定して、記入した寸法部の寸法線と寸法値は１セットとして扱われる寸法図形になる。寸法図形の寸法値は、常に寸法線の実寸長を表示する。また、SXFファイルの直線寸法は、寸法線・寸法値・引出線・点マーカ（端部実点または矢印）を１セットとした寸法図形として読み込まれる。

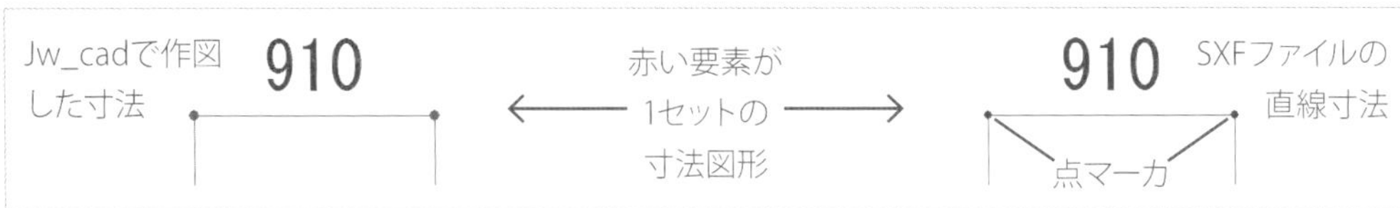

寸法図形の特性

寸法線と寸法値を1セットの要素として扱う

寸法図形の寸法線と寸法値は１セットであるため、「消去」コマンドで寸法線を◐すると寸法値もともに消去される。

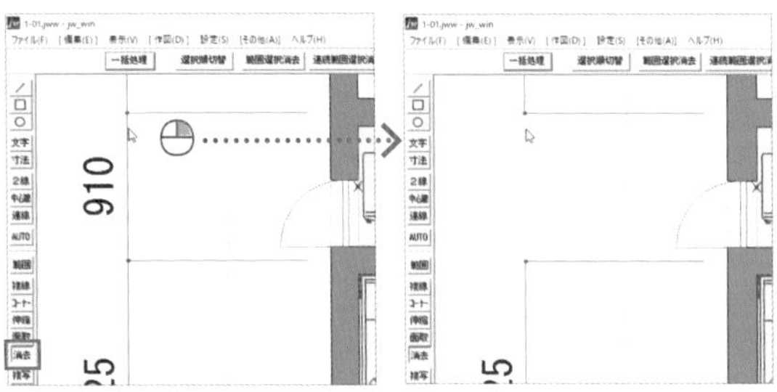

寸法値は常に寸法線の実寸法を表示する

寸法図形の寸法値は、常に寸法線の実寸法を表示するため、「伸縮」コマンドや「パラメトリック変形」コマンドで寸法線を伸縮した場合、その寸法値も寸法線の実寸法に変更される。

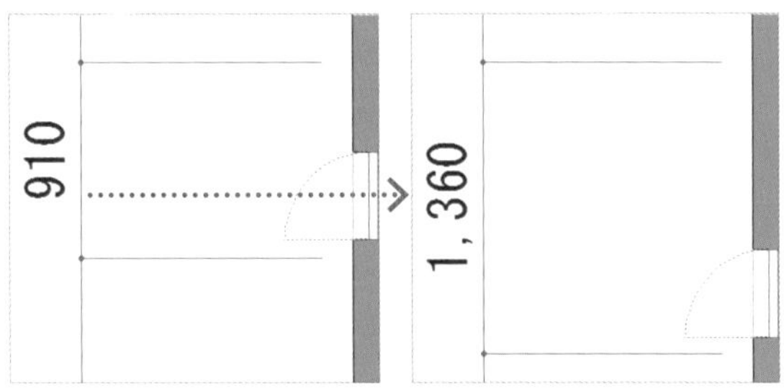

線色・線種、文字色の変更に制限

「範囲」コマンドの「属性変更」（▶p.79）では寸法線の線色・線種や寸法値の文字種を変更できる（寸法値色の変更は不可）が、「属性変更」コマンド（▶p.120）では寸法線の線色・線種、寸法値の文字種は変更できない。変更するには寸法図形を解除（▶p.282）する。

寸法値は「文字」コマンドでは扱えない

寸法図形の寸法値の移動や書き換えは「文字」コマンドではできない。「寸法」コマンド（▶p.160）で行う。

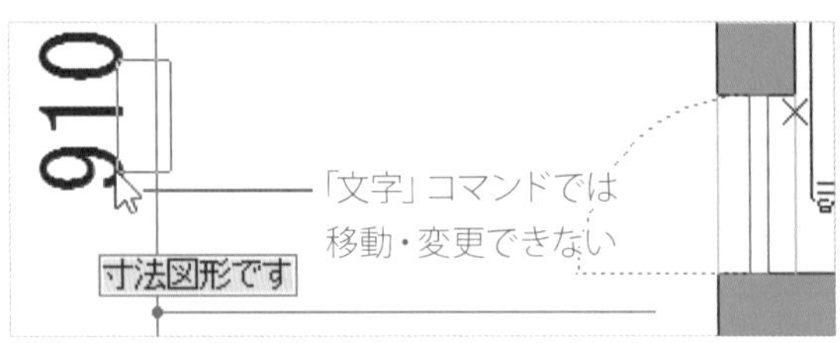

寸法図形化、寸法図形の解除

寸法図形化

メニューバー［その他］－「寸法図形化」を選択して行う（▶p.280）。

寸法図形の解除

メニューバー［その他］－「寸法図形解除」を選択して行う（▶p.282）。

5 マウス左・右クリックの使い分け

CD-ROM 1-05.jww

選択しているコマンドや指示対象（線や点）により、マウスの左クリックと右クリックを使い分ける

次に行う作図操作の内容やクリック指示の対象によって、マウスのボタンとを使い分ける。使い分けの方法は、操作メッセージに「(L) free」や「(L)」、「(R) Read」や「(R)」として表示される。(L) は、(R) は、(R)(R) は（右ダブルクリック）を示す。

線・円マウス(L)部分消し　図形マウス(R)消去

とで操作内容が違う例（「消去」コマンド）
- 指示する要素の一部を消すには対象を
- 指示する要素全体を消すには対象を

1番目の線・円をマウス(L)で、読取点をマウス(R)で指示

とで指示対象が違う例（「中心線」コマンド）
- 指示する対象要素が線・円（要素）ならば
- 指示する対象要素が点（読取点）ならば

点指示時の左クリックと右クリックの使い分け

作図・編集や測定などの点指示時の操作メッセージに「(L) free　(R) Read」が表示される。「(R) Read」は、既存の端点や交点をすることで、その座標点を読み取り、指示点として利用する。「(L) free」は、した位置に座標点を作成し、指示点とする。

始点を指示してください　(L)free　(R)Read　点指示時の操作メッセージ

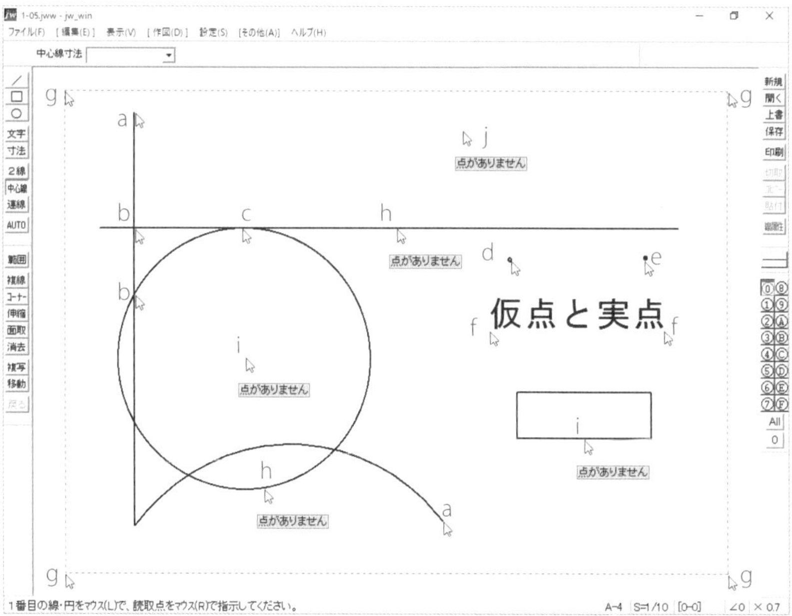

1-05.jww - jw_win
点がありません
仮点と実点
1番目の線・円をマウス(L)で、読取点をマウス(R)で指示してください。

で読み取りできる点

a 端点、b 交点（線・円・弧が交わる点）、c 接点、d 仮点、e 実点、f 文字列の左下と右下、g 用紙枠の4つの角、目盛（▶p.226）の点

すると 点がありません と表示され点指示（読み取り）できない位置

h線上・円周上、i円中心点・線の中点、j 要素や目盛点（▶p.226）のない位置

できる 重ねがきされた線の読み取り

重ねがきされた線をクリックした場合、意図した線が指示できるとは限らない。書込線色・線種と同じ線色・線種または書込レイヤに作図されている線に限り、キーを併用することで確実に指示する方法がある。

- 書込線色・線種の線：Ctrlキーを押したままクリック
- 書込レイヤの線：Shiftキーを押したままクリック
- 書込レイヤの書込線色・線種の線：CtrlキーとShiftキーの両方を押したままクリック

6 対象要素の選択　範囲選択

CD-ROM 1-06.jww

範囲複写・移動、データ整理、図形登録コマンドなどで操作対象を選択する時の共通操作

選択範囲枠で囲むことで複数の要素を選択する。以下は「範囲」コマンドを例に説明する。

基本操作

1　選択範囲の始点位置を⊖。

> **POINT**　**1**の代わりに線・円・弧を⊖することで、⊖した線・円・弧とそれに連続する線・円・弧やブロックを選択できる。この時点でのコントロールバーでの指定はp.22を参照。

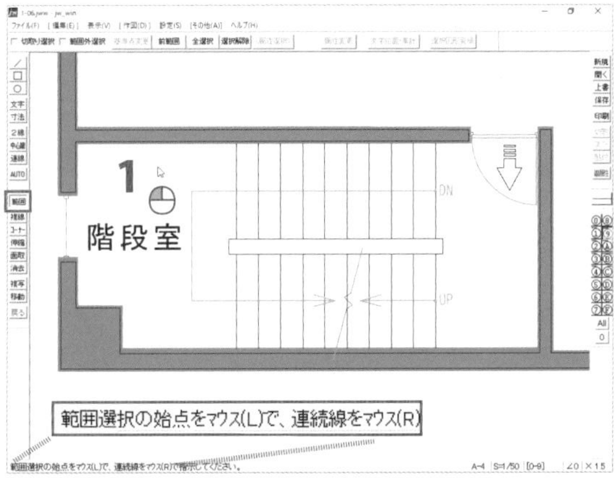

➡ **1**を対角とする選択範囲枠がマウスポインタまで表示される。

2　選択する要素が選択範囲枠に入る位置で終点を⊖（または⊖）。

> **POINT**　選択範囲枠に全体が入る要素を選択する。選択範囲枠内の文字を選択しない場合は終点を⊖（文字を除く）する。

➡ 選択範囲枠に全体が入る要素が選択され、選択色になる。

> **POINT**　ブロック（▶p.17）はその基準点が選択範囲枠に入る場合に、画像は画像左下の画像制御文字全体が選択範囲枠に入る位置で終点を⊖（文字を含む）した場合に選択される。

終点を⊖　文字は選択されない

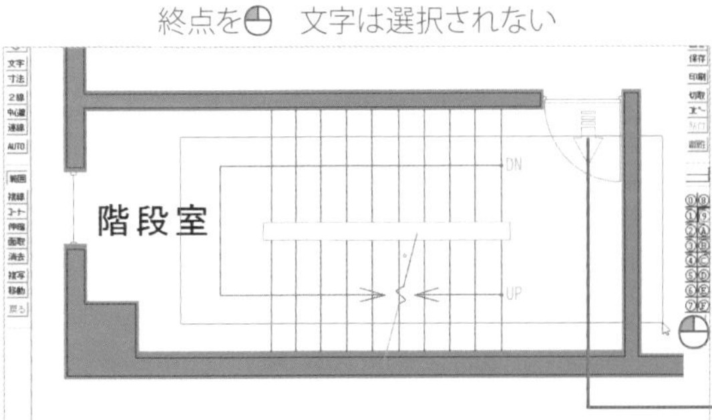

終点を⊖　選択範囲枠に全体が入る文字も選択される

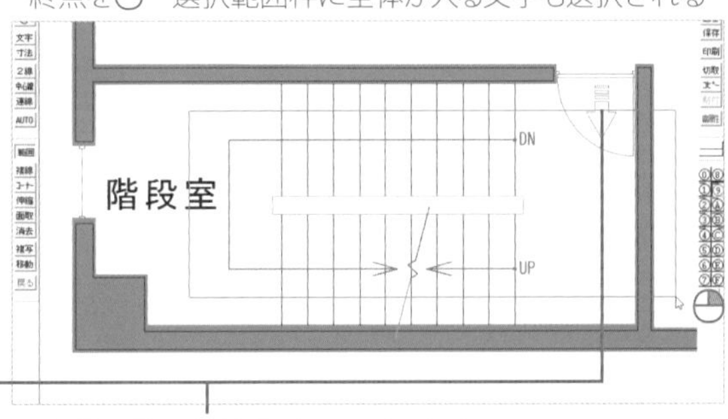

ブロックは選択範囲枠に基準点が入れば選択される

POINT この段階で、線・円・点要素を⊖（文字要素は⊖、連続線は[Shift]キーを押したまま⊖）することで追加選択（または選択から除外）できる。コントロールバー「追加範囲」「除外範囲」は、選択範囲枠で囲むことで追加・除外要素を指定する。

3 必要に応じて追加（または除外）する要素を⊖（文字は⊖）。

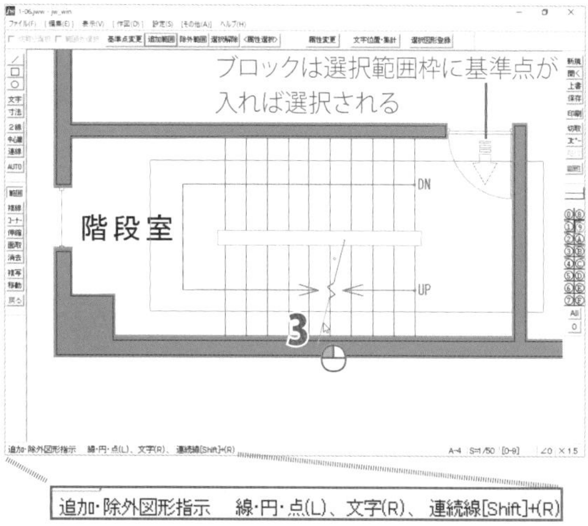
ブロックは選択範囲枠に基準点が入れば選択される
階段室
DN
UP
3
追加・除外図形指示　線・円・点(L)、文字(R)、連続線[Shift]+(R)

➡ ⊖した要素が追加選択され、選択色になる。

POINT ここで表示される赤の○の位置（自動的に決まる）は、この後、複写・移動などの操作を行う際の基準点になる。基準点の位置は、コントロールバー「基準点変更」ボタンを⊖で変更できる。

共通する操作手順はここまでである。
操作対象にする要素が選択されたことを確認し、コントロールバーの指定（▶p.22）、または選択した要素に対する操作コマンドを選択して、続きの操作を行う。

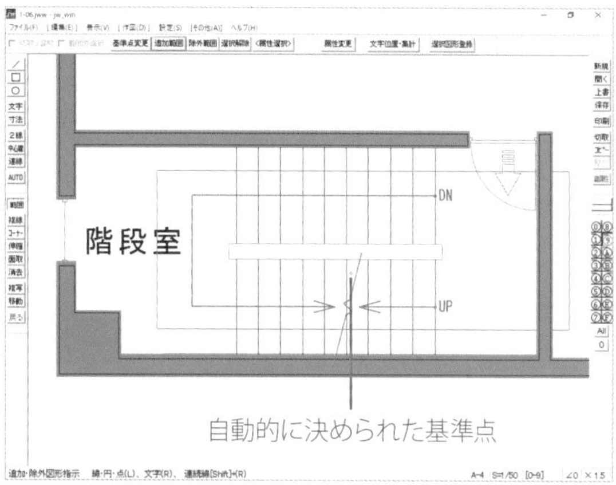
階段室
DN
UP
自動的に決められた基準点

できる 交差線選択

2で選択範囲の終点をダブルクリックすることで、選択範囲枠に全体が入る要素と合わせて選択範囲枠に交差する線・円・弧要素が選択される。

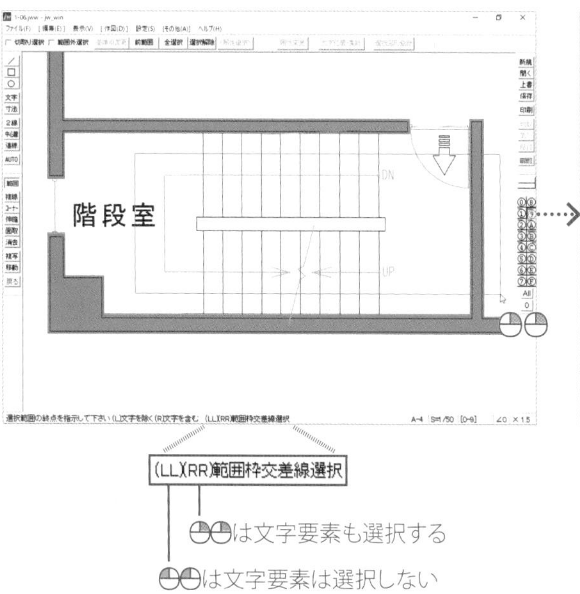
階段室
DN
UP
(LL)(RR)範囲枠交差線選択
⊖⊖は文字要素も選択する
⊖⊖は文字要素は選択しない

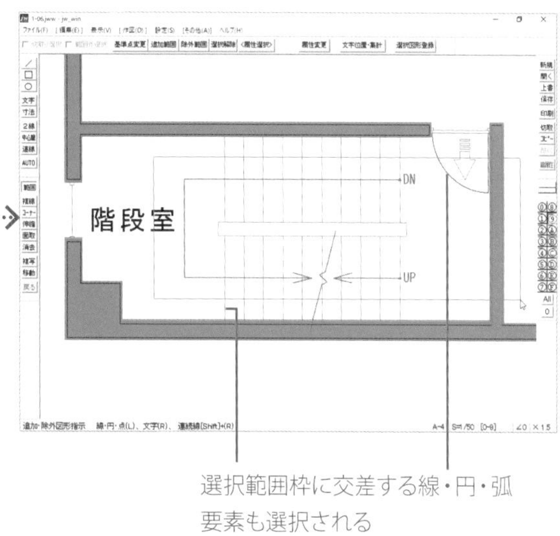
階段室
DN
UP
選択範囲枠に交差する線・円・弧要素も選択される

範囲選択の終点指示前のコントロールバー

※下図は複写コマンドのコントロールバー

① ② ③ ④ ⑤

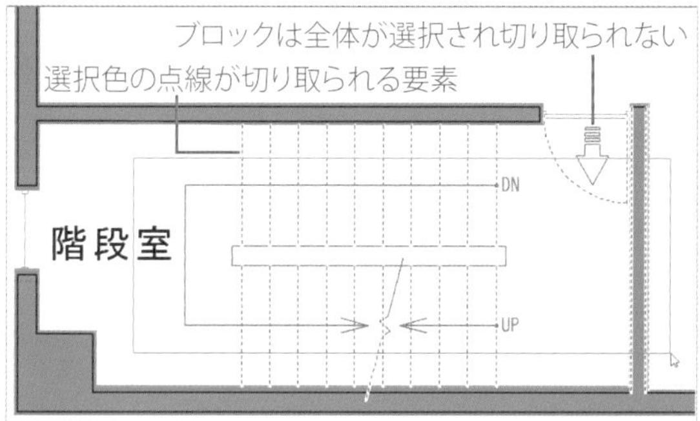

①「切取り選択」チェックボックス
（範囲／複写／消去コマンドのみ）
選択範囲枠内を切り取って選択する。
選択範囲枠と交差する線・円・弧が切り取り対象として選択色の点線になる。文字、ソリッド、ブロックは切り取り対象にならない。

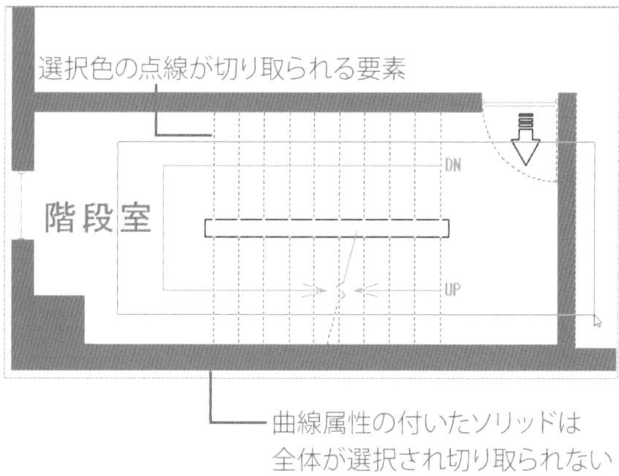

②「範囲外選択」チェックボックス
（範囲／複写／消去コマンドのみ）
選択範囲枠外を切り取って選択する。
選択範囲枠と交差する線・円・弧が切り取り対象として選択色の点線になる。文字、ソリッド、ブロックは切り取り対象にならない。

③「前範囲」ボタン
1つ前に選択した要素を再度選択する（▶p.33 できる）。

④「全選択」ボタン
表示のみレイヤ・非表示レイヤ以外のすべての要素を選択する。

⑤「選択解除」ボタン
選択されている要素をすべて解除する。

範囲選択の終点指示後のコントロールバー

※下図は複写コマンドのコントロールバー

① ② ③ ④ ⑤ ⑥

①「基準点変更」ボタン
選択対象を確定し、範囲選択時に自動的に決められた基準点を変更する（▶p.76、100）。
この指示は Shift ＋ Enter キーを押すことでも行える。

②「追加範囲」ボタン
選択範囲枠で囲むことで追加選択する。

↘ AM5時 追加範囲

③「除外範囲」ボタン
選択されている要素を選択範囲枠で囲むことで、対象から除外する。

POINT ②、③はコントロールバーのボタンをせずに、追加範囲の始点位置から↘ AM5時 追加範囲（または除外範囲の始点位置から↓ AM6時 除外範囲）し、表示される選択範囲枠で追加（または除外）対象を囲んでもよい。

↓ AM6時 除外範囲

④「選択解除」ボタン
選択されている要素をすべて解除する。

⑤「<属性選択>」ボタン
選択されている要素から、ダイアログで指定した条件に合った要素のみを選択、または除外する。

1 ブロック図形指定　ブロック（▶p.17）。
2 （ブロック名指定） 次に開く「ブロック名を指定して選択」ダイアログで選択した名前のブロック。
3 文字指定　文字要素。
4 （文字種類指定） 次に開く「文字種選択」ダイアログで選択した文字種。
5 ハッチ属性指定　ハッチ属性（▶p.15）の要素。
6 ソリッド図形指定　ソリッド（▶p.15）要素。
7 図形属性指定　図形属性（▶p.15）の要素。
8 建具属性指定　建具属性（▶p.15）の要素。
9 寸法属性指定　寸法属性（▶p.15）の要素。
10 寸法図形指定　寸法図形（▶p.18）。
11 実点指定　実点（▶p.15）。
12 直線指定　直線。手書線（▶p.173）は含むが、曲線属性の付いた直線は対象外。
13 円指定　円・弧。
14 補助線指定　補助線色、補助線種の要素。
15 曲線指定　曲線属性（▶p.16）の要素。
16 指定【線色】指定　次に開く「線属性」ダイアログで指定した線色の要素。
17 <線幅>指定　次に開く「線属性」ダイアログで指定した個別線幅の要素。この項目は、基本設定のダイアログの「色・画面」タブの**13**（▶p.212）にチェックがない場合は表示されない。
18 指定 線種 指定　次に開く「線属性」ダイアログで指定した線種の要素。
19 書込【レイヤ】指定　書込レイヤの要素。
20 書込レイヤグループ指定　書込レイヤグループの要素。
21「レイヤ変更」ボタン　ダイアログ表示中はレイヤバーでの操作は不可なため、ボタンを⊖して開く「レイヤ設定」ダイアログ（▶p.243）で書込レイヤ、書込レイヤグループを変更する。
22【指定属性選択】 指定条件を満たす要素のみを選択する。
23《指定属性除外》 指定条件を満たす要素を除外する。

⑥「選択確定」ボタン（「範囲」コマンドにはない）
選択されている要素を確定し、次の操作に進む。この指示はEnterキーを押してもよい。

1〜15は、2項目以上を選択した場合、その1つの項目でも該当する要素が対象になる。
16〜20は、2項目以上を選択した場合、選択項目すべてに該当する要素が対象になる。
22〜23は、**1〜20**での指定項目を選択するか、除外するかを指定する。

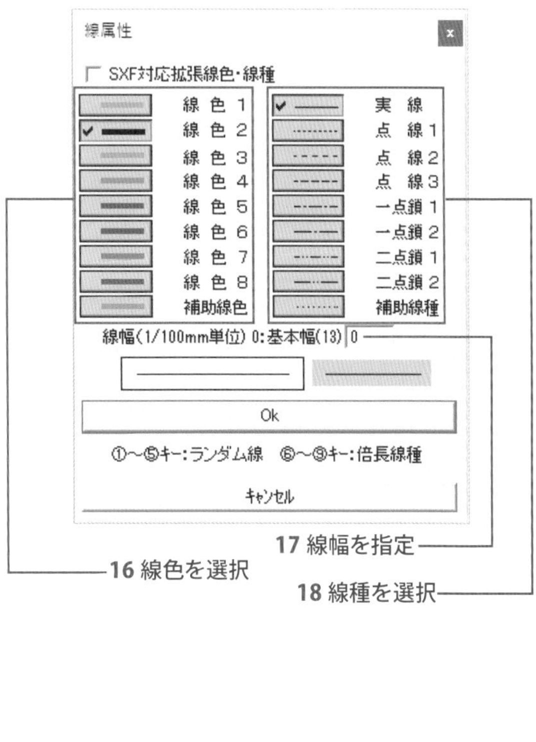

7 ズーム　画面拡大・縮小・移動

CD-ROM 1-07.jww

画面の拡大・縮小などのズームは、マウスの両ボタンドラッグで、コマンドの操作途中でいつでも行える

Jw_cadには、作図ウィンドウの図面を拡大・縮小表示する（ズーム）コマンドはない。ズームはマウスの両ボタンドラッグ（以降、両ドラッグ）で行う。左右両方のボタンの代わりに、ホイールボタンを押したままドラッグしてもよい（要設定▶p.211の**28**）。

ドラッグする方向によって、右図に示す4つのズーム機能が割り当てられている。ズームは、作図・編集コマンドの操作途中にいつでも行える。

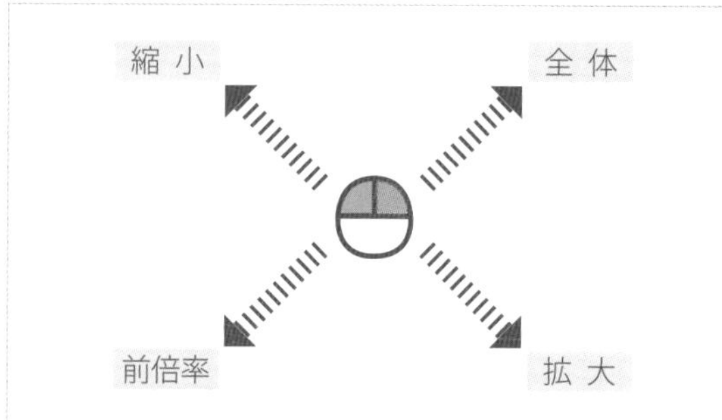

拡大表示　↘拡大

拡大範囲枠で囲んだ範囲を拡大表示する。

1　拡大範囲の左上にマウスポインタをおいて↘（右下方向へ両ドラッグ）。

➡ 拡大と**1**の位置を対角とした拡大範囲枠がマウスポインタまで表示される。

2　拡大範囲枠で拡大する範囲を囲み、ボタンから指をはなす。

➡ 拡大範囲枠に囲まれた範囲が作図ウィンドウに拡大表示される。

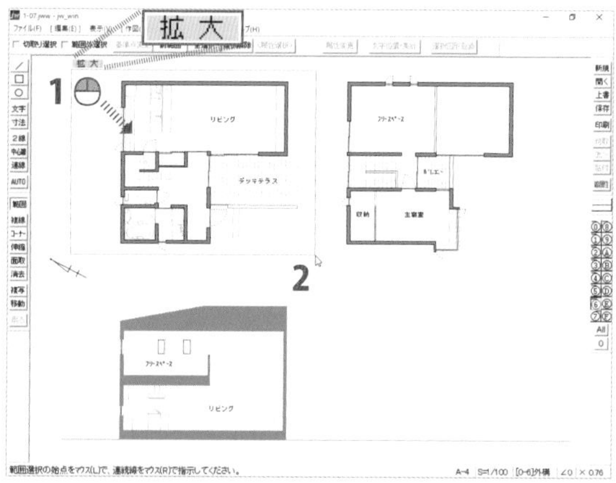

用紙全体表示　↗全体

用紙全体（または記憶範囲）を表示する。

1　作図ウィンドウにマウスポインタをおいて↗全体。

➡ 用紙全体が表示される。

> **POINT**　表示範囲記憶（▶p.244）されている図面ファイルでは、↗で（範囲）と表示され、記憶されている範囲が表示される。

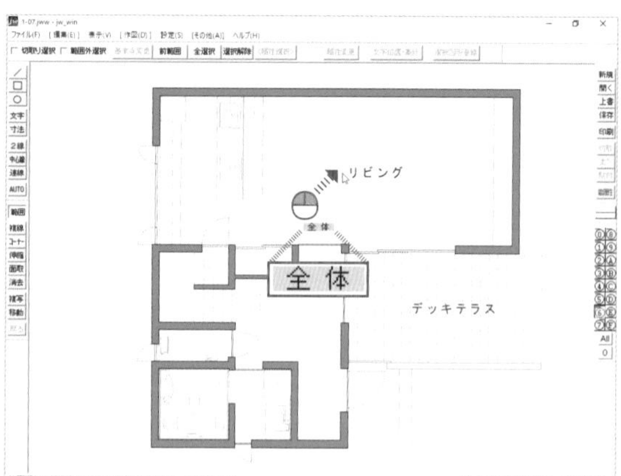

前倍率表示　⊖↙ 前倍率

1つ前の拡大倍率の範囲を表示する。

1　作図ウィンドウにマウスポインタをおいて⊖↙ 前倍率。

➡ 1つ前の拡大倍率の範囲が表示される。

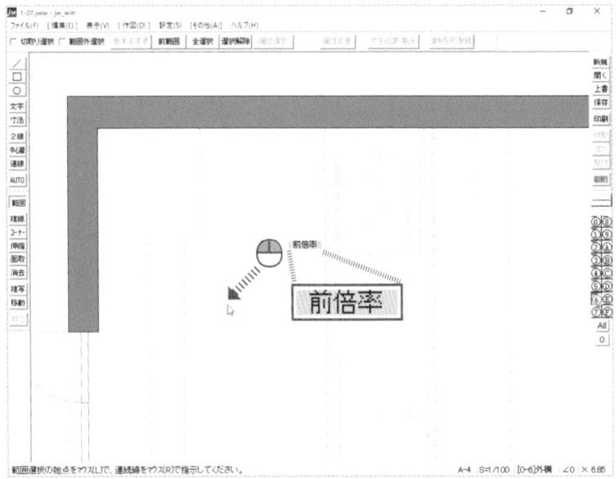

縮小表示　⊖↖ 縮小

⊖↖位置を中心に縮小表示する。

1　画面の中心にしたい位置から⊖↖ 縮小。

➡ **1**の位置を画面の中心として縮小表示される。

> **POINT**　キーボードからの指示（PageDawnキー）やマウスのホイールからの指示でも縮小表示ができる（▶p.27）。

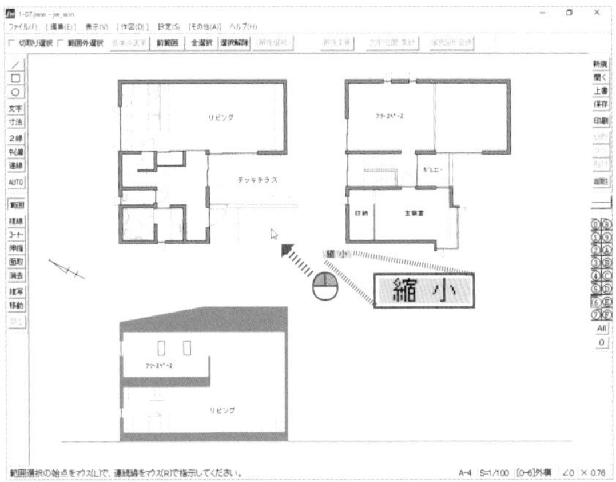

画面をスライド　Shiftキー＋⊖→

ドラッグ方向に表示画面をスライドする。

1　作図ウィンドウにマウスポインタをおいて、Shiftキーを押したまま⊖→。

➡ ドラッグ距離に応じてドラッグ方向に表示範囲がスライドする。

> **POINT**　基本設定により（→p.210の**21**）Shiftキーを押したまま⊖→でも、同様にスライド操作ができる。

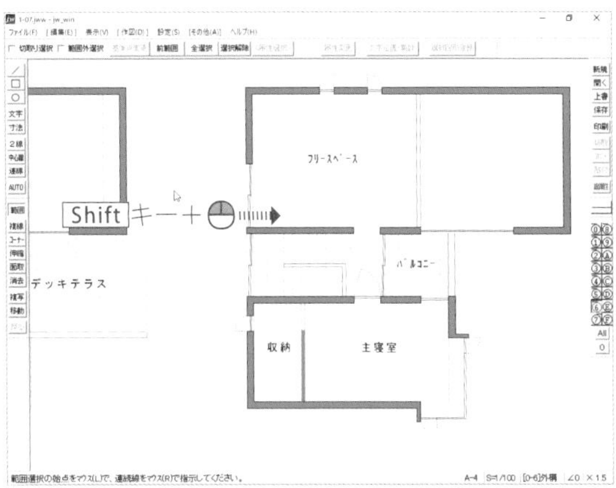

移動 ⊖移動

⊖位置が画面の中心になるよう、表示倍率を変えずに画面移動する。

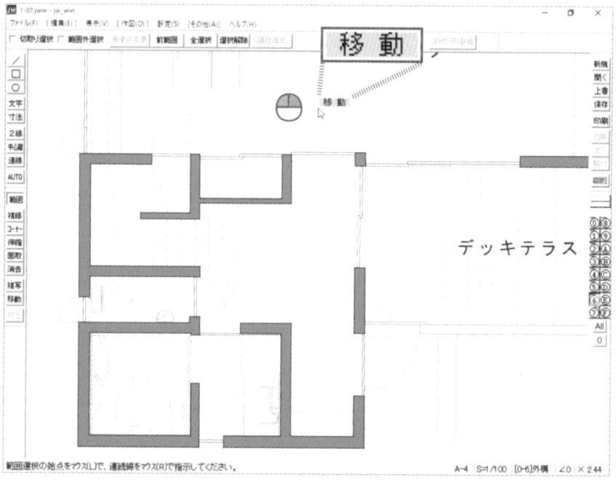

1 画面の中心にしたい位置にマウスポインタを合わせ⊖移動（左右両ボタンをクリック）。

➡ **1**の位置が作図ウィンドウの中心になるように画面表示が移動される。

> **POINT** キーボードから矢印キーを押すことでも、表示倍率を変えずに矢印キーの方向に表示画面を平行移動することができる。「一般（2）」タブ（▶p.210の**16**）の設定が必要。

できる 上下左右方向の両ドラッグへのズーム機能割当

「基本設定」コマンドの「一般（2）」タブの「マウス両ボタンドラッグによるズーム操作の設定」のボックス（p.210の**23**）に数値を指定することで、マウスの両ボタンドラッグの上下左右方向に指定数値のズーム機能（下記）を割り当てられる。「0」は割り当てない指定。

1：マークジャンプ1の登録範囲を表示する
2：マークジャンプ2の登録範囲を表示する
3：マークジャンプ3の登録範囲を表示する
4：マークジャンプ4の登録範囲を表示する
5：現在の表示範囲を範囲記憶する
6：範囲記憶を解除する
7：表示画面の拡大率を印刷結果相当にする
8：用紙全体を表示する
9：2つ前の倍率の表示範囲を表示する

マークジャンプ/範囲記憶▶p.245

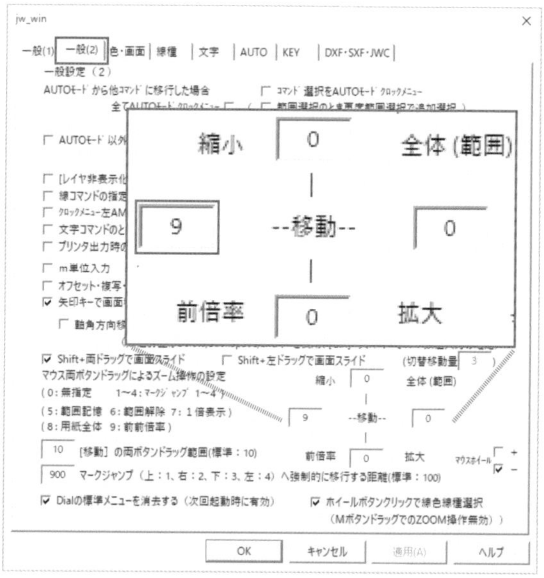

上図の設定では、⊖←すると前前倍率と表示され、2つ前の倍率の表示範囲が表示される

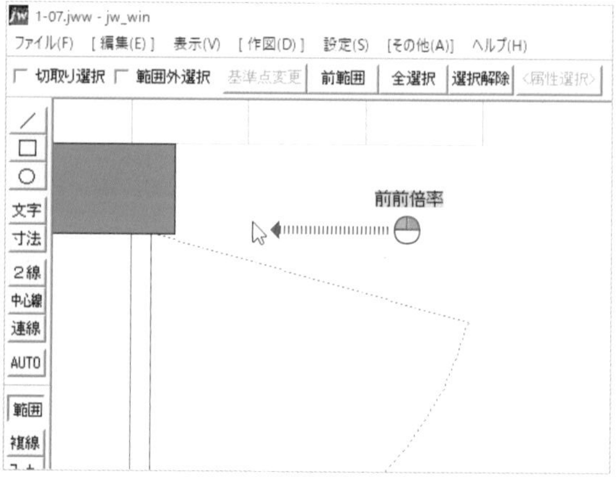

マウスホイールでの画面拡大・縮小

「基本設定」コマンドの「一般（2）」タブの「マウスホイール」（▶p.210の**26**）にチェックを付けると、マウスホイールを回転することでマウスポインタの位置を中心に画面拡大・縮小ができる。

「＋」にチェックを付けた場合、ホイールを前方に回すと縮小表示、後方に回すと拡大表示の働きをする。「－」にチェックを付けた場合はその逆になる。

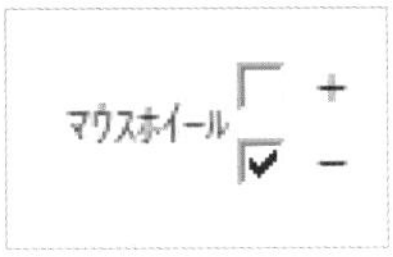

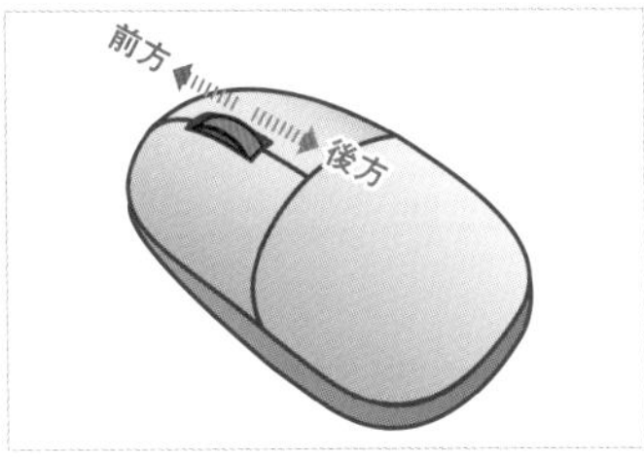

キーボードでのズーム操作

「基本設定」コマンドの「一般（2）」タブの指定（▶p.210の**16**）で、キーボード操作で以下のズーム操作ができる。

拡大表示：PgUp（PageUp）キーを押す
縮小表示：PgDn（PageDown）キーを押す
用紙全体表示：Home キーを押す
画面スクロール：↑ → ↓ ← キーを押す

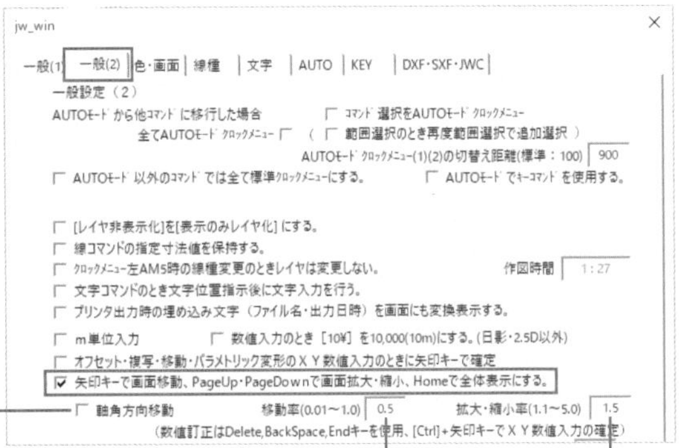

「軸角方向移動」にチェックを付けると、矢印キーでの上下左右へのスクロールが軸角に対する上下左右になる

「移動率」ボックスの初期値「0.5」は、矢印キーを押すたびに作図ウィンドウの1/2（0.5）の距離だけ指定方向にスクロールする

「拡大・縮小率」ボックスの初期値「1.5」は、PgUp キーを押すたびに1.5倍に拡大表示、PgDn キーを押すたびに1/1.5（0.666…）倍に縮小表示する

できる Shift キーの併用

Shift キーを押したまま各キーを押すと、「一般（2）」タブで指定の「移動率」「拡大・縮小率」の1/5の割合で移動・拡大・縮小される。

> **POINT**　キーボードによっては、矢印キーが PgUp キー・PgDn キー・Home キーを兼ねている場合がある。その場合は Fn キーを押したまま PgUp（または PgDn Home）キーを押す。

▼ノートパソコンのキーボード例

矢印キーを兼ねる Home キー

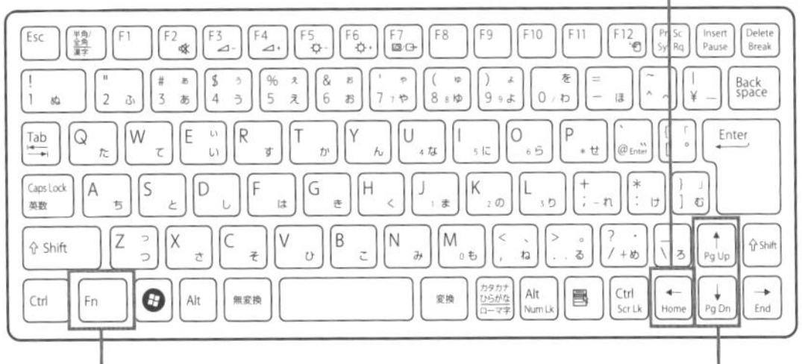

Fn キー

矢印キーを兼ねる PgUp PgDn キー

8 タッチパネル操作

CD-ROM 1-08.jww

Windows 8/10のタッチパネル操作に対応

以下のタッチパネル操作は、タッチパネル搭載のWindows 8/10のノートパソコン、タブレットで行える。

に相当するタップとに相当するダブルタップ

画面を指先で軽くたたくタップが、2回続けてのタップがに相当する。

ダブルタップでファイル選択　　タップでコマンド選択

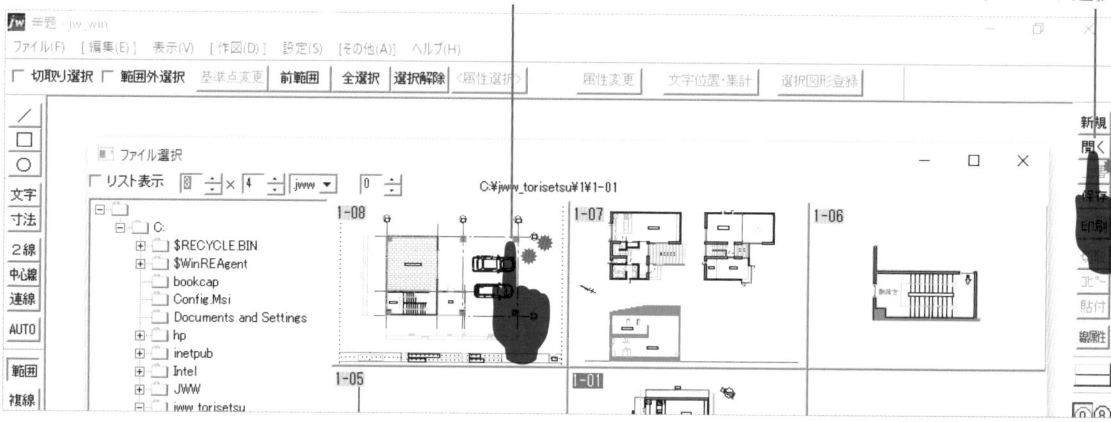

ピンチアウトで拡大表示・ピンチインで縮小表示

2本の指で画面に触れたまま互いの指をはなすピンチアウトで拡大表示が、互いの指を近づけるピンチインで縮小表示ができる。

ピンチアウトで拡大表示

拡大する個所に2本の指で触れたまま、指を互いにはなす。

ピンチインで縮小表示

画面に触れた2本の指を互いに近づける。

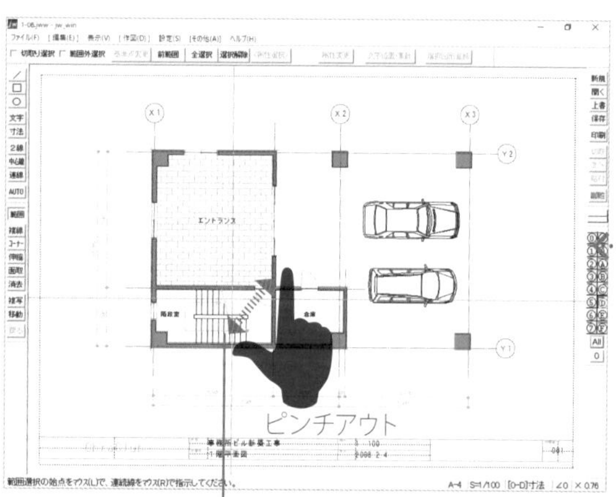

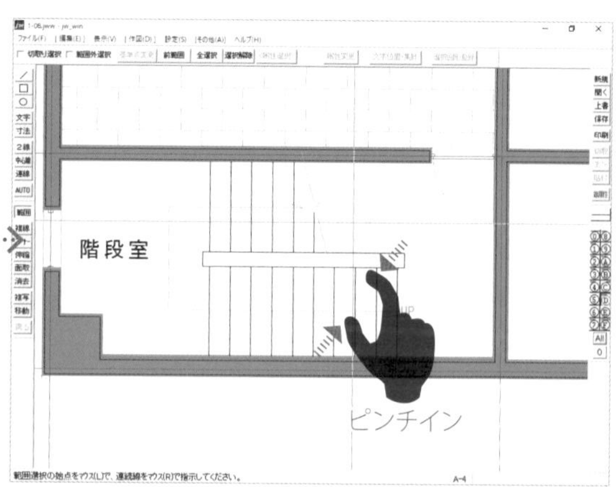

指で触れた位置にクロスラインカーソルが表示される

2本指のスワイプで画面スライド

2本の指で作図ウィンドウをスワイプ（画面に触れたまま指を滑らせる）することで画面をスライドできる。

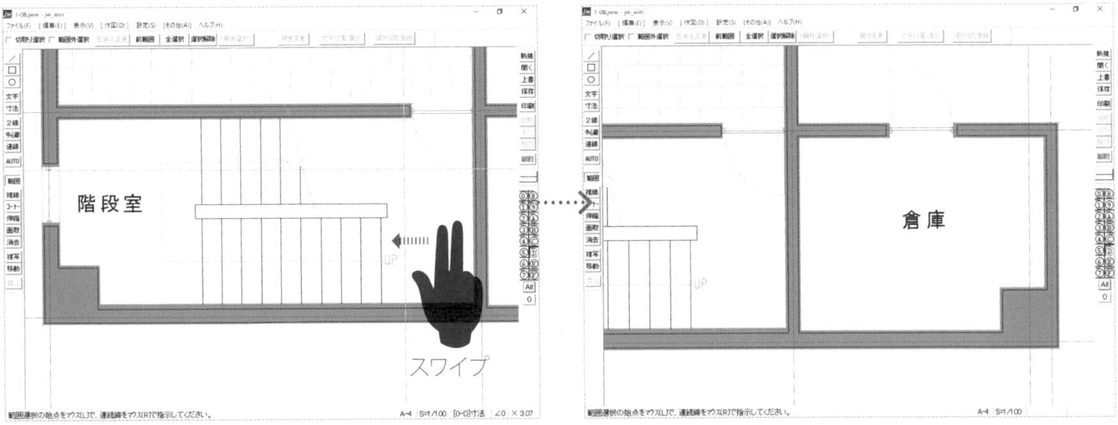

※スワイプによる画面の再表示が遅い場合は、メニューバー［表示］の「Direct2D」にチェックを付ける。

できる Jw_cad特有のタッチパネル操作

下記のJw_cad特有のタッチパネル操作が行える。

クロックメニューの利用

1本指でスワイプする（タッチ直後に指をすべらせる）とクロックメニューが表示される。

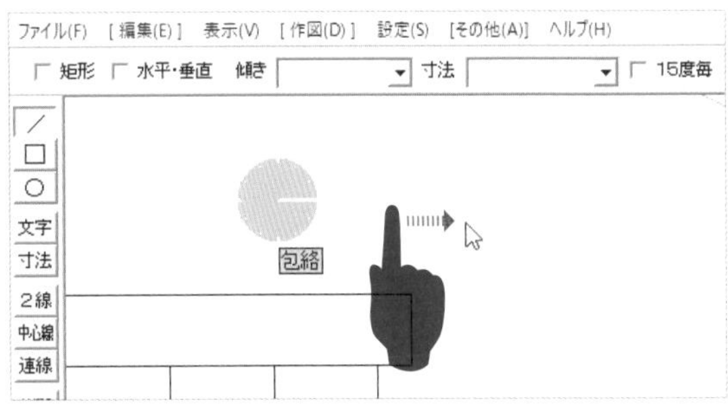

点の指示

1本指でタッチしたままゆっくりと指を滑らせるとクロスラインカーソルが追従し、指をはなしたポイントが指示点となる。

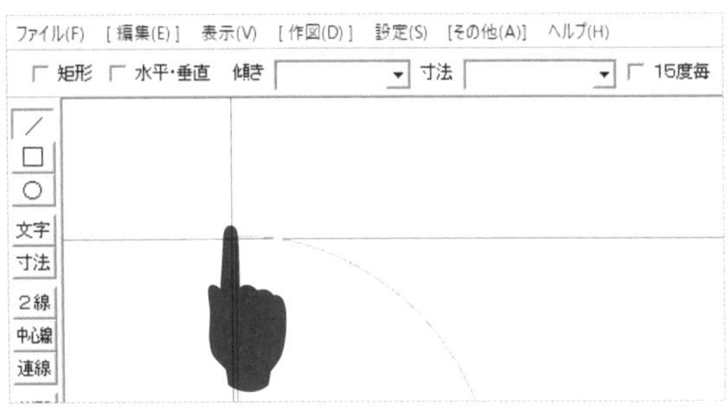

タップ操作の⊖⇔⊖の切り替え

3本指でタップすると作図ウィンドウ右上に(R)や(L)が表示され、タップ操作の⊖（クリック）⇔⊖（右クリック）が切り替わる（暫定対応）。

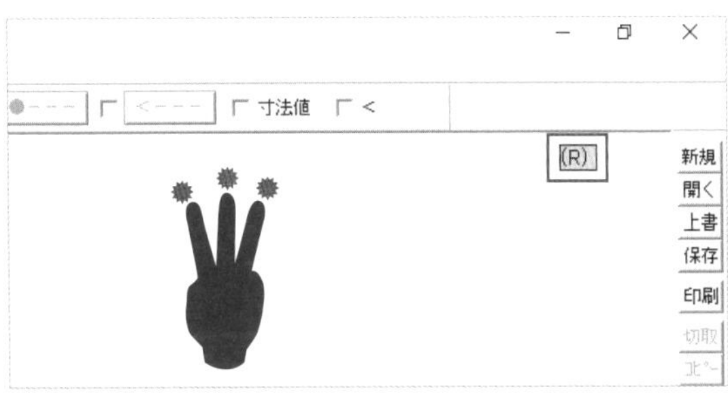

9 ファイル選択ダイアログ

開く、保存、図形コマンドなどで共通するJw_cad特有の「ファイル選択」ダイアログの各部名称と役割

ここでは、「開く」コマンドの「ファイル選択」ダイアログで説明するが、「保存」「図形」コマンドのファイル選択」ダイアログもこれと同様である。

各部の名称、機能、使い方

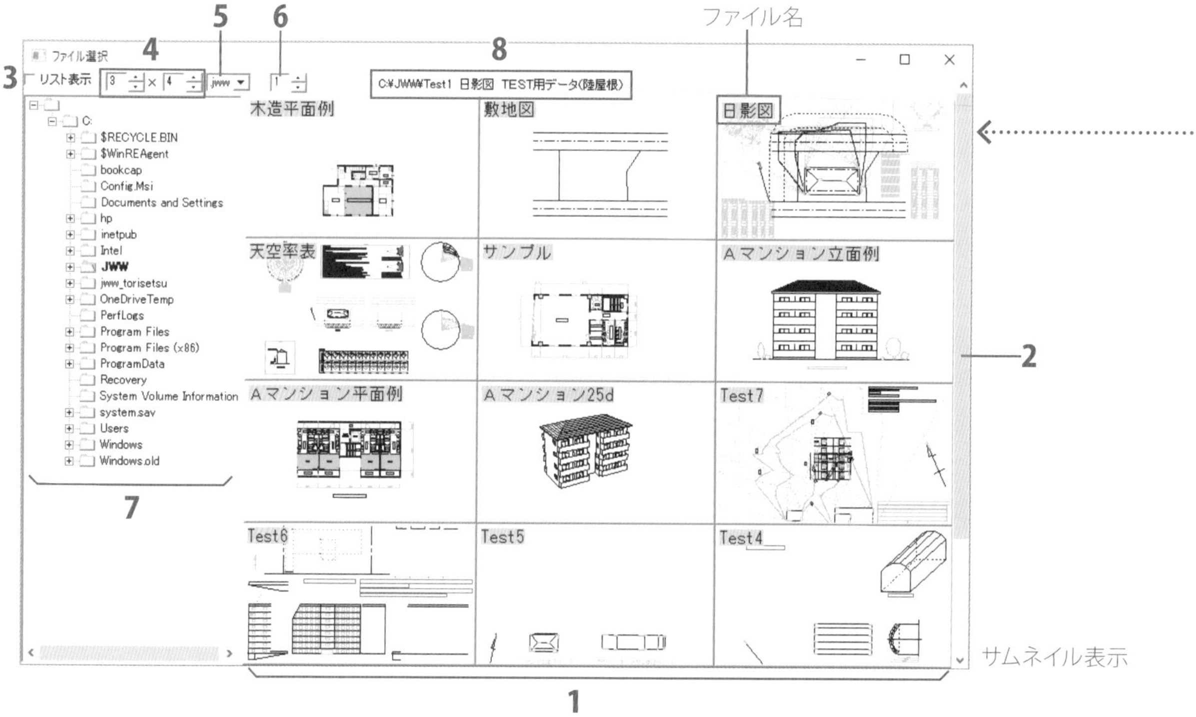

1 ファイルウィンドウ ～サムネイル表示

フォルダーツリーで開いているフォルダー内のファイルをサムネイル表示する。各枠内では、⊖↘拡大などの両ドラッグによるズーム操作が行える。

ファイル名部分を⊖で開く「ファイル名変更」ダイアログで、ファイル名を変更できる。

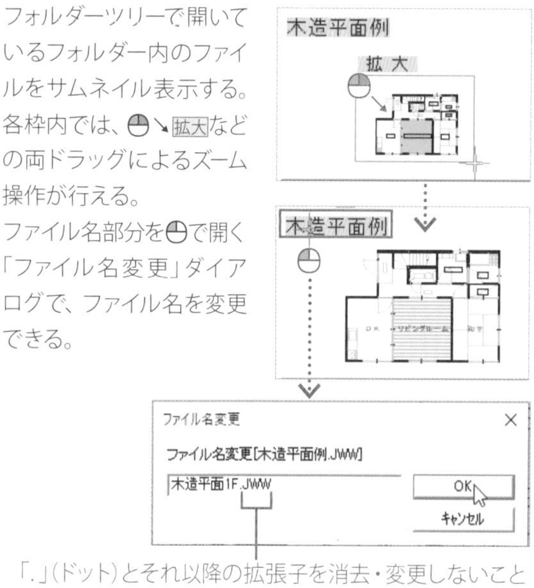

2 スクロールバー

1画面で表示しきれない場合に表示される。スクロールバーを下方向にドラッグすることで、表示画面がスクロールされ、隠れている部分が表示される。

3 「リスト表示」チェックボックス

チェックを付けることで、ファイルウィンドウのサムネイル表示がリスト表示に切り替わる。

4 「ファイル表示数」ボックス

ファイルウィンドウに表示するサムネイルの横×縦の個数を指定する。

5 「ファイルの種類」ボックス

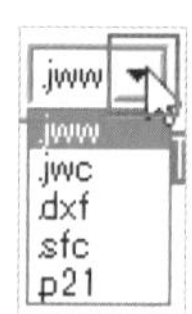

ファイルウィンドウに表示するサムネイルのファイル種類を指定する。

6 「文字サイズ」ボックス －3～3

ファイル名の表示サイズを調整する。数値が大きいほど大きい文字でファイル名が表示される。

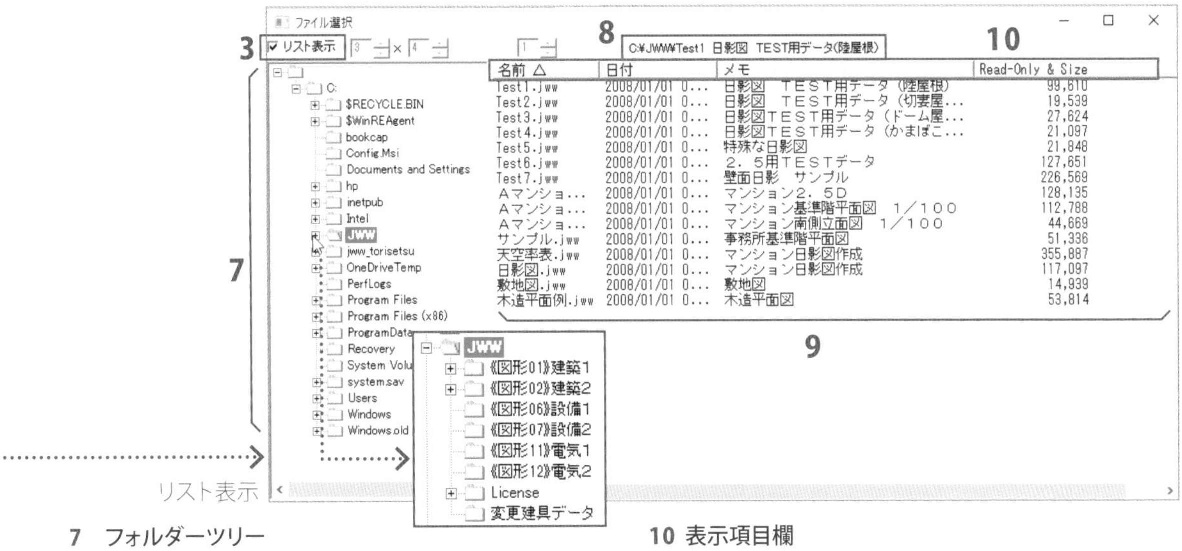

7　フォルダーツリー

目的のファイルの収録場所（ドライブとフォルダー）を指定する。「ローカルディスク（C：）」や「DVD」「リムーバブルディスク」は、「C:」や「D:」のドライブ名のフォルダーアイコンで表示される。ネットワーク上のドライブやフォルダーは表示されない。

フォルダー先頭の⊞は、フォルダー内にさらにフォルダーが存在することを示す。⊞を⊖することで、その中のフォルダーが表示される。

8　ファイル名とメモ

選択されているファイル（ファイル名が色反転）のパス、ファイル名、メモの内容を表示する。

9　ファイルウィンドウ　～リスト表示

フォルダーツリーで開いているフォルダー内のファイルをリスト表示する。表示されるファイルの種類は、サムネイル表示での**5**「ファイルの種類」によって異なる。「ファイルの種類」が「jww」の状態でリスト表示にすると、jww/jwc/dxf/sfc/p21の5種類のファイルをリスト表示する。「ファイルの種類」が「jwc」の場合はjwc/dxf/sfc/p21の4種類、「dxf」の場合はdxf/sfc/p21の3種類、「sfc」の場合はsfc/p21の2種類の表示になる。

10 表示項目欄

「名前」「日付」（保存日時）、「メモ」「Read-Only & Size」（読み取り専用属性の有無＆ファイルサイズ）を表示する。

項目間にマウスポインタを合わせ、形状が⊞になった状態で⊖⊖することで、マウスポインタ左側の項目内容がすべて表示されるよう列幅を調整できる。

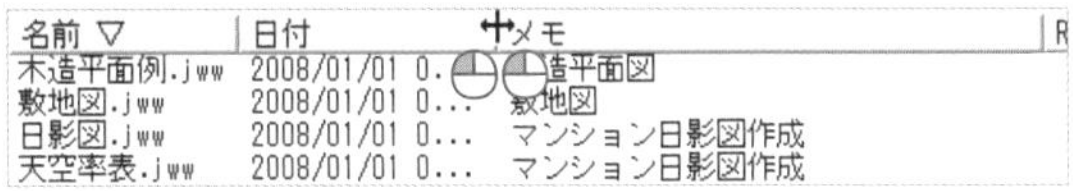

「名前」「日付」「メモ」のいずれかに表示される△、▽は、現在のファイルの表示順序を示す。「名前 △」の場合はファイル種類別に名前昇順（0、1、2…a、b、c順）で、「名前 ▽」の場合は、ファイル種類別に名前降順で表示される（「名前」に限り、ファイル種類別の昇順、降順になる）。「名前」「日付」「メモ」欄を⊖することで、⊖した項目の昇順または降順にファイルを並び替えられる。

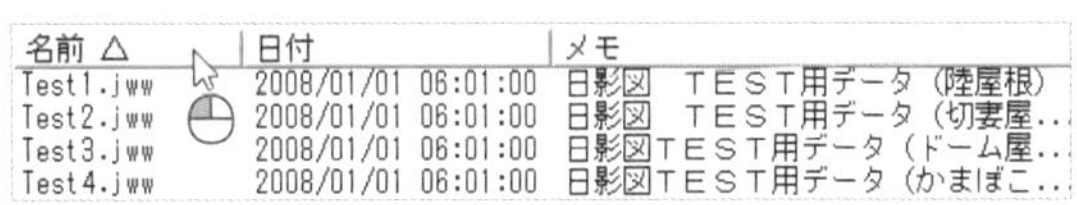

できる Windows標準のコモンダイアログの使用

「基本設定」コマンドの指定（▶p.207の**33**）で、Jw_cad特有の「ファイル選択」ダイアログの代わりにWindows標準のコモンダイアログを使用できる。

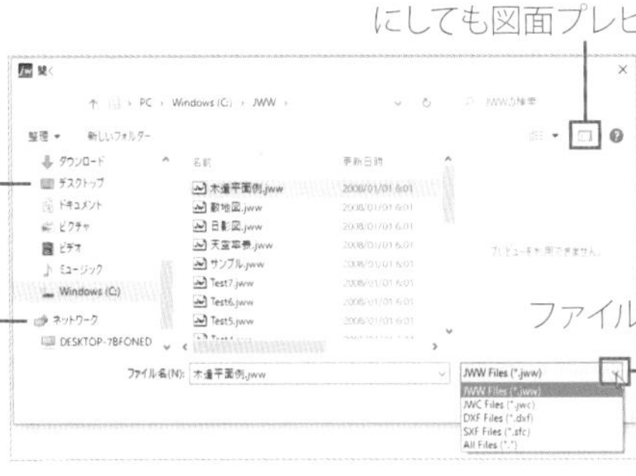

POINT　Jw_cadには排他制御機能（複数のパソコンで同時に同一ファイルを開いての編集・上書き保存を防ぐ機能）がないので、共有フォルダー内の図面ファイルの編集・上書きには注意する。

10 レイヤ

CD-ROM 1-10.jww

図面の各部を透明なシート(「レイヤ」と呼ぶ)にかき分け、それらを重ねて1枚の図面にできる

Jw_cadでは、基準線や柱・壁など図面の各部分を複数の透明なシートにかき分け、それらのシートを重ね合わせて1枚の図面にすることができる。この透明なシートに該当するものを「レイヤ」と呼ぶ。どのレイヤに作図するか(書込レイヤ)やレイヤごとの表示・非表示指定は、レイヤバーやレイヤ一覧ウィンドウまたは「レイヤ設定」ダイアログ(▶p.243)で行う。

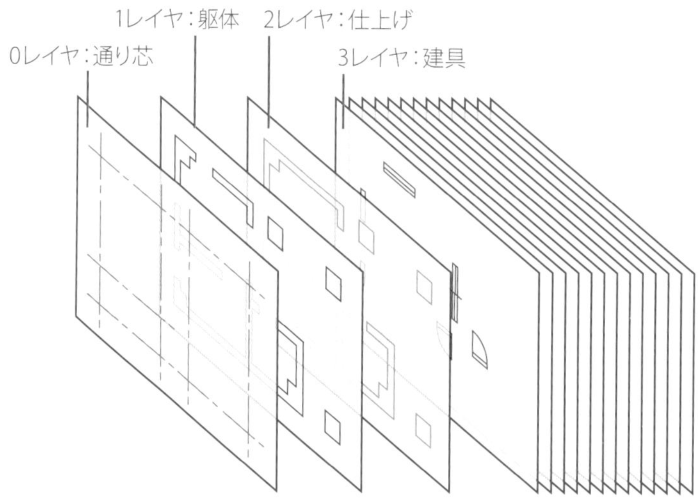

レイヤバー

1 レイヤ番号ボタン

各レイヤの要素の有無、レイヤの表示状態(▶次ページ)を示す。

レイヤ番号を⊖または⊖することで、書込レイヤにしたり、レイヤの表示状態を変更する。変更結果は作図ウィンドウにマウスポインタを移動することで画面に反映される。

レイヤ番号上のバーは、そのレイヤに要素があることを示す。

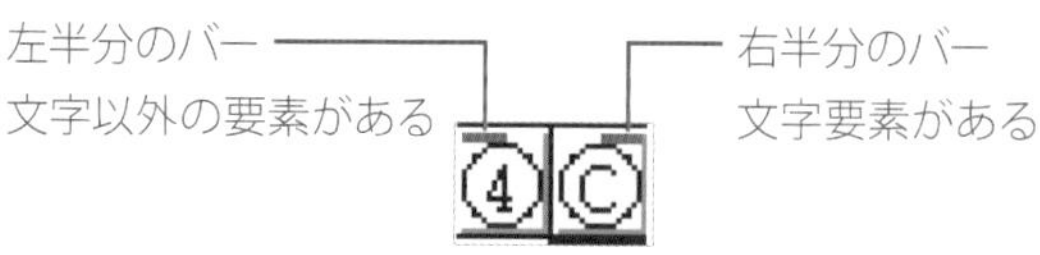

2 「All」ボタン

書込レイヤ以外のレイヤの表示状態を一括で切り替える。

3 「書込レイヤグループ」ボタン

書込レイヤグループ番号を表示する。

⊖で、書込レイヤグループバーの表示⇔非表示を切り替える(▶p.36)。

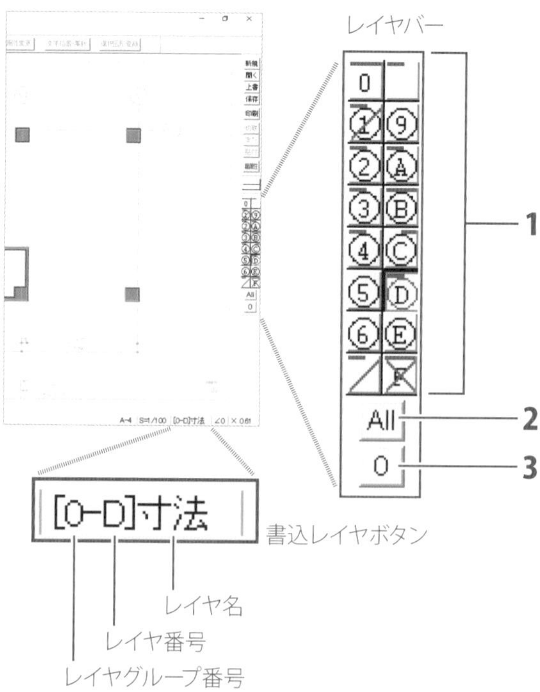

書込レイヤとその指定

レイヤバーのレイヤ番号ボタンを⊖することで、書込レイヤになる。「属性取得」コマンド（▶p.230）で、指定要素の作図レイヤを書込レイヤにすることも可能。

書込レイヤ　赤の○付き番号、凹表示

図面要素（線・円・弧・文字・点・ソリッドなど）は書込レイヤに作図される。
書込レイヤボタンを⊖すると、レイヤ一覧ウィンドウ（→p.35）が開く。

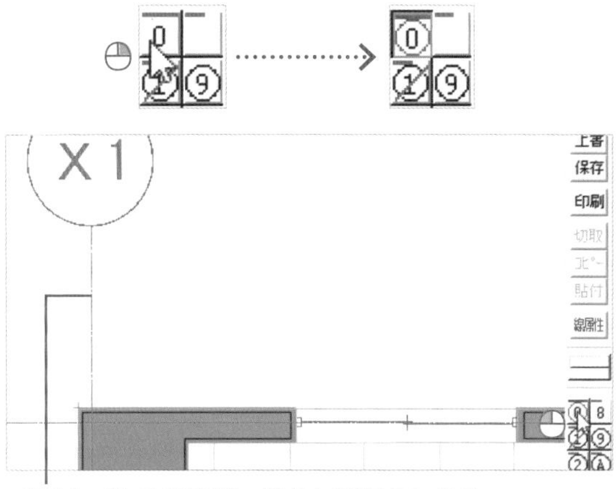

書込レイヤの要素が一時的に選択色になる

できる 書込レイヤの要素のみ選択する裏技

書込レイヤ番号を⊖すると、書込レイヤの要素が一時的に選択色になる（マウスポインタを作図ウィンドウに移動すると元に戻る）。その後、範囲選択のコントロールバー「前範囲」ボタンを⊖することで、一時的に選択色になった要素（書込レイヤの要素）を選択できる。

書込レイヤ以外のレイヤの状態とその変更指定

書込レイヤ以外のレイヤ番号ボタンを⊖することで、「編集可能レイヤ」⇒「非表示レイヤ」⇒「表示のみレイヤ」の順に切り替わる。

編集可能レイヤ　○付き番号

表示のみレイヤボタンを⊖すると、番号に○が付き、編集可能レイヤになる。
編集可能レイヤに作図されている要素は、書込レイヤの要素と同様に作図時の線色で表示され、消去・複写などすべての編集操作の対象になる。

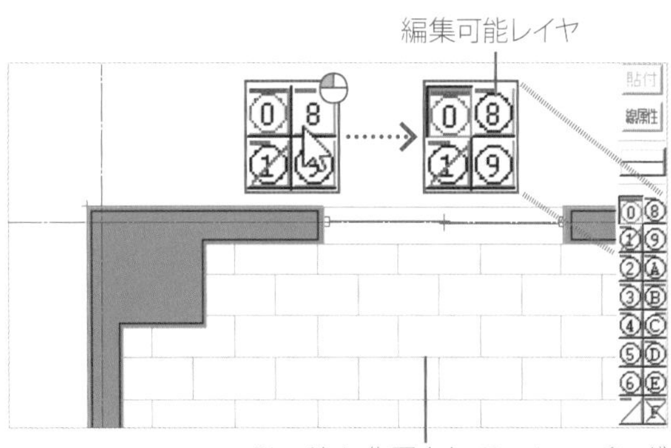

8レイヤに作図されているハッチング

非表示レイヤ　番号なし

編集可能レイヤボタンを⊖すると、レイヤ番号が消え、非表示レイヤになる。「レイヤ非表示化」コマンド（▶p.231）で指定要素の作図レイヤを非表示レイヤにすることも可能。
非表示レイヤに作図されている要素は作図ウィンドウに表示されず、印刷や消去・複写などの編集操作の対象にならない。

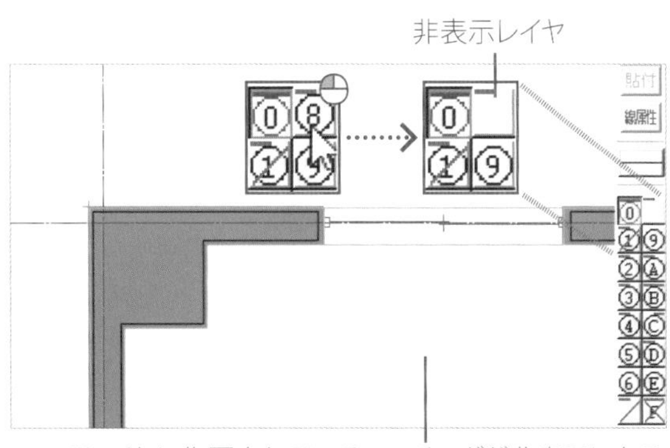

8レイヤに作図されているハッチングが非表示になる

1 知っておきたい13のポイント

10 レイヤ

表示のみレイヤ　8　○なし番号

非表示レイヤボタンを㊀すると、番号が表示され、表示のみレイヤになる。
表示のみレイヤに作図されている要素は作図ウィンドウでグレー表示となり、印刷はされるが、消去・複写などの編集操作の対象にはならない。
「縮尺・読取」コマンド（▶p.246）の指定により、表示のみレイヤに作図されている線・円・弧を複線の基準線として指示することや、端点・交点を読み取ることができる。

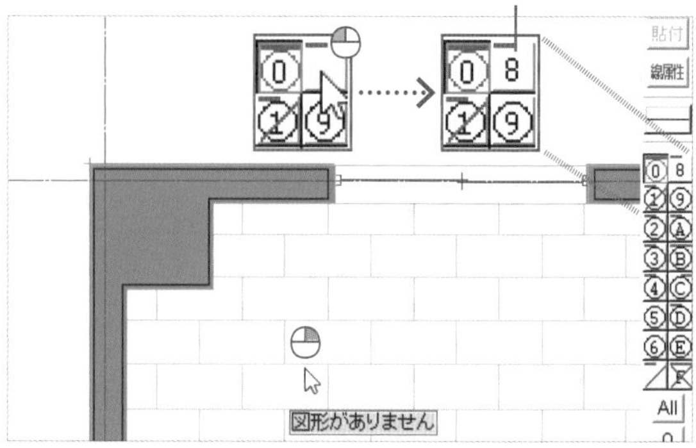
表示のみレイヤ
図形がありません

8レイヤに作図されているハッチングがグレーで表示される。グレー表示のハッチングを「消去」コマンドで㊀すると、図形がありませんと表示され、消去されない。

できる レイヤに手を加えることを禁じるプロテクトレイヤ

レイヤバーのレイヤ番号に／や×の付いたレイヤを「プロテクトレイヤ」と呼ぶ。
レイヤをプロテクトレイヤに指定することで、そのレイヤの要素を編集することや、そのレイヤに新たに要素を作図することができなくなる。書込レイヤはプロテクトレイヤに指定できない。

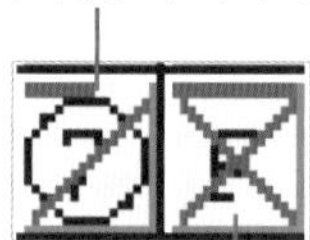
／付き：レイヤの表示状態は変更可能
×付き：レイヤの表示状態も変更不可

プロテクトレイヤの解除方法

プロテクトレイヤの種類（／もしくは×）に関わらず、Ctrlキーを押したままプロテクトレイヤを㊀することで解除できる。

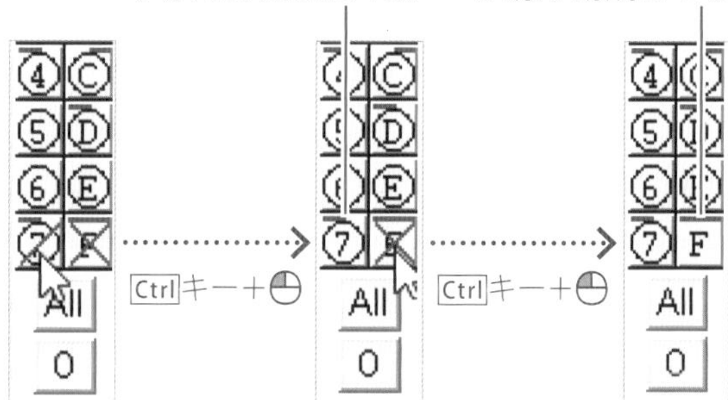
／が消えて解除される
×が消えて解除される
Ctrlキー＋㊀
Ctrlキー＋㊀

プロテクトレイヤの設定方法

1 ／付きのプロテクトレイヤ
Ctrlキーを押したままレイヤボタンを㊀。

2 ×付きのプロテクトレイヤ
CtrlキーとShiftキーを押したままレイヤボタンを㊀。

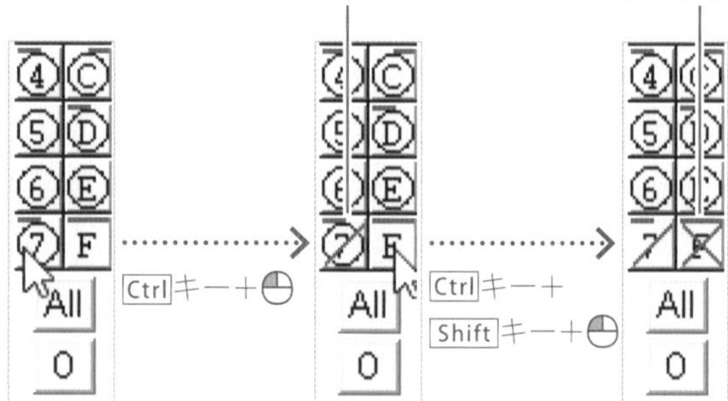
／付きのプロテクトレイヤになる
×付きのプロテクトレイヤになる
Ctrlキー＋㊀
Ctrlキー＋
Shiftキー＋㊀

レイヤ一覧ウィンドウ

レイヤバーの書込レイヤボタンを⊖することで「レイヤ一覧」ウィンドウが開く。レイヤバーと同様の操作で、書込レイヤや他のレイヤの状態変更が行えるほか、レイヤ名の設定も行える。なお、「レイヤ一覧」ウィンドウが開いている間は、レイヤバーでの操作はできない。

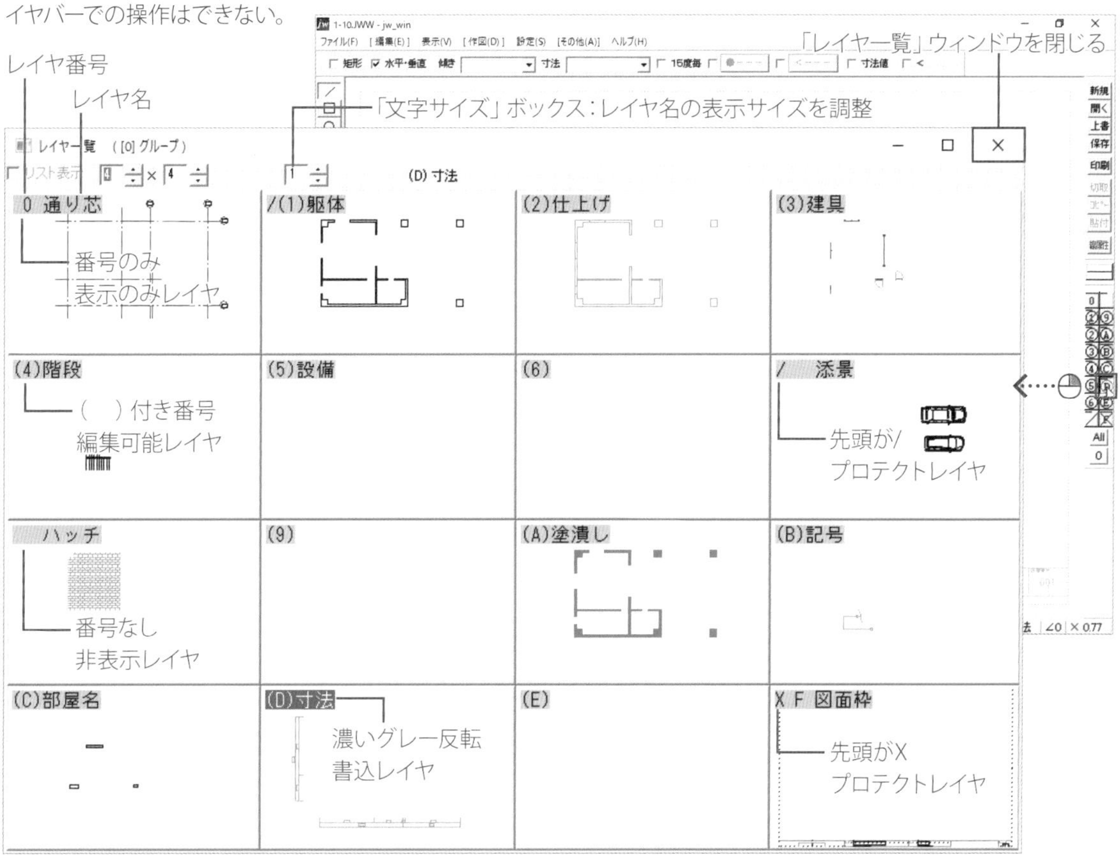

書込レイヤの指定とレイヤ状態の変更操作

レイヤ枠内で⊖することで書込レイヤに、書込レイヤ以外のレイヤ枠内で⊖することで非表示レイヤ（番号なし）⇒ 表示のみレイヤ（番号のみ） ⇒ 編集可能レイヤ（番号（ ）付き）の順に切り替わる。

レイヤ名の設定・変更

レイヤ番号・レイヤ名部分を⊖で「レイヤ名設定」ダイアログが開き、レイヤ名の設定や変更ができる。

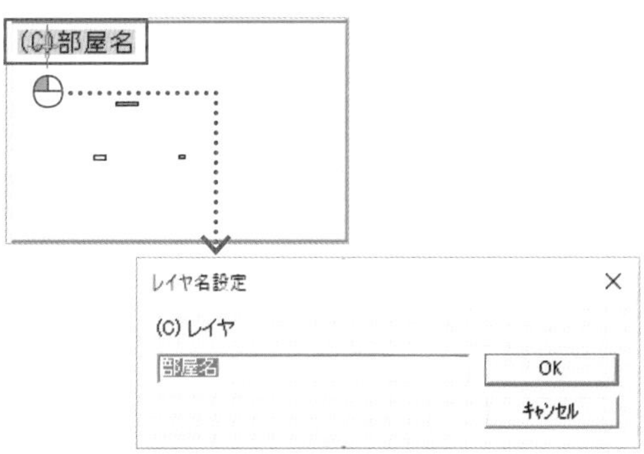

ズーム操作

作図ウィンドウと同様のドラッグ操作（▶p.24）で、レイヤ枠内の図の拡大・縮小表示が行える。

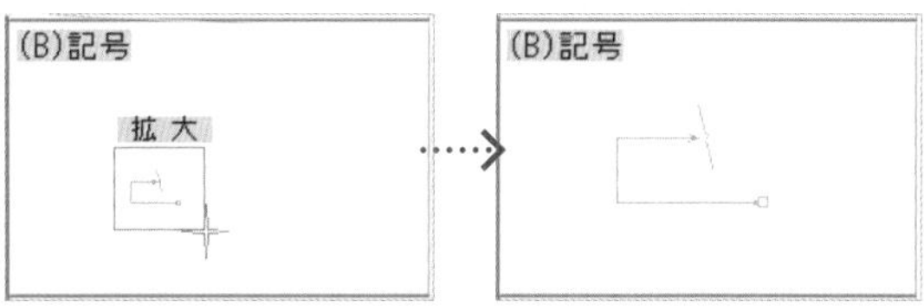

できる 画面の表示範囲に合わせる設定

環境設定ファイル「ZOOM=」行の指定で、その時の作図ウィンドウと同じ表示範囲をレイヤ一覧ウィンドウの各レイヤ枠に表示するよう設定できる（▶JWWトリセツ付録.pdf p.48）。

11 レイヤグループ

CD-ROM 1-11.jww

16レイヤを1セットとした「レイヤグループ」が16あり、レイヤグループごとに異なる縮尺を設定できる

16枚のレイヤを束ねたものをレイヤグループと呼ぶ。Jw_cadには16のレイヤグループがあり、レイヤグループごとに縮尺を設定できる。

縮尺の異なる図を1枚の用紙に作図するには、このレイヤグループを利用する。

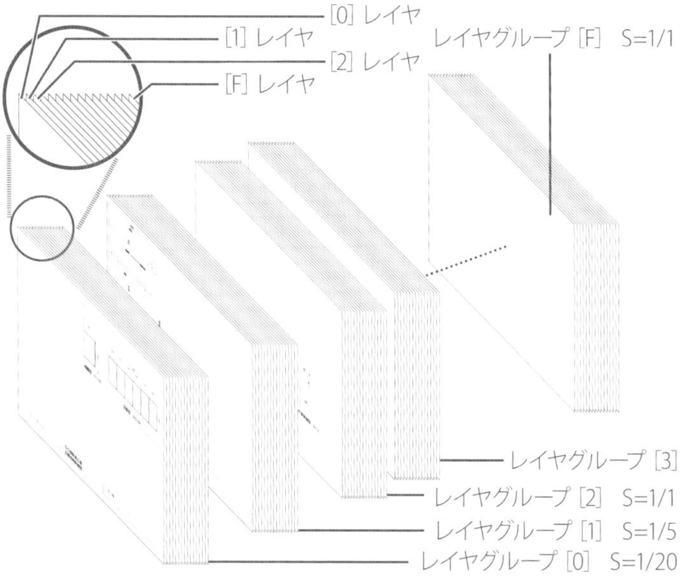

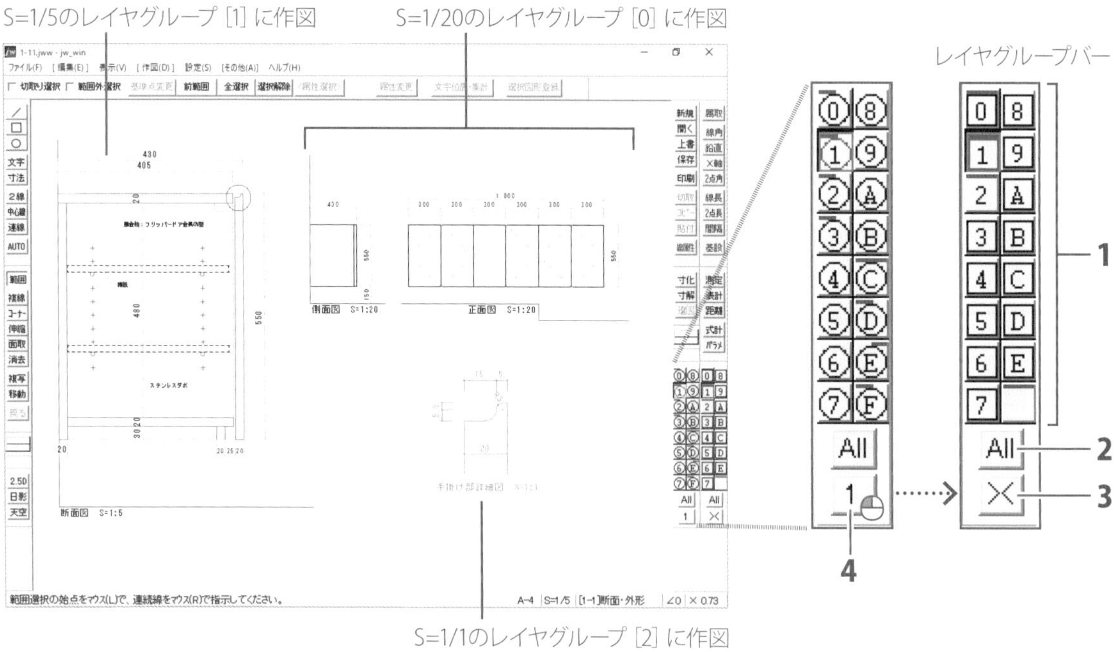

1 レイヤグループ番号ボタン

レイヤ番号ボタン（▶p.32）と同じく各レイヤグループの要素の有無、表示状態を示し、その状態を変更する。

2 「All」ボタン

書込レイヤグループ以外のレイヤグループの表示状態を一括変更する（操作はレイヤバーと同じ）。

3 「＞＜」ボタン

一時的に、非表示・表示のみレイヤの要素を元の色で表示し、書込・編集可能レイヤの要素を非表示にする。作図ウィンドウにマウスポインタを移動すると元の表示に戻る。

4 書込レイヤグループボタン

(R)でレイヤグループバーの表示⇔非表示を切り替える。

レイヤグループバー

レイヤグループバーのレイヤグループ番号ボタンを⊕で、書込レイヤになり、レイヤバーも書込レイヤグループの各レイヤの状態を示す。また、ステータスバーの「縮尺」も書込レイヤグループの縮尺になる。

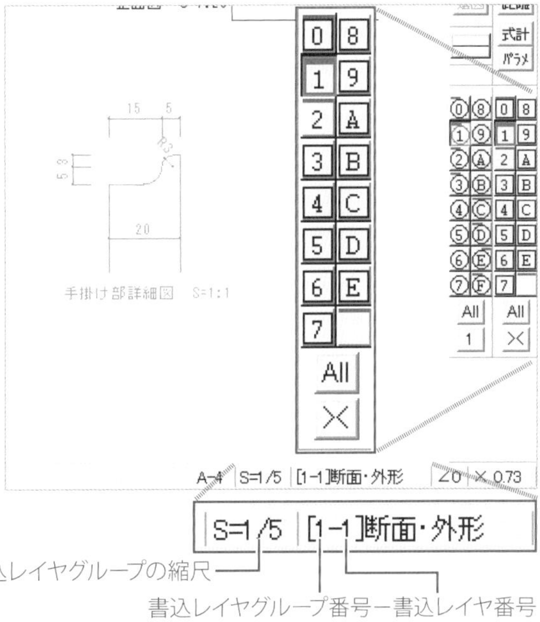

1 凹状態：書込レイヤグループ

書込レイヤグループ以外のレイヤグループ番号ボタンを⊕で、以下の状態に切り替わる。

3 □付番号：編集可能レイヤグループ

2 □無番号：表示のみレイヤグループ

番号無：非表示レイヤグループ

編集可能・表示のみ・非表示レイヤグループの性質やプロテクトレイヤグループの指定・解除方法は、レイヤの場合（▶p.33／p.34 できる）と同じである。

レイヤグループ一覧ウィンドウ

レイヤグループバーの書込レイヤグループ番号ボタンを⊕で「レイヤグループ一覧」ウィンドウが開く。「レイヤグループ一覧」ウィンドウでは、「レイヤ一覧」ウィンドウ（▶p.35）と同様の操作で各レイヤグループの状態変更、レイヤグループ名の設定・変更が行える。

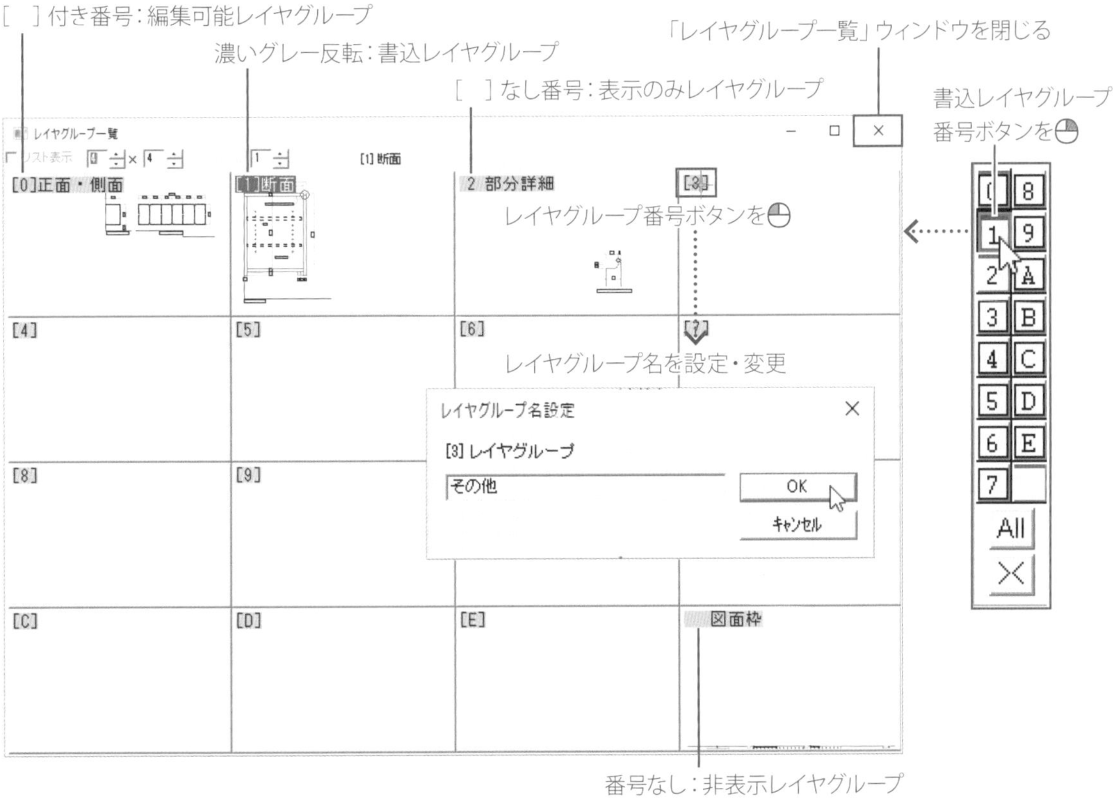

12 数値入力

位置を示す座標値や横×縦の数値は「X（横）,Y（縦）」の順に入力し、角度は反時計回りで入力する

基本入力

数値入力ボックスを㊀し、入力状態（ボックス内で入力ポインタが点滅する）にしたうえで、キーボードから数値を入力する。

> **POINT**　基本的に長さ・距離はmm単位で入力する。m単位や尺など（▶p.220）の単位での入力も可能。Jw_cadでは数値入力後にEnterキーを押す必要はない。

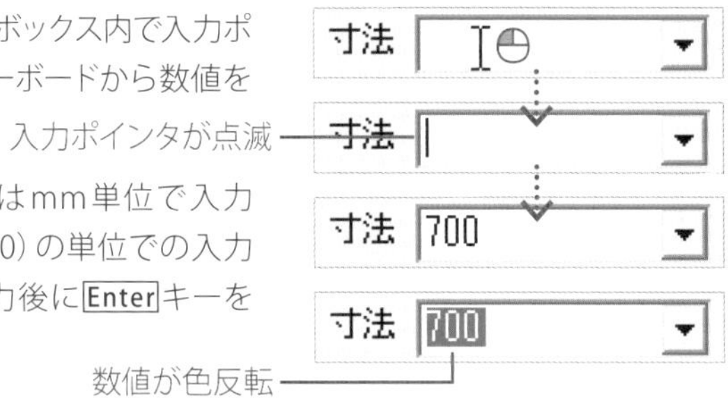

入力ボックスでポインタが点滅していたり、数値・文字が色反転している場合は、入力ボックスを㊀することなく、キーボードから直接、数値を入力できる

履歴リストからの入力

「数値入力」ボックスの▾を㊀で表示される履歴リストから、数値を㊀で選択して入力できる。

「数値入力」ボックスを空白（空白＝指定なし）にする場合は「（無指定）」を選択する。

履歴リストに入力したい数値がない場合は、再度▾を㊀し、履歴リストを閉じてから数値を入力する。

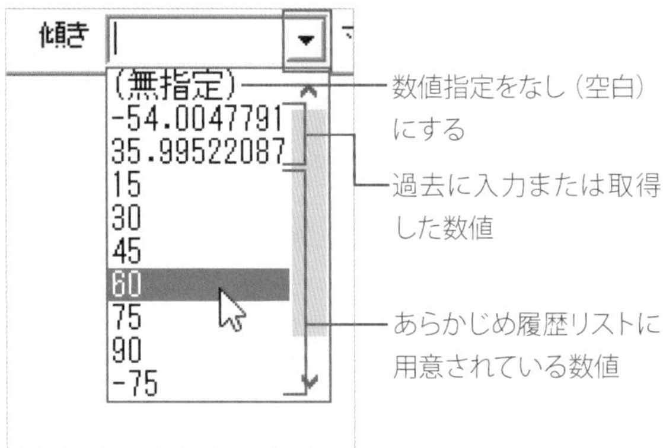

計算式の入力

「数値入力」ボックスに計算式を入力することで、その計算結果を数値として指定できる。

以下の演算記号は、一般の計算式に使う演算記号と違うので注意する。

×は＊　　÷は/　　べき乗は＾　　√は＾.5

大括弧、小括弧は　[　]　　πはp（またはP）

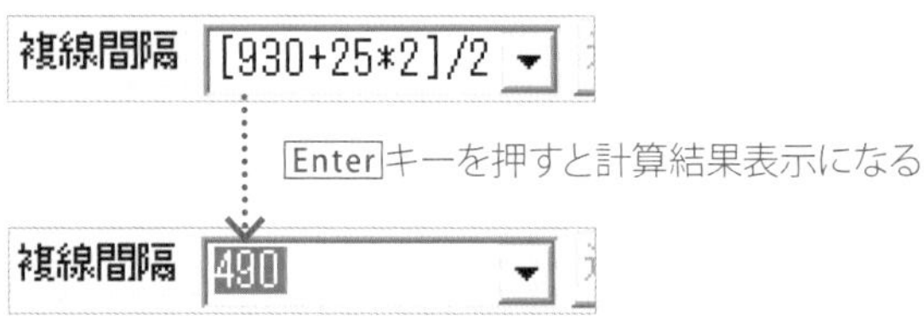

マウスで数値入力

「数値入力」ボックス▾を㊀で開く「数値入力」ダイアログの数値ボタンを㊀することで、マウスでの数値入力ができる。

このダイアログでは、電卓機能も利用できる。

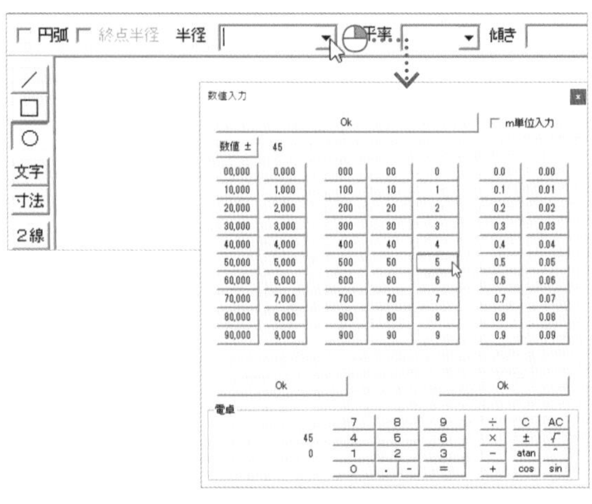

2数（X,Y）入力

2数（X,Y）の入力は、半角「，」（カンマ）で区切って X（横）, Y（縦）の順に入力する。
原点（0，0）に対し、X値は右、Y値は上を＋（プラス）値で入力する。
2数が同じ数値（例えば「120, 120」）の場合は、「120」と入力を省略できる。
2数を区切る「，」は、「．．」（ドット「．」を2つ）を入力することでも代用できる。

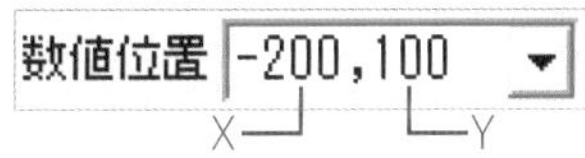

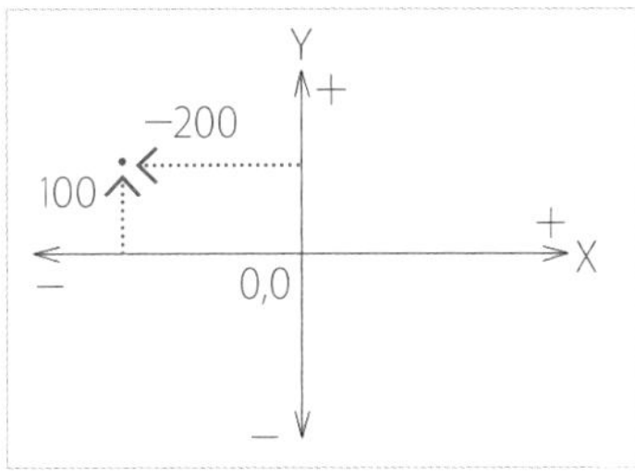

角度入力

角度は、画面水平右方向を0°として反時計回りに指定する。時計回りに指定する場合は、－（マイナス）値を入力する。
入力単位は、基本的には「°（度）」だが、「度分秒」での入力もできる。

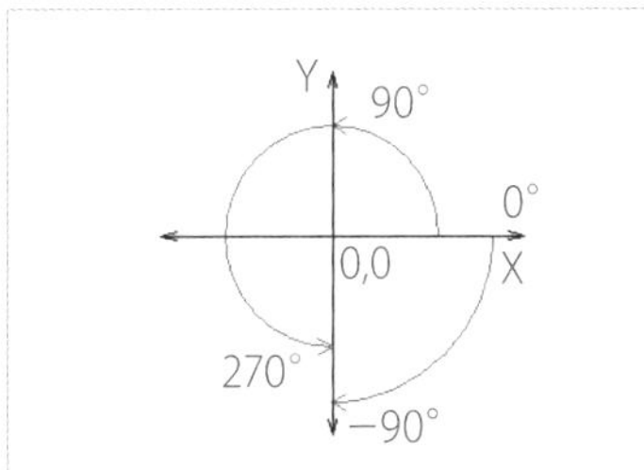

度分秒単位での入力

度の代わりに「@@」、分の代わりに「@」を入力することで度分秒単位での入力になる。
「23度14分24秒」は「23@@14@24」と入力する。

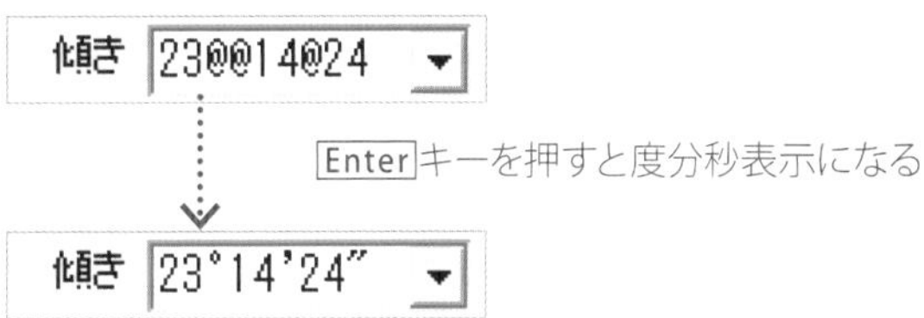

勾配の入力

右上がりの4寸勾配の場合は「//0.4」、右下がりの4寸勾配の場合は「－//0.4」を入力する。
1/8勾配は「//［1/8］」を入力する。

できる ±180°指示、角度取得

角度や傾き、回転角などの入力ボックスの▼を左クリックで開く「数値入力」ダイアログで「±180°Ok」ボタンを左クリックすると、「角度入力」ボックスの現在の角度から180°回転した角度を入力できる。
また、「角度取得」コマンド（▶p.232）を利用することで、図面上の数値や要素の角度を取得して入力できる。

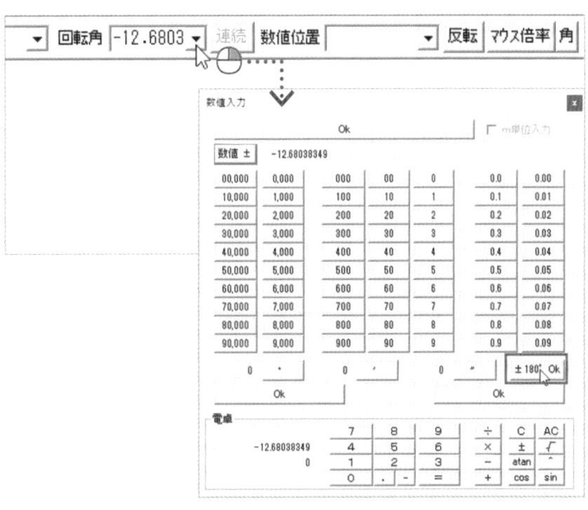

13 クロックメニュー

CD-ROM 1-13.jww

ドラック操作で表示される時計の文字盤を模したクロックメニューからコマンドを選択できる

作図ウィンドウで(L)ドラッグまたは(R)ドラッグすると、時計の文字盤を模したクロックメニューが表示される。ドラッグしたままマウスポインタを文字盤周囲で回転すると、時計の0〜11時に割り当てられたコマンド名が表示される。使用するコマンド名が表示された状態でマウスボタンをはなすことで、そのコマンドが選択できる。クロックメニューには(L)ドラッグ／(R)ドラッグの別があり、さらにAMメニュー／PMメニューの2面がある。最初に表示される明るい文字盤をAMメニュー、切り替え操作で表示される暗い文字盤をPMメニューと呼ぶ。クロックメニューAM/PMの切り替えは、ドラッグ操作でクロックメニューを表示した状態で、他方のボタンをクリックするか、マウスポインタを文字盤内に移動して再び外に出すことで行う。
本書では、クロックメニュー操作の表記を、(L)／(R)の別、ドラッグ方向、AM/PMの別、コマンドを割り当てた時間（0〜11時）から(R)↘ AM4時[戻る]のように表記する。

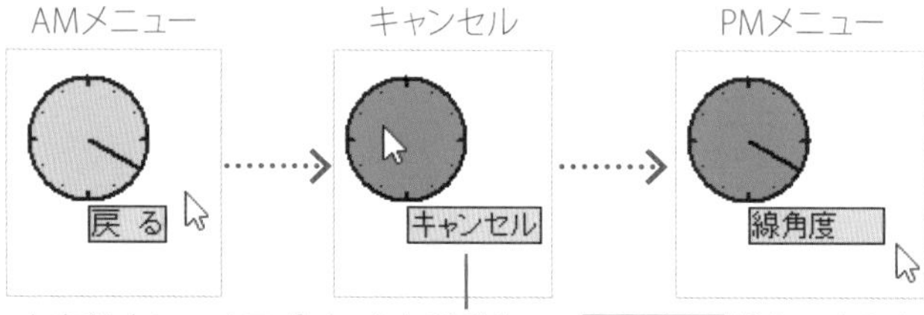

文字盤内にマウスポインタを移動して、[キャンセル]が表示された状態でボタンをはなすと、クロックメニューがキャンセルされる

参考 標準クロックメニュー一覧▶JWWトリセツ付録.pdf p.4〜11

▶ 操作例1　要素の消去

1 「／」コマンド使用時に、消去対象の要素にマウスポインタを合わせ(R)↖ AM10時[消去]。

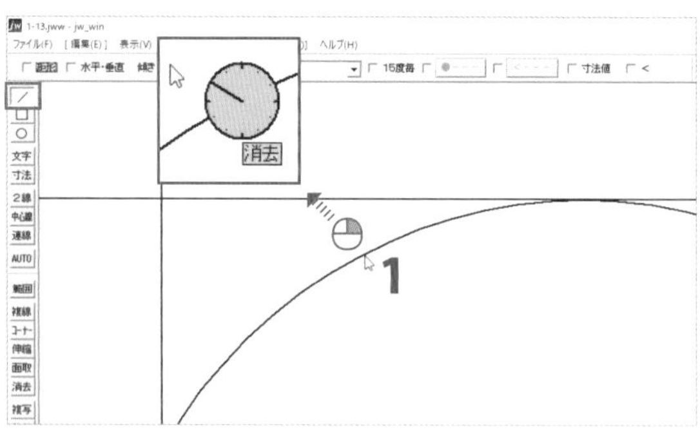

➡「消去」コマンドが選択され、**1**で(R)↖した要素が消去される。

> **POINT**　**1**で何も要素がないところから(R)↖ AM10時[消去]した場合は[図形がありません]と表示され、「消去」コマンド選択直後の状態になる。また、**1**で線・円・弧を(L)↖ AM10時[消去]した場合は、「消去」コマンドが選択され、(L)↖した線・円・弧が部分消しの対象線として選択色になり、部分消しの始点を指示する段階になる。

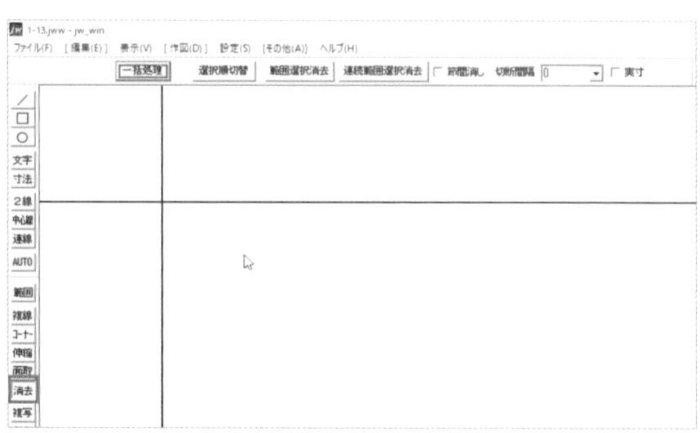

操作例2　包絡処理

1　**「□」コマンド使用時に、包絡範囲の始点位置から⊖→AM3時包絡。**

> **POINT**　クロックメニューの時間ごとのコマンド割り当てはほぼ共通している。これを「標準クロックメニュー」と呼ぶ。ただし、選択コマンドやその操作段階によって表示されるコマンドが一部異なる場合がある。

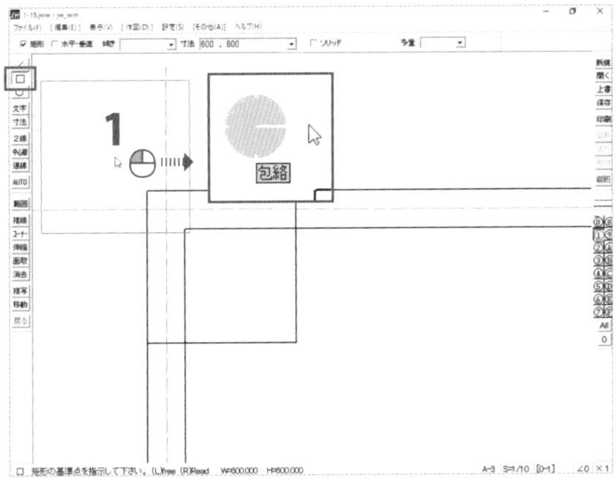

➡「包絡」コマンドになり、**1**の位置を始点とした包絡範囲枠がマウスポインタまで表示される。

2　**表示される包絡範囲枠で、包絡処理の対象を囲み、終点を⊖。**

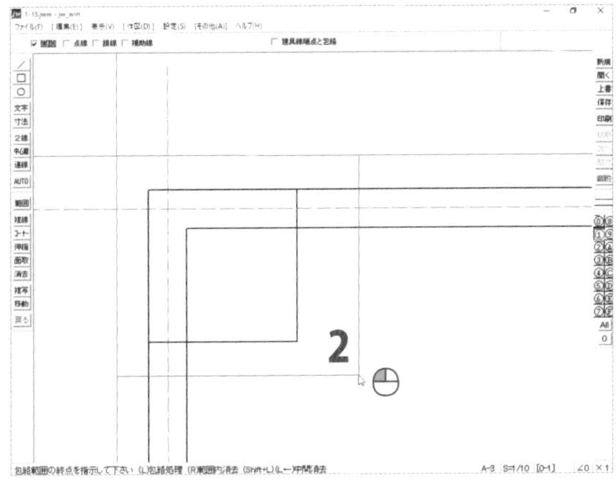

➡ 図のように包絡処理され、コマンドは「包絡」コマンドになったままである。

> **POINT**　AUTOモード（「AUTO」コマンド）の場合は、クロックメニューの処理を終了した後、AUTOモードに戻る（▶p.174）。しかしAUTOモード以外のコマンドからクロックメニューを選択した場合、処理が完了した後もクロックメニューで選択したコマンドに切り替わったままである。「包絡」「消去」「伸縮」「複線」「中心線」「文字」のクロックメニューからの操作に限り、処理を完了した後に元の使用コマンドに戻る「割り込み使用」を環境設定ファイル「WD_COM＝」行で指定できる（▶JWWトリセツ付録.pdf p.66）。

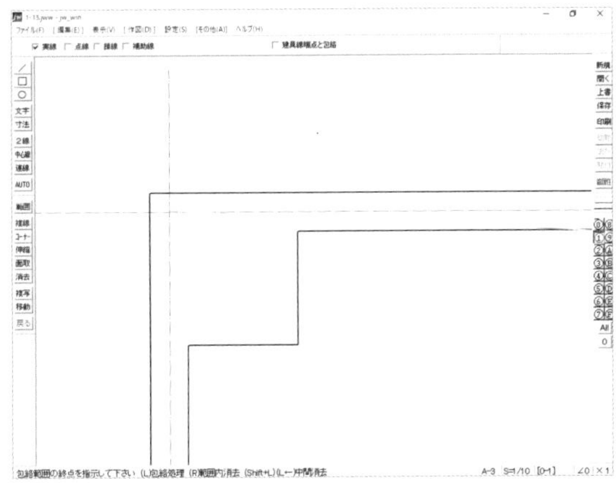

コマンド特有のクロックメニュー

標準クロックメニューでの⊖↑AM0時は文字だが、「文字」コマンド選択時の⊖↑AM0時は文字貼付になる。このように、コマンドや操作段階によって標準クロックメニューとは異なる特有の機能が割り当てられている個所がある。

「文字」コマンドで文字にマウスポインタを合わせ⊖↑AM0時 文字貼付

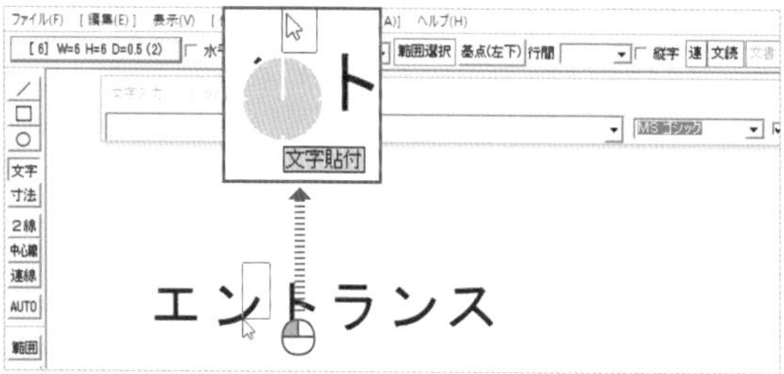

➡⊖↑した文字が「文字入力」ボックスの入力ポインタ位置に貼り付けられる。

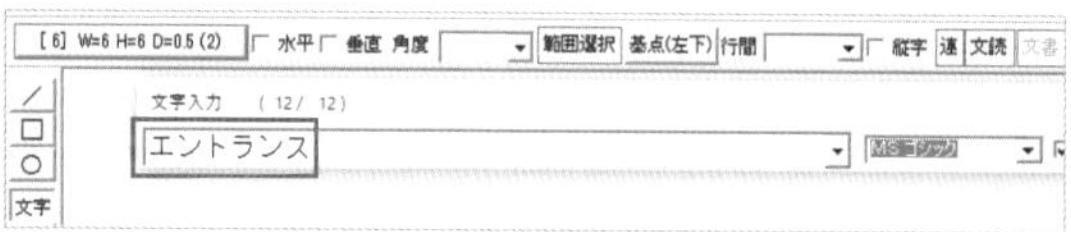

「文字」コマンドで文字にマウスポインタを合わせ⊖↑AM0時 文字消去

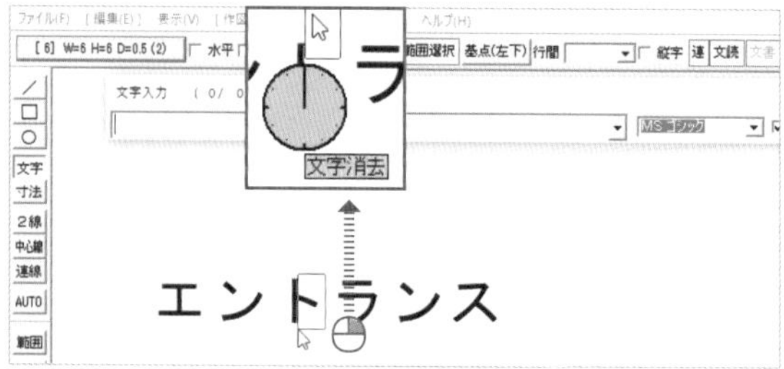

➡⊖↑した文字が消去される。

※コマンド特有のクロックメニューは、基本設定のダイアログの「一般（2）」タブの**5**（▶p.210）にチェックを付けていると利用できないので注意。

長ドラッグクロックメニューで線色・線種・文字種・文字基点を変更

基本設定のダイアログの「一般（2）」タブの「AUTOモードクロックメニュー（1）（2）の…」（▶p.210の**4**）に「−（マイナス）値」を設定すると、その距離（ドット）以上をドラッグすることで、通常のクロックメニューが書込線色・線種や書込文字種類・文字基点を変更するクロックメニューに切り替わる。

書込線色・線種の変更

⊖（または⊖）ドラッグで通常のクロックメニューが表示されるが、さらにドラッグして「一般（2）」タブで設定した距離を超えると、書込線色または書込線種変更のクロックメニュー表示になる。変更する線色または線種を表示した状態でボタンをはなす。

⊖→書込線色変更

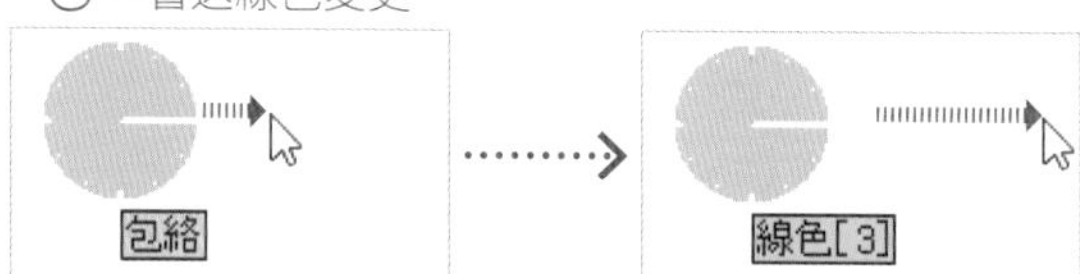

⊖→書込線種変更

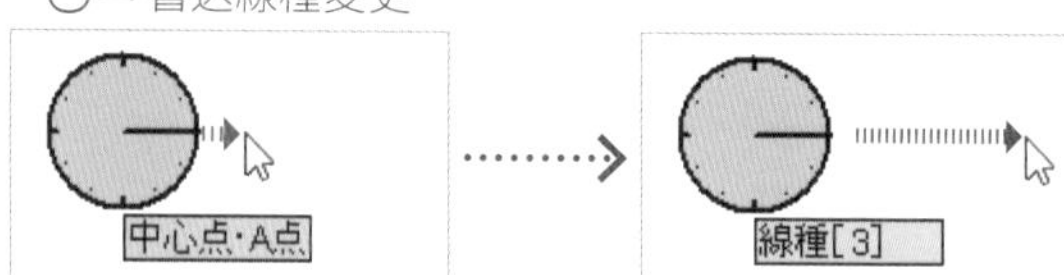

書込文字種・文字基点の変更

「文字」「寸法」コマンド選択時に、⊖（または）⊖ドラッグで、通常のクロックメニューが表示されるが、さらにドラッグし、「一般（2）」タブで指定した距離を超えると書込文字種または文字基点変更のクロックメニュー表示になる。変更する文字種または基点を表示した状態でボタンをはなす。

⊖→書込文字種変更

⊖→文字基点変更

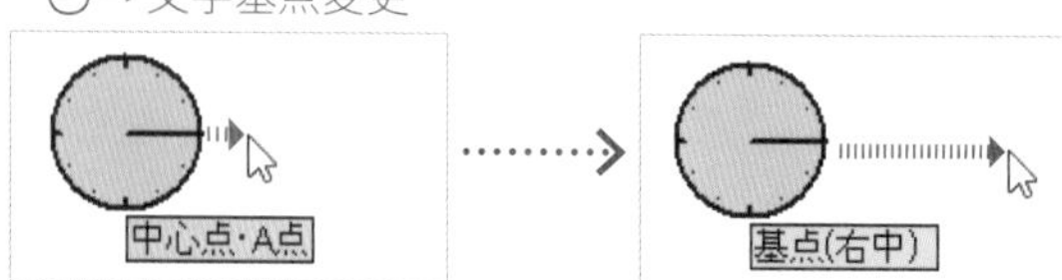

第2章

メニューバーのコマンド

第 2 章では、画面上部に配置されているメニューバーのコマンドの機能および使い方を、メニュー順に解説します。

1 [ファイル] メニュー

[ファイル] メニューのコマンドの機能と使い方

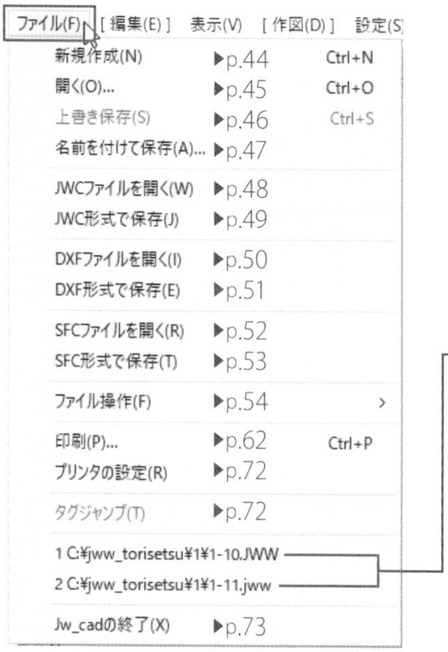

最近使ったファイル

以前に使用した図面ファイル（その保存場所を含む）が、新しい順に10までリスト表示される。ファイル名を㊀することで、その図面ファイルを開く。ただし、当時の保存場所から移動・削除、ファイル名の変更などをしている場合には開けない

新規作成 新規 Ctrl + N キー

編集中の図面を閉じ、新規図面「無題」を開く

基本操作

1 メニューバー [ファイル] ー「新規作成」（「新規」コマンド）を㊀。

> **POINT** 開いている図面を保存していない場合、Jw_cadの終了時と同じダイアログ（▶p.73）が開く。

➡ 開いている図面が閉じて、新規図面「無題」が開き、新規に図面を作図する状態になる。

> **POINT** 基本設定のダイアログの「一般（1）」タブの「新規ファイルのとき…」（▶p.207の**39**）にチェックを付けると、用紙サイズ、縮尺、レイヤ名、レイヤの表示状態、「文字」タブでの文字サイズ設定などの各種設定がJw_cad起動時の設定になる。チェックを付けていないと、「新規作成」コマンド選択時の図面の設定になる。

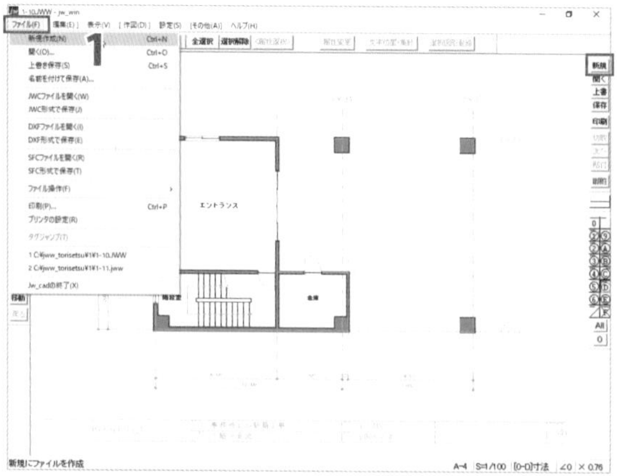

開く

開く　Ctrl + O キー

CD-ROM 2-1-02.jww

Jw_cadの図面ファイル（JWWファイル）を開く

基本操作

1　メニューバー［ファイル］－「開く」（「開く」コマンド）を⊖。

➡「ファイル選択」ダイアログが開く。

参考 「ファイル選択」ダイアログでの共通操作▶p.30

2　左側のフォルダーツリーで、図面ファイルが収録されているフォルダーを⊖で選択する。

POINT　前回、JWWファイルを開いた（または保存した）フォルダーが選択されている。

3　ファイルウィンドウで、図面ファイルを⊖⊖。

POINT　編集中の図面を保存していない状態で**1～3**の操作を行った場合、Jw_cadの終了時と同じダイアログ（▶p.73）が開く。編集途中の図面を保存せずに別の図面を開く場合は「いいえ」ボタンを⊖。

➡ **3**で⊖⊖した図面ファイルが開く。

POINT　基本設定のダイアログの「一般（1）」タブの「ファイル読込項目」（▶p.207の**14～15**）にチェックを付けて図面ファイル開くと、その図面の印刷線幅、カラー印刷色や「印刷」コマンドで指定した印刷範囲などの情報も読み込む。

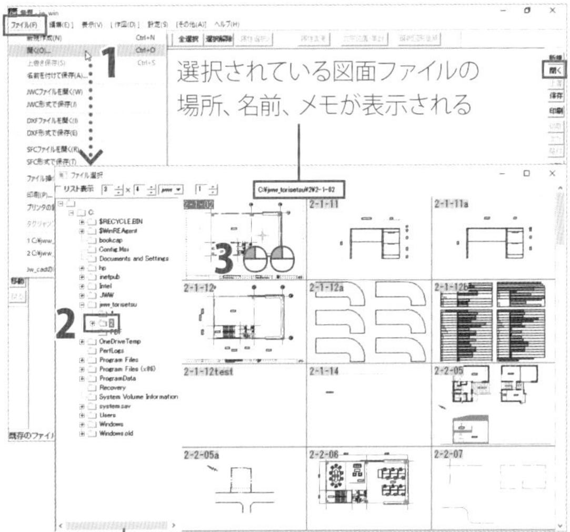
1
2
3
選択されている図面ファイルの場所、名前、メモが表示される

「ファイル選択」ダイアログ（▶p.30）

開いた図面ファイルの名前がタイトルバーに表示される

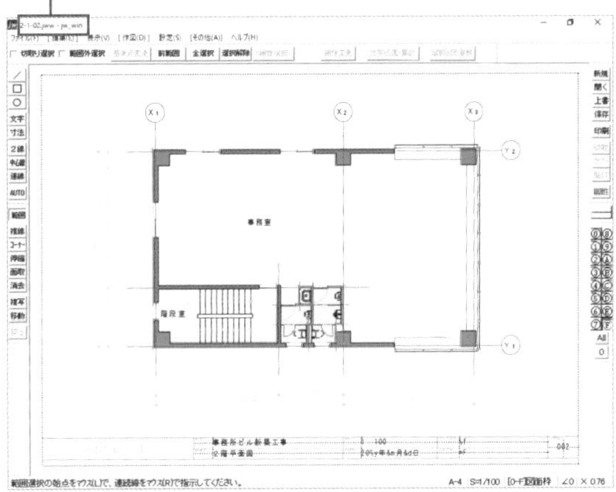

POINT　Jw_cadのバージョンが違うと開けないことがある

Jw_cadは、過去のバージョンアップ時に、図面ファイルの保存形式であるJWW形式の内容を何度か変更している。最新のJw_cadでは旧バージョンのJw_cadで保存したJWWファイルを開けるが、旧バージョンのJw_cadでは、より新しいバージョンのJw_cadで保存したJWWファイルを開けないことがある。

JWWファイルを開いたとき、作図ウィンドウに何も表示されず（タイトルバーに図面ファイル名は表示される）、すべての要素数（▶p.14）が「0」と表示される場合は、Jw_cadをバージョンアップしたうえで開くか、旧バージョンのJWWファイル形式で保存（▶p.47 できる）したJWWファイルを受け取ることで対処する。

上書き保存 上書 Ctrl + S キー

編集中の図面を上書き保存（更新）する

基本操作

1 メニューバー［ファイル］－「上書き保存」（「上書」コマンド）を⊖。

➡ 図面が上書き保存（更新）される。

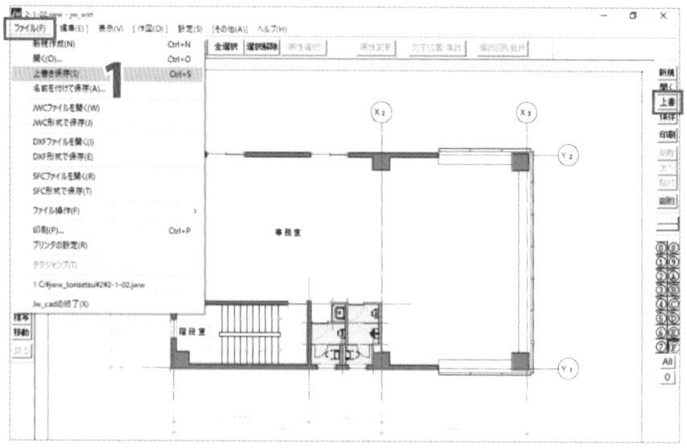

JWC・DXF・SFC・P21形式の図面ファイルの上書き保存

JWC・DXF・SFC・P21形式の図面ファイルを編集している場合、メニューバー［ファイル］－「上書き保存」と「上書」コマンドはグレーアウトになり選択できない。これらの形式の図面ファイルの上書き保存は以下の手順で行う。

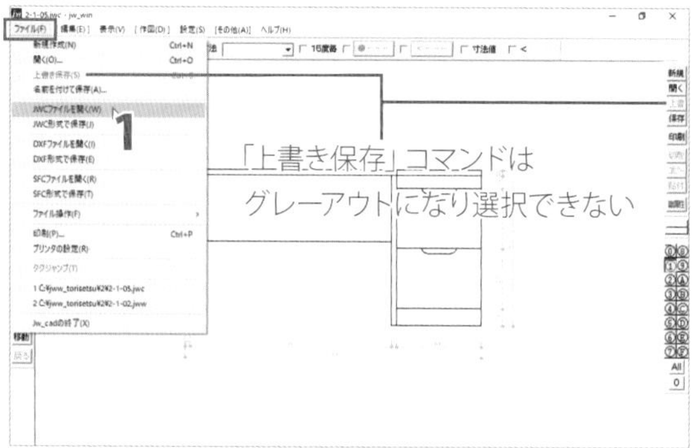

JWCファイルを上書き保存する。

1 メニューバー［ファイル］－「JWC形式で保存」（または「DXF形式で保存」「SFC形式で保存」）を選択する。

2 「ファイル選択」ダイアログが開くので、上書き保存する図面ファイルを⊖⊖。

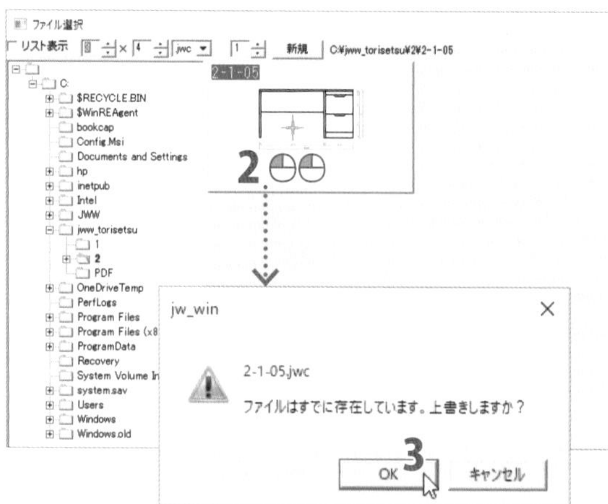

3 上書き保存を確認するウィンドウが開くので、「OK」ボタンを⊖。

できる JWC・DXF・SFC・P21の上書き保存 ―

起動環境設定ファイル「S_COMM_0」の指定で、JWC・DXF・SFC・P21形式の図面ファイルを「上書き保存」コマンドで上書き保存するように設定できる（▶JWWトリセツ付録.pdf p.34）。

名前を付けて保存 保存

編集中の図面をJw_cadの図面ファイル形式（JWWファイル）で保存する

基本操作

1 メニューバー［ファイル］－「名前を付けて保存」（「保存」コマンド）を⊖。

POINT 新しく作図した図面を保存するほか、開いた図面ファイルを別の名前で保存する場合にも同じ操作を行う。

2 「ファイル選択」ダイアログのフォルダーツリーで保存場所を確認（または指定）する。

POINT 前回JWWファイルを開いた（または保存した）フォルダーが選択されている。

3 「新規」ボタンを⊖。

無題 保存していない図面はタイトルバーに「無題」と表示される

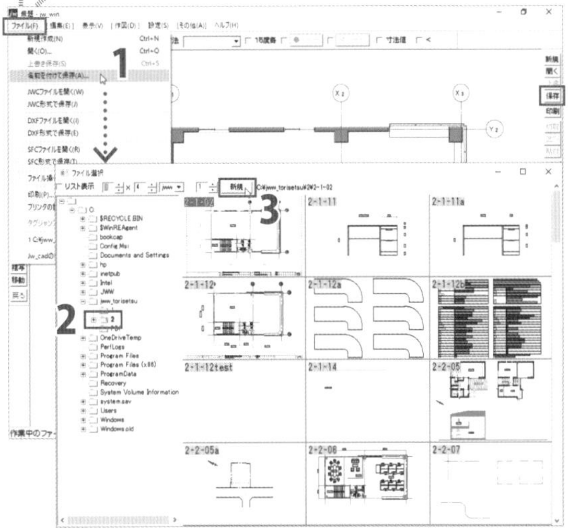

➡「新規作成」ダイアログが開く。

4 「新規作成」ダイアログの「名前」ボックスにファイル名を入力（または変更）する。

5 適宜、「メモ」ボックスを⊖してメモを入力する。

POINT JWW、JWC形式で保存する場合は、メモを入力できる。

6 「OK」ボタンを⊖。

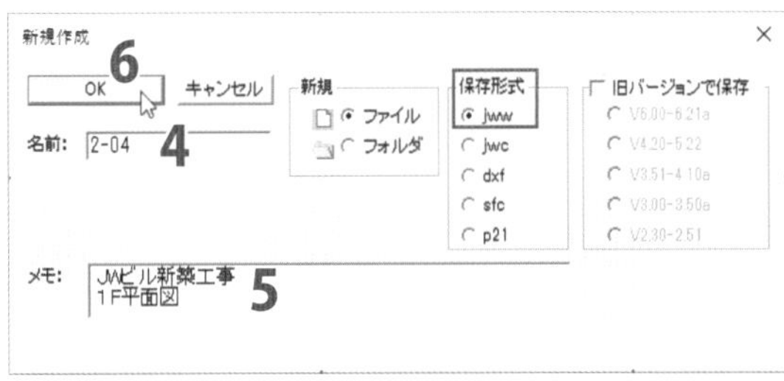

参考 フォルダーの作成▶p.279

できる 旧バージョンで保存

旧バージョンのJw_cadを使用するユーザーに図面ファイルを渡す場合は、上記**3**の操作で開いた「新規作成」ダイアログの「旧バージョンで保存」にチェックを付け、保存するバージョン（右図では「V6.00－6.21a」）を⊖で選択したうえで、上記**4**～**6**の操作を行う。「ver.○○形式の旧バージョンで保存します」ウィンドウが開くので、「はい」ボタンを⊖。「旧バージョンで保存」の指定はJw_cadを終了するまで有効である。なお、画像同梱（▶p.107）された図面ファイルは、画像分離（▶p.107）してから旧バージョンで保存し、JWWファイルとともに分離した画像ファイルも渡す。

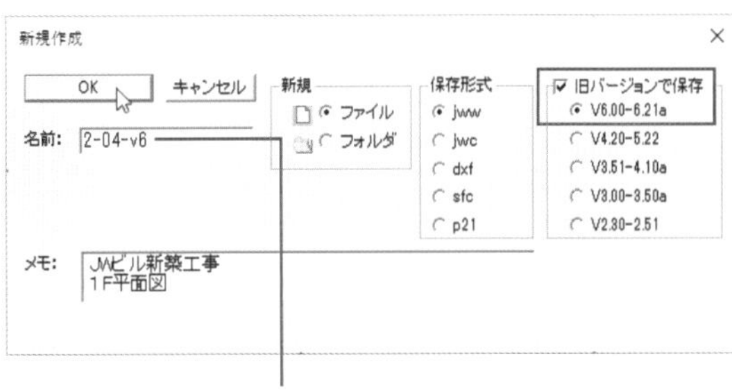

開いた図面ファイルと同じ名前で同じフォルダーに保存すると、旧バージョン形式で上書き保存されるため、元の図面ファイルとは異なる名前に変更する

JWCファイルを開く

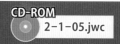

CD-ROM 2-1-05.jwc

DOS版JW_CADの図面ファイル形式のJWCファイルを開く

基本操作

1 メニューバー［ファイル］－「JWCファイルを開く」を⊖。

2 「ファイル選択」ダイアログのフォルダーツリーで図面ファイルが収録されているフォルダーを⊖で選択する。

> **POINT** 前回JWC・DXF・SFCファイルを開いた（または保存した）フォルダーが選択されている。

3 ファイルウィンドウで、図面ファイルを⊖⊖。

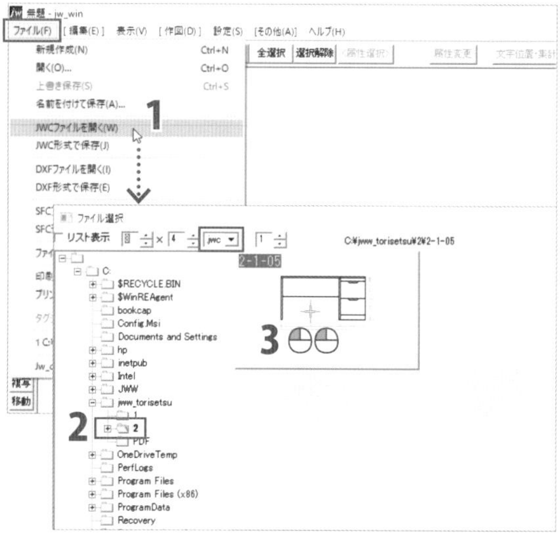

➡ 選択したJWC形式の図面ファイルが開く。

参考 関連設定▶p.219 基本設定の「DXF・SXF・JWC」タブ

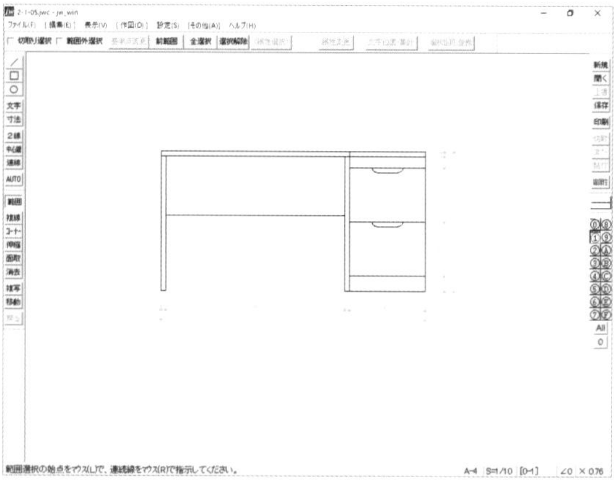

POINT JWWファイルとJWCファイルの違い

Jw_cad（Windows版）はDOS版JW_CADの図面要素や属性を引き継いでいるため、DOS版JW_CADとほぼ同じ状態でJWCファイルを開くことができる。
ただし、JWCファイルには、印刷時の線幅・印刷色の情報や文字フォントの情報はないため、印刷線幅・印刷色はJWCファイルを開く時点の設定になり、文字のフォントはすべてMSゴシックになる。
現在、ほとんどのCADはデータ精度に倍精度（有効桁数15桁）を採用している。Jw_cadも倍精度だが、DOS版JW_CADは精度の低い単精度（有効桁数8桁）である。
そのため、JWCファイルを開いて測定すると、25mmあるべきところが「24.9999mm」と表示されたり、連続しているように見える弧と線が連続していないと見なされたりする場合がある。

JWC形式で保存

編集中の図面をDOS版JW_CADの図面ファイル形式（JWCファイル）で保存する

基本操作

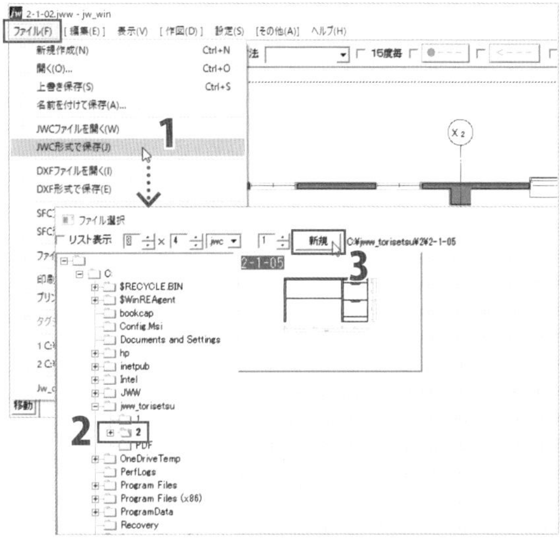

1　メニューバー［ファイル］－「JWC形式で保存」を⊖。

2　「ファイル選択」ダイアログのフォルダーツリーで保存場所を確認（または指定）する。

> **POINT**　前回JWC・DXF・SFCファイルを開いた（または保存した）フォルダーが選択されている。

3　「新規」ボタンを⊖。

➡「保存形式」欄の「jwc」が選択され、「名前」ボックスに編集中の図面ファイル名が色反転された「新規作成」ダイアログが開く。

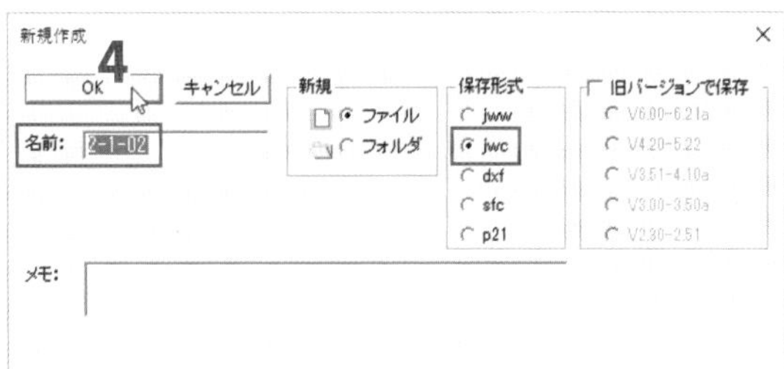

4　「保存形式」が「jwc」であることと、「名前」を確認（適宜、変更）し、「OK」ボタンを⊖。

> **POINT**　JWC形式で保存する場合、「名前」は半角8文字以内とし、空白や「.」（ドット）、「,」（カンマ）などの記号は使用しないこと。

POINT　JWC形式で保存する時の注意点

JWC形式で保存した図面ファイルのデータは単精度（▶前ページ **POINT**）になる。DOS版JW_CADにない要素や仕様（下記）はJWC形式で正しく保存できない。

■ 線色7・8、補助線色、SXF対応拡張線色は、すべて線色6になる。

■ SXF対応拡張線種は倍長線種（▶p.241）になる。

■ 基本設定のダイアログの「色・画面」タブや「線種」タブで指定した印刷線幅、印刷色、実点サイズ、線種ピッチなどの情報は保存されない。

■ 任意サイズの文字は、文字種［1］～［10］のうちの近いサイズの文字種になる。線色1～6以外の色を指定した文字は補助線色の文字になり印刷されない。

■ 文字のフォント・斜体・太字の指定は保存されない。Jw_cad特有の特殊文字や埋め込み文字（▶p.71）のうち、DOS版JW_CADにないものは正しく表示されない。

■ ソリッド（塗りつぶし部）は範囲を示す外形線とそれを分割する線分になる。

■ 寸法図形（▶p.18）は解除され、線要素（寸法線）と文字要素（寸法値）に分解される。

■ ブロックは解除される。

■ 画像は表示されず、画像表示部に画像表示命令の文字が記入された状態になる。

■ 線、文字などの要素数の制限がある。DOS版JW_CADでは、1図面ファイルで扱うことのできる線数、文字数などに制限があり、その制限を超える図面は、開くことができない（制限数はJW_CADを稼動させているパソコン環境により異なる）。

DXFファイルを開く

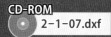

CD-ROM 2-1-07.dxf

別のCADで保存したDXF形式の図面ファイルを開く

基本操作

1 メニューバー［ファイル］－「DXFファイルを開く」を⊖。

> **POINT** 基本設定の「DXF・SXF・JWC」タブの「図面範囲を読取る」（▶p.219の**1**）にチェックを付け、DXFファイルの元図面と同じ用紙サイズに設定したうえで**1**を行うこと。

2 「ファイル選択」ダイアログのフォルダーツリーで図面ファイルが収録されているフォルダーを⊖で選択する。

> **POINT** 前回JWC・DXF・SFCファイルを開いた（または保存した）フォルダーが選択されている。

3 ファイルウィンドウで、図面ファイルを⊖⊖。

➡ **1**の操作時の用紙サイズで、**3**で選択したDXFファイルが開く。

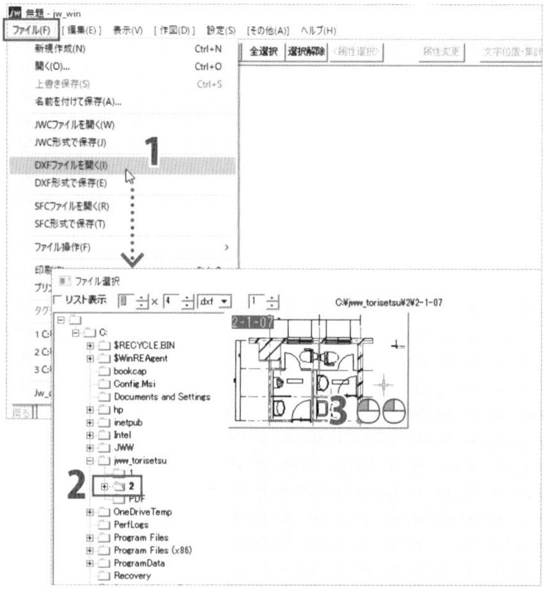

POINT DXFとは

DXFは、上位バージョンのAutoCADで作図した図面を下位バージョンのAutoCADへ渡すことを目的として、オートデスク社が開発したファイル形式である。大部分のCADで読込・保存ができることから、メーカーが提供する製品CADデータの形式や、異なるCAD間で図面ファイルを受け渡しするときの形式として広く利用されている。

AutoCADの図面に則した形式であるため、DXFファイルは原寸で、縮尺・用紙サイズなどの情報はない。また、各CADにおける図面構成要素の違いやDXFの解釈の違いから、必ずしも元のCADで作図した図面を100%再現できるものではない。縮尺、用紙サイズ、文字サイズ、線種・線色、レイヤなどが元の図面とは異なる、図面の一部が欠落するなど、さまざまな違いが生じる可能性がある。

DXFファイルの受け渡しのときは、以下のことに注意すること。

■ 図面内容の確認のため、DXFファイルとともに印刷した図面か、あるいはPDFファイルも受け渡す。

■ Jw_cadで開くことのできるのは、2次元のアスキー（テキスト）形式のDXFファイルのみ。3次元やバイナリー形式のDXFファイルは開けない。

■ DXF保存するCADがDXFのバージョンを指定できる場合は、R12形式で保存したDXFファイルを受け取る。

■ DXFファイルを開く前に、基本設定のダイアログの「DXF・SXF・JWC」タブ（▶p.219）で、**1**「DXF読込み」欄の「図面範囲を読取る」にチェックを付けると、ファイルを開くときの用紙サイズに図面が収まるよう縮尺が自動調整される。また、「SXF読込み」欄の**6**「背景色と同じ色を反転する」にチェックを付けると、Jw_cadの背景色と同じ色の線を色反転して表示する。

■ DXF図面の線色・線種は、Jw_cadの標準線色・線種ではなく、SXF対応拡張線色・線種（▶p.242）になる。

■ DXF図面によっては、寸法が正しくない場合もある。編集を始める前に各部の測定（▶p.264）を行い、寸法が正しいことを確認する。

参考 寸法が違う場合の修正や線色・線種の変更などDXFファイルをJw_cadで利用する手順▶別書『Jw_cad 8を仕事でフル活用するための88の方法』p.186

DXF形式で保存

編集中の図面をDXF形式で保存する

基本操作

1 メニューバー[ファイル]－「DXF形式で保存」を⊖。

2 「ファイル選択」ダイアログのフォルダーツリーで保存場所を確認（または指定）する。

> **POINT** 前回JWC・DXF・SFCファイルを開いた（または保存した）フォルダーが選択されている。

3 「新規」ボタンを⊖。

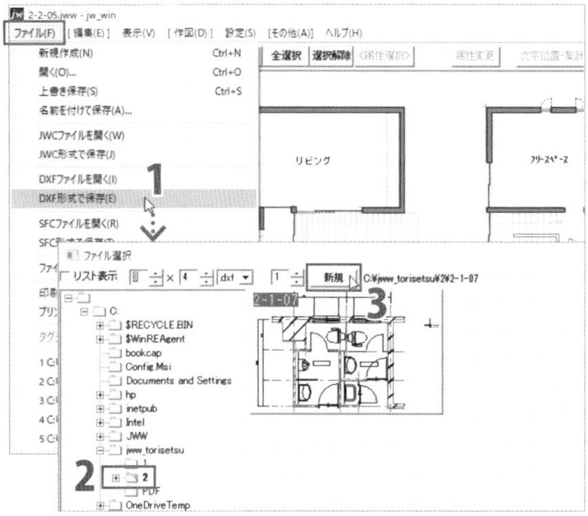

➡「保存形式」欄の「dxf」が選択され、「名前」ボックスに編集中の図面ファイル名が色反転された「新規作成」ダイアログが開く。

4 「保存形式」が「dxf」であることと、「名前」を確認（適宜、変更）し、「OK」ボタンを⊖。

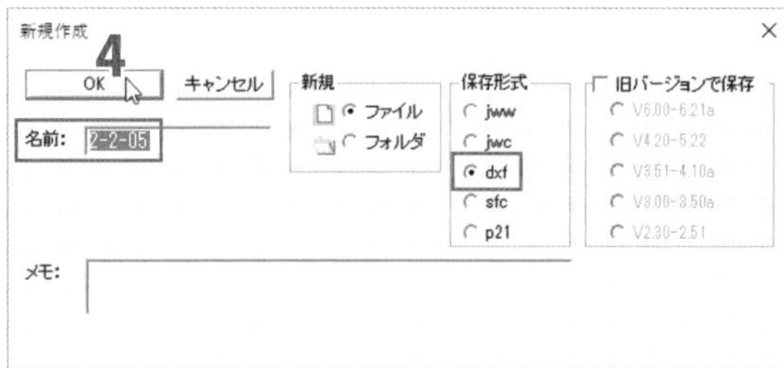

POINT DXF形式で保存するときの注意点

■ 各線色は、基本設定のダイアログの「色・画面」タブ（▶p.212）で指定しているカラー印刷色で保存される。
■ 円ソリッド（▶p.15）、画像は保存されない。
■ 印刷されない補助線、仮点は印刷される線、点になる。
■ Jw_cad特有の特殊文字（▶p.154〜155）、埋め込み文字（▶p.71）は、別のCADでは正しく表示されない。
■「#」「,」「.」などの記号を使用したレイヤ名やJw_cad特有のランダムライン、SXF対応拡張線種のユーザー定義線種が原因で、別のCADでDXFファイルが開けない場合がある。保存前にそれらを変更・修正しておく。

参考 関連設定▶p.219 基本設定の「DXF・SXF・JWC」タブ

できる 選択要素だけをDXFファイルに保存

選択した要素をDXFファイルとして保存できる。

1 「範囲」コマンドで保存する要素を選択する。

2 メニューバー[ファイル]－「DXF形式で保存」を⊖。

3 「選択図形のみを保存します」と表示されるので、「OK」ボタンを⊖し、上段「基本操作」の2〜4を行う。

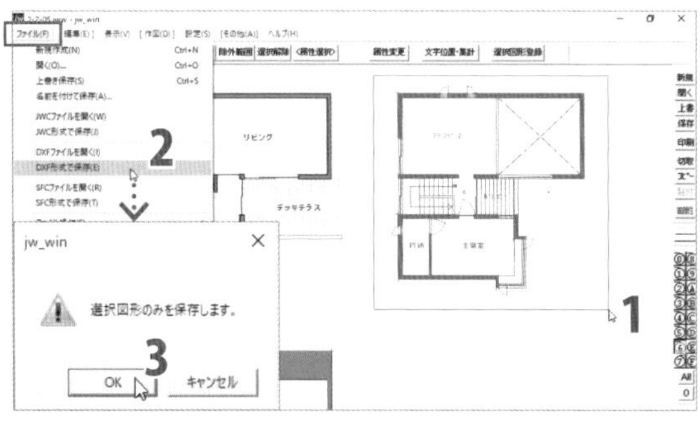

SFCファイルを開く

CD-ROM 2-1-09.sfc

別のCADで保存したSFC・P21形式の図面ファイルを開く

基本操作

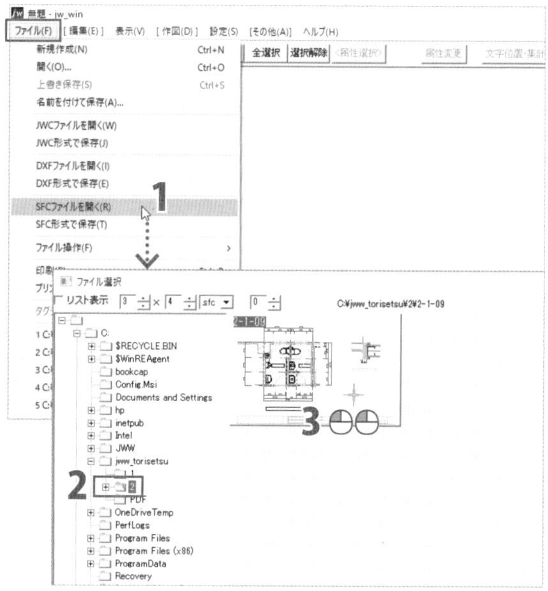

1 メニューバー[ファイル]－「SFCファイルを開く」を㊀。

2 「ファイル選択」ダイアログのフォルダーツリーで図面ファイルが収録されているフォルダーを㊀で選択する。

POINT P21ファイルを開く場合は、ファイルの種類ボックスの▼ボタンを㊀し、表示されるリストの「p21」を㊀してP21形式のサムネイル表示にする。

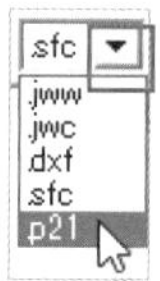

3 ファイルウィンドウで、図面ファイルを㊀㊀。

参考 関連設定▶p.219 基本設定の「DXF・SXF・JWC」タブ

➡ 選択した図面ファイルが開く。

※**3**で図面がプレビューされず、開けない場合はp.331を参照。

POINT SXF（SFC・P21）とは

SXFは、異なるCAD間での正確な図面ファイルの受け渡しを目的に、国土交通省主導で開発された図面ファイル形式である。電子納品のためのP21形式と、関係者間での図面ファイルの受け渡しのためのSFC形式がある。ほぼ元の図面と同じ見た目で開け、印刷もできるが、元の図面と100%同じではない。

SXFファイルは、Jw_cadで作成した図面とは異なる構造を持っているため、図面上の距離の測定や編集には、属性取得、レイヤグループ、ブロック編集などの知識が必要である。以下に、Jw_cadで開いたSXFファイルの主な特徴を列挙する。なお、SXF（SFC・P21）ファイルの編集などについて、詳しくは別書『Jw_cad8を仕事で活用するための88の方法』のp.208～で解説している。

■ 直線寸法の寸法値、寸法線、引出線、端部の点・矢印は1セットの寸法図形（▶p.18）に、それ以外の寸法、引出線、バルーンは、線・文字・矢印がブロック（▶p.17）になる。寸法端部の点・矢印は独自にサイズ情報を持つ点マーカになる。

■ 線色・線種は、線ごとに線幅を持つSXF対応拡張線色・線種（▶p.242）になる。

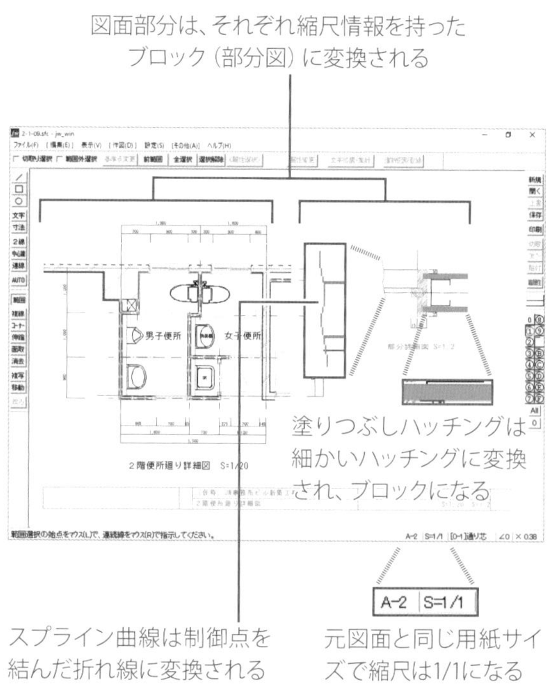

SFC形式で保存

編集中の図面をSFC形式またはP21形式の図面ファイルとして保存する

基本操作

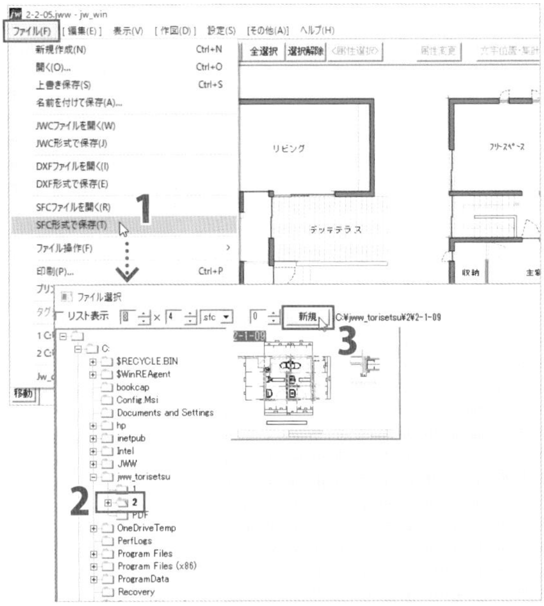

1 メニューバー[ファイル]－「SFC形式で保存」を⊖。

2 「ファイル選択」ダイアログのフォルダーツリーで保存場所を確認（または指定）する。

POINT 前回JWC・DXF・SFCファイルを開いた（または保存した）フォルダーが選択されている。

3 「新規」ボタンを⊖。

➡「保存形式」欄の「sfc」が選択され、「名前」ボックスに編集中の図面ファイル名が色反転された「新規作成」ダイアログが開く。

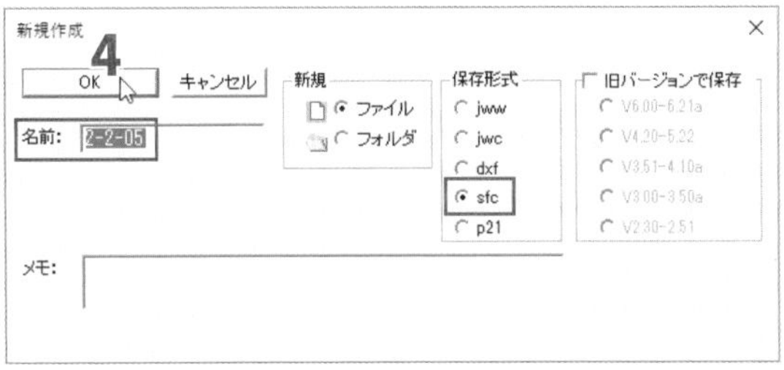

4 「保存形式」が「sfc」であることと「名前」を確認（適宜、変更）し、「OK」ボタンを⊖。

POINT P21形式の図面ファイルとして保存する場合は、「保存形式」を「p21」に変更して「OK」ボタンを⊖する。

参考 関連設定▶p.219 基本設定の「DXF・SXF・JWC」タブ

※保存したファイルを前ページの手順で開いても何も保存されていない場合はp.331を参照。

POINT SFC・P21形式で保存するときの注意点

■線色1～8の線色と線幅は、基本設定の「色・画面」タブの「プリンタ出力要素」欄（▶p.212、の**3**、**4**）で指定した印刷色と線幅で保存される。

■標準線種1～9、拡張線種はSXF対応拡張線種に変換される（▶p.242）。

■図面はレイヤグループごとに部分図（縮尺情報を持ったブロック）として保存される。同じレイヤ名のレイヤが2つ以上ある場合は1つのレイヤに統合される。

■円ソリッド（▶p.15）は正常に保存されない。

■画像は保存されない。

■Jw_cadで印刷されない仮点は印刷される点になる。

■Jw_cadで保存したP21ファイルがそのまま電子納品に使えるとは限らない。実際の電子納品については、国土交通省の電子納品要綱・基準や発注者からの電子納品規則を確認のこと。

ファイル操作

図面ファイルを操作するコマンドを集めたサブメニューが開く

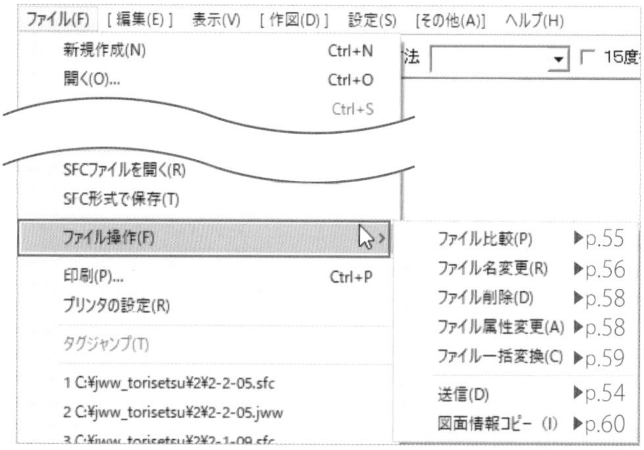

ファイル操作 ➡ 送信

開いている図面ファイルを新規メールに添付する

基本操作

1 メール添付する図面ファイルを開いたうえで、メニューバー［ファイル］－「ファイル操作」－「送信」を㊀。

POINT 開いている図面ファイルを編集した場合は（上書）保存したうえで**1**を行う。

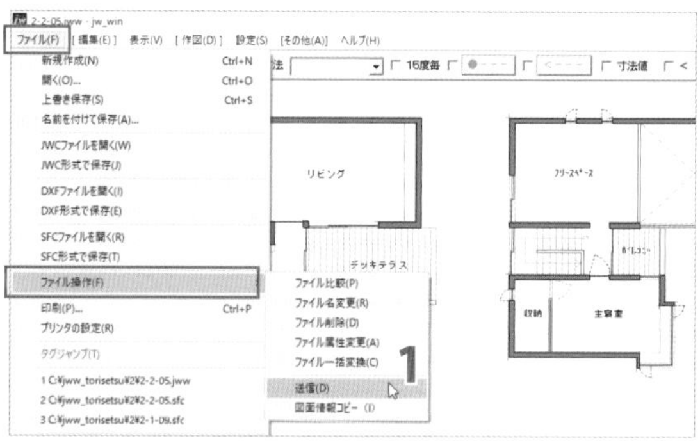

➡ 通常使用しているメールソフト（右図はOutlook）が起動し、新規メールに**1**の段階で開いていた図面ファイルが添付された状態になる。

POINT この機能は、Messaging APIに対応したメールソフト（Outlook、OutlookExpress、WindowsLiveMailなど）でのみ利用可能。

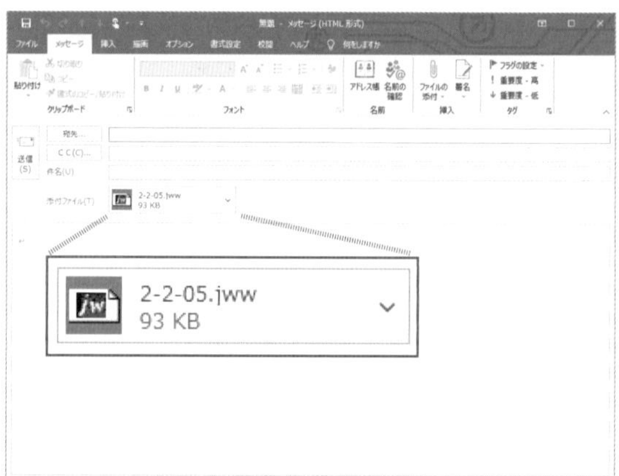

2 「宛先」を指定し、「件名」および内容を記入して送信する。

ファイル操作 ➡ ファイル比較

CD-ROM 2-1-11.jww／2-1-11a.jww

編集中の図面と指定した図面ファイルの内容を比較し、異なる点を表示する

基本操作

1 比較元の図面ファイルを開き、メニューバー［ファイル］－「ファイル操作」－「ファイル比較」を⊖。

> **POINT** 比較できるのはJWWファイルとJWCファイルの2種類だが、JWWファイルとJWCファイルを比較した場合、両者のデータ精度の違い（JWWは倍精度、JWCは単精度）から、すべて異なるデータと見なされて比較にならない。同じ形式のファイルどうしの比較にのみ使用する。

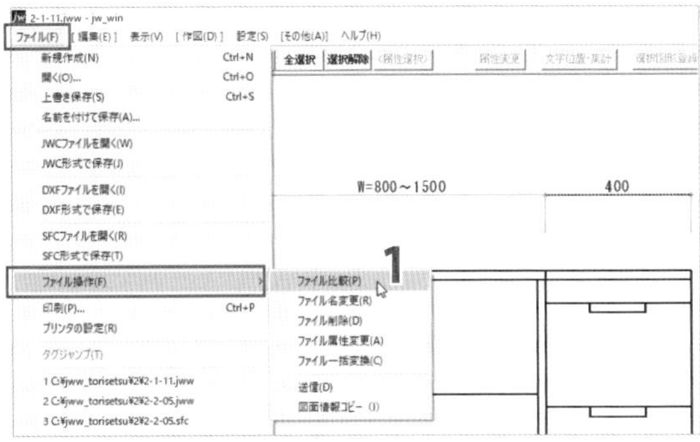

2 コントロールバー「図面比較」ボタンを⊖。

➡「ファイル選択」ダイアログが開く。

参考 「ファイル選択」ダイアログでの共通操作▶P.57

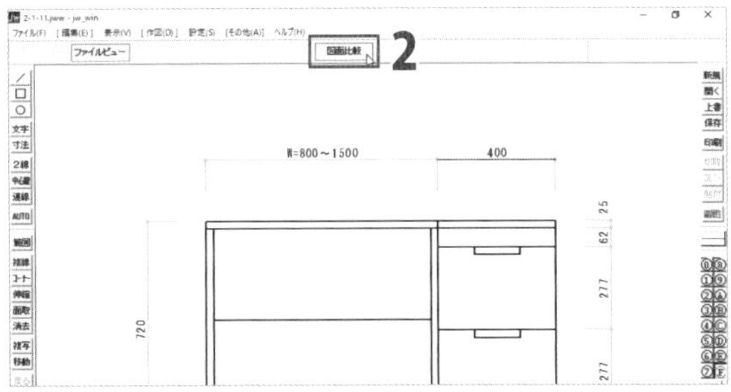

3 フォルダーツリーで、比較先の図面ファイルが収録されているフォルダーを⊖で選択する。

4 比較先の図面ファイルを⊖で選択する。

5 コントロールバー「比較実行」ボタンを⊖。

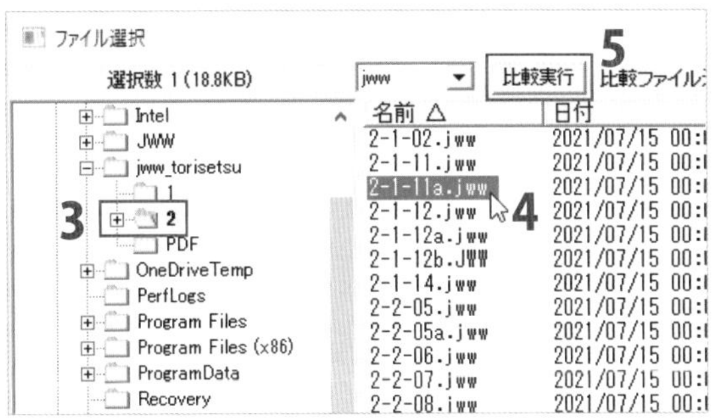

➡ 編集中（比較元）の図面で**4**の比較先の図面と異なる部分が選択色で表示される。**4**の比較先の図面にあって編集中の図面にない部分は仮表示色で表示される。

ここで、コントロールバー「変更部分作図」ボタンを⊖すると、選択色、仮表示色で表示されている要素が書込レイヤに作図される。また、コントロールバー「図面比較」ボタンを⊖すると、「ファイル選択」ダイアログが開き、他の図面を選択して再度比較できる。

「ファイル比較」コマンドを終了するには、「／」コマンドなど他のコマンドを選択する。

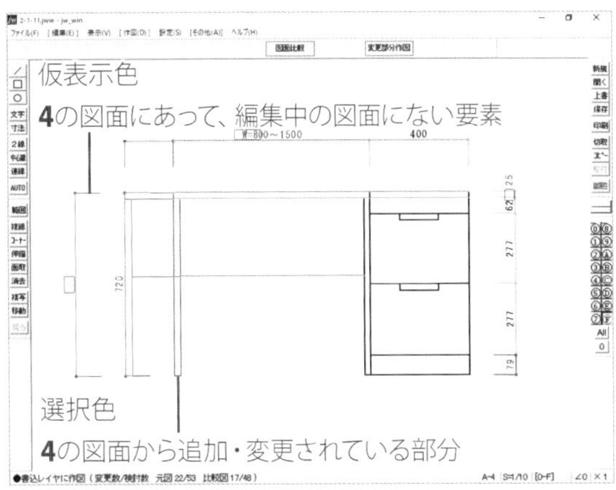

ファイル操作 ➡ ファイル名変更

図面ファイルや図形ファイルのファイル名を変更する

基本操作

1 メニューバー[ファイル]－「ファイル操作」－「ファイル名変更」を⊖。

➡「ファイル選択」ダイアログが開く。

参考 「ファイル選択」ダイアログでの共通操作▶次ページ

2 フォルダーツリーで、変更対象のファイルが収録されているフォルダーを⊖で選択し、ファイルの種類を変更対象のファイル種類にする。

3 変更対象のファイルを⊖で選択する。

4 「選択確定」ボタンを⊖。

➡「ファイル名変更」ダイアログが開く。

5 「ファイル名変更」ボックスのファイル名を変更し、「OK」ボタンを⊖。

> **POINT** ファイル名を変更するとき、「.」(ピリオド)とその後の「jww」などの拡張子を削除・変更することのないように注意する。図面ファイルや図形ファイルのファイル名の変更は、「開く」「保存」「図形」コマンドの「ファイル選択」ダイアログのサムネイル表示でもできる(▶p.30)。

➡ ファイル名が変更される。

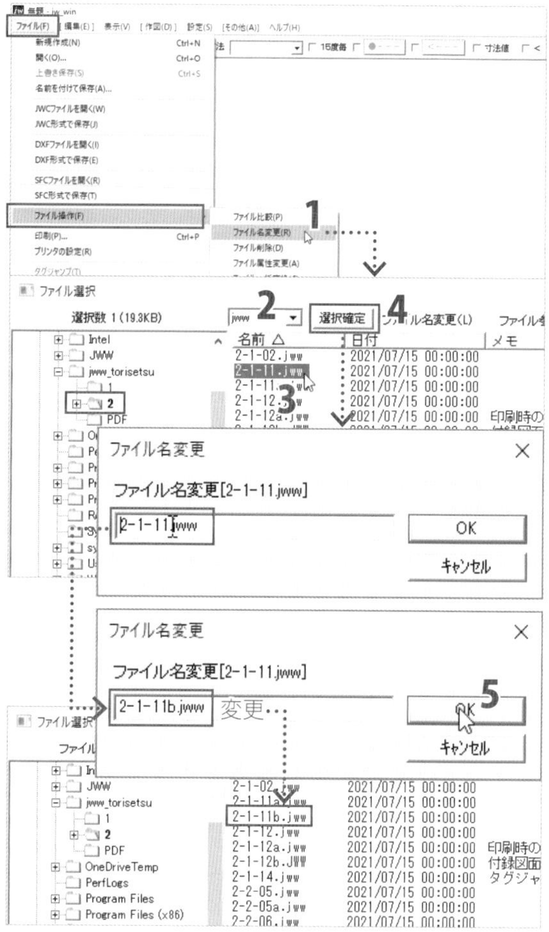

できる 自動保存ファイルやバックアップファイルを開くためにJWWファイルに変更

自動保存ファイル(▶p.329)やバックアップファイル(▶p.329)は、元はJWWファイルなので、自動保存ファイルの拡張子「jw$」やバックアップファイルの拡張子「bak」を「jww」に変更することで、「開く」コマンドで開けるJWWファイルになる。

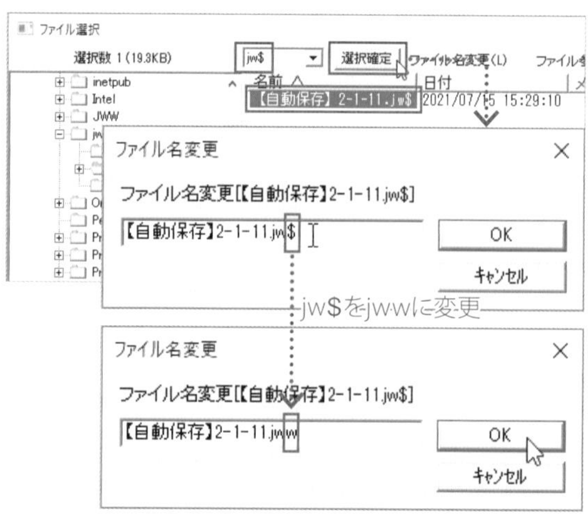

ファイル操作コマンドの「ファイル選択」ダイアログでの共通操作

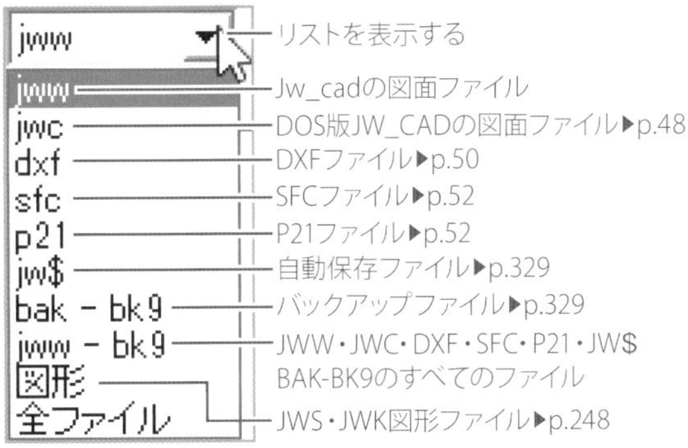

表示するファイルの種類を指定する。

項目間（境界線上）にマウスポインタを合わせ、表示状態で両クリックすると、その左側の1項目の内容がすべて表示されるように列幅が自動調整される（図は両クリック前）。

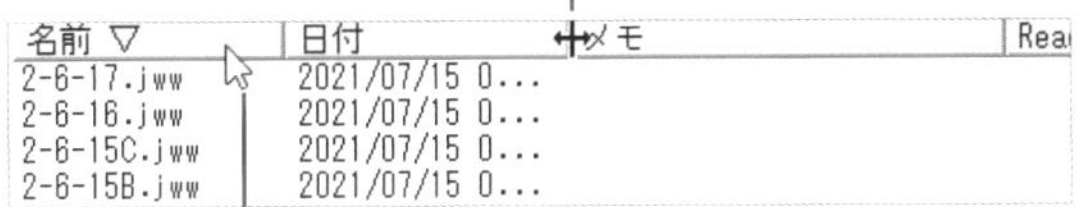

項目欄　項目欄をクリックすると、ファイルの表示順が「名前」「日付」などの△（昇順）または▽（降順）に並び変わる。

ファイルの種類

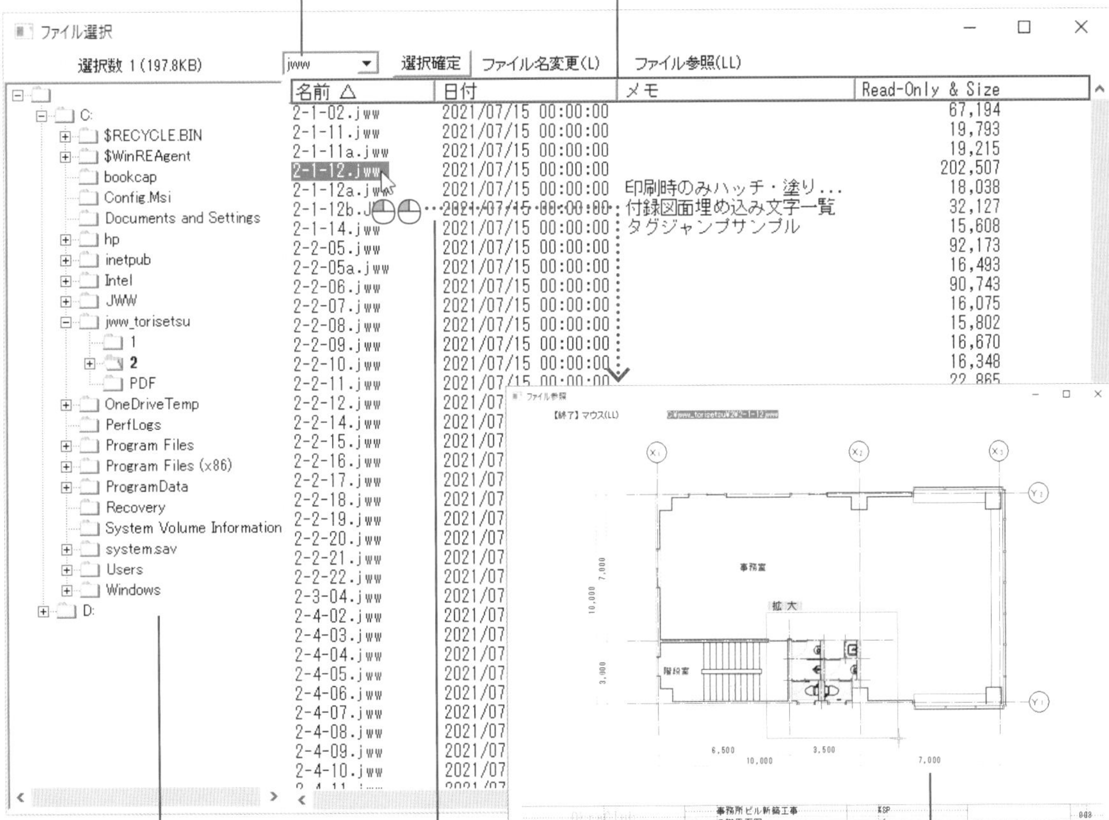

フォルダーツリー部の表示・操作
他の「ファイル選択」ダイアログのフォルダーツリーと同様の表示・操作方法（▶p.31）。

※NTFS圧縮属性が付いたファイルはリストに表示されない。

ファイル選択操作
Ctrlキーを押したままファイル名をクリックすると、ファイルを追加選択する。最初のファイルをクリックした後、Shiftキーを押したまま最後のファイルをクリックすると、その間に表示されているすべてのファイルを選択する。

ファイル内容の参照機能
ファイル名を両クリックすると、「ファイル参照」ウィンドウが開き、ファイルの内容を確認できる。「ファイル参照」ウィンドウでは、作図ウィンドウ上と同様に両ドラッグによるズーム（▶p.24）が行える。

ファイル操作 ➡ ファイル削除

不要な図面ファイルや図形ファイルを削除する

基本操作

1 メニューバー[ファイル]－「ファイル操作」－「ファイル削除」を⊖。

➡「ファイル選択」ダイアログが開く。

参考 「ファイル選択」ダイアログでの共通操作▶p.57

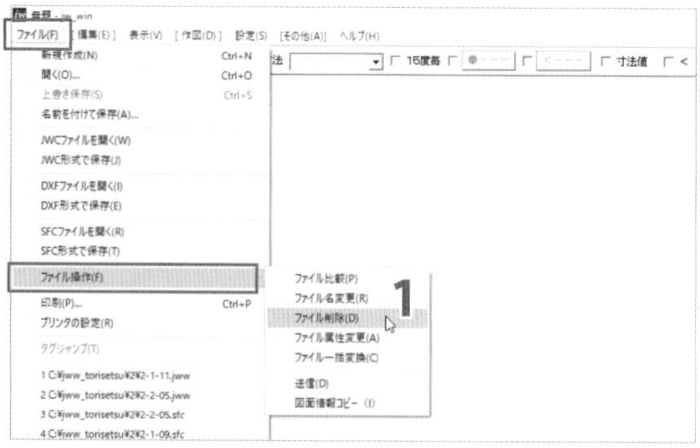

2 フォルダーツリーで削除対象のファイルが収録されているフォルダーを⊖で選択し、ファイルの種類を削除対象のファイルの種類にする。

3 削除するファイルを⊖で選択する。

4 「削除実行」ボタンを⊖。

5 削除確認のウィンドウが開くので、「はい」ボタンを⊖。

➡ ファイルが削除される。

POINT ここで削除したファイルは、Windowsのごみ箱に入らず、完全に削除される。

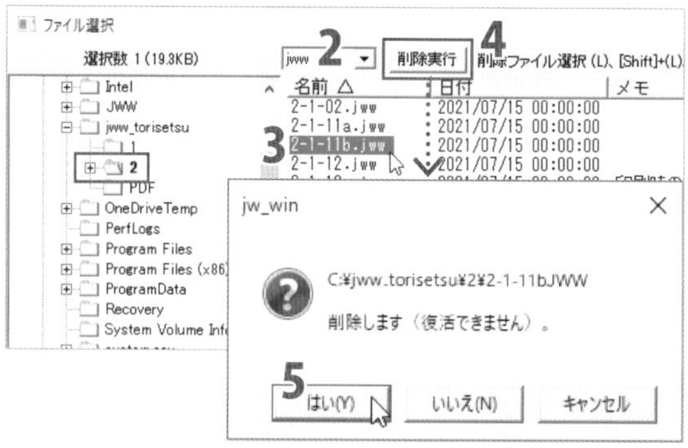

ファイル操作 ➡ ファイル属性変更

図面ファイルの上書き保存を禁止する読取専用属性を解除または付加する

基本操作

1 メニューバー[ファイル]－「ファイル操作」－「ファイル属性変更」を⊖。

➡「ファイル選択」ダイアログが開く。

参考 「ファイル選択」ダイアログでの共通操作▶p.57

2 フォルダーツリーで、変更対象の図面ファイルが収録されているフォルダーを⊖で選択する。

3 読取専用属性を付加（または解除）する図面ファイルを⊖で選択する。

4 「実行」ボタンを⊖。

➡ **3**で選択した図面ファイルの読取専用属性が付加（または解除）される。

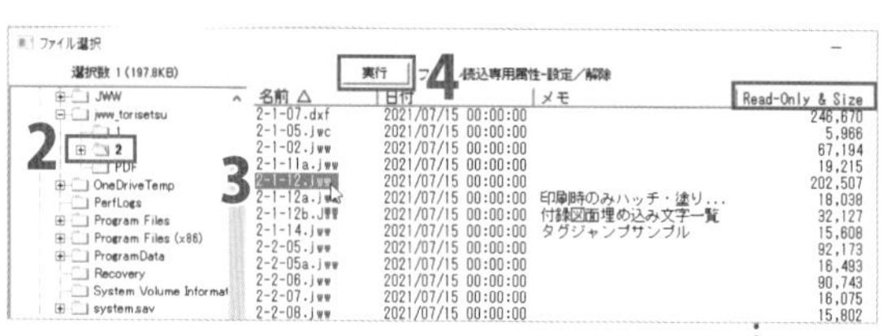

「Read-Only&Size」欄に[R]表記のある図面ファイルが読取専用属性の付いたファイル

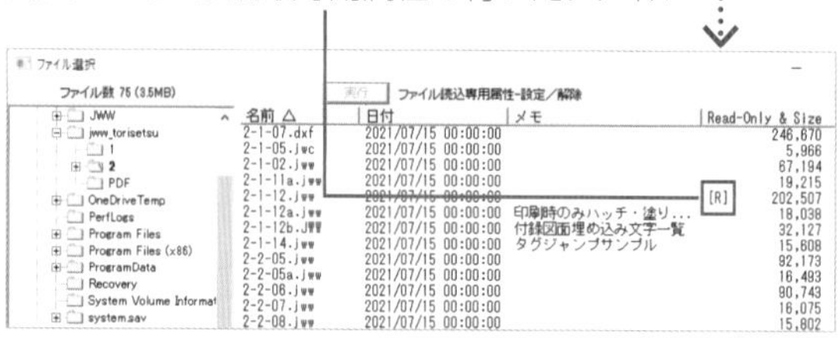

ファイル操作 ➡ ファイル一括変換

JWW・JWC・DXF・SFC・P21ファイルをJWW・JWC・DXF・SFC・P21のいずれかの形式に一括変換する

基本操作

1 メニューバー[ファイル]ー「ファイル操作」ー「ファイル一括変換」を⊖。

> **POINT** 変換後の図面ファイルは変換元と同じ場所に作成される。書き込み不可なCD−ROMなどに収録されている図面ファイルを変換する場合は、それらの図面ファイルをローカルディスクのフォルダーにコピーしたうえで変換する。

2 「開く」ダイアログのフォルダーツリーで、変換対象の図面ファイルが収録されているフォルダーを⊖で選択する。

3 「ファイルの種類」ボックスの ⌄ ボタンを⊖し、リストから変換元のファイル形式を選択する。

> **POINT** 「jwk」を選択すると、この後の**6**の指示に関わりなく、選択したJWK図形ファイルをJWS図形ファイルに一括変換する。「All Files」を選択するとフォルダー内のすべてのファイルが表示されて選択できるが、変換可能なファイルはJWW・JWC・DXF・SFC・P21形式の5種類である。

4 変換する図面ファイルを選択する。

参考 ファイル選択操作▶p.57

5 「開く」ボタンを⊖。

6 「ファイル一括変換」ダイアログの「変換先」欄で変換後のファイル形式を選択する。

7 「OK」ボタンを⊖。

> **POINT** 「上書き確認」にチェックを付けると、同じフォルダーに同じ名前のファイルが存在する場合に上書きを確認するウィンドウがファイルごとに開く。

➡ 選択ファイルが**6**で指定した形式の図面ファイルに一括変換され、「確認」ウィンドウが開く。

8 「OK」ボタンを⊖。

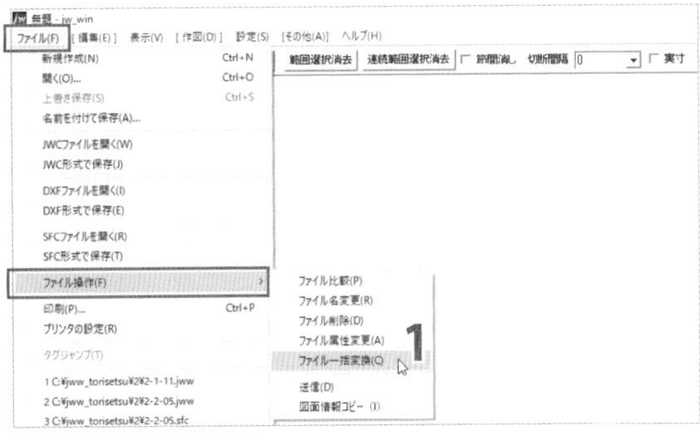

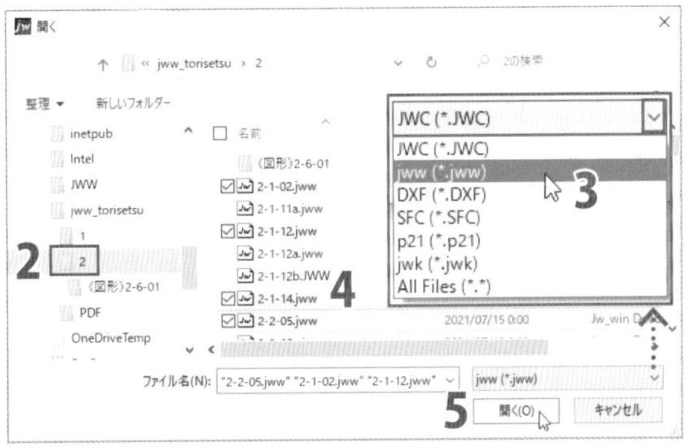

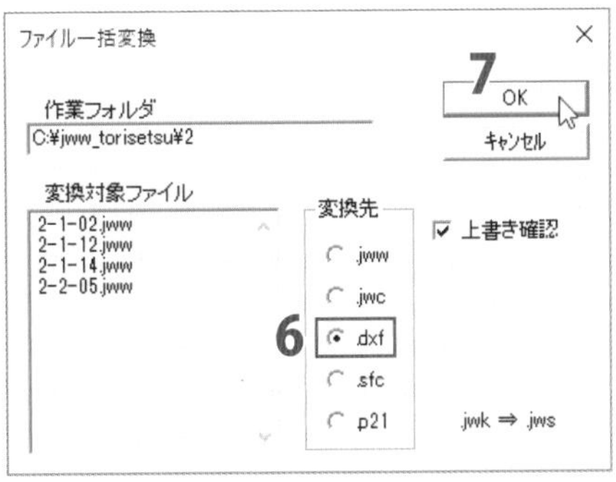

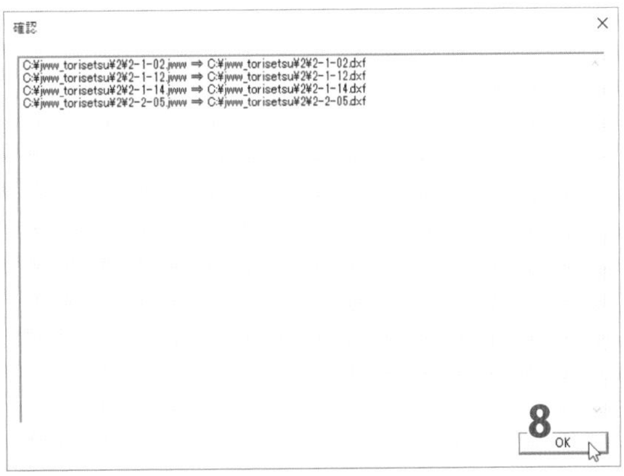

ファイル操作 ➡ 図面情報コピー

編集中の図面ファイルの保存場所と名前、拡大表示個所、レイヤ状態をクリップボードにコピーする

基本操作

「JWW」フォルダーに収録されているMicrosoft Excel（以下、Excel）のファイル「sample.xls」から、特定の図面ファイルを指定の拡大個所、レイヤ状態で開ける仕組みを作る（この機能の実行には、Jw_cadのほかにExcelが必要）。
まず、JWWファイルの図面情報をクリップボードにコピーする。

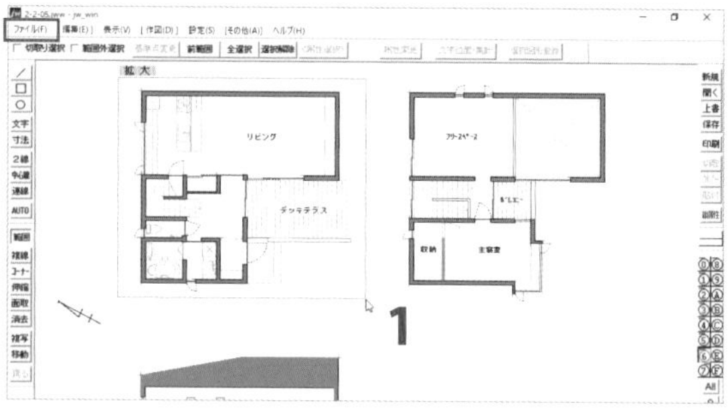

1　図面を開き、開いたときに表示する個所を拡大表示する。レイヤ状態も適宜、変更する。

2　メニューバー［ファイル］－「ファイル操作」－「図面情報コピー」を⊖。

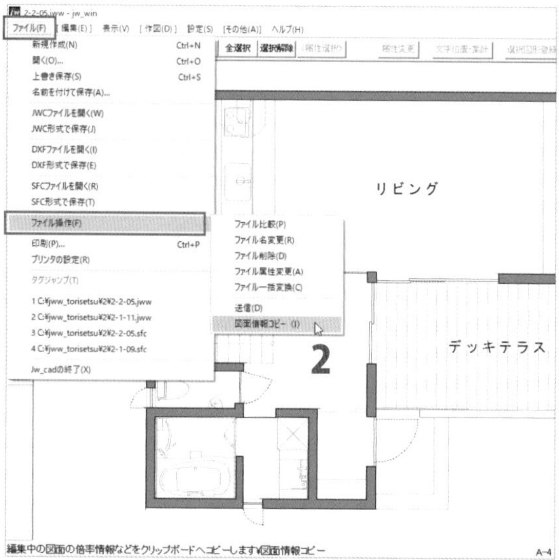

➡ 画面左上に 図面情報をクリップボードへコピーしました と表示される。

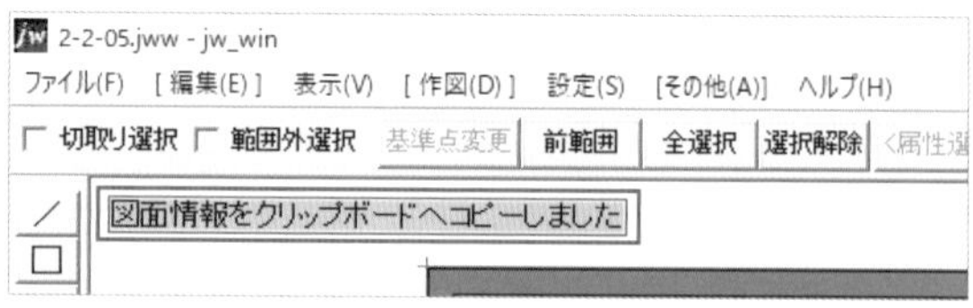

3　Jw_cadを終了する。

次に、Excelのファイル「sample.xls」に、**1**の図面ファイルをJw_cadで開く設定をする。

4　Excelを起動し、「JWW」フォルダーの「sample.xls」を開く。

> **POINT**　マクロを含んでいることを知らせるメッセージが表示された場合は、「マクロを有効にする」「コンテンツを有効化」などのボタンを⊖。

5　表示される図面一覧表のA列の空いているセルに、**2**の図面ファイル名を入力する。

6　**5**の行のB列のセルを⊖で選択する。

7　「貼り付け」コマンドを⊖。

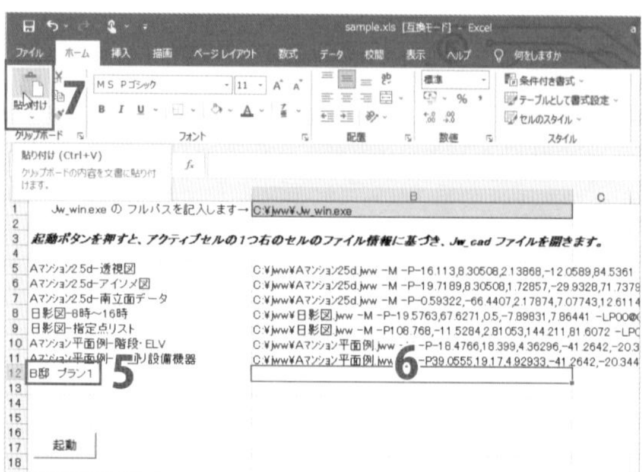

➡ **2**でクリップボードにコピーされた図面情報が、**6**で指定したセルに貼り付けられる。

1～**7**で作った仕組み（「sample.xls」からJw_cadを起動して、**1**の図面ファイルを開く）を確認する。

8 A列の図面名のセルを⊖。

9 「起動」ボタンを⊖。

> **POINT** 「sample.xls」では、図面名（A列）を選択し、「起動」ボタンを⊖することで、同じ行のB列の図面情報を読み取り、Jw_cadを起動する、というマクロが組まれている。

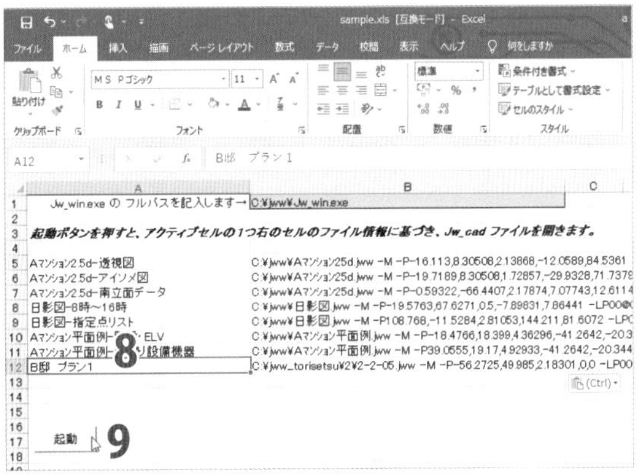

➡ Jw_cadが起動して、**2**で図面情報をクリップボードにコピーした図面ファイルを、**2**の操作時と同じ表示範囲、レイヤ状態で開く。

> **POINT** 開いた図面では、**2**の操作時の表示範囲が表示範囲記憶（▶p.244）されている。

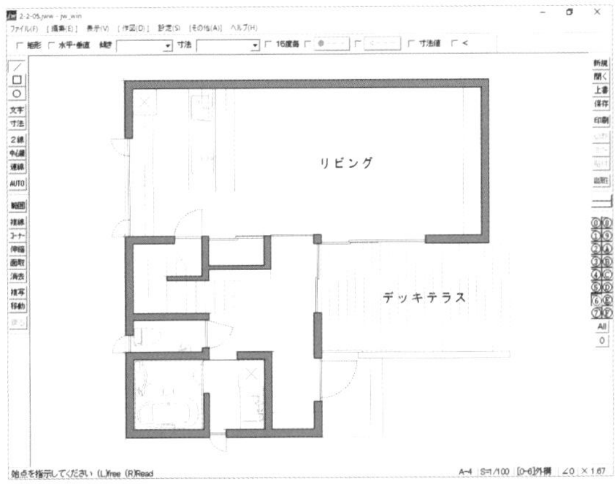

POINT

「図面情報コピー」の内容を他の図面に文字として記入することで、タグジャンプ（▶p.72）でも利用できる。文字として記入する場合は、**2**の操作後、記入する図面ファイルを開き、「文字」コマンドの「文字入力」ボックスで⊖し、「貼り付け」を選択して、貼り付けた文字を図面に記入する。

■ クリップボードにコピーされる内容

C:¥jww_torisetsu¥2¥2-2-05.jww-M-P-56.2725,49.985,2.18301,0,0-LP0020800P0200800P0200800P0…以下略

- 図面ファイルの収録場所：C:¥jww_torisetsu¥2¥
- 図面ファイルの名前：2-2-05.jww
- 起動オプション　ーM
  起動オプション「ーP」で指定した画面の原点および倍率を範囲記憶し、その表示範囲で起動する
- 起動オプション　ーP xxx, yyy, rrr, pxx, pyy
  画面の原点、倍率、表示範囲の座標
- 起動オプション　ーL
  16レイヤグループおよび256レイヤの状態

印刷 印刷 Ctrl + P キー

CD-ROM 2-1-12.jww/2-1-12a.jww/2-1-12b.jww

表示される印刷枠に図面の印刷する範囲が入るように調整し、印刷する

基本操作

1 印刷する図面ファイルを開き、メニューバー[ファイル]－「印刷」(「印刷」コマンド)を㊀。

➡「プリンターの設定」ダイアログが開く。

2 「プリンター名」が印刷するプリンターになっていることを確認し、印刷用紙のサイズと向きを指定して、「OK」ボタンを㊀。

POINT 「印刷」コマンドではすべての要素が実際の印刷色で表示される。コントロールバー「カラー印刷」にチェックがない場合、画像と任意色ソリッド以外の要素はすべて黒になる。**2**で指定した用紙サイズ・向きの印刷枠(プリンター機種によって大きさは多少異なる)が表示される。印刷枠からはみ出た部分は印刷されない。この段階でコントロールバー「プリンタの設定」ボタン(▶p.64の⑥)を㊀で用紙サイズと向きを変更できる。

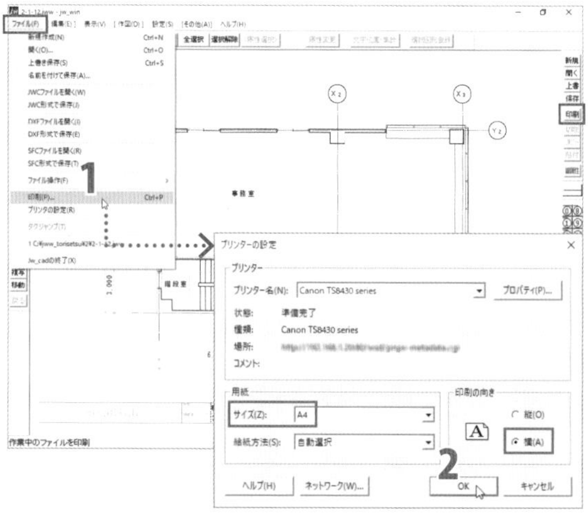

3 印刷対象の図が印刷枠に入っていることを確認し、コントロールバー「印刷」ボタンを㊀。

➡ 印刷枠内の図面が印刷される。

POINT 印刷が完了しても、「印刷」コマンドのままである。コントロールバー「印刷」ボタンを再度㊀することで、同じ図面をもう1枚印刷できる。「印刷」コマンドを終了するには「／」コマンドを選択する。

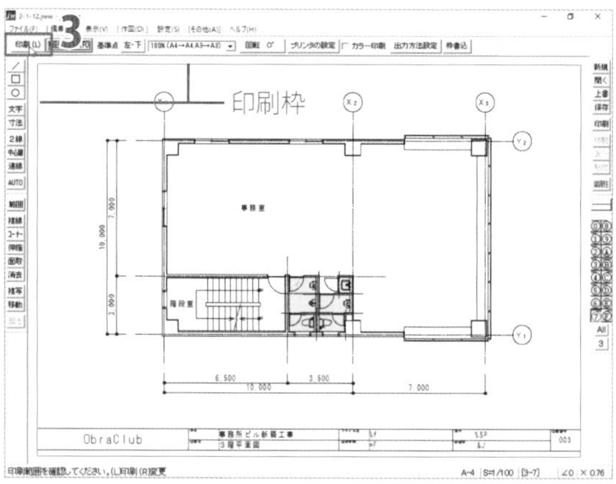

POINT 印刷に関わる設定など

■ 破線・鎖線のピッチ、線の太さ、点の大きさ、印刷色

基本設定の「線種」タブ(▶p.214)で破線・鎖線のピッチを、「色・画面」タブ(▶p.212)で線色ごとの線の太さ・点の大きさ・カラー印刷色を、それぞれ指定する。それらの情報はJWWファイルに保存されるので、「一般(1)」タブの「ファイル読込項目」の「線色要素・線種パターン・点半径」(▶p.207の**14**)にチェックを付けてJWWファイルを開くことで、それらの設定も読み込まれる。

■ 極太線の端部形状

基本設定のダイアログの「色・画面」タブの「端点の形状」(▶p.213の**15**)で、印刷時の極太線の端部の形状を指定できる。

■ 印刷時のみハッチ・塗りつぶし

指定レイヤに作図された閉じた連続線内にハッチングや塗りつぶしを施して印刷する(▶p.68)。

■ 埋め込み文字

Jw_cad特有の埋め込み文字を図面ファイル名・メモの内容・図面の保存日時・印刷の日時などに変換して印刷する(▶p.71)。

できる👍 印刷範囲の変更

前ページ**3**の段階で印刷する図面が印刷枠からはみ出している場合や、図面の一部分を印刷する場合は、以下の手順で印刷枠の位置を変更してから印刷する。

1　コントロールバー「範囲変更」ボタンを⊖。

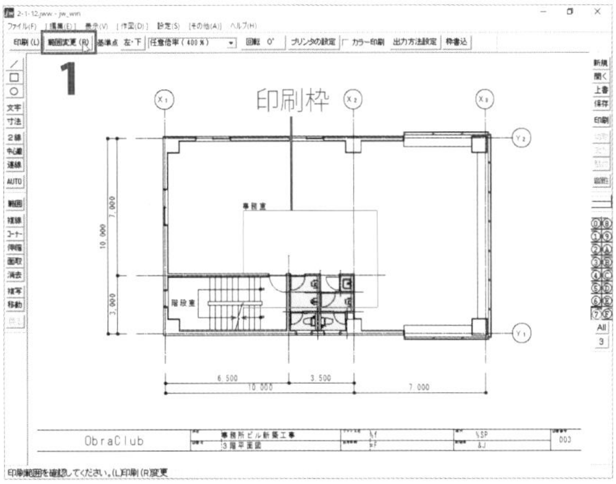

➡ 印刷枠のその左下角をマウスポインタに合わせ、印刷枠が移動できる状態になる。

> **POINT**　コントロールバーの基準点「左・下」ボタンを⊖することで、印刷枠に対するマウスポインタの位置（基準点）を下図9カ所に変更できる。
>
> 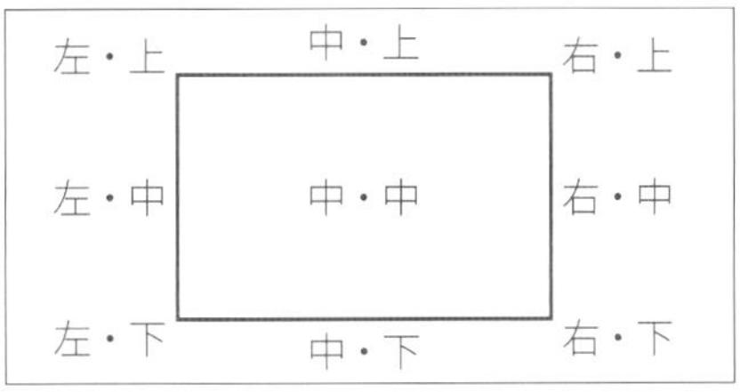
>

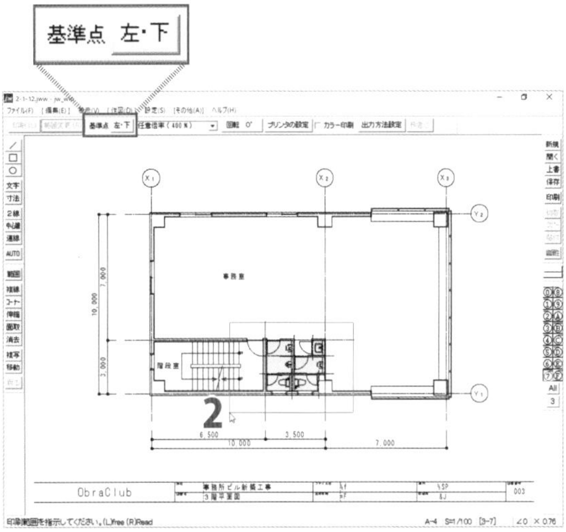

2　マウスポインタを移動し、印刷枠に印刷対象の図全体が入る位置で⊖。

➡ 印刷枠の位置が確定する。

3　印刷対象の図が印刷枠に入っていることを確認し、コントロールバー「印刷」ボタンを⊖。

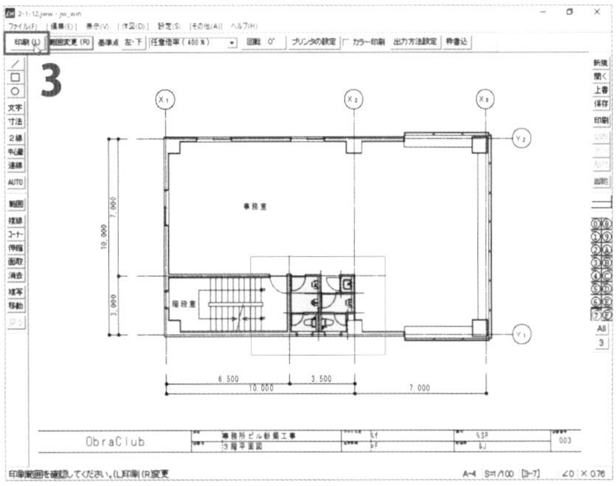

➡ 印刷枠内の図面が印刷される。

> **POINT**　上書き保存することで、印刷枠の位置もJWWファイルに保存される。基本設定の「一般（1）」タブの「描画・印刷状態」（▶p.207の**15**）にチェックを付けてJWWファイルを開くことで、印刷枠の位置や印刷時のコントロールバーでの指定（▶次ページ）も同じ状態で読み込まれる。

「印刷」コマンドのコントロールバー

① **「印刷」ボタン**

印刷枠内の図を印刷する（▶p.62）。

Ctrlキーを押したまま「印刷」ボタンを⊖すると、印刷状態を画面で確認するプレビューになる。(L) の表記は作図ウィンドウ上での⊖が「印刷」ボタンの⊖と同じ指示になることを示す。

② **「範囲変更」ボタン**

印刷枠を移動する（▶p.63）。

(R) の表記は作図ウィンドウ上での⊖が「範囲変更」ボタンの⊖と同じ指示になることを示す。

③ **「基準点」ボタン**

印刷枠の基準点を切り替える。

⊖で「中・下」⇒「右・下」⇒「左・中」⇒「中・中」⇒「右・中」⇒「左・上」⇒「中・上」⇒「右・上」⇒「左・下」の順に、⊖で「左・下」に切り替える（▶p.63 **POINT**）。

④ **「印刷倍率」ボックス**

倍率を指定すると、作図ウィンドウ上の印刷枠が倍率に準じた大きさになり、拡大印刷または縮小印刷ができる。表示されるリストにない倍率を指定するには、「任意倍率」を⊖して開く「印刷倍率入力」ダイアログに印刷倍率（%単位）を入力する。

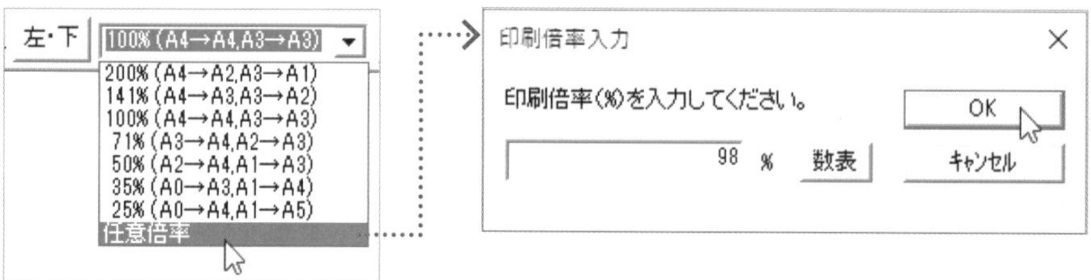

POINT　等倍（100%）印刷と同じ線の太さのまま縮小印刷すると、線がつぶれて見えないことがある。基本設定の「色・画面」タブの「（印刷時に）」（▶p.212の**12**）にチェックを付けることで、縮小（または拡大）率に準じて線の太さも細く（または太く）印刷できるようになる。

⑤ **「回転」ボタン**

印刷枠を90°傾ける。

⊖で「90°回転」⇒「−90°回転」⇒「回転0°」に切り替わる。

※プリンターによっては図面を回転して印刷すると画像が正しく印刷されない場合があるので注意する。

⑥ **「プリンタの設定」ボタン**

用紙のサイズや向きを変更する（▶p.62）。

⊖で「プリンタの設定」コマンド（▶p.72）と同じ「プリンターの設定」ダイアログが開く。

⑦ **「カラー印刷」チェックボックス**

カラー印刷を指定する。

チェックを付けないと、画像と任意色ソリッド以外の要素はすべて黒で印刷される。チェックを付けると、標準線色1〜8は基本設定の「色・画面」タブ（▶p.212）で指定した印刷色で、SXF対応拡張線色はその線色で、表示のみレイヤの要素はグレー（「色・画面」タブの「プリンタ出力要素」欄「グレー」で指定の色）で印刷される。モノクロのプリンターで印刷した場合、印刷色として設定した色の明度に準じたグレートーンで印刷される。

⑧「出力方法設定」ボタン

⊖すると「プリント出力形式」ダイアログが開く。

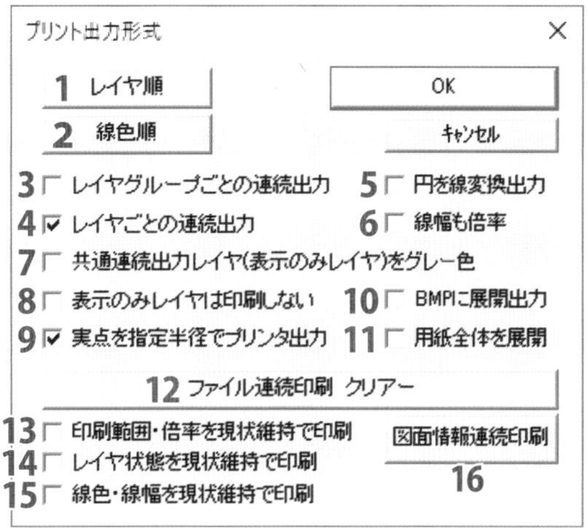

1　レイヤ順 ／ 2　線色順

※⑦の「カラー印刷」チェック時に指定可能

ソリッドの描画・印刷順を指定する（▶p.207「一般（1）」タブ**37**相当）。**1**は⊖で「レイヤ順」⇒「レイヤ逆順」⇒「出力順無」に切り替わる。**2**は⊖で「線色順」⇒「線色逆順」⇒「出力順無」に切り替わる。

3　レイヤグループごとの連続出力

4　レイヤごとの連続出力

書込・編集可能レイヤグループ（レイヤ）の図を、それぞれ1枚の図面とし表示のみレイヤグループ（レイヤ）の図と合わせて連続印刷する（▶p.67）。

5　円を線変換出力

円・弧を細かい線分に変換して印刷する。円・弧が正常に印刷されない場合に利用する。

6　線幅も倍率

基本設定の「色・画面」タブの「（印刷時に）」（▶p.212の**12**）と同じ指定。④の印刷倍率に準じた線の太さで印刷する。

7　共通連続出力レイヤ(表示のみレイヤ) をグレー色

※ コントロールバー「カラー印刷」と、**3**または**4**のチェックを付けた場合に指定可能

表示のみレイヤグループ・レイヤの要素をグレーで印刷する（**3**または**4**の指定をしてカラー印刷すると、通常表示のみレイヤグループ・レイヤの要素は線色ごとに指定された印刷色で印刷される）。

8　表示のみレイヤは印刷しない

表示のみレイヤの要素を印刷しない。

9　実点を指定半径でプリンタ出力

基本設定の「色・画面」タブの「実点を指定半径（mm）でプリンタ出力」（▶p.212の**10**）と同じ指定。

10 BMPに展開出力 ／ 11　用紙全体を展開

透過表示指定（▶p.207の**38**）した画像が透過して印刷されない場合に**10**にチェックを付ける。**10**にチェックを付けて印刷すると色味が変わる、継ぎ目が見えるなどの問題が生じる場合は、**11**にもチェックを付ける。

12 ファイル連続印刷 ／ ファイル連続印刷　クリアー（▶p.66）

⊖で開く「ファイル選択」ダイアログ（▶p.57に同じ）で、連続印刷対象の複数の図面ファイル（jwwファイルのみ）を選択する。選択後は、ボタンの表記が「ファイル連続印刷　クリアー」になる。

※以下**13~15**は**12**の図面ファイル選択後に指定可能

13 印刷範囲・倍率を現状維持で印刷

現在開いている図面と同じ印刷範囲、印刷倍率で、他の図面も連続印刷する。

14 レイヤ状態を現状維持で印刷

現在開いている図面と同じレイヤ状態で、他の図面も連続印刷する。

15 線色・線幅を現状維持で印刷

現在開いている図面と同じ印刷色、印刷線幅の設定で、他の図面も連続印刷する。

16 図面情報連続印刷

図面情報コピー（▶p.60）を利用して図面ファイルに記入した文字列（図面リスト）を範囲選択することで、それらの図面ファイルを連続印刷する（▶p.67）。

⑨「枠書込」ボタン

表示されている印刷枠を、書込線色・線種で書込レイヤに作図する（▶p.247 できる）。

あらかじめ印刷できる範囲を把握したい場合などに利用する。

ファイル連続印刷

1 「印刷」コマンドを選択し、用紙サイズ、向き、印刷倍率、カラー印刷などの必要な設定を行う。

> **POINT** 「カラー印刷」のチェックの有無と用紙のサイズ・向きは、ここで指定したもので固定されるため、モノクロ図面とカラー図面が混在した連続印刷や異なるサイズの用紙への連続印刷はできない。

2 コントロールバー「出力方法設定」ボタンを⊖。

3 「プリント出力形式」ダイアログの「ファイル連続印刷」ボタンを⊖。

➡ 連続印刷する図面ファイルを選択するための「ファイル選択」ダイアログが開く。

参考 「ファイル選択」ダイアログでの共通操作▶p.57

> **POINT** コモンダイアログの使用を設定（▶p.207の**33**）している場合は、コモンダイアログが開く。

4 「ファイル選択」ダイアログのフォルダーツリーで連続印刷する図面の収録場所を⊖。

5 連続印刷する図面ファイルを選択する。

> **POINT** Ctrlキーを押したままファイル名を⊖すると、ファイルを追加選択する。最初のファイルを⊖した後、Shiftキーを押したまま最後のファイルを⊖すると、その間に表示されているすべてのファイルを選択する。連続印刷する図面ファイルとして選択できるのは、同一フォルダーに収録されたJWWファイルに限る。

6 「選択確定」ボタンを⊖。

7 「プリント出力形式」ダイアログの設定（右図の枠囲み）を確認のうえ、「OK」ボタンを⊖。

> **POINT** 各図面は保存時のレイヤ状態で図面ファイルごとに設定された印刷範囲・倍率および印刷線幅・線色で印刷される。ただし、「プリント出力形式」ダイアログの指定（P.65の**13**~**15**）により、**1**の図面と同じ設定で印刷される。

8 コントロールバー「印刷」ボタンを⊖。

> **POINT** Ctrlキーを押したまま「印刷」ボタンを⊖すると、プレビューになり、印刷状態を確認できる。

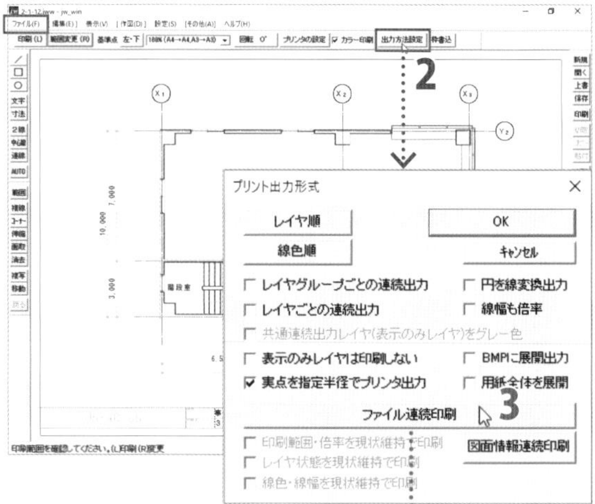

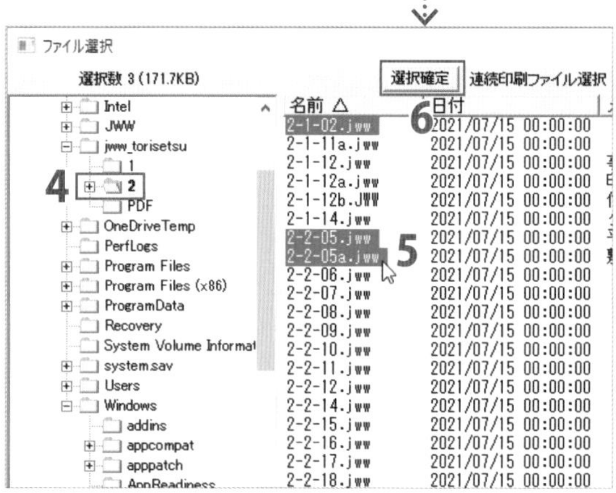

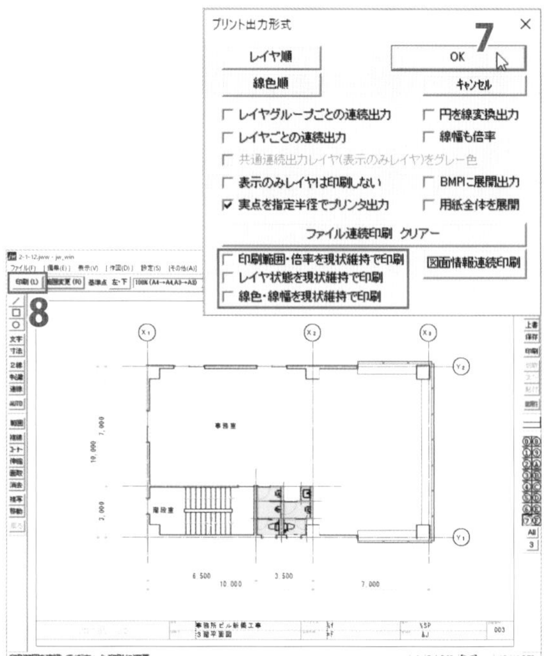

できる レイヤグループごと連続印刷

「プリント出力形式」ダイアログの「レイヤグループごとの連続出力」にチェックを付けて印刷すると、開いている図面のレイヤグループごとに（1つのレイヤグループを1枚の図面として）連続印刷する。

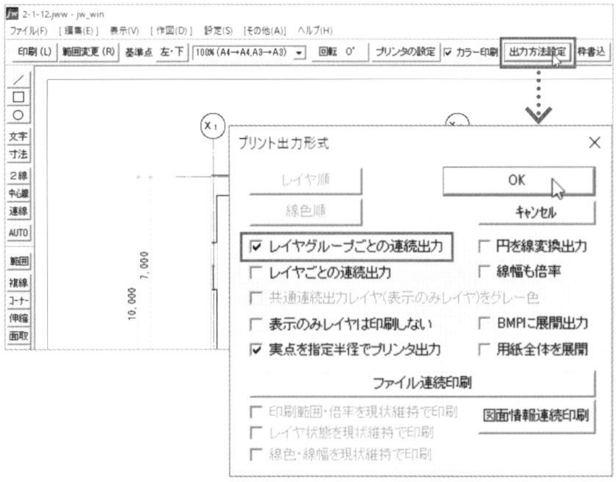

POINT 基本的に、1つのレイヤグループを1枚の図面として印刷する。非表示レイヤグループは印刷しない。表示のみレイヤグループは、すべての書込・編集可能レイヤグループと合わせて印刷される。右図のレイヤグループ状態では、「0：図面枠」＋「1：1F平面図」、「0：図面枠」＋「2：2F平面図」、「0：図面枠」＋「3：3F平面図」の3枚の図面を連続印刷する。

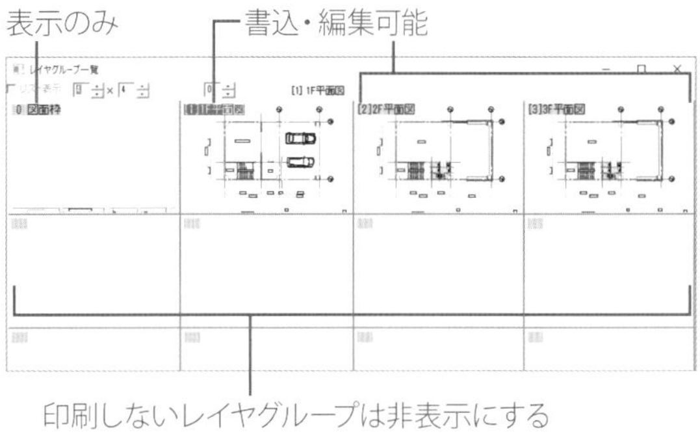

できる 図面情報連続印刷

前ページの**3**で「プリント出力形式」ダイアログの「図面情報連続印刷」ボタンを⊖し、図面情報コピー（▶p.60）を利用してあらかじめ図面上に記入しておいた図面リストを範囲選択することで、それらの図面ファイルを連続印刷する。

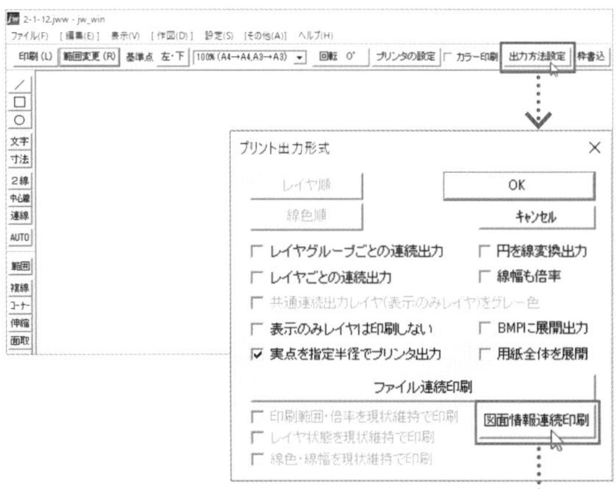

POINT 記述された場所（ドライブ、フォルダー）に記述されたファイル名のファイルがない場合、連続印刷はできない。サンプル図面「2-1-12.jww」の用紙枠外に右図の図面リストが記入されているが、「jww_torisetsu」フォルダーがCドライブ以外の場所（CD/DVDドライブやCドライブのフォルダー内など）にある場合には連続印刷できない。

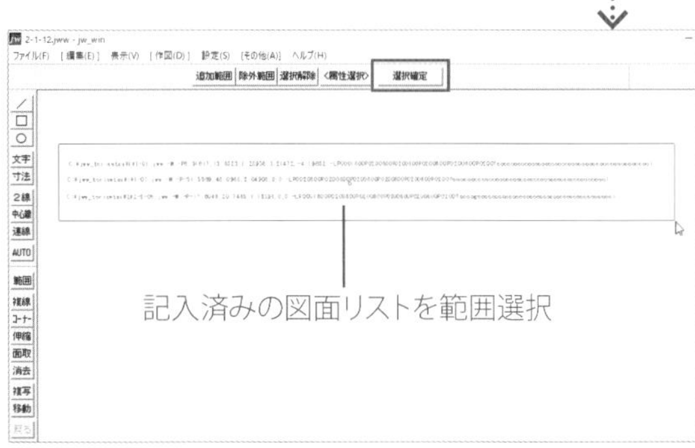

印刷時のみハッチ・塗りつぶし

閉じた連続線を単独のレイヤに作図し、そのレイヤ名で「印刷時のみハッチ・塗りつぶし作図」の指定を行うことで、指定レイヤの閉じた連続線内部に、ハッチや塗りつぶしを作図して印刷できる。

1　印刷時のみハッチ・塗りつぶしを作図する範囲として閉じた連続線を単独のレイヤに作図する。

POINT　同じレイヤにハッチ・塗りつぶし範囲以外の要素があると正しくハッチ・塗りつぶしがされないので注意。

2　ハッチ・塗りつぶし範囲になる連続線を作図したレイヤのレイヤ名として、半角文字で「#」に続けて、以下の例に示したハッチ・塗りつぶしの指定を記入する。

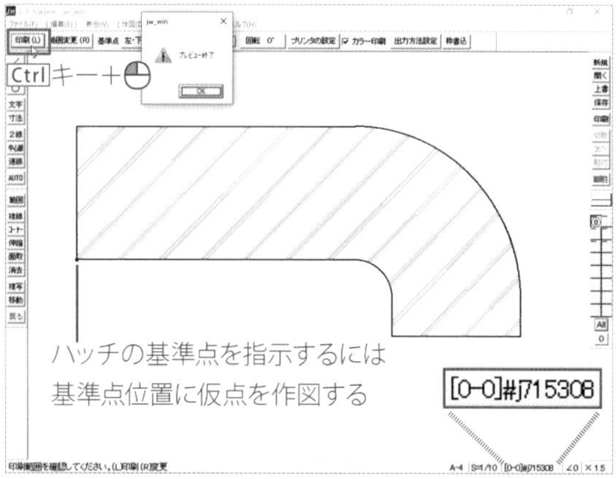
Ctrlキー＋⊖
ハッチの基準点を指示するには
基準点位置に仮点を作図する
[0-0]#j715308

POINT　「印刷」コマンドのコントロールバー「印刷」ボタンをCtrlキーを押したまま⊖すると、印刷プレビュー画面になり、印刷前にハッチ・塗りつぶしの状態を確認できる。

レイヤ名での指定例　1線・2線・3線ハッチの場合

3線ハッチ（j）、線色7、線種1（実線）、線間隔0.5mm、角度45°（15°×3）、ピッチ8mmを指定したレイヤ名

#j715308
①j ②7 ③1 ④5 ⑤3 ⑥08

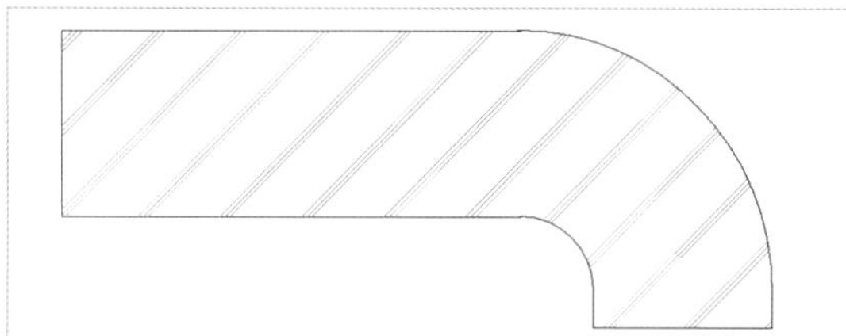

1線ハッチ（h）、線色6の格子（f）、線種1（実線）、角度0°、ピッチ3mmを指定したレイヤ名

#hf10003
①h ②f ③1 ④0 ⑤0 ⑥03

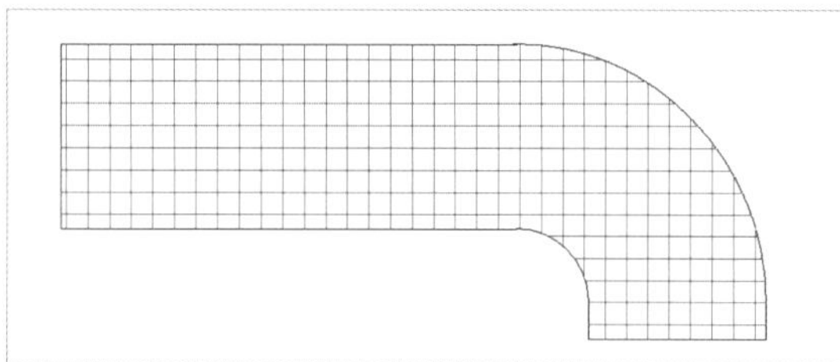

① **ハッチ種類**
小文字（h～j）を記入する。　h：1線／i：2線／j:3線

② **線色**
1～8、a～fを記入する。　a（線色1の格子）～f（線色6の格子）

③ **線種**
1～8を記入する。

④ **2線、3線の線間隔**
図寸mm単位で、1～9、a～fを記入する。①でh（1線）を指定した場合は0を記入する。
1（0.1mm）、2（0.2mm）……9（0.9mm）、a（1mm）、b（1.1mm）……f（1.5mm）　0.1mm単位で増える。

⑤ **角度**
0～9、a～fを記入する。0（0°）、1（15°）、2（30）……9（135°）、a（150°）……f（225°）　15°単位で増える。

⑥ **ピッチ**
図寸mm単位で、01～99を記入する。01（1mm）、02（2mm）……99（99mm）　1mm単位で増える。

レイヤ名での指定例　実点ハッチで網掛け表現する場合

線色6の実点、角度45°（15°×3）、ピッチ1.5mmを指定したレイヤ名

#t61031.5

①②③④⑤

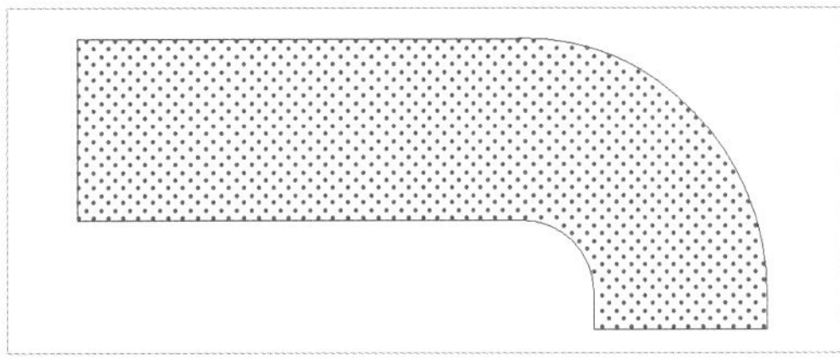

① 実点色番号
1～8を記入する。2色の実点を交互に作図する場合はa（線色1）～f（線色6）を記入する。

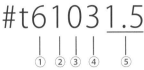

POINT　網掛の濃さは、レイヤ名でのピッチ、印刷の実点サイズおよびカラー印刷指定での実点の印刷色で調整する。

② 交互に作図する実点の色番号
1～8を記入する。交互に違う色番号の実点を作図する場合（①にa～fを記入）はその色番号を記入する。①で1～8を記入した場合は「1」を記入する。

③ ダミー
0を記入する。

④ 角度
0～9、a～fを記入する。0（0°）、1（15°）、2（30°）……9（135°）、a（150°）……f（225°）　15°単位で増える。

⑤ ピッチ
図寸mm単位で0.1～9.9を記入する。

レイヤ名での指定例　塗りつぶしの場合

半角文字で「#c」に続けて「p 線色番号」または「任意色値」を記入することで、そのレイヤの閉じた連続線内部に指定ソリッド色の横線を0.05mm間隔で作図して印刷する。先頭を「#C」（Cを大文字）にすると間隔が0.02mmになる。
プリンター機種やソリッド色によっては印刷結果に色むらが出ることがある。

標準線色1～8
カラー印刷時は基本設定の「色・画面」タブの「プリンタ出力要素」欄（▶p.212の**3**）で指定の印刷色で印刷される

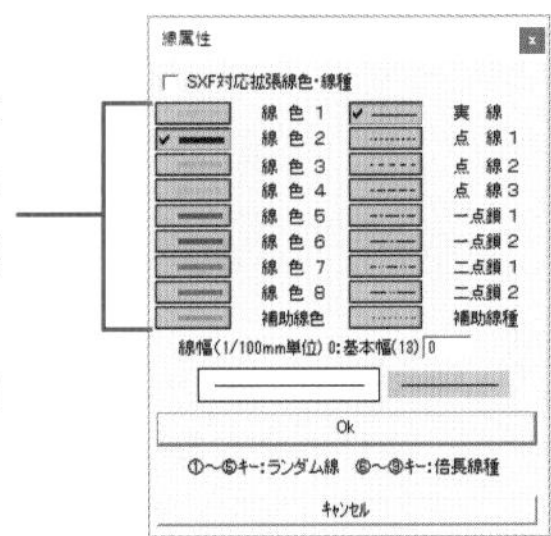

線色ソリッド　#cp102

線色番号

線色番号には、線色1～8、SXF対応拡張線色101～356を記入する。線色ソリッドは印刷時コントロールバー「カラー印刷」にチェックを付けない場合は黒で印刷される。

SXF対応拡張線色
カラー印刷時は「線属性」ダイアログの色で印刷される。117～356はユーザー定義色

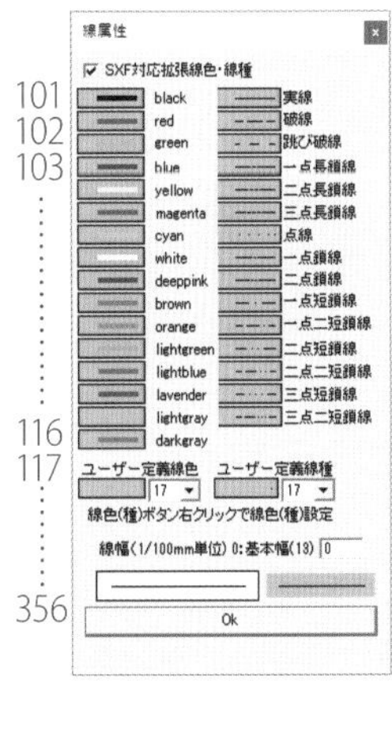

任意色ソリッド　#c8421504

任意色値

「#c」に続けて半角文字で「任意色値」（黒：0～白：16777215）を記入する。任意色ソリッドは、印刷時コントロールバー「カラー印刷」にチェックを付けない場合も指定の任意色で印刷される（任意色値の取得▶次ページ）。

できる 任意色値の取得方法とレイヤ名設定

「任意色値」は、Tabキーを4回押して既存のソリッドを属性取得することで、クリップボードにコピーされる。ここでは、図面に作図されているソリッドの任意色値を取得し、レイヤ名に記入する方法を解説する。

1 任意色値を取得するソリッドが作図されている図面を開き、Tabキーを4回押す。

2 画面左上に 属性取得 + が表示されるので、取得対象のソリッドを⊖。

> **POINT** 基本設定の「KEY」タブで、「直接属性取得を行う」(▶p.218の**2**) にチェックが付いていると 図形がありません と表示され、属性取得はできない。チェックを外した設定にして行うこと。

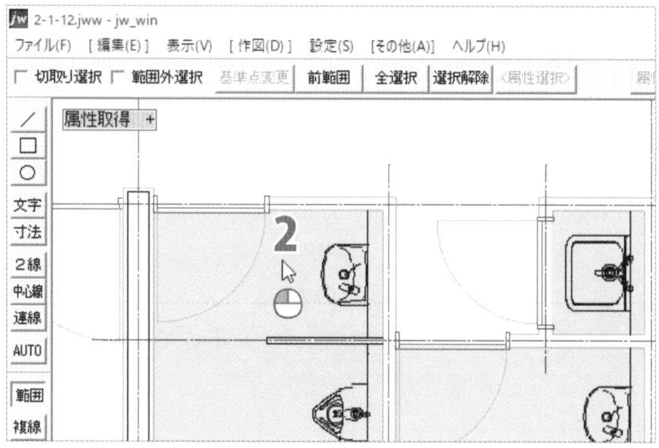

➡ ⊖した任意色値が画面左上に表示され、この値がクリップボードにコピーされる。

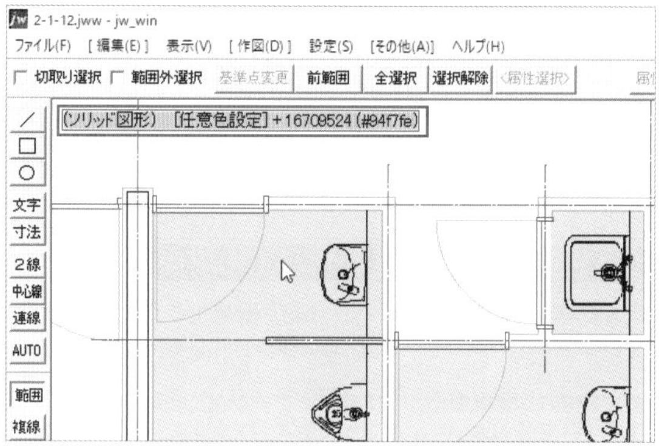

3 印刷時の塗りつぶし指定をする図面ファイルを開き、塗りつぶし範囲が作図されているレイヤを書込レイヤにする。

4 ステータスバー「書込レイヤ」ボタンを⊖。

5 「レイヤ設定」ダイアログの「レイヤ名ボックス」に半角文字で「#c」を入力し、その後で⊖してショートカットメニューから「貼り付け」を⊖で選択する。

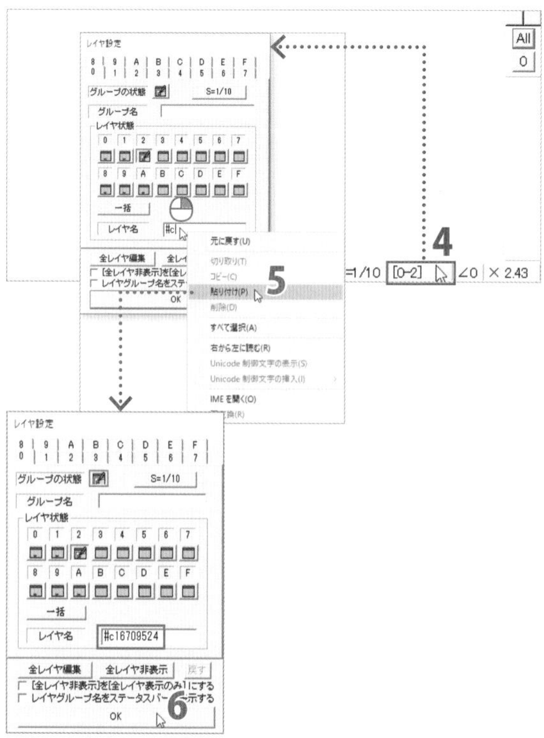

➡ **2**で属性取得しクリップボードにコピーされた任意色値が、「レイヤ名」ボックスの「#c」の後に貼り付けられる。

6 「OK」ボタンを⊖し、「レイヤ設定」ダイアログを閉じる。

■ 埋め込み文字

図面に記入された埋め込み文字は、ファイル名や印刷日時に変換されて印刷される。「基本設定」の指定（▶p.210の**12**）により、通常の画面に変換表示することも可能。

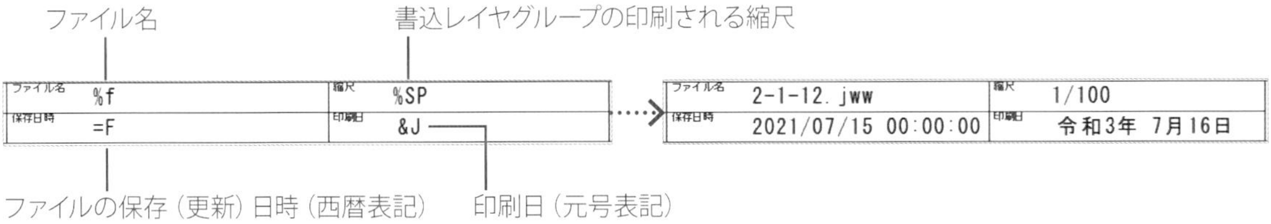

「ファイル名：%f」のように他の文字と続けて記入すると、埋め込み文字の働きをしない（変換されない）。
「ファイル名：」と「%f」は別の文字列として記入するか、記入後に文字列を切断（▶p.150）し、別の文字列にする。

主な埋め込み文字　詳しくは付録教材データ「2-1-12b.jww」を参照

◆ファイル名、パス、メモに変換表示

&F	フルパスのファイル名
&f	ファイル名（拡張子なし）
% f	ファイル名（拡張子付き）
% m1	メモの 1 行目
% m2	メモの 2 行目

◆ファイルの保存日時に変換表示

=F	保存年月日時（西暦表記）
=f	保存年月日（西暦表記）
=J	保存年月日（元号表記）
=y	年（西暦下 2 桁）
=E	年（元号換算、1 年は「元」と表記）
=GG	元号（平成または令和に変換）
=m	月（1 桁は数値の前に 0）
=ma	月（Jan ～ Dec）
=d	日（1 桁は数値の前に 0）
=w	曜日（日～土）
=wa	曜日（Sun ～ Sat）
=n	「AM」または「PM」表示
=N	「前」または「後」表示
=H	時間（24 時間表示）
=h	時間（12 時間表示）
=M	分
=S	秒

◆印刷日時（現在の日時）に変換表示

&J	年月日（元号表記）
% y	年（西暦下 2 桁）
&E	年（元号換算、1 年は「元」と表記）
&GG	元号（平成または令和に変換）
&m	月
&ma	月（Jan ～ Dec）
&d	日
&w	曜日（日～土）
&wa	曜日（Sun ～ Sat）
&n	「AM」または「PM」表示
&N	「前」または「後」表示
&H	時間（24 時間表示）
&h	時間（12 時間表示）
&M	分
&S	秒

◆作図時間・書込レイヤグループの縮尺に変換表示

&T	作図時間
% SS	縮尺　（1/100 または 10/1）
% ss	縮尺（1/100 の分母 100 または 10/1 の分子 10）
% SP	印刷時に出力倍率を補正したスケール表示（1/100 または 10/1）
% sp	印刷時に出力倍率を補正したスケール表示（1/100 の分母 100 または 10/1 の分子 10）

プリンタの設定

印刷に使用するプリンター、用紙サイズ、印刷の向きを設定する

基本操作

1 メニューバー [ファイル] －「プリンタの設定」を⊖。

2 「プリンターの設定」ダイアログが開くので、「プリンター名」、印刷する用紙の「サイズ」と「印刷の向き」を確認または変更し、「OK」ボタンを⊖。

> **POINT** ダイアログでの用紙サイズ、印刷の向きの設定はJWWファイルに保存される。なお、「印刷」コマンドのコントロールバー「プリンタの設定」ボタンを⊖しても同じダイアログが開く。

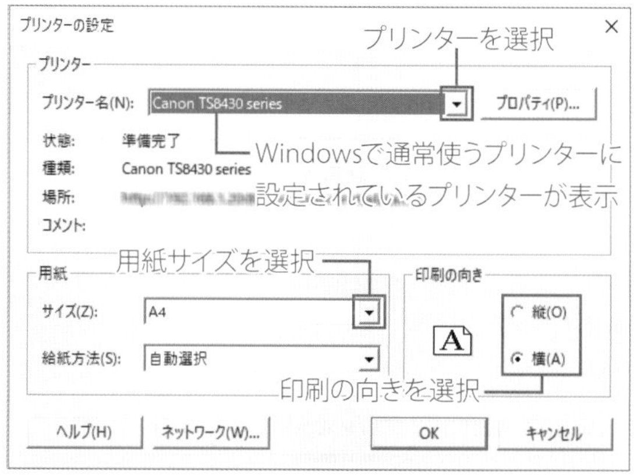

タグジャンプ

CD-ROM 2-1-14.jww

図面に記入した図面ファイル名を範囲選択し、その図面ファイルを開く

基本操作

1 「範囲」コマンドで、図面に記入されている図面ファイル名を範囲選択する。

2 メニューバー[ファイル] －「タグジャンプ」を⊖。

> **POINT** 選択した要素に、図面ファイル名と起動オプション以外の文字や、図面ファイル名が2個以上含まれている場合、「タグジャンプ」コマンドはグレーアウトされ選択できない。

➡ **1**で選択した図面ファイルが開く（開いている図面ファイルは閉じる）。

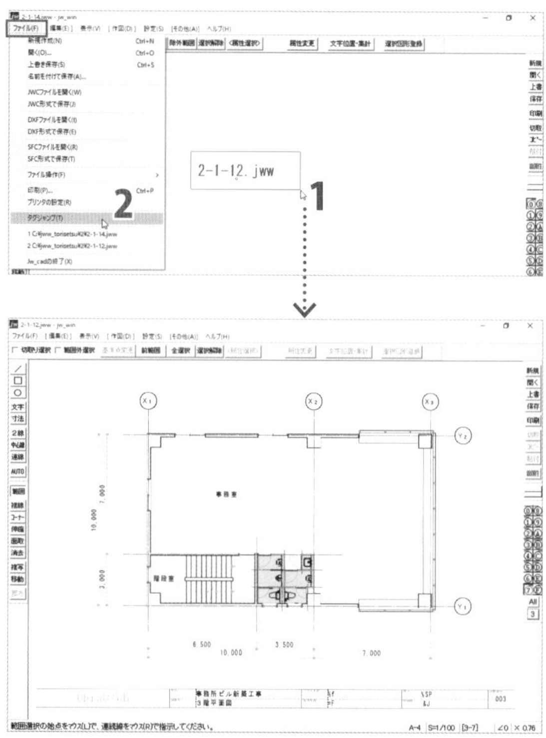

POINT　タグジャンプで扱える図面ファイルはJw_cadで開けるJWW、JWC、DXF、SFC、P21形式のみ

■ ファイル名は「文字」コマンドでフルパスで記入する。ただし、文字記入する図面ファイルと同じフォルダーに収録しているファイルを指定する場合は、ファイル名だけでよい。

■ メニューバー [ファイル] －「ファイル操作」－「図面情報コピー」でコピーした情報を、「文字」コマンドで貼り付けて記入することができる（▶p.61 **POINT**）。

■ ファイル名の後に起動オプション（▶p.61 クリップボードにコピーされる内容）を付加して、表示画面の原点、表示倍率、レイヤの状態などを指定できる。

■ 起動オプションのみを記入しておき、利用することもできる。タグジャンプすると、編集中の図面の表示個所、表示倍率、レイヤ状態を起動オプションの指定に変更する。

■ 編集中の図面ファイル名を選択してタグジャンプした場合は、ファイルの読み直しはせずに、画面の原点、表示倍率、レイヤの状態が記載の起動オプションの指定に変わる。

Jw_cadの終了　×

編集中の図面ファイルを閉じ、Jw_cadを終了する

基本操作

1　メニューバー [ファイル] －「Jw_cadの終了」（またはタイトルバーの × ボタン）を⊖。

> **POINT**　Jw_cad画面を最大化した状態で終了すること。最大化せずに終了すると、次回の起動時にツールバーの配置が乱れることがある。

➡ Jw_cadが終了する。

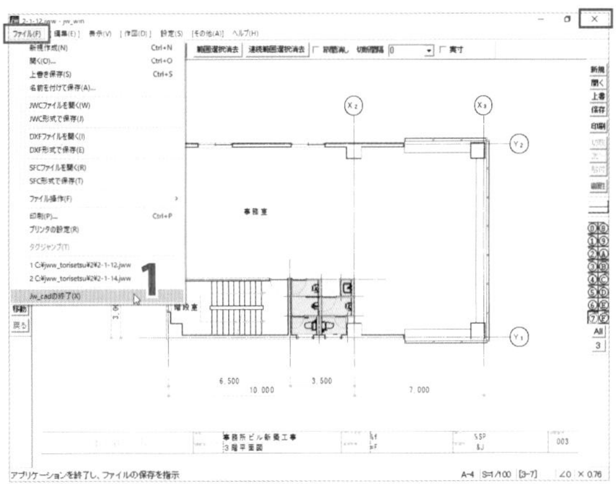

編集中の図面ファイルを上書き保存していない場合や図面が一度も保存されていない場合は、確認のダイアログが開く。保存せずに終了する場合は「いいえ」ボタンを⊖。

上書き保存していない場合

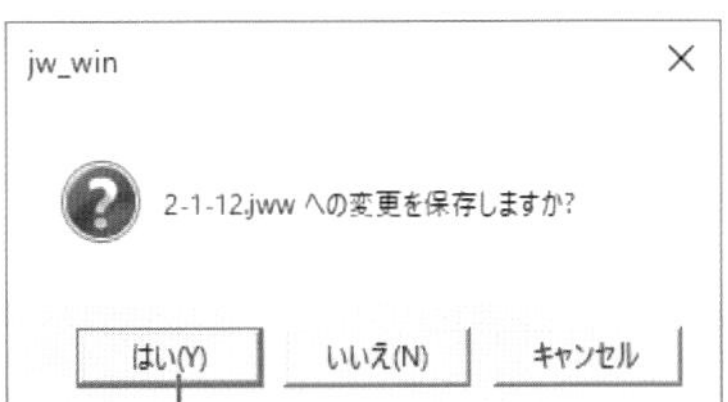

⊖すると、上書き保存され、終了する

一度も図面を保存していない場合

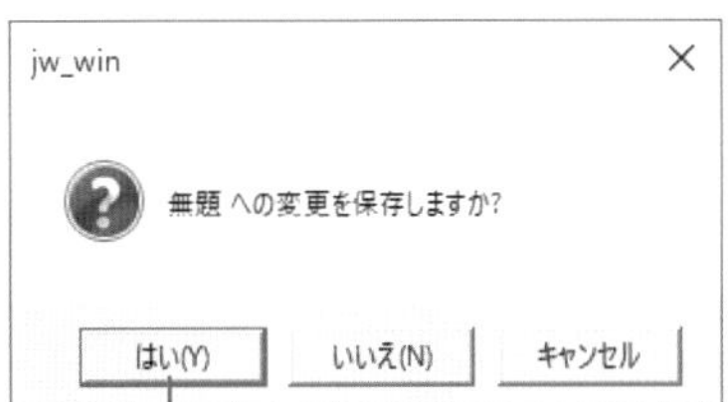

⊖すると、Windows標準の「名前を付けて保存」ダイアログが開き、保存操作を行った後、終了する

2 [編集]メニュー

[編集] メニューのコマンドの機能と使い方

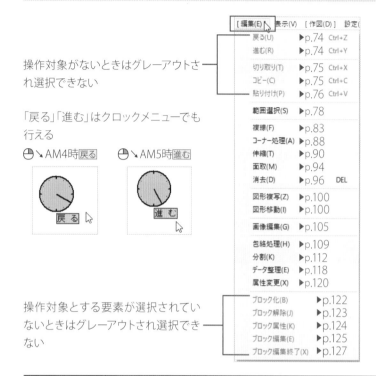

操作対象がないときはグレーアウトされ選択できない

「戻る」「進む」はクロックメニューでも行える

↘AM4時戻る　↘AM5時進む

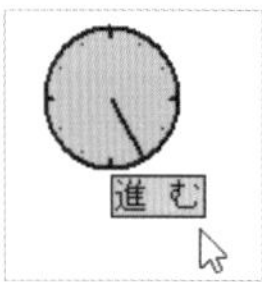

操作対象とする要素が選択されていないときはグレーアウトされ選択できない

戻る　戻る　Ctrl + Z キー　↘AM4時戻る

直前の操作を取り消し、操作前の状態に戻す。「戻る」コマンドを㊀した回数分、操作前に戻せる

基本操作

1 メニューバー [編集] －「戻る」(「戻る」コマンド) を㊀ (またはクロックメニュー▶上段の図)。

➡ 直前の操作が取り消され、操作前の状態に戻る。

POINT 取り消せるのは作図操作のみ。ズーム操作や用紙サイズ・縮尺・レイヤなどの設定操作は取り消せない。戻れる最大回数は基本設定のダイアログの「一般 (1)」タブ「Undoの回数」(▶p.207の**7**) で指定できる。

進む　Ctrl + Y キー　↘AM5時進む

「戻る」コマンドで取り消した操作結果を復元する

基本操作

1 メニューバー [編集] －「進む」を㊀ (またはクロックメニュー▶上段の図)。

➡ 1つ前に「戻る」コマンドで取り消した操作結果が復元される。

切り取り 切取 Ctrl + X キー

要素を消去してWindowsのクリップボードにコピーする。「貼り付け」コマンドと連携して要素を移動する

基本操作

1 「範囲」コマンドで、切り取り対象を選択する。

参考 範囲選択共通操作▶p.20

2 メニューバー [編集] ―「切り取り」(「切取」コマンド) を⊖。

➡ **1**で選択した要素がWindowsのクリップボードにコピーされ、画面から消える。画面左上にコピーと表示される。

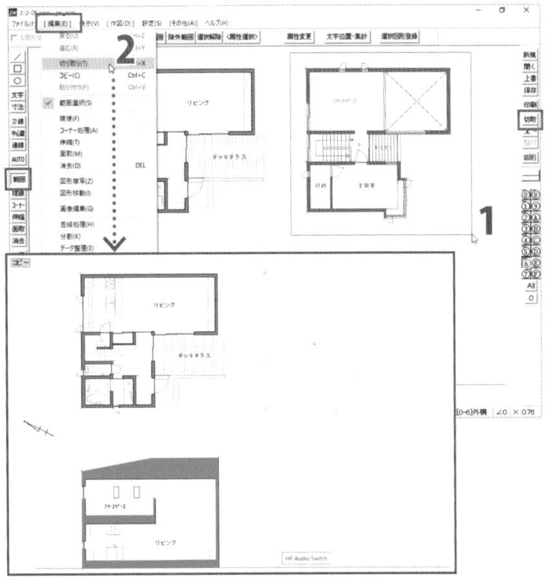

POINT 「切取」+「貼付」で行う移動が「移動」コマンド (▶p.100) の移動と違う点

■ 要素を切り取り選択 (▶p.22) して移動できる。
■ 他の図面ファイルに作図されている要素を編集中の図面に移動できる。
■ 移動元と移動先の縮尺が異なる場合でも選択要素の実寸法を保って移動できる。

コピー コピー Ctrl + C キー

要素をWindowsのクリップボードにコピーする。「貼り付け」コマンドと連携して要素をコピーする

基本操作

1 「範囲」コマンドで、コピー対象を選択する。

参考 範囲選択共通操作▶p.20

2 メニューバー [編集] ―「コピー」(「コピー」コマンド) を⊖。

➡ **1**で選択した要素がWindowsのクリップボードにコピーされ、画面左上にコピーと表示される。

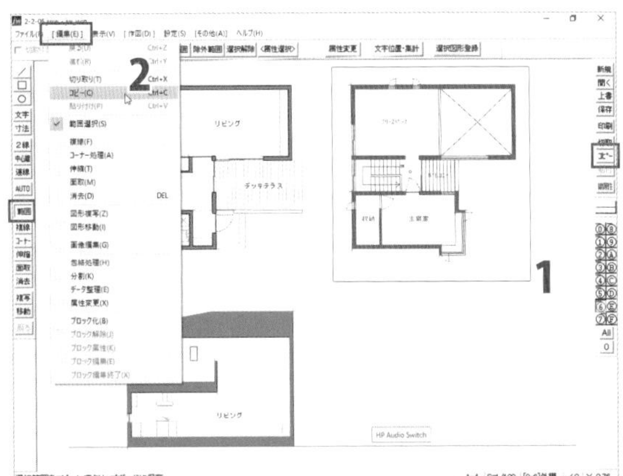

POINT 「コピー」+「貼付」で行う複写が「複写」コマンド (▶p.100) の複写と違う点

■他の図面ファイルに作図されている要素を編集中の図面に複写できる。
■複写元と複写先の縮尺が異なる場合でも選択要素の実寸法を保って複写できる。

貼り付け　貼付　Ctrl + V キー

CD-ROM 2-2-05.jww／2-2-05a.jww

「切り取り」「コピー」コマンドでWindowsのクリップボードにコピーした要素を図面に貼り付ける

基本操作

図面の一部を縮尺が異なるレイヤグループにコピーする場合や他の図面ファイルの一部をコピーする場合などに利用できる。

図面ファイル「2-2-05.jww」の一部を図面ファイル「2-2-05a.jww」にコピーする。

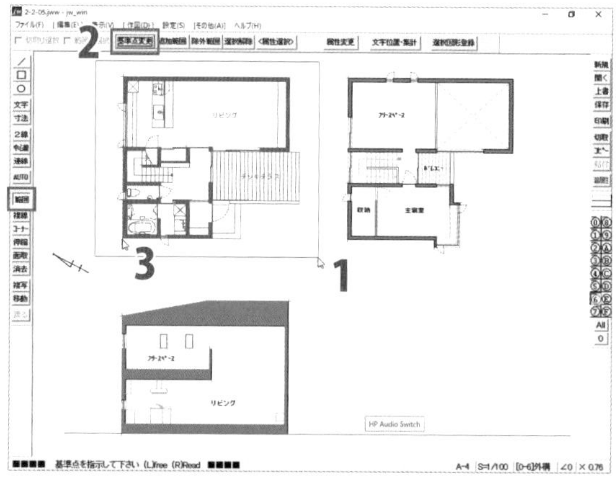

1　**コピー元の図面ファイル「2-2-05.jww」を開き、「範囲」コマンドで、コピー対象を選択する。**

参考 範囲選択共通操作▶p.20

2　**コントロールバー「基準点変更」ボタンを㊀。**

3　**コピーの基準点を㊀。**

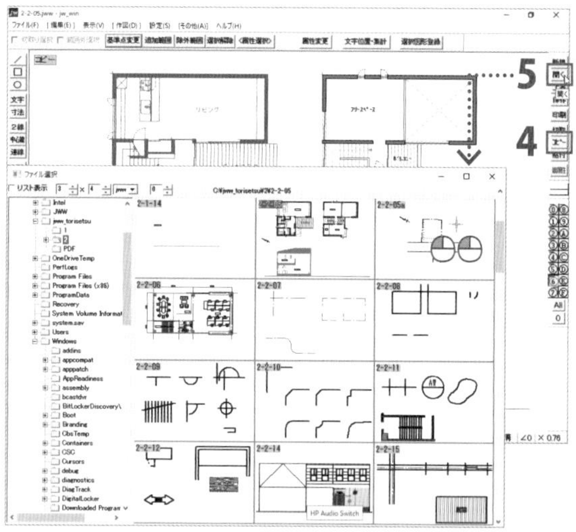

4　**メニューバー[編集]－「コピー」(「コピー」コマンド)を㊀。**

➡ 選択要素がクリップボードにコピーされ、画面左上にコピーと表示される。

5　**メニューバー[ファイル]－「開く」(「開く」コマンド)を選択し、コピー先の図面ファイル「2-2-05a.jww」を開く。**

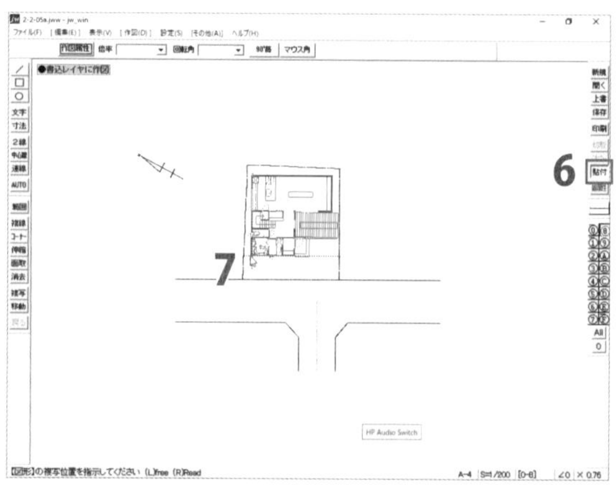

6　**コピー先の図面ファイル「2-2-05a.jww」で、メニューバー[編集]－「貼り付け」(「貼付」コマンド)を㊀。**

➡ 画面左上に●書込レイヤに作図と表示され、**4**でクリップボードにコピーした要素がマウスポインタに仮表示される。

> **POINT**　●書込レイヤに作図は、仮表示の要素すべてが書込レイヤに貼り付けられることを示す。元の要素と同じレイヤ分けで貼り付ける指示は、コントロールバー「作図属性」で行う(▶次ページ)。

7　**複写位置を㊀。**

➡ 書込レイヤにコピー対象が貼り付けられ、マウスポインタにはコピー対象が仮表示された状態になる。

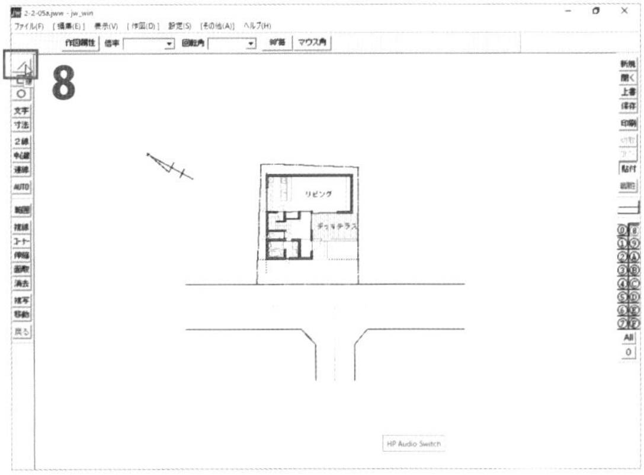

8 「／」コマンドを⊖し「貼付」コマンドを終了する。

> **POINT** 「コピー」または「切取」→「貼付」では、両者の図面の縮尺が異なる場合も元の図面の実寸法を保ち、貼付先の縮尺に準じた大きさで貼り付けられる。ただし、図寸で管理される文字要素の大きさは変化しない。文字要素の大きさ変更の指示は、コントロールバー「作図属性」で行う。

「貼付」コマンドのコントロールバー

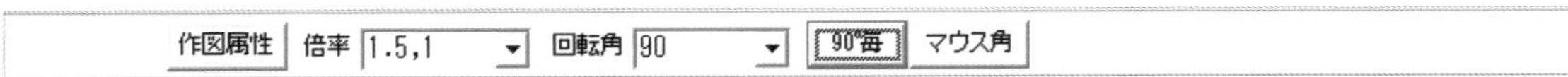

① ② ③ ④ ⑤

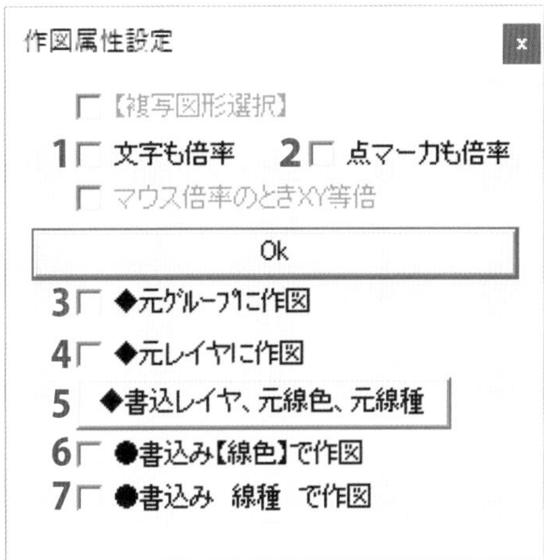

① 「作図属性」ボタン

「作図属性設定」ダイアログを開く。

1 文字も倍率 ／ 2 点マーカも倍率

コピー元とコピー先の縮尺が異なる場合や、②「倍率」ボックスで大きさの変更を指定した場合も、図寸で扱われる文字要素、点マーカの大きさは変化しない。チェックを付けることで、文字要素、点マーカの大きさも変更する。

3 ◆元グループに作図

コピー元と同じレイヤグループに同じレイヤ分けで作図する。

4 ◆元レイヤに作図

書込レイヤグループにコピー元と同じレイヤ分けで作図する。

5 ◆書込レイヤ、元線色、元線種

書込レイヤにコピー元と同じ線色・線種（**3**、**4**、**6**、**7** のチェックを外した状態）で作図する。

6 ●書込み【線色】で作図

書込線色で作図する（ブロックは対象外）。

7 ●書込み 線種 で作図

書込線種で作図する（ブロックは対象外）。

② 「倍率」ボックス

コピー元の実寸法を「1」として「X（横）,Y（縦）」の倍率を入力することで大きさを変更する。

③ 「回転角」ボックス

コピー元の角度を「0°」として角度を入力することで傾ける（角度指定▶p.39）。

④ 「90°毎」ボタン

⊖で「回転角」ボックスの角度を90°⇒ 180°⇒ 270°⇒ 0°（空白）に変更、⊖でその逆回りに変更する。

⑤ 「マウス角」ボタン

マウスで傾きを指定する。操作手順は、「図形」コマンドの「マウス角」ボタン（▶p.251）と同じ。

範囲選択 範囲

⊖↘AM4時 範囲選択

CD-ROM 2-2-06.jww

操作対象要素を選択し、属性変更、文字位置・集計、選択図形登録を行う

基本操作　属性変更

複数の要素の線色・線種・文字種・レイヤの変更や属性の付加などを行う。

選択した要素の線色を「線色1」に変更する。

1　メニューバー［編集］－「範囲選択」（「範囲」コマンド）を選択し、変更対象を範囲選択する。

参考 範囲選択共通操作▶p.20

2　変更対象が選択されていることを確認し、コントロールバーの「属性変更」ボタンを⊖。

➡ 属性変更のダイアログが開く。

3　「指定【線色】に変更」を⊖。

4　「線属性」ダイアログが開くので、変更後の線色として「線色1」ボタンを⊖で選択し、「Ok」ボタンを⊖。

➡「線属性」ダイアログが閉じ、**3**で⊖した項目にチェックが付く。

> **POINT**　さらに別の項目を指定することで、線色変更とともに線種やレイヤなどを変更することもできる。

5　「OK」ボタンを⊖。

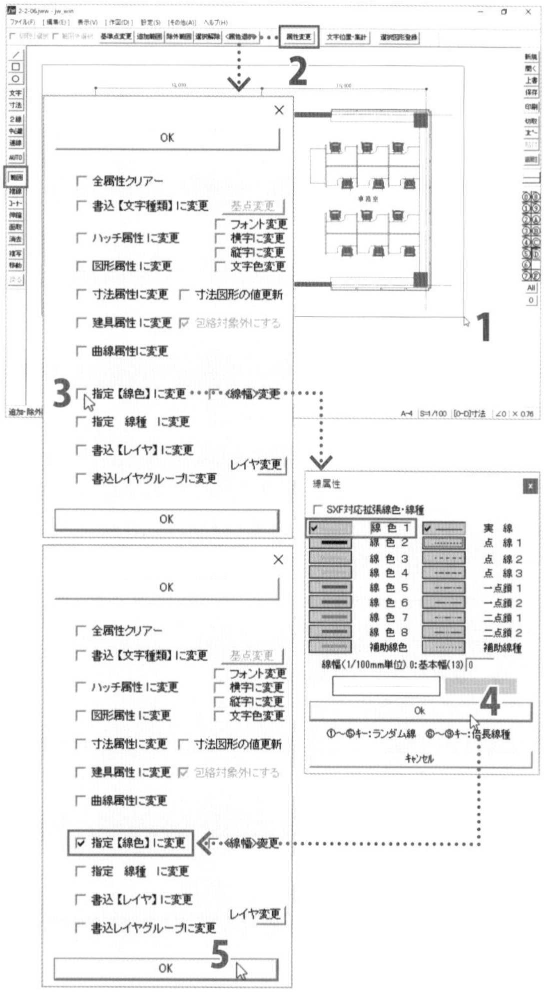

➡ **1**で選択した要素の線色が「線色1」に変更される。

> **POINT**　ここで線色が変更されない要素はブロック（▶p.17）である。

ブロックの線色・線種は変更されない

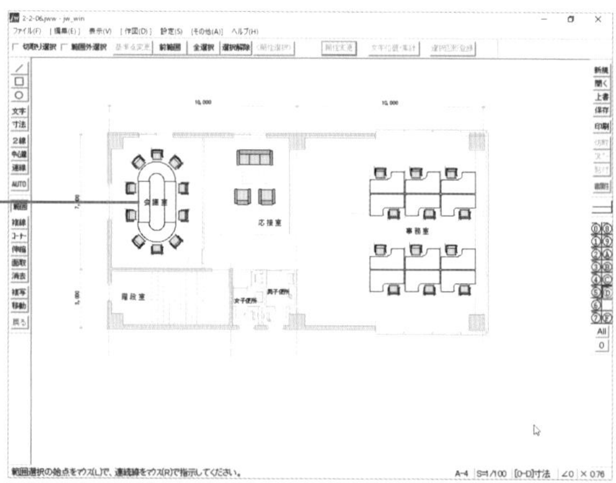

「範囲」コマンドのコントロールバー

▶p.22

①　②　③

① 「属性変更」ボタン

選択要素の変更後の属性を指定するためのダイアログが開く。要素の線種・色（線色、文字色、ソリッド色）、レイヤ、文字の大きさ・フォントを変更したり、属性の解除や付加などに利用する。

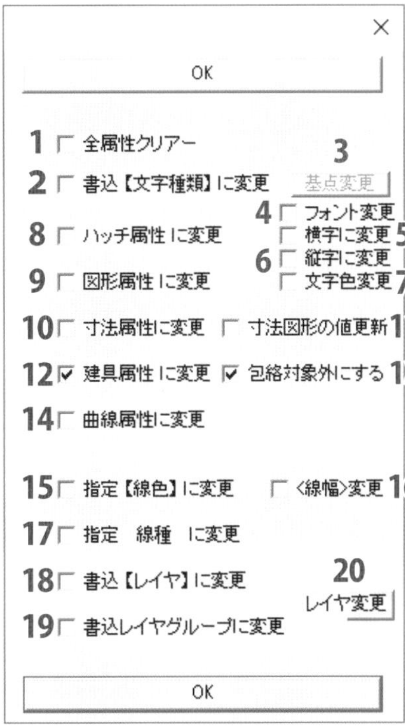

1　全属性クリアー　すべての属性を取り除く。

2　書込【文字種類】に変更　㊀で開く「書込み文字種変更」ダイアログ（▶p.148）で指定の文字種に変更。

3　「基点変更」ボタン　※**2**、**5**、**6**のチェック時に指定可能。変更時の文字基点を指定する。

4　フォント変更　㊀で開く「書込み文字種変更」ダイアログ（▶p.148）で指定のフォントに変更。

5　横字に変更　縦書きの文字を横書きに変更する。

6　縦字に変更　横書きの文字を縦書きに変更する。

7　文字色変更
㊀で開く「線属性」ダイアログ（▶下図）で指定の色に変更する。文字色を変更した文字の文字種は「任意サイズ」になる。

8　ハッチ属性に変更　ハッチ属性（▶p.15）を付加する。

9　図形属性に変更　図形属性（▶p.15）を付加する。

10 寸法属性に変更　寸法属性（▶p.15）を付加する。

11 寸法図形の値更新
寸法図形の寸法値の文字種、全角／半角、単位、小数点以下桁数などの表記を「寸法設定」ダイアログ（▶p.224）で指定の表記に一括変更する。

12 建具属性に変更　建具属性（▶p.15）を付加する。

13 包絡対象外にする　※**12**のチェック時に指定可能。包絡処理の対象にならない指定。

14 曲線属性に変更　曲線属性（▶p.16）を付加する。

15 指定【線色】に変更　㊀で開く「線属性」ダイアログで指定の線色に変更する（▶下図）。

16 <線幅>変更
㊀で開く「線属性」ダイアログで指定の線幅に変更する。この項目は基本設定の「色・画面」タブの**13**（▶p.212）にチェックが付いていない場合は表示されない（▶下図）。

17 指定 線種 に変更　㊀で開く「線属性」ダイアログで指定の線種に変更する（▶下図）。

18 書込【レイヤ】に変更　書込レイヤに変更する。

19 書込レイヤグループに変更
レイヤ分けはそのままで書込レイヤグループに変更する。

20 「レイヤ変更」ボタン
この段階ではレイヤバーでの操作ができないため、書込レイヤ・書込レイヤグループの変更は、「レイヤ変更」ボタンを㊀して開く「レイヤ設定」ダイアログ（▶p.243）で行う。

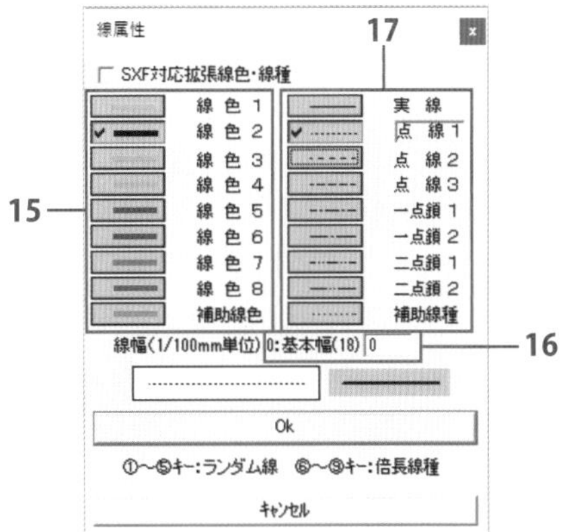

> **POINT**　ブロックには**15**、**16**、**17**の指定は無効になる。寸法図形の寸法値には**5**、**6**、**7**の指定は無効になる。また、ブロック属性「元データのレイヤを優先する」が有効なブロックには**18**、**19**のレイヤ変更の指定は無効になる。

② 「文字位置・集計」ボタン

選択した文字要素の整列や文字・ブロックの集計、図面上の文字を検索する。「文字位置・集計」ボタンを㊀すると、文字とブロック以外の選択要素が除外され、下図のコントロールバーに切り替わる。

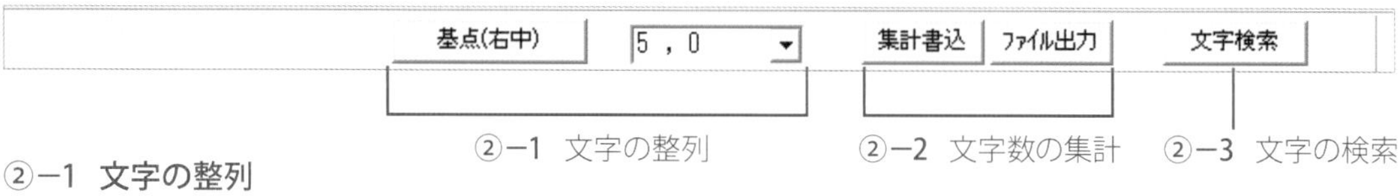

②−1 文字の整列

行間と1行の文字数を指定し、複数行の文字の位置を揃える。

複数行の数値を行間5mmにし、末尾で揃える。

1 「範囲」コマンドで、整列対象の文字要素を範囲選択（終点は㊀）する。

2 コントロールバー「文字位置・集計」ボタンを㊀。

➡ 選択した要素のうちの文字要素のみが選択色になる。

3 コントロールバー「基点」ボタンを㊀。

4 「文字基点設定」ダイアログで整列の基点を㊀。

5 コントロールバーの「数値入力」ボックスに「行間，1行の文字数」として「5,0」（行間5mm、文字数は変更しない）を入力する。

> **POINT** 行間は図寸mm、1行の文字数は全角換算で指定する。行間、文字数を変更しない場合は、空白または「(無指定)」とする。

6 文字位置整理の基準点を㊀。

> **POINT** 行間を指定した場合、最上行の文字基点を指示する。

➡ 図のように整列する。

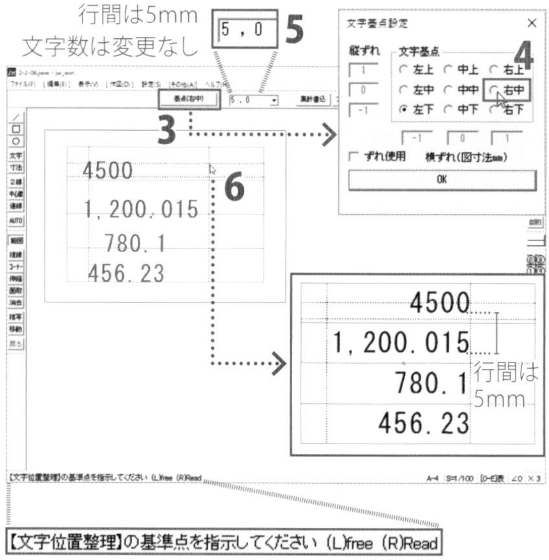

できる 数値を小数点位置で整列

3 で Shift キーを押したまま「基点」ボタンを㊀すると表記が「基点[.]」になり、小数点位置を基点に整列する。

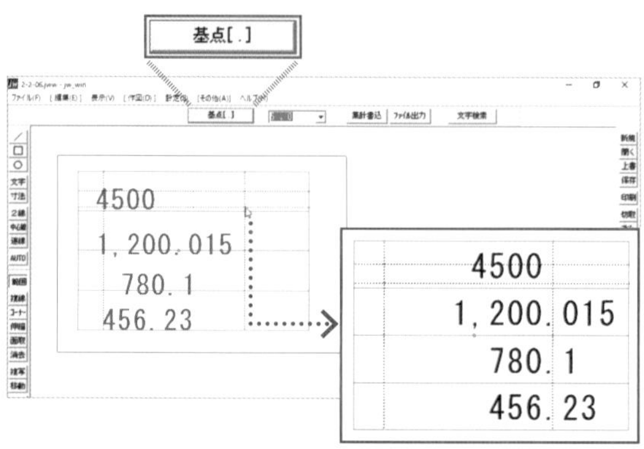

②−2 文字数の集計

文字の記入内容やブロック名ごとの数を集計し、記入またはテキストファイルとして保存する。

ブロック数を集計し、図面に記入する。

1 「範囲」コマンドで、集計対象のブロック(または文字要素)を範囲選択する。

> **POINT** ブロックを集計する場合は、文字要素を選択しないように範囲選択の終点を⊖(文字を除く)。

2 コントロールバー「文字位置・集計」ボタンを⊖。

3 コントロールバー「集計書込」ボタンを⊖。

> **POINT** 3で「ファイル出力」ボタンを⊖すると、集計結果をExcelなどの他のアプリケーションで読込可能なテキストファイルとして保存する。

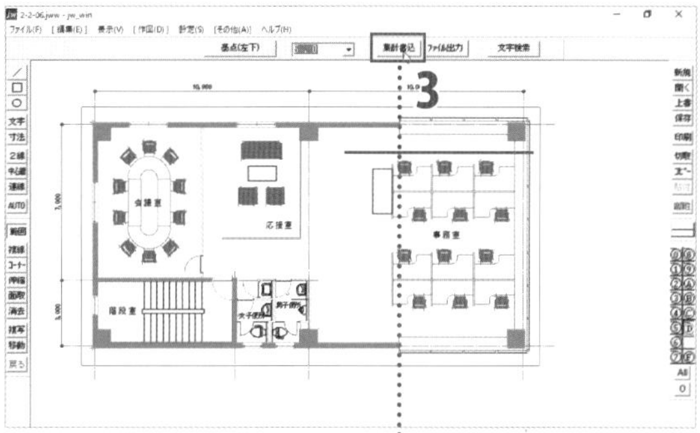

4 「文字集計設定」ダイアログの「ブロック名も集計する」にチェックを付け、「OK」ボタンを⊖。

a 文字の大きさを文字種1〜10の数値で指定
b 数の多い順に記入する
c ブロックの数を集計する
d 数を文字・ブロック名の後に記入する
e 集計結果の数を記入しない
f、**g** ブロック名の文頭・文末への追加文字を指定
h 3で「ファイル出力」ボタンを⊖した場合に数値と文字・ブロック名を区切る記号を選択

> **POINT** 3で「ファイル出力」ボタンを⊖した場合、「名前を付けて保存」ダイアログが開く。「ファイル名」ボックスに名前を入力して「保存」ボタンを⊖すると、集計結果をテキストファイルとして保存できる。

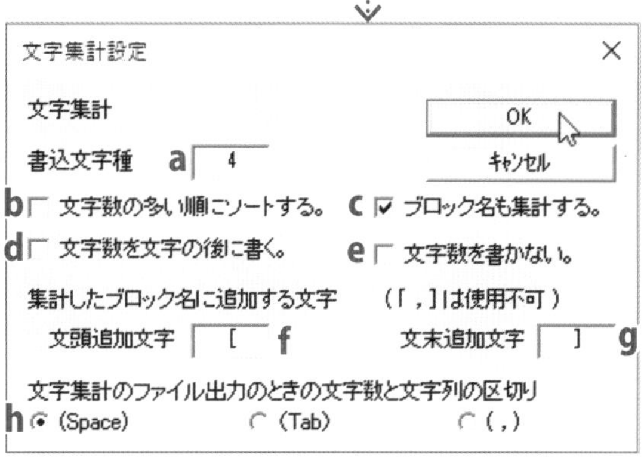

5 コントロールバー「行間」ボックスの行間(図寸mm)を確認または変更し、集計結果を記入する位置を⊖(または⊖)。

➡ ⊖位置に1行目の基点を合わせ、「文字集計設定」ダイアログで指定した文字種、コントロールバー「行間」ボックスで指定した行間で、集計結果(ブロックの数とブロック名)が記入される。

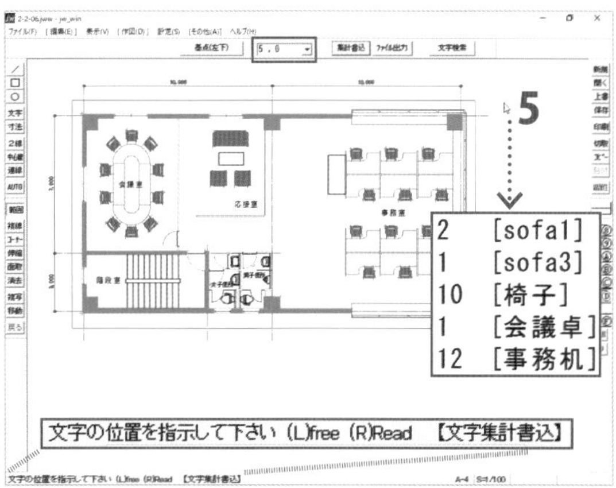

②−3 文字の検索

指定した単語を含む文字要素を選択する。

1 「範囲」コマンドで、検索対象の文字要素を範囲選択し、コントロールバー「文字位置・集計」ボタンを⊖。

2 コントロールバー「文字検索」ボタンを⊖。

3 「文字検索」ダイアログの「検索文字入力」ボックスに検索する単語を入力し、「OK」ボタンを⊖。

> **POINT** 半角/全角キーを押すことで、日本語入力が有効になる。

➡ **3**の単語を含む文字列が選択色に、他の文字列は元の色に戻る。画面左上に文字検索(数)と、( )内に**3**の単語を含む文字列の数が表示される。

> **POINT** この状態で、「消去」コマンドを選択すると消去、「複写」「移動」コマンドを選択すると複写、移動ができる。また、次の範囲選択時にコントロールバー「前範囲」ボタンを⊖すると、直前に選択されていたこれらの文字列を選択できる。

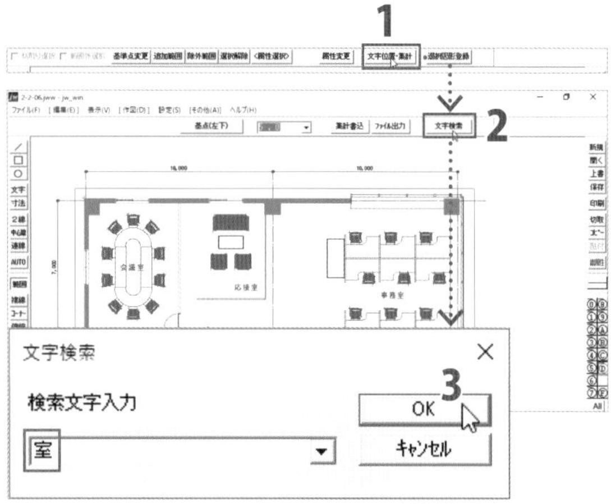

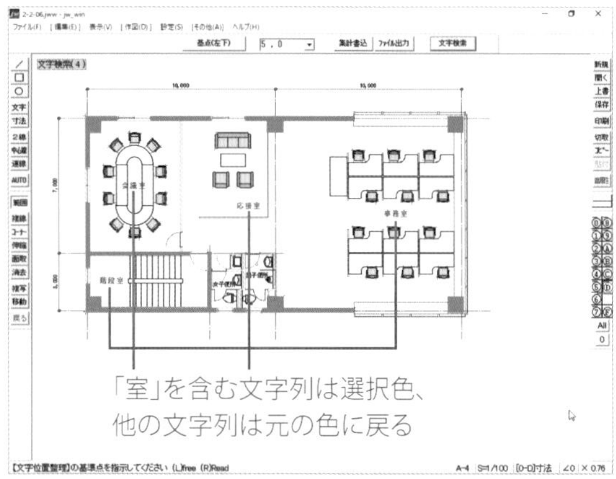

③ 「選択図形登録」ボタン

選択要素を選択図形として一時的に登録する。

1 「範囲」コマンドで、登録対象を選択する。

2 コントロールバー「基準点変更」ボタンを⊖。

3 図形配置時の基準点を⊖。

4 コントロールバー「選択図形登録」ボタンを⊖。

➡ 選択図形として登録され、画面左上に《図形登録》と表示される。

> **POINT** 一時的に登録した図形は、他の図形を選択図形登録するか、Jw_cadを終了するまで有効である。「ハッチ」コマンドのハッチ種類「図形」(▶p.186)や、メニューバー[その他]−「登録選択図形」(▶p.284)で利用する。

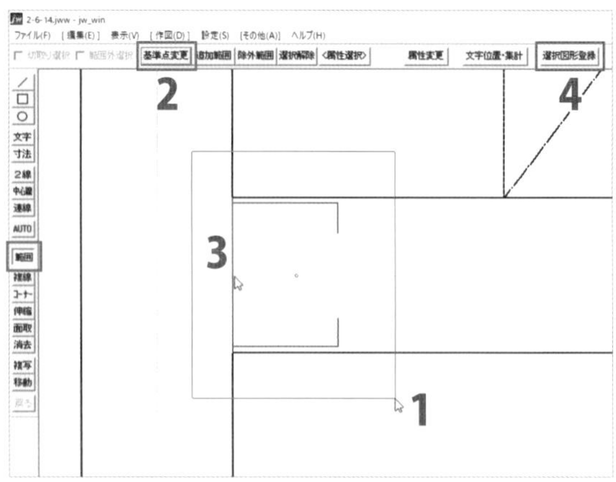

複線 複線 基準線から⊖↖AM11時複線（または⊖↖AM11時複線）

CD-ROM 2-2-07.jww

線・円・弧を指定間隔で平行複写する。平行複写した線・円・弧を「複線」と呼ぶ

基本操作

一点鎖線から500mm下側に平行線を作図する。

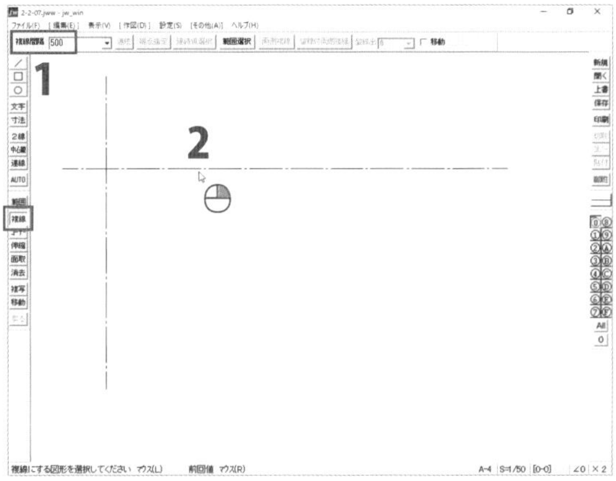
1
2

1 **メニューバー［編集］－「複線」（「複線」コマンド）を選択し、コントロールバー「複線間隔」ボックスに間隔「500」を入力する。**

参考 数値入力▶p.38

2 **平行複写する基準線（または円・弧）を⊖。**

> **POINT** 他のコマンド選択時に**2**の基準線から⊖↖AM11時複線でも、「複線」コマンドで**2**の線を⊖した状態になる。

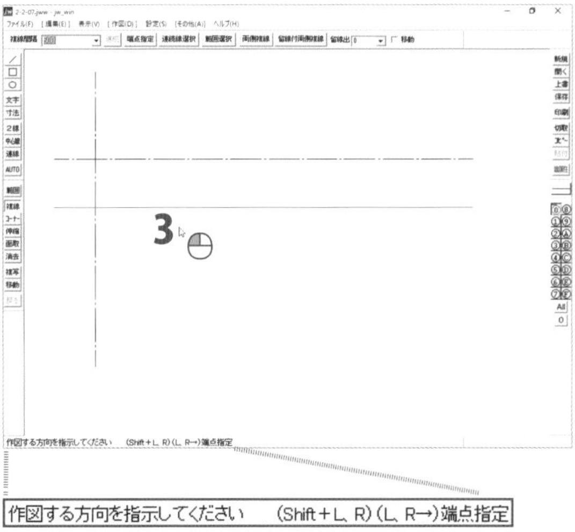
3
作図する方向を指示してください (Shift＋L, R)(L, R→)端点指定

➡ **2**の線が基準線として選択色になり、そこから**1**の指定間隔離れた位置に平行線が仮表示される。操作メッセージは、「作図する方向を指示してください」になる。

> **POINT** 仮表示の平行線は基準線に対し、マウスポインタの側に表示される。この段階で⊖↑PM0時間隔×2でコントロールバー「複線間隔」ボックスの数値が2倍に、⊖↓PM6時間隔÷2で1/2になる。

3 **マウスポインタを基準線の下側に移動し、平行線が基準線の下側に仮表示された状態で、作図方向を決める⊖。**

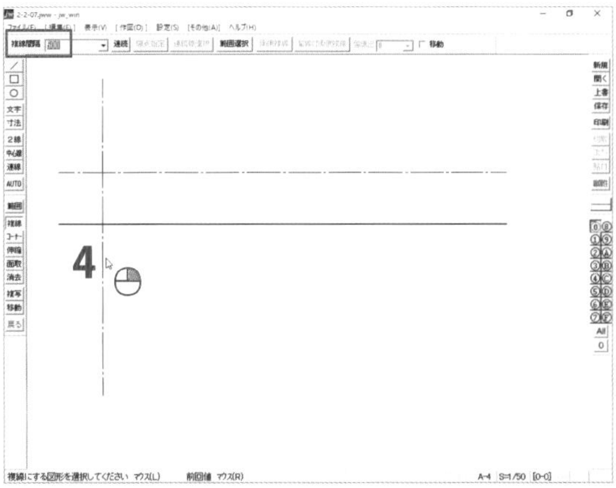
4

➡ 基準線から**1**の間隔下側に平行線（複線）が、書込線色・線種で書込レイヤに作図される。

> **POINT** この段階でコントロールバー「連続」ボタンを⊖することで、さらに同方向に同間隔で平行線を作図できる。

4 **コントロールバー「複線間隔」ボックスの数値を確認（または変更）し、次の基準線を⊖。**

➡ 4の線が基準線として選択色になり、そこから指定間隔離れた位置に平行線が仮表示される。

> **POINT**　連続して複線を作図する場合、2本目以降の複線の作図方向を決める時点で、操作メッセージに「前複線と連結　マウス（R）」が表示される。作図方向を決めるクリックを（右クリック）で行うことで、1つ前の複線と仮表示の複線で角を作る。

5　基準線の右側に平行線を仮表示した状態で、作図方向を決める（右クリック）（前複線と連結）。

➡ 1つ前の複線との交点に角を作り、連結した複線が作図される。

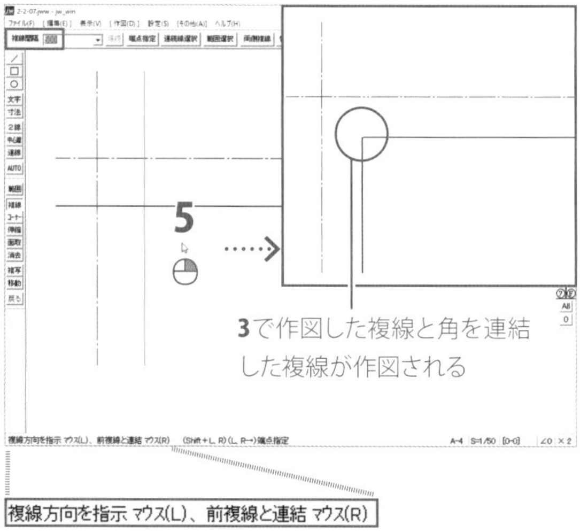
5
3で作図した複線と角を連結した複線が作図される
複線方向を指示 マウス(L)、前複線と連結 マウス(R)

指定点までの距離で平行複写

複線間隔を入力せずに図面上の点を指示することで、基準線からその点までの間隔で複線を作図できる。

1　「複線」コマンドで、基準線を（左クリック）。

➡ コントロールバー「複線間隔」ボックスが空白になる。

> **POINT**　他のコマンド選択時に、1の基準線を（左ドラッグ）↖AM11時複線しても、この状態になる。

複線

2　複写する位置を（左クリック）。

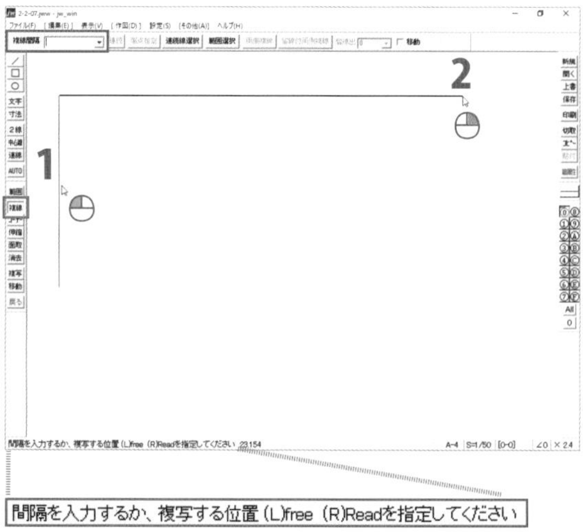
1
2
間隔を入力するか、複写する位置 (L)free (R)Readを指定してください

➡ コントロールバー「複線間隔」ボックスに、1の基準線から2の点までの間隔が入力され、平行線が仮表示される。

3　複線の作図方向を決める（左クリック）。

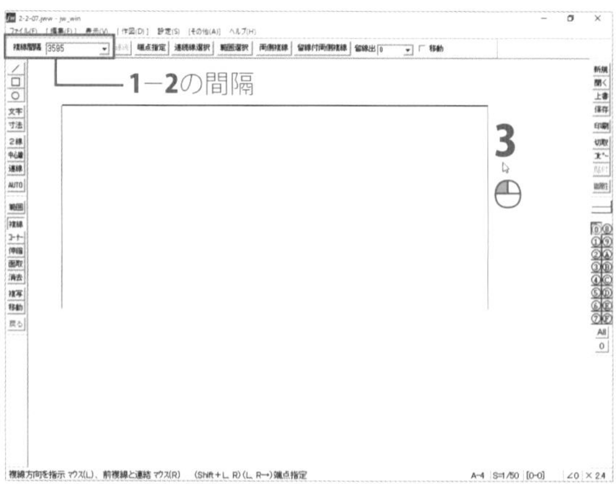
1−2の間隔
3

できる 連続間隔入力での複線作図

基本設定の「一般(1)」タブの「複線のとき、数値入力後の「Enter」キーで連続複線にする」(▶p.207の**12**)にチェックを付けると、複線間隔を連続して入力することで複線を連続作図できる。

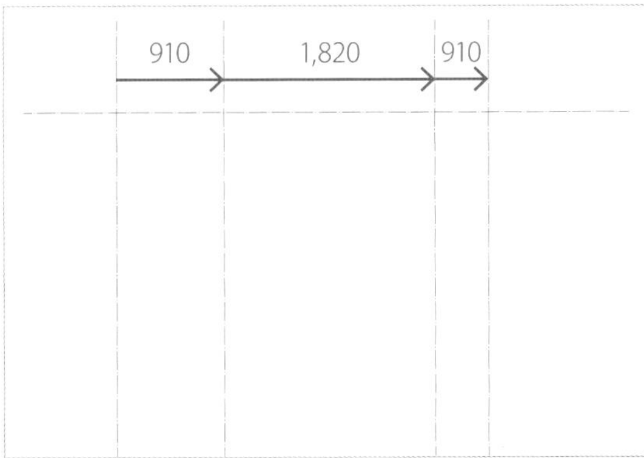

右上図の複線を作図する。

1 「複線」コマンドのコントロールバー「複線間隔」ボックスに「910」を入力し、基準線を🖱。

複線間隔を入力せずに図面上の点を指示することで、基準線からその点までの間隔で複線を作図できる。

2 マウスポインタを基準線の右側(作図方向)において、Enterキーを押す。

➡ 910mm右に複線が作図され、その複線が基準線になり、マウスポインタの側に「複線間隔」ボックスの間隔で次の複線が仮表示される。

3 キーボードから次の間隔「1820」を入力し、Enterキーを押す。

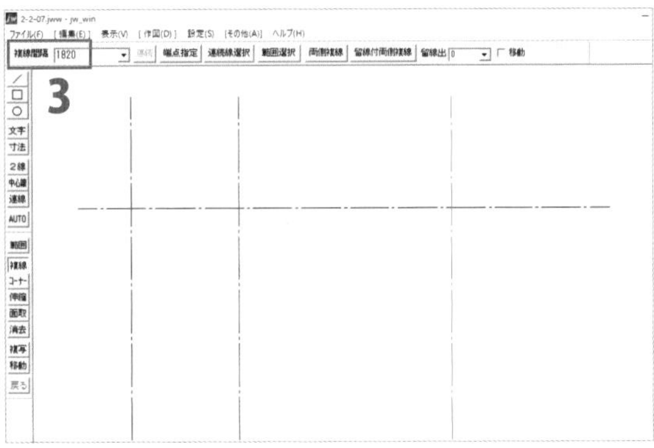

> **POINT** コントロールバーの「数値入力」ボックスの数値が色反転しているときは、ボックスを🖱せずにそのままキーボードから数値を入力できる。同じ間隔で複線を作図する場合は、そのままEnterキーを押す。複線はマウスポインタの側に仮表示されるため、ここでマウスポインタを作図ウィンドウの右端においておくと、途中でマウスポインタを移動する手間が省ける。

➡ 1820mm右に複線が作図され、作図した複線からマウスポインタの側に「複線間隔」ボックスの間隔で次の複線が仮表示される。

4 キーボードから次の間隔「910」を入力する。

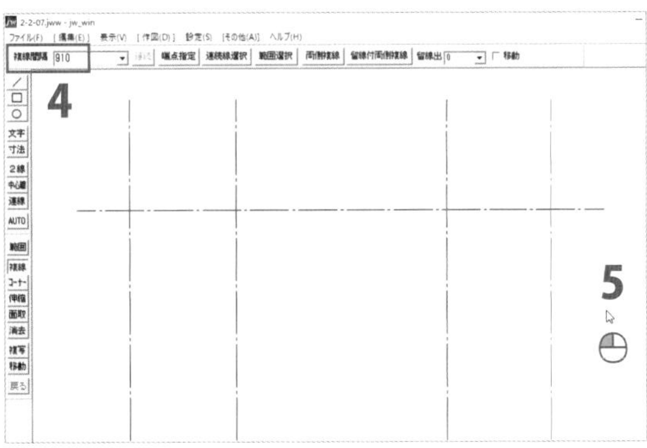

➡ マウスポインタの側に910mm離れた複線が仮表示される。

5 連続作図を終了するため、作図方向を指示する🖱。

「複線」コマンドのコントロールバー

① 「複線間隔」ボックス
平行複写の間隔を入力する。 **参考** 数値入力▶p.38

② 「連続」ボタン ※複線作図後に指定できる。
直前に作図した複線と同間隔で同方向に㊀した数の複線を連続して作図する。㊀した場合は、マウスボタンをはなすまで同間隔・同距離に複線を作図する。

③ 「端点指定」ボタン
作図方向指示時に「端点指定」ボタンを㊀し、始点と終点を指示することで、基準線と異なる長さの複線を作図する。

1 「複線」コマンドで、「複線間隔」を指定し、基準線を㊀。

2 コントロールバー「端点指定」ボタンを㊀。

3 始点を㊀。

4 終点を㊀。

5 作図方向を決める㊀。

> **POINT** **2**の代わりに**3**の位置から㊀→ AM3時【端点指定】でも端点指定になる。

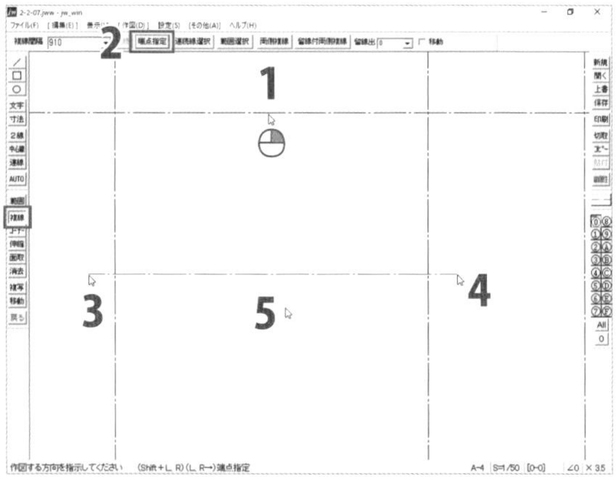

④ 「連続線選択」ボタン
基準線指示後に「連続線選択」ボタンを㊀することで、基準線に連続するすべての線が複線の基準線になる。

1 「複線」コマンドで、「複線間隔」を指定し、基準線を㊀。

2 コントロールバー「連続線選択」ボタンを㊀。

➡ **1**の基準線に連続するすべての線が複線の基準線になり、選択色で表示される。

> **POINT** 連続線に弧が含まれる場合、一部の弧の複線が逆の方向に仮表示されることがある。その場合は、逆に表示される基準線（弧）を㊀し、表示方向を個別に反転する。

3 作図方向を決める㊀。

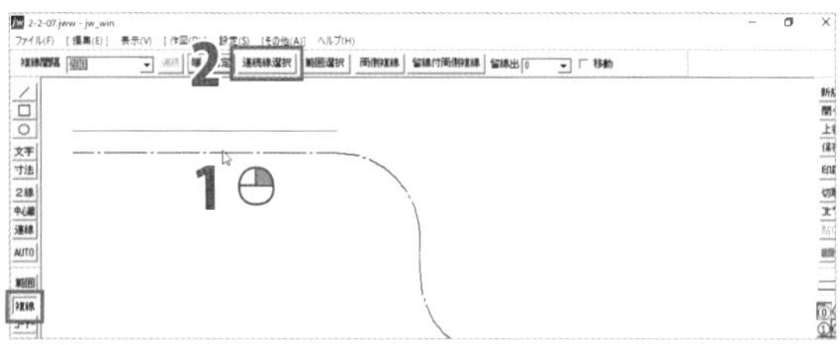

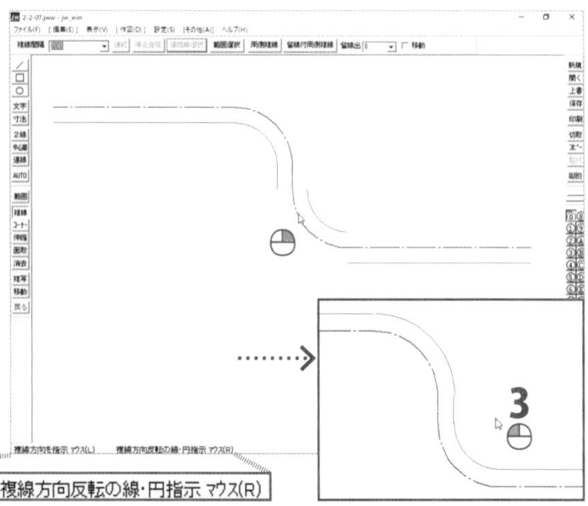

⑤「範囲選択」ボタン
選択範囲枠で囲むことで、複数の要素を基準線に指定する。範囲選択後、「両側複線」または「留線付両側複線」を指定すると、基準線の両側に一括で複線を作図できる。

⑥「両側複線」ボタン
基準線の両側に複線を一括作図する。

⑦「留線付両側複線」ボタン
基準線の両側と端に複線を一括作図する。

⑧「留線出」ボックス
⑦を選択したときの基準線端点からの間隔を指定する。

⑤～⑧を利用した操作例を示す。

1　「複線」コマンドで、コントロールバー「範囲選択」ボタンを㊀。

2　複線の基準線とする要素を範囲選択する。

参考 範囲選択共通操作▶p.20

3　コントロールバー「選択確定」ボタンを㊀。

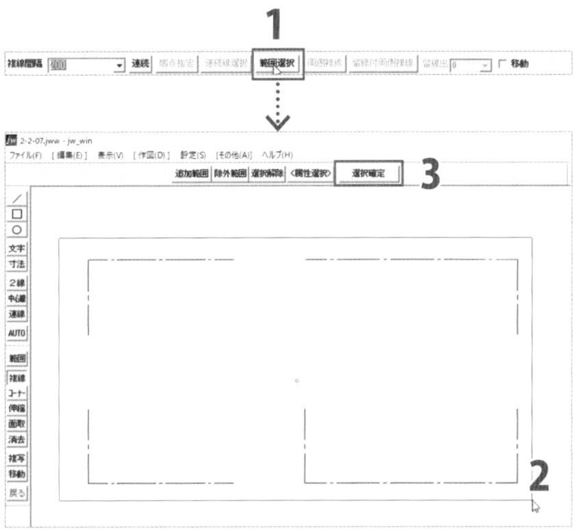

➡ 選択した要素が複線の基準線になり、コントロールバー「複線間隔」ボックスの間隔で複線が仮表示される。

> **POINT**　この段階で作図方向を決める㊀をすると、仮表示の複線が作図される。

4　コントロールバー「複線間隔」ボックスに複線間隔を入力し、適宜、「留線出」ボックスにも基準線端点からの間隔を入力する。

5　コントロールバー「留線付両側複線」ボタンを㊀。

➡ 基準線の両側に複線が、端部に留線が一括作図される。

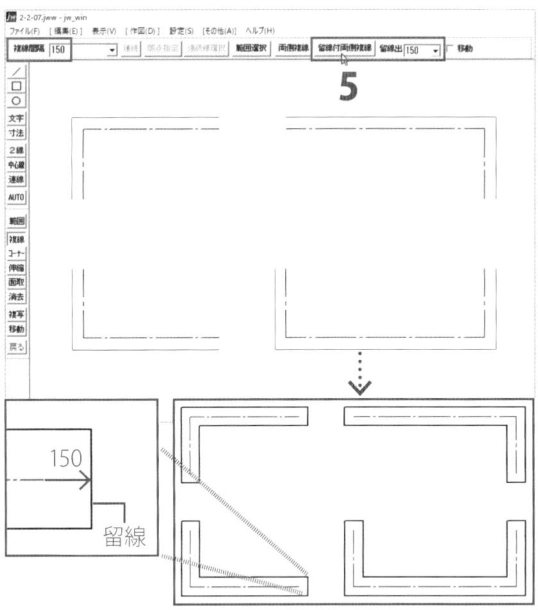

⑨「移動」チェックボックス /「元レイヤ」チェックボックス
チェックを付けることで、複線作図と同じ操作で基準線の平行移動が行える。その場合、書込線色・線種に関係なく、基準線の線色・線種で書込レイヤに平行移動される。また、「移動」にチェックを付けることで表示される「元レイヤ」にチェックを付けると、基準線と同じレイヤに平行移動される。

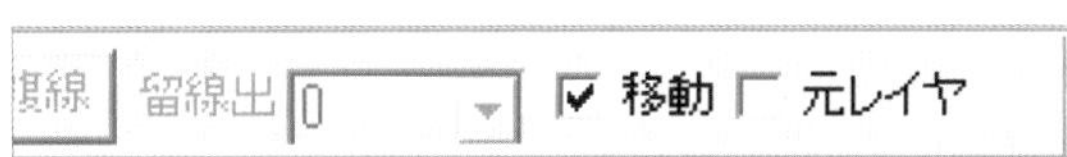

コーナー処理 コーナー

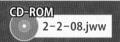

CD-ROM 2-2-08.jww

2本の線・弧を交点で連結して角を作る。また、線・円・弧を⊖位置で切断する

「コーナー」コマンド選択直後の操作メッセージ

線(A)指示(L)　線切断(R)

⊖でコーナー処理の1本目の線・弧を指示　⊖位置で線・円・弧を切断

基本操作1　コーナー連結

指示した2本の線・弧の角を作る

1　メニューバー[編集]–「コーナー処理」(「コーナー」コマンド)を選択し、1本目の線(または弧)を⊖。

➡ **1**の線(または弧)が選択色になり、⊖位置に水色の○が仮表示される。

2　2本目の線(または弧)を⊖。

➡ **1**と**2**の線・弧の交点で角ができる。

POINT　交差した2本の線・弧を⊖した場合、交点に対して**1**、**2**での⊖位置側を残すように角が作られる。交差していない弧の場合は、その中間点よりも角を作る側で⊖すること。

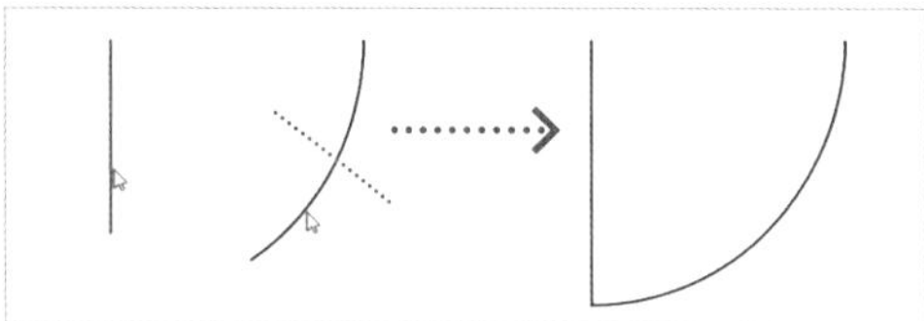

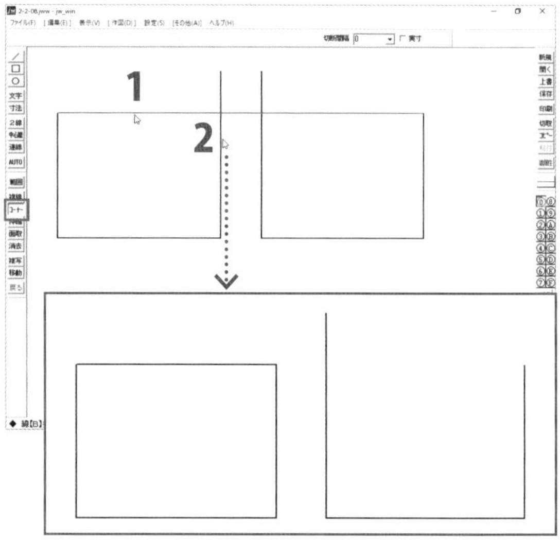

POINT　**1**、**2**で[ブロック図形です]、[曲線です]と表示される要素は、「コーナー」コマンドで扱うことはできない。

できる👍 同一線上の2本の線を1本に連結

同一線上の同一属性(線色・線種・レイヤ)の2本の線を指示し、1本の線に連結する。

1　「コーナー」コマンドで、1本目の線を⊖。

2　同一線上の同一属性の2本目の線を⊖。

➡ 画面左上に[1本の線にしました]とメッセージが表示され、**1**、**2**の線が1本に連結される。

POINT　同一レイヤの同じ位置に同一線色・線種で重ねがきされた線も、その線上で⊖⊖することで1本の線になる。同一円周上の弧どうしの連結はできない。

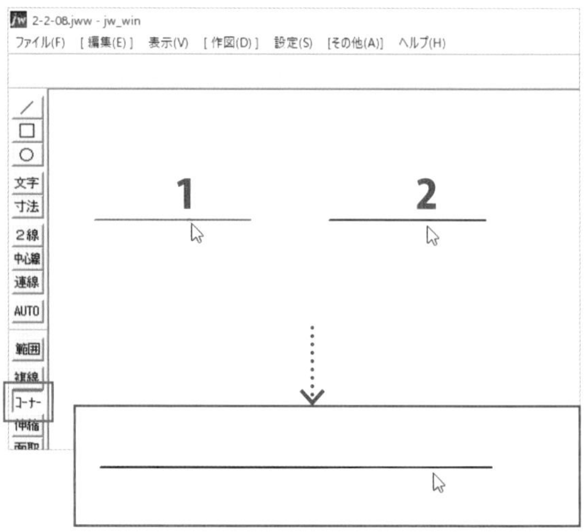

基本操作2　線の切断

線・円・弧を⊖位置で切断する。

1　「コーナー」コマンドで、線・円・弧の切断位置で⊖。

➡ ⊖位置で切断され、切断位置を示す赤の○が仮表示される。

> **POINT**　他のコマンドを選択すると、仮表示の赤の○は消える。切断の⊖は点を読み取らないため、正確な位置で切断することはできない。正確な位置で切断するには、「消去」コマンドの部分消し（▶p.97）で始点と終点で同一点を指示する。

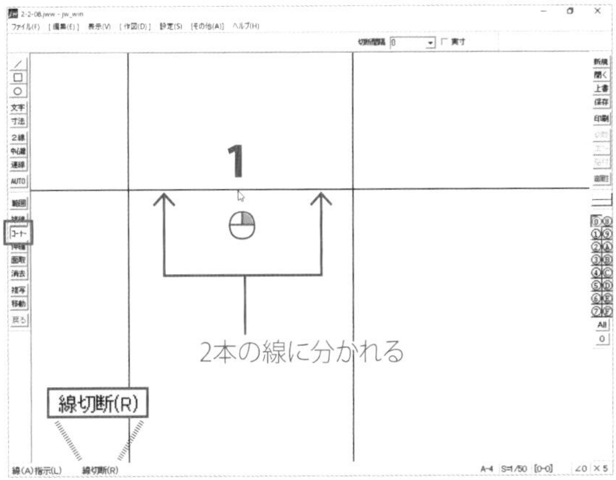

「コーナー」コマンドのコントロールバー

① 「切断間隔」ボックス
⊖による線の切断時、⊖位置を中心に「切断間隔」ボックスに図寸（mm）で指定した間隔が部分消しされる。
切断対象の線の長さが、「切断間隔」ボックスで指定した長さ以下の場合、⊖で線全体が消去される。

② 「実寸」チェックボックス
チェックを付けると、①の間隔が実寸指定になる。

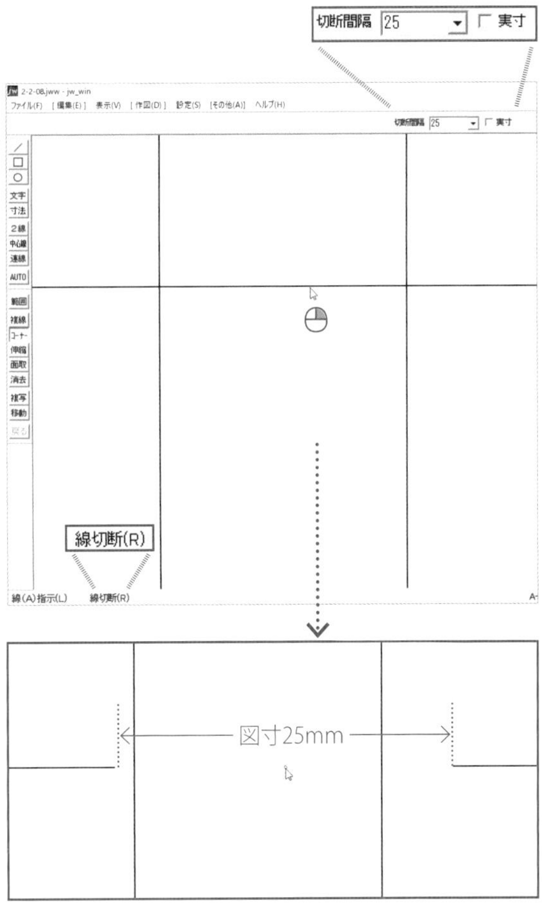

伸縮 伸縮

伸縮対象線から⊖↙AM8時 伸縮
伸縮基準線から⊖↙AM8時 伸縮

CD-ROM 2-2-09.jww

線・弧を、指定点や基準線まで伸縮する

「伸縮」コマンド選択直後の操作メッセージ

指示点までの伸縮線(L) 線切断(R) 基準線指定(RR)

- 指示点までの伸縮線(L)：指定点まで伸縮する線・弧を⊖
- 線切断(R)：⊖位置で線・円・弧を切断（「コーナー」コマンド（▶p.89）と同じ）
- 基準線指定(RR)：伸縮の基準にする線・円・弧を⊖⊖

基本操作1　指定点まで伸縮

線・弧を指定点まで伸縮する。

1　メニューバー［編集］－「伸縮」（「伸縮」コマンド）を選択し、伸縮対象線（または弧）を⊖。

POINT　伸縮対象を⊖することで、指定点までの伸縮指示になる。線・弧を縮める場合、次に指示する指定点に対して線・弧を残す側で⊖する。弧を伸ばす場合は、弧の半分よりも伸ばす側で⊖する。他コマンド選択時に、伸縮対象を⊖↙AM8時 伸縮 しても**1**の操作後の状態になる。

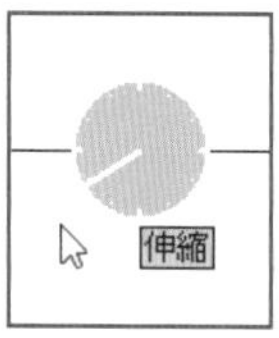

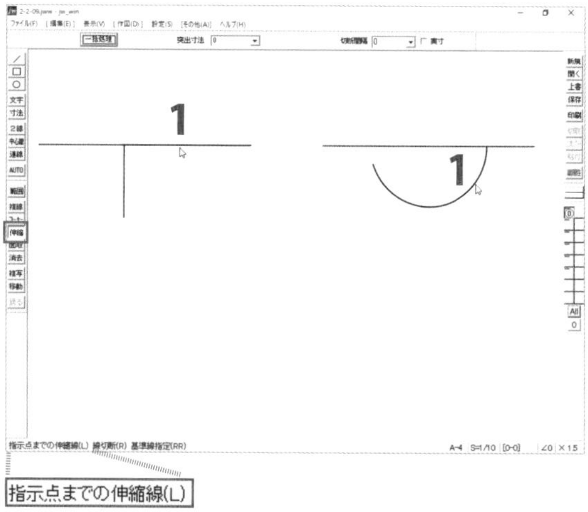

➡ ⊖位置に水色の○が仮表示される。

2　伸縮点を⊖（または⊖）。

➡ 仮表示の水色の○の側が残るように伸縮される。

POINT　**1**で ブロック図形です 曲線です と表示される要素は、「伸縮」コマンドでは伸縮や切断できない。

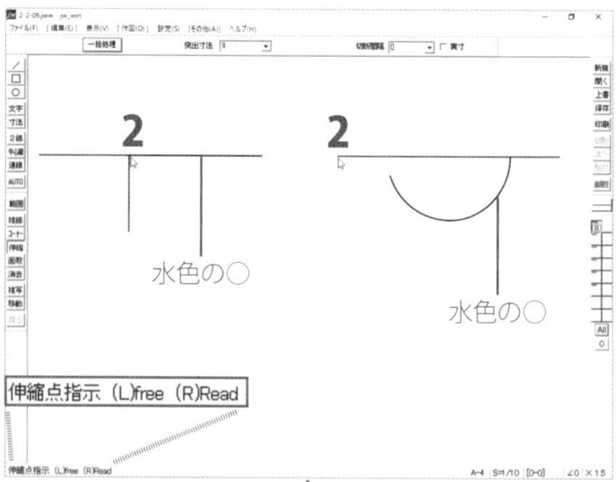

⊖した側を残して**2**の点まで縮む

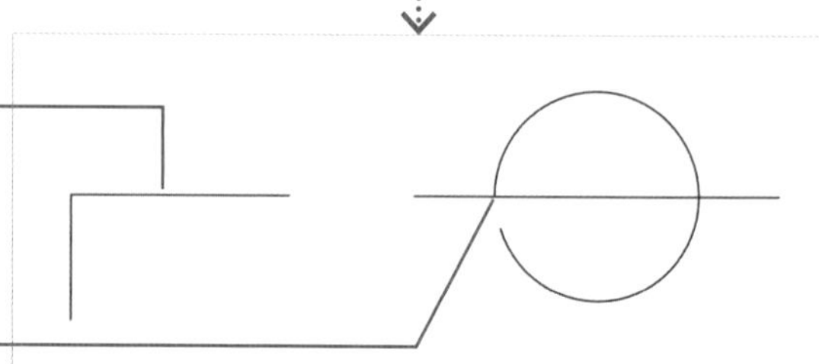

円弧の**1**で⊖した側が**2**の点まで伸びる

基本操作2　基準線まで伸縮

線・弧を、基準線まで伸縮する。

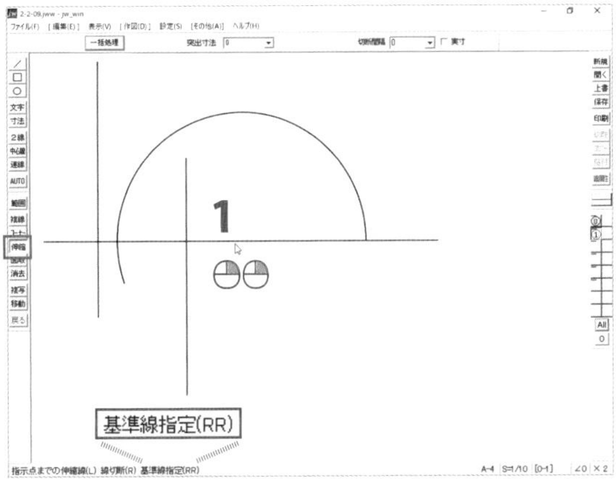

1　「伸縮」コマンドで伸縮の基準線を⊖⊖。

> **POINT**　⊖⊖（基準線指定）時、⊖と⊖の間にマウスが動くと、⊖⊖（基準線指定）ではなく、⊖（切断）になり、切断個所に赤の○が仮表示される。マウスを動かさずに⊖⊖するように注意する。
> 誤って⊖した場合は、「戻る」コマンドで切断を取り消す。他コマンド選択時、伸縮の基準とする線・円・弧を⊖↙AM8時伸縮しても**1**の操作後の状態になる。
>
> 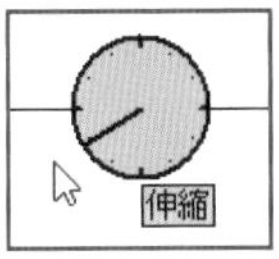
>

➡ ⊖⊖した基準線が選択色になる。

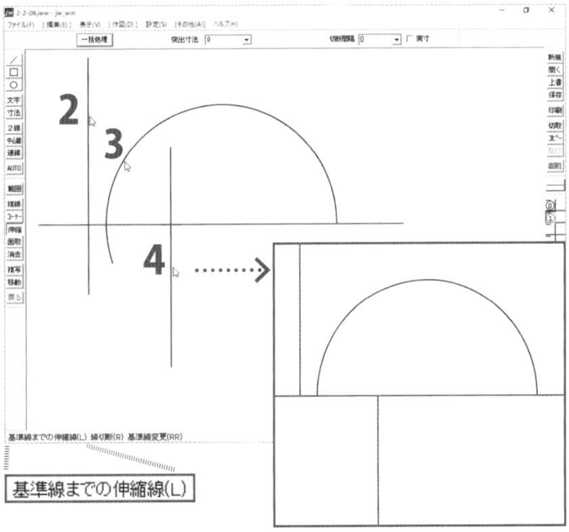

2　伸縮対象線を⊖。

> **POINT**　基準線に交差した伸縮対象線・弧は、基準線に対して残す側で⊖する。

➡ 基準線に対して、**2**で⊖した側が残るように縮む。

3　伸縮対象弧を⊖。

4　伸縮対象線を⊖。

> **POINT**　別の線を基準線にするには、新しく基準線にする線（または円・弧）を⊖⊖（基準線変更）する。

POINT　円・弧を伸縮基準線にした場合

円・弧を基準線にした場合、**1**で円・弧を⊖⊖した位置から両側90°の範囲の円弧部分が基準線になる。そのため、下図の水平線、垂直線の片端点は伸縮されない。

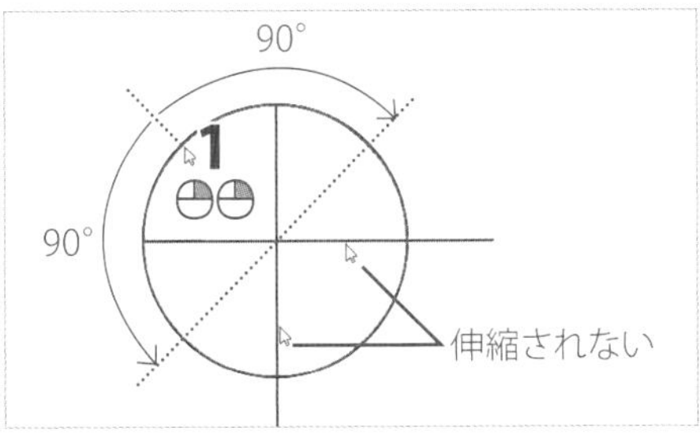

円・弧を基準線として指示後、コントロールバーに表示される「指示位置優先」にチェックを付けることで、⊖⊖した円・弧全体が基準線になり、水平線、垂直線の両端点を円・弧まで伸縮できる。

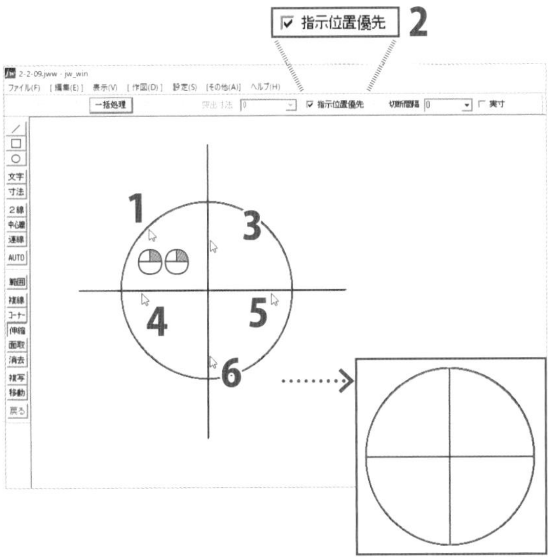

「伸縮」コマンドのコントロールバー

① 「一括処理」ボタン

指定した基準線(直線に限る)まで、複数の直線を一括で伸縮する。

1 「伸縮」コマンドのコントロールバー「一括処理」ボタンを⊖。

2 伸縮の基準線を⊖。

➡ 基準線が水色になる。

> **POINT** 2で点を⊖(または点のない位置で⊖⊖)することで、その位置を一括伸縮の基準点にできる。

3 一括伸縮の始めの線を⊖。

➡ **3**の位置からマウスポインタまで赤の点線が仮表示される。この赤の点線に交差する線が伸縮対象線として選択される。

4 一括伸縮の対象線が赤の点線に交差する位置で、終わりの線を⊖。

➡ 赤の点線に交差した線が一括伸縮の対象線として選択され、選択色になる。

> **POINT** 3または4で線を⊖で指示した場合、赤の点線に交差した線のうち、⊖した線と同一属性(線色・線種・レイヤ)の線のみが選択色になる。4の指示後、線を⊖することで、一括伸縮の対象に追加・除外できる。

5 コントロールバー「処理実行」ボタンを⊖。

> **POINT** 5の代わりに⊖↑AM0時 処理実行 としてもよい。

➡ 選択色の線が、赤の点線に交差した側を残し、基準線まで一括伸縮される。

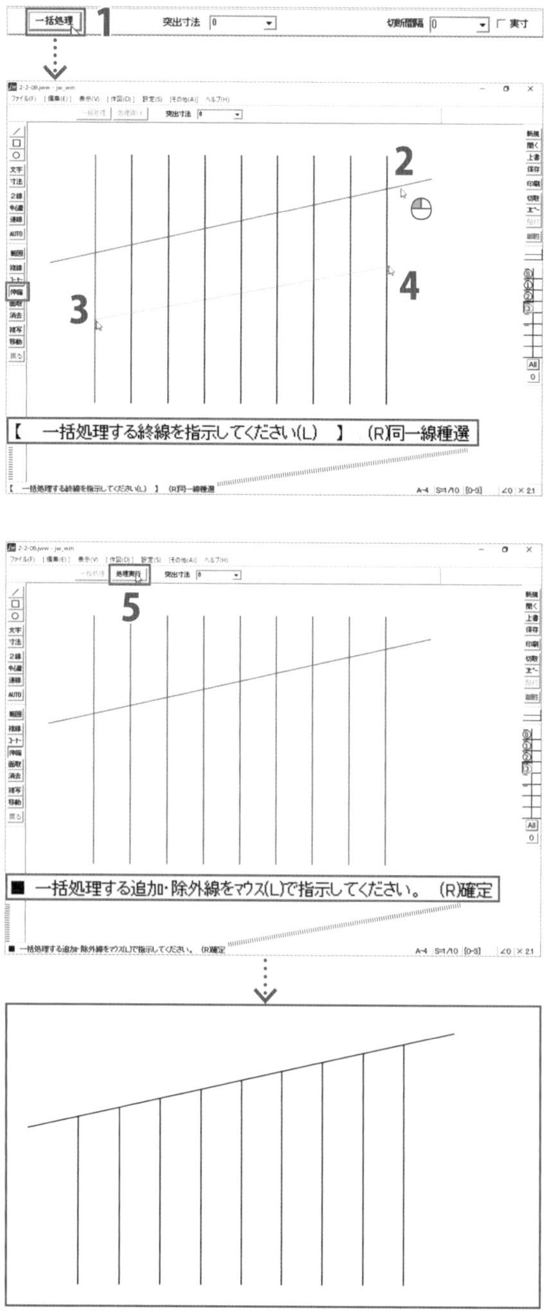

② 「突出寸法」ボックス

伸縮点、伸縮基準線から突出する寸法を実寸法で指定することで、指示した伸縮点や伸縮基準線から指定数値分、突出した状態に伸縮する。「－（マイナス）値」を入力すると、基準線（または伸縮点）から指定寸法離れた位置までの伸縮になる。

伸縮点までの伸縮

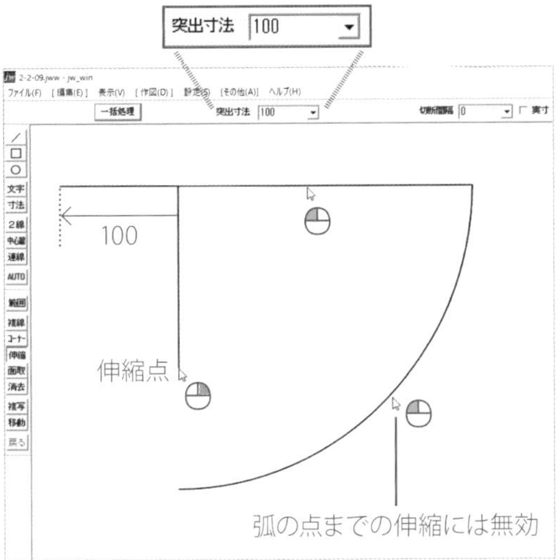

弧を伸縮点まで伸縮する場合は、「突出寸法」は無効となる。

基準線までの伸縮

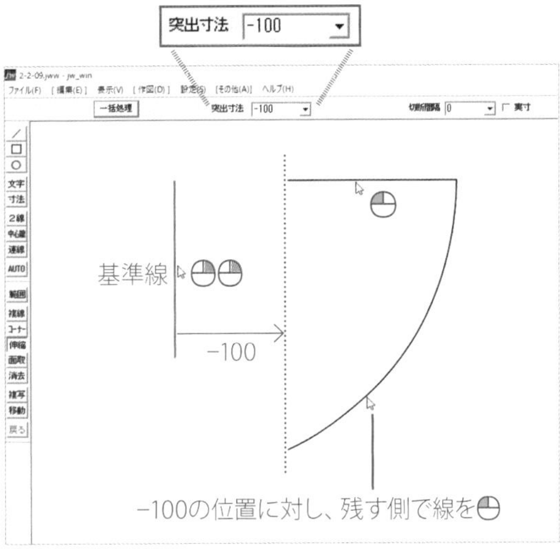

基準線として円・弧を指定した場合、「突出寸法」は無効となる。

できる 端点移動

「伸縮」コマンドで、線を⊖↙AM8時<端点移動>すると、⊖↙した側の端点を移動できる。

1 「伸縮」コマンドで、線の移動する端点側を⊖↙ AM8時<端点移動>。

> **POINT** 1の代わりに、Shiftキーを押したままスペースキーを押した後（画面左上に<端点移動>が表示）、1の線を⊖しても同じ。

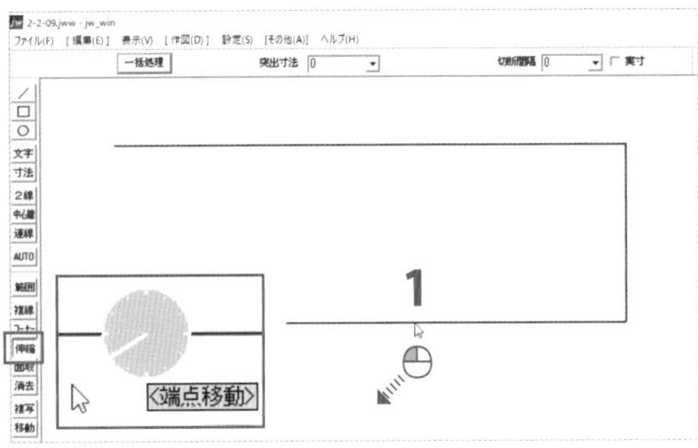

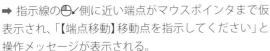

➡ 指示線の⊖↙側に近い端点がマウスポインタまで仮表示され、「【端点移動】移動点を指示してください」と操作メッセージが表示される。

2 移動先の点を⊖（または⊖）。

➡ 1の線の⊖↙した側の端点が2の位置に移動される。

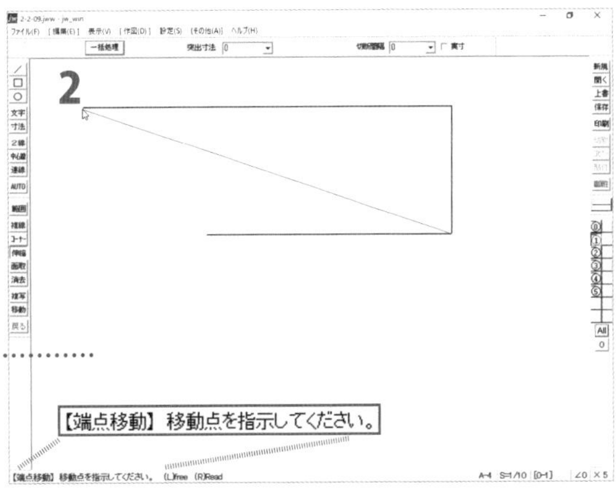

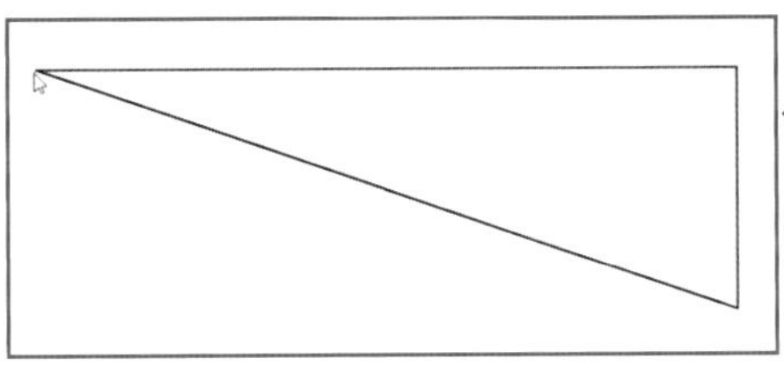

面取 面取

CD-ROM 2-2-10.jww

2本の線の交点を面取りする

「面取」コマンド選択直後の操作メッセージ

線(A)指示(L)　線切断(R)

㊧で面取の1本目の線・弧を指示

㊧位置で線・円・弧を切断
「コーナー」コマンド (▶p.89) と同じ

基本操作

交差した2本の線を、R=80で丸く面取りする。

1 メニューバー [編集] –「面取」(「面取」コマンド) を選択し、コントロールバー「丸面」を選択する。

2 「寸法」ボックスに「80」を入力する。

3 1本目の線を㊧。

➡ ㊧位置に水色の○が仮表示され、**3** が選択色になる。

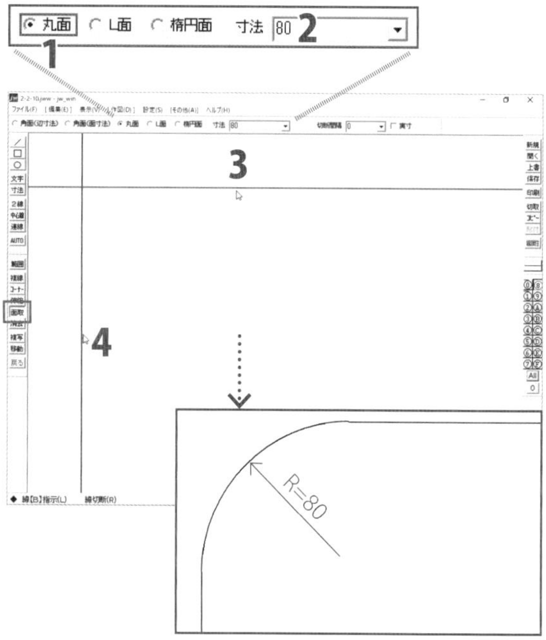

> **POINT** 交差した2本の線を面取りする場合、**3**、**4** の指示は交点に対して線を残す側で㊧する。

4 2本目の線を㊧。

➡ **3** と **4** の線が、R=80mmで丸面取りされる。

> **POINT** 通常、面取の線は書込線で書込レイヤに作図されるが、指示した2本の線の属性 (線色・線種・レイヤ) が同じ場合は、指示線と同じ線色・線種で指示線と同じレイヤに作図される。**3**、**4** で ブロック図形です 曲線です と表示される要素は「面取」コマンドで扱えない。

できる 元の線を残して面取り

2本目の線指示時にCtrlキーまたはShiftキーを押したまま線を㊧すると、元の線を残して面取りする。

Ctrlキーまたは Shiftキーを押したまま線を㊧すると、p.19「できる 重ねがきされた線の読み取り」の機能が働くため、指示する線が書込線とは異なる場合にはCtrlキーが、書込レイヤにない線の場合はShiftキーが、利用できない (図形がありません とメッセージが表示される)。適宜、利用できるほうのキーを併用する。

面取後も元の線が残る

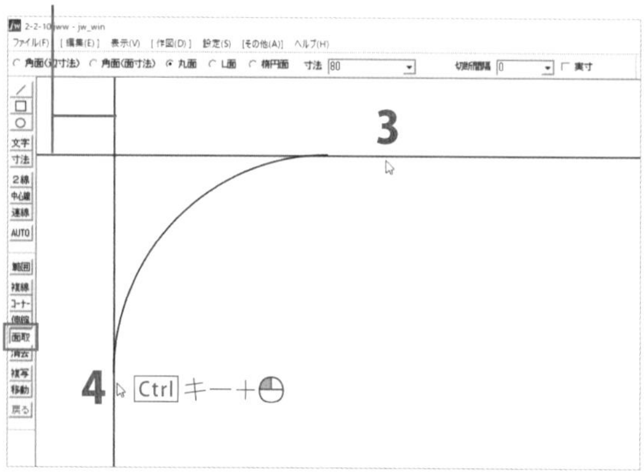

「面取」コマンドのコントロールバー

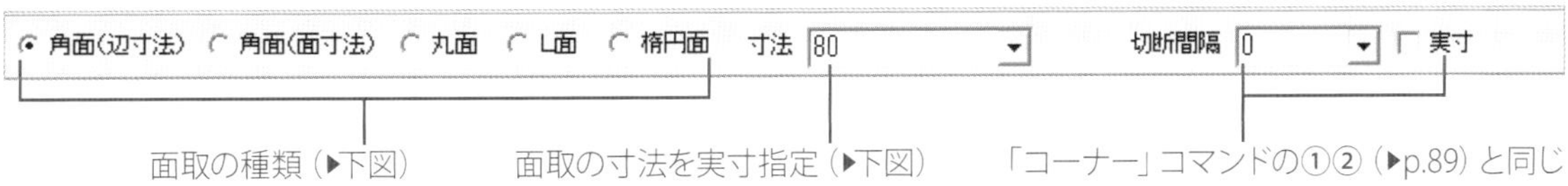

角面（辺寸法）

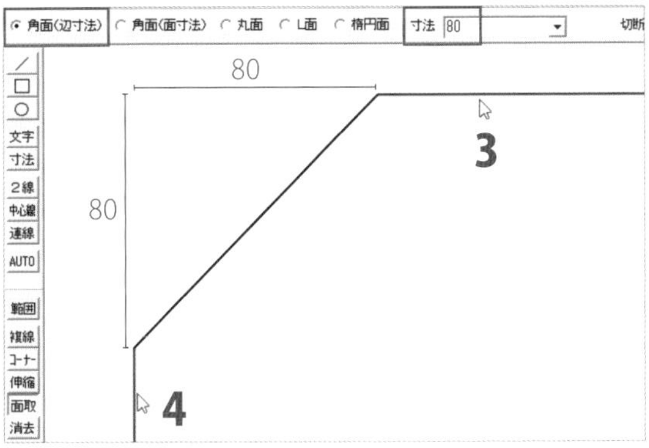

角面（面寸法）

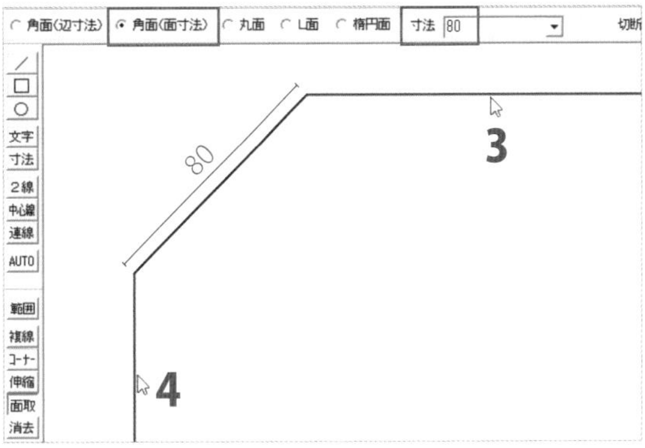

丸面（凸面）

「寸法」ボックスに＋（プラス）値を指定する。「丸面」に限り、線と弧、弧どうしの面取りができる。

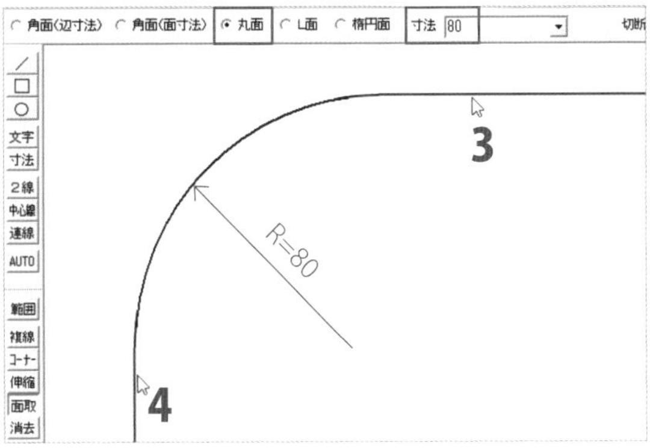

丸面（凹面）

「寸法」ボックスに－（マイナス）値を指定すると、凹面の丸面取りになる。

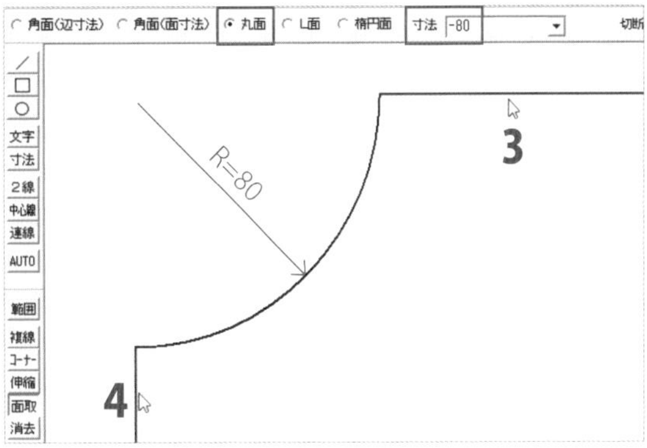

L面

「，」区切りで入力する寸法の順序と、**3**、**4**の線を⊕する順序に注意する。

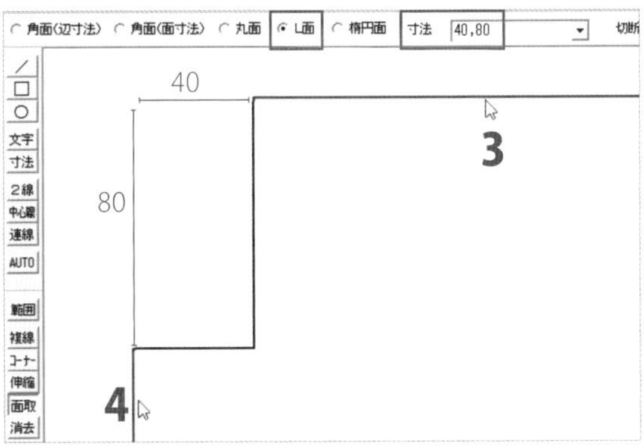

楕円面

楕円面の扁平率は2本の線の交差角で自動計算される。2本の線が直交する場合は丸面（扁平率=1.0）になる。

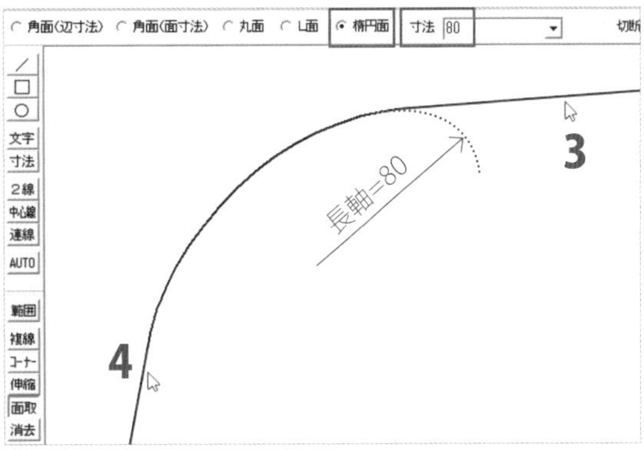

消去

消去

部分消しの対象線・円・弧を⊖↖AM10時 消去

消去対象を⊖↖AM10時 消去

CD-ROM 2-2-11.jww

仮点以外のすべての要素を消去する。線・円・弧を部分消しする

「消去」コマンド選択直後の操作メッセージ

線・円マウス(L)部分消し	図形マウス(R)消去
⊖した線・円・弧を部分消し	⊖した要素を消去

基本操作1　要素を個別に消去

1　メニューバー[編集]－「消去」(「消去」コマンド)を⊖。

2　消去対象の要素を⊖。

➡ ⊖した要素が消去される。

POINT　⊖で、線・円・弧・文字・実点・ソリッド・画像など、仮点以外のすべての要素を消去できる。寸法図形(▶p.18)の寸法線または寸法値を⊖すると、寸法線と寸法値の両方が消える。複数の要素をひとまとまりとして扱うブロック(▶p.17)、曲線属性(▶p.16)を持つ要素の一部を⊖すると、ブロック全体、曲線全体が消える。他コマンド選択時に、消去対象要素を⊖↖AM10時 消去 でも消去できる(▶p.40)。

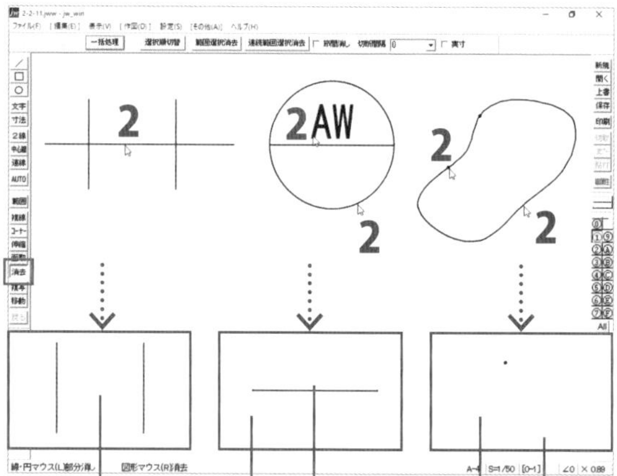

基本操作2　節間消し

1　「消去」コマンドのコントロールバー「節間消し」にチェックを付ける。

2　線・円・弧の節間消し対象部を⊖。

POINT　コントロールバー「節間消し」にチェックを付けると、⊖の部分消しが節間消しになり、⊖した線・円・弧の、⊖位置両側の一番近い点間を部分消しする。**2**で 寸法図形です ブロック図形です 曲線です と表示される要素は節間消しできない。

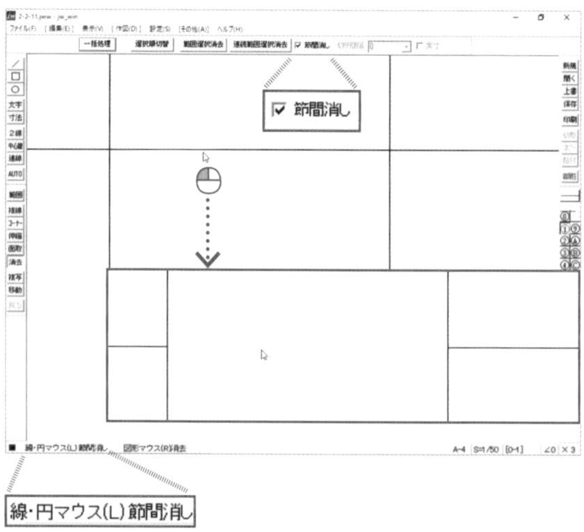

➡ 基本操作3　線・円・弧の部分消し

1　「消去」コマンド（コントロールバー「節間消し」のチェックなし）で、部分消しの対象線（または円・弧・曲線）を⊖。

> **POINT**　部分消しの対象として指示できるのは線、円・弧、曲線（曲線属性が付加された連続線）だけである。文字やソリッド、ブロック、寸法図形などは部分消しの対象にならない。

➡ ⊖した要素が選択色になる。

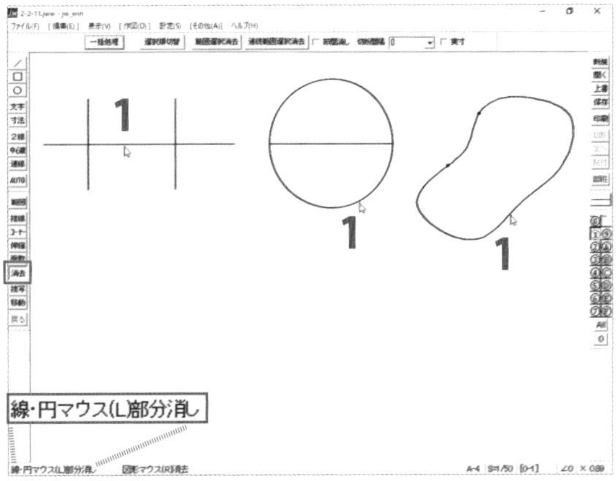

2　部分消しの始点を⊖（または⊖）。

➡ 部分消しの始点に赤の○が仮表示される。

3　部分消しの終点を⊖（または⊖）。

➡ **1**の線（円・弧・曲線）の**2**－**3**の範囲が部分消しされる。

> **POINT**　円・弧を部分消しする場合、始点→終点指示は左回りで行う。線、円・弧の部分消しの始点、終点は対象線、円弧上でなくてもかまわないが、曲線は、曲線上で始点、終点を指示すること。

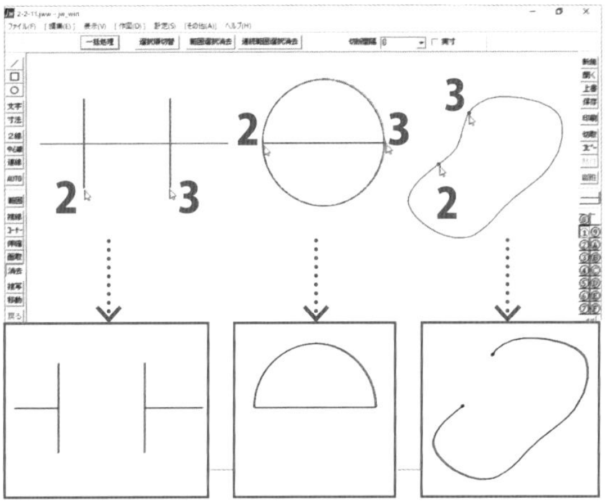

できる👍 線を指定位置で切断

部分消しの始点、終点指示（上記**2**、**3**）で同じ点を⊖すると、指示位置で線が切断される。「コーナー」「面取」「伸縮」コマンドでの⊖（線切断）では、正確な位置で線を切断することはできない。正確な位置で線を切断するには、「消去」コマンドで行う。

> **POINT**　コントロールバー「切断間隔」ボックスに数値を指定して切断した場合、指示点を中心に指定間隔で切断される。「切断間隔」は図寸（mm）で指定する。コントロールバー「実寸」にチェックを付けることで、実寸指定になる。切断対象線の長さが指定した切断間隔以下の場合、終点指示後に対象線が消去される。

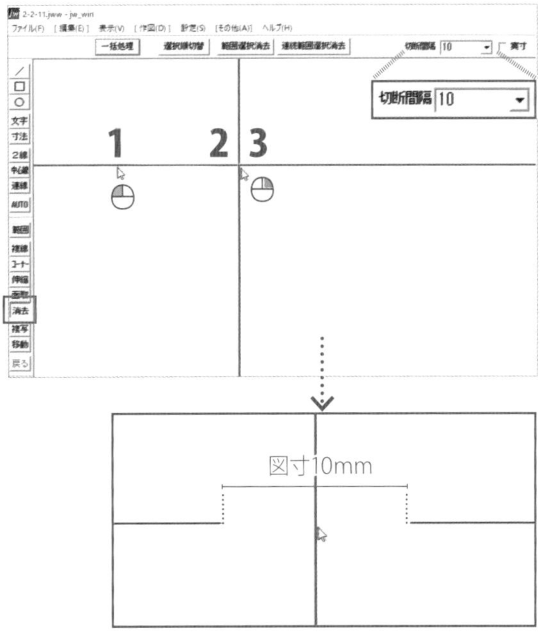

「消去」コマンドのコントロールバー

① 「一括処理」ボタン
複数の直線の部分消しや消去を一括で行う。

手摺部に重なる階段線を一括部分消しする。

1 「消去」コマンドのコントロールバー「一括処理」ボタンを⊖。

2 消し始めの基準線を⊖。

> **POINT** 2で消し始めの線を⊖すると、一括消去になる。

➡ 2の線が基準線として水色で表示される。

3 消し終わりの基準線を⊖。

➡ 3の線が基準線として水色で表示される。

4 一括部分消しの始めの線を⊖。

➡ 4の⊖位置からマウスポインタまで赤の点線が仮表示される。この赤の点線に交差する線が一括部分消しの対象線になる。

5 一括部分消しの対象とする線に赤の点線が交差する位置で、終わりの線を⊖。

> **POINT** 5の終線を⊖（同一線種選）すると、⊖した線と同じ線色・線種・レイヤの線のみを対象線として選択する。

➡ 赤の点線に交差した線が一括部分消しの対象線として選択され、選択色になる。

> **POINT** この段階で線を⊖することで、一括部分消しの対象に追加または除外できる。

6 コントロールバー「処理実行」ボタンを⊖。

➡ 選択色の対象線が、2－3の範囲で一括部分消しされる。

> **POINT** 6の代わりに⊖↑AM0時 処理実行 としてもよい。

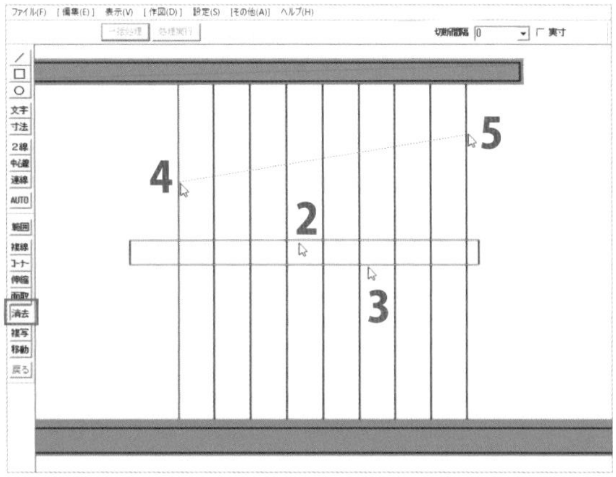

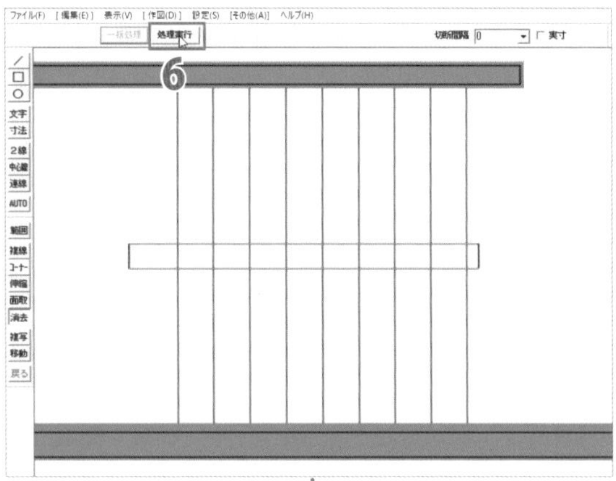

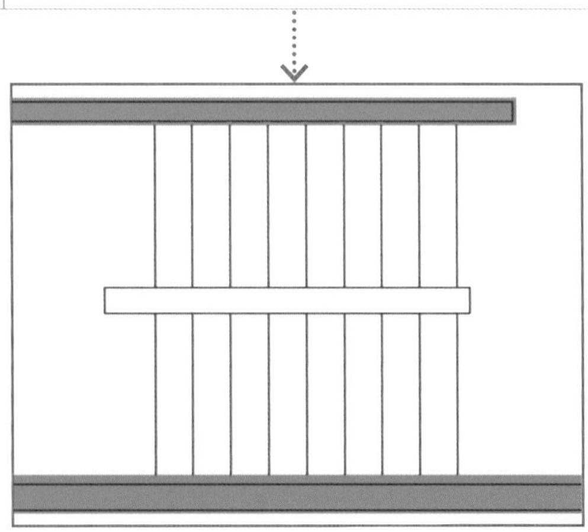

② 「選択順切替」ボタン

「選択順切替」ボタンを⊖することで、文字を優先的に消去する【文字】優先選択消去モードと、文字以外を優先的に消去する線等優先選択消去モードを切り替える。

③「範囲選択消去」ボタン ／ ④「連続範囲選択消去」ボタン

消去対象を範囲選択して、一括消去する。

1 「消去」コマンドのコントロールバー「範囲選択消去」（または「連続範囲選択消去」）ボタンを⊖。

2 消去対象を範囲選択する。

参考 範囲選択共通操作▶p.20

3 消去対象が選択色になっていることを確認し、コントロールバー「選択確定」ボタンを⊖。

POINT 3の代わりにEnterキーを押すか、⊖↑AM0時選択確定としてもよい。

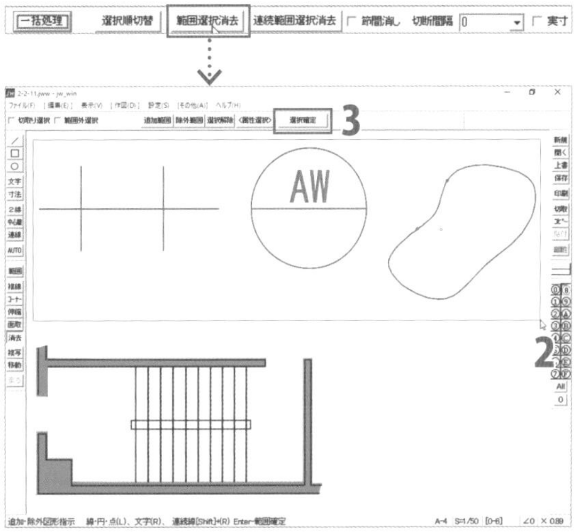

➡ 選択色の要素が消去される。**1**で「連続範囲選択消去」ボタンを⊖した場合は、次の範囲選択消去の始点指示の状態になり、続けて範囲選択消去が行える。

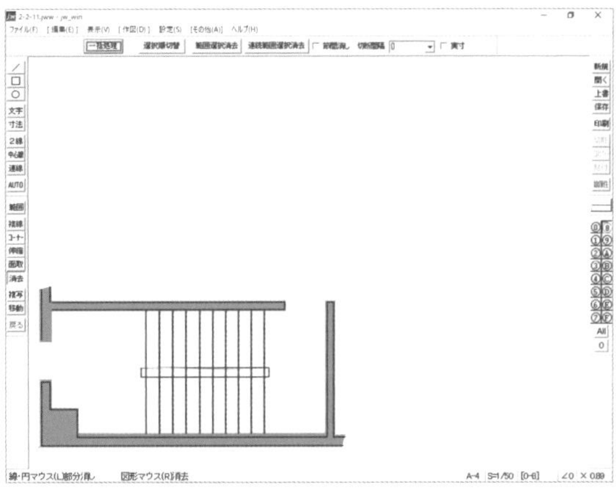

⑤ 「節間消し」チェックボックス

⊖した線・円・弧の、⊖位置両側の点間を部分消しする(▶p.96「基本操作2」)。

⑥ 「切断間隔」ボックス

線の切断(▶p.97 ［できる］) の間隔を図寸(mm) で指定する。

⑦ 「実寸」チェックボックス

チェックを付けることで、⑥の間隔が実寸指定になる。

図形複写 複写 ／ 図形移動 移動

⊖(⊖)↙AM7時 複写・移動

CD-ROM 2-2-12.jww

選択した要素を複写・移動する。通常は元と同じ線色・線種で同じレイヤに複写・移動する

基本操作

「複写」(図形複写) コマンドで操作手順を解説するが、「移動」(図形移動) コマンドも操作手順は同じである。

1 メニューバー [編集] －「図形複写」(「複写」コマンド) を⊖。

2 複写範囲の始点を⊖。

3 表示される選択範囲枠で複写対象要素を囲み、終点を⊖。

参考 範囲選択 (**2**～**4**) 共通操作▶p.20

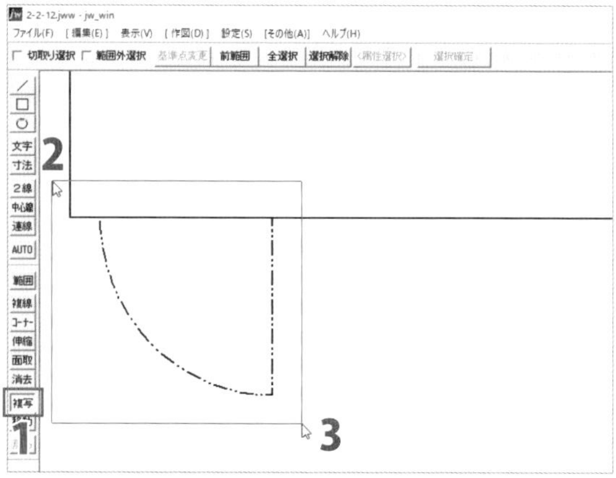

➡ 選択範囲枠に全体が入る要素が選択色になり、自動的に決められた複写の基準点位置に、赤の○が表示される。

4 コントロールバー「基準点変更」ボタンを⊖。

> **POINT** 基準点を変更する必要がない場合は、コントロールバー「選択確定」ボタンを⊖し、**6**へ進む。

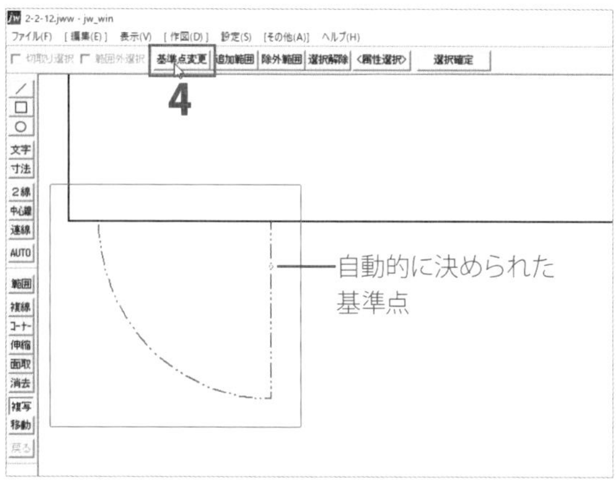

➡ 選択色の要素が複写要素として確定し、「基準点を指示して下さい (L) free (R) Read」と操作メッセージが表示される。

5 複写の基準点を⊖。

> **POINT** **4**、**5**の代わりに**5**の点を⊖↑AM0時 確定 基点《Read》としてもよい。

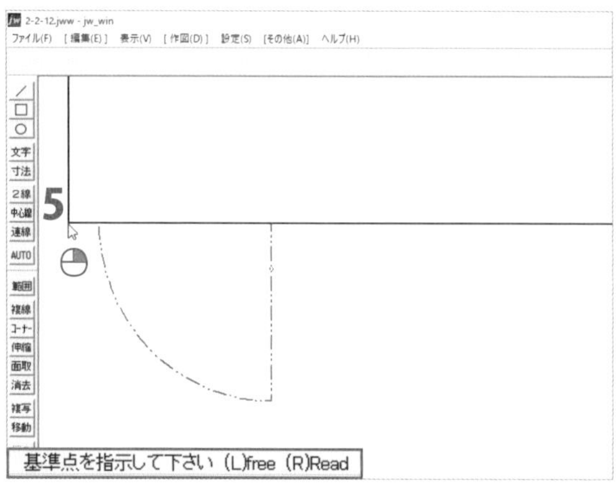

➡ 5を基準点として複写要素がマウスポインタに仮表示される。

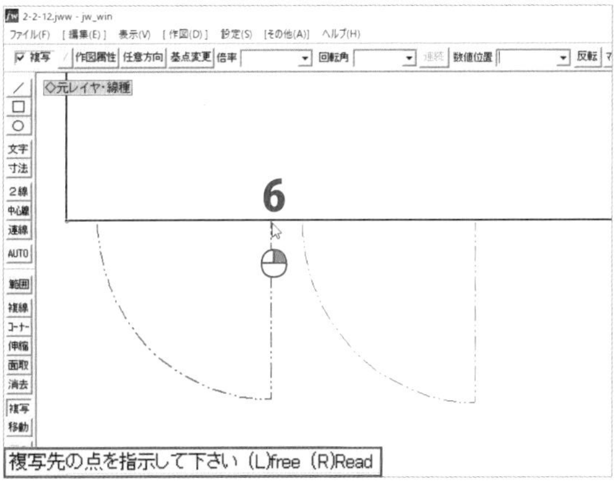

6 複写先の点を⊖。

> **POINT** 画面左上に◇元レイヤ・線種と表示されるのは、複写元と同じレイヤに同じ線色・線種で複写されることを意味する。「作図属性設定」指示（▶p.102）でレイヤや線色・線種を変更して複写することもできる。この段階でEnterキーを押すと、コントロールバー「基点変更」ボタンをクリックしたときと同じ状態になり、基準点を変更できる。

➡ ⊖位置に複写され、マウスポインタには複写要素が仮表示される。

> **POINT** 他コマンドを選択するまでは、次の複写先を指示することで、同じ複写要素（選択色の図）を続けて複写できる。

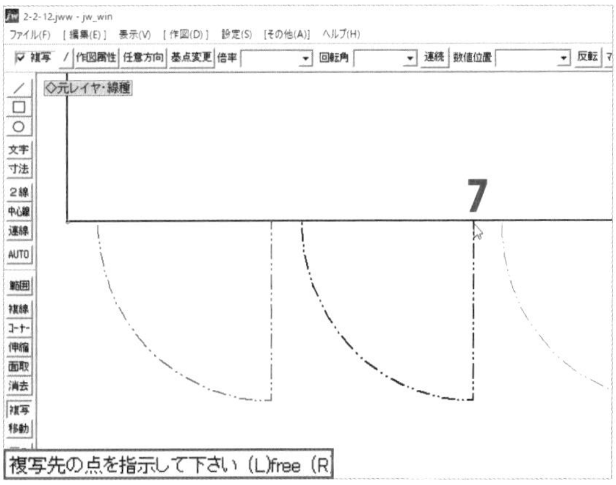

7 次の複写先を⊖。

> **POINT** この図の場合、7の操作の代わりにコントロールバー「連続」ボタンを⊖しても同じ。

8 「／」コマンドを選択し、「複写」コマンドを終了する。

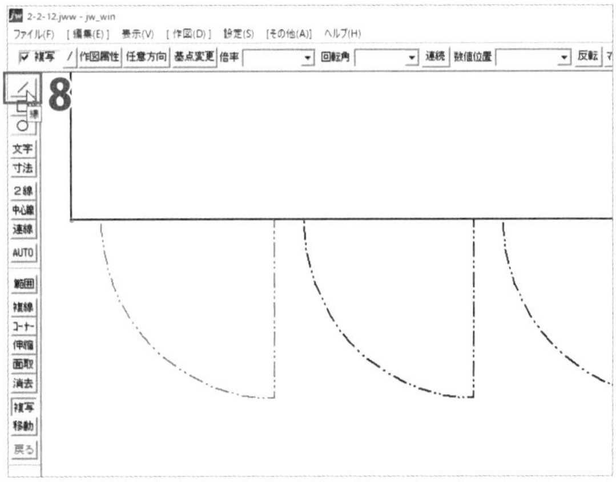

「複写」「移動」コマンドのコントロールバー

参考 p.100「基本操作」の2〜4で表示されるコントロールバー▶p.22

① 「複写」チェックボックス
「移動」コマンド（チェックなし）⇔「複写」コマンド（チェックあり）を切り替える。

② 「/」ボタン　※複写（または移動）後に指定可能。
⊕で①のチェックが外れ（または付く）、1つ前の複写（または移動）操作も含め、移動（または複写）に切り替わる。

③ 「作図属性」ボタン
⊕すると「作図属性設定」ダイアログが開く。ダイアログの設定は、Jw_cadを終了するまで有効である。

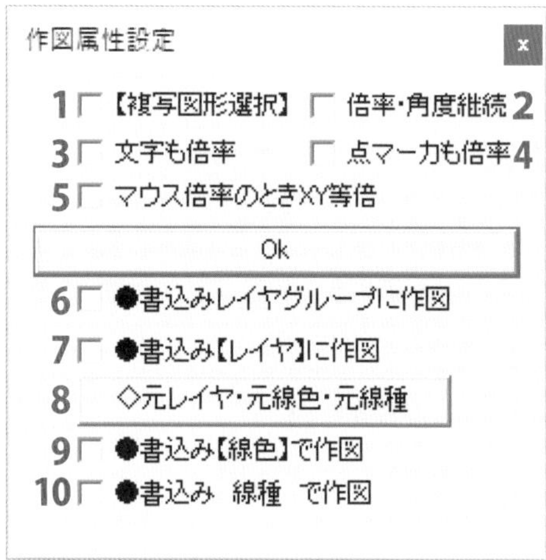

1　【複写図形選択】　※「複写」コマンドでのみ有効。
複写した要素を次の複写元にする。

2　倍率・角度継続　コントロールバー「倍率」「回転角」の指定値を、他コマンド選択後も保持する。

3　「文字も倍率」／4　「点マーカも倍率」
倍率を指定して大きさを変更しても、文字と点マーカのサイズは変更されない。**3**、**4**のチェックを付けることで、文字、点マーカのサイズも変更される。

5　マウス倍率のときXY等倍　※コントロールバー⑪「マウス倍率」の選択時に指定可能。
マウス倍率による大きさ変更時、複写・移動元の縦横比を保つ。

6　●書込みレイヤグループに作図
書込レイヤグループに複写・移動元と同じレイヤ分けで複写・移動する。

7　●書込み【レイヤ】に作図
書込レイヤに複写・移動する。

8　「◇元レイヤ・元線色・元線種」ボタン
複写・移動元と同じレイヤに、同じ線色・線種（**6**、**7**、**9**、**10**のチェックを外した状態）で複写・移動する。

9　●書込み【線色】で作図
複写・移動する要素を書込線色に変更して複写・移動する（ブロックは対象外）。

10 ●書込み 線種 で作図
複写・移動する要素を書込線種に変更して複写・移動する（ブロックは対象外）。

POINT　コントロールバー⑥「倍率」や⑦「回転角」（▶次ページ）を指定して複写を2回以上続けて行う場合、【複写図形選択】**1**のチェックの有無で、2回目以降の複写結果が次のように異なる。
チェックなしの場合、2回目以降も最初の複写と同じ大きさ、角度で複写する。
チェックありの場合、2回目以降は1回前に複写された図に対して、コントロールバーで指定の倍率、回転角で複写する（右図）。

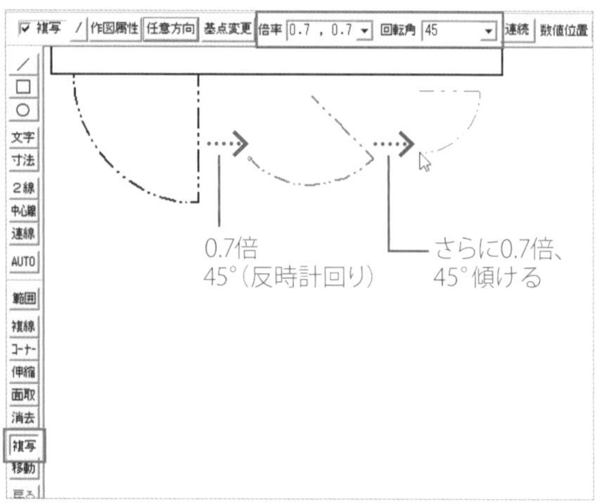

④「任意方向」ボタン

複写・移動方向の固定を指定する。㊧すると「X方向」(横方向固定)⇒「Y方向」(縦方向固定)⇒「XY方向」(横または縦の移動距離の多い方向に固定)⇒「任意方向」(固定なし)に切り替わる(㊨では逆順)。

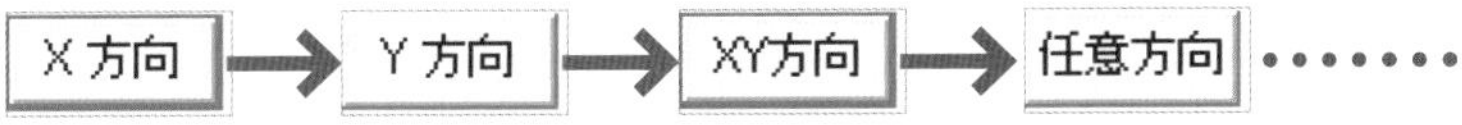

POINT 「任意方向」は、㊨→PM3時方向変更やスペースキーを押すことでも順次切り替えできる。また、Shiftキーを押したままスペースキーを押すと「XY方向」に切り替わる。

⑤「基点変更」ボタン

基準点を変更する。Enterキーを押すことでも「基点変更」を指定できる。

⑥「倍率」ボックス(図)

複写・移動元を「1」とした倍率「X(横), Y(縦)」を入力することで、大きさを変更して複写・移動する。

POINT 文字と点マーカの大きさは変更されない。それらを指定倍率で変更するには、「作図属性設定」ダイアログの**3**、**4**にチェックを付ける。

POINT 「倍率」ボックスに「−1,1」を入力することで左右反転、「1,−1」で上下反転、「−1,−1」で上下左右反転して、複写・移動できる(右図)。

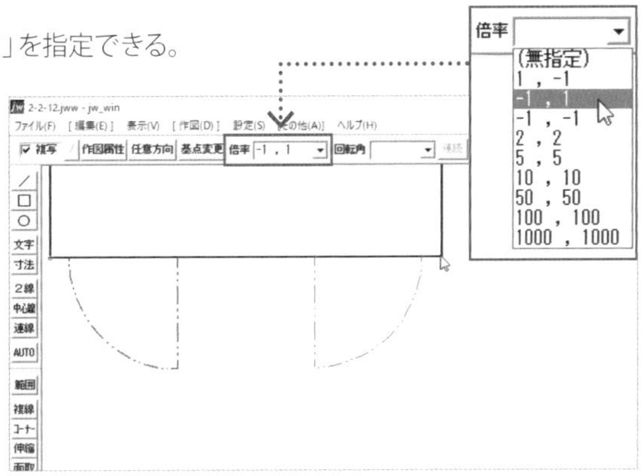

⑦「回転角」ボックス

角度を入力することで、現在の基準点を原点として、指定角度に回転して複写・移動する。

POINT 角度は、数値入力のほか、既存線の角度などを「回転角」ボックスに取得(▶p.232)して入力することもできる。㊧↑PM0時【角度±反転】で、「回転角」ボックスの角度の＋と−を反転できる。

⑧「連続」ボタン ※複写・移動後に指定可能。

㊧すると同距離、同方向へ㊧の回数、連続して複写・移動する。㊨では、マウスボタンをはなすまでの間、連続して複写・移動する。

⑨「数値位置」ボックス(図)

「X(横)方向, Y(縦)方向」の距離を入力することで、指定距離の位置に複写・移動する。「0,0」(元と同位置)は指定できない。

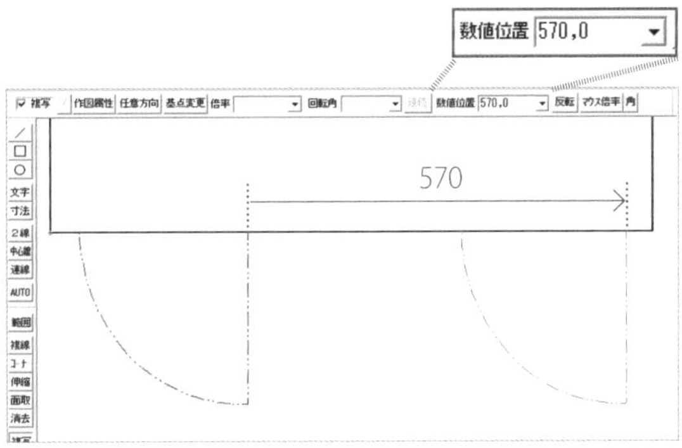

⑩「反転」ボタン(図)

指示した反転基準線に対して線対称に複写・移動する。

POINT 反転基準線を㊨(文字方向補正有)すると、対象とした文字が逆向きに記入されている場合に限り、その方向を補正して反転する。

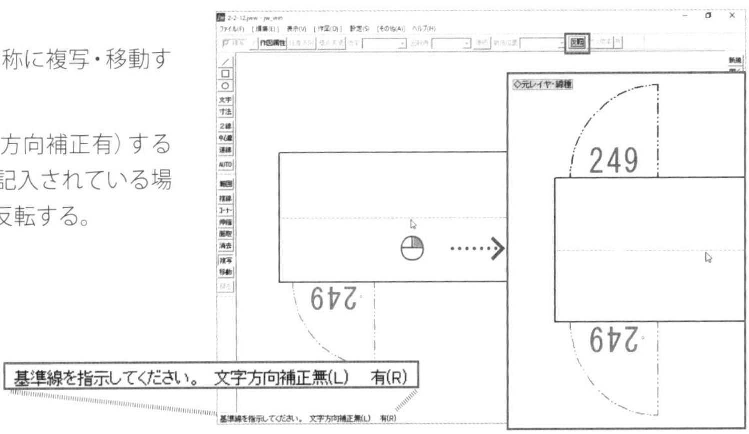

⑪「マウス倍率」ボタン

複写・移動元の対角2点と、それに対応する複写・移動先の2点を指示することで、倍率が自動計算され、大きさが変更される。

1 基準点を指示後、コントロールバー「マウス倍率」ボタンを(L)。

2 基準点の対角位置を(R)。

3 複写・移動先の点（基準点に対応する点）を(R)。

➡ マウスポインタに従い、複写・移動要素の仮表示の大きさが変化する。

4 図形の対角位置（2に対応する点）を(R)。

➡ 基準点から**2**の範囲が**3**から**4**の範囲に収まる大きさに変更されて、複写（または移動）される。

> **POINT** 「作図属性設定」ダイアログの「マウス倍率のときXY等倍」（▶p.102の**5**）にチェックを付けると、複写・移動元と同じ縦横比で大きさが変更される。

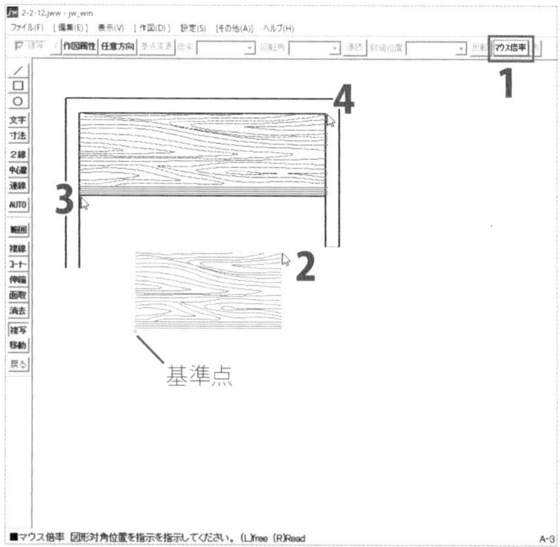

⑫「角」（マウス角）ボタン

基準点を原点として、マウスポインタで角度を指定して、複写・移動する。

1 基準点を指示後、コントロールバー「角」ボタンを(L)。

2 角度基準点を(R)。

> **POINT** 「角」ボタンを(L)(L)すると、基準角が0°になり、**2**の操作は省かれる。

3 複写・移動先を(L)（または(R)）。

➡ 操作メッセージは「●角度点指示」になり、**3**を原点として複写・移動要素の仮表示がマウスポインタに従い回転する。

4 角度点（2の角度基準点に対応する点）を(L)（または(R)）。

> **POINT** **4**で[Shift]キーを押したまま(L)すると、マウスポインタ位置に近い0°、90°、180°270°のいずれかの角度になる。

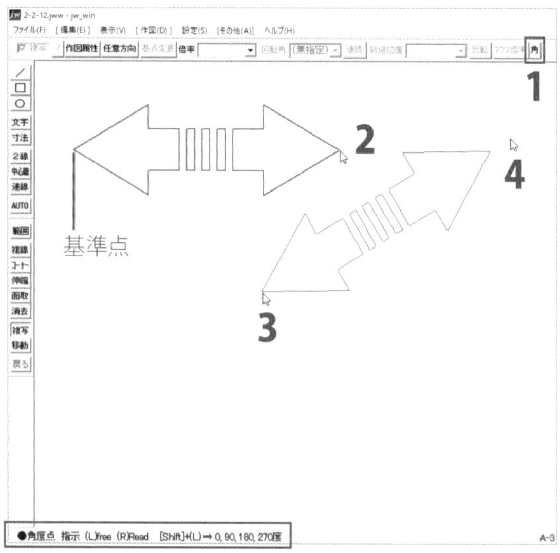

画像編集

CD-ROM 2-2-14.jww／2-2-14a.bmp

画像の挿入、大きさ変更、トリミングなどを行う

「画像」（画像編集）コマンドのコントロールバー

① ② ③ ④ ⑤ ⑥ ⑦ ⑧ ⑨ ⑩

① 「画像挿入」ボタン
画像ファイルを図面に挿入する。

1 メニューバー［編集］－「画像編集」を⊖し、コントロールバー「画像挿入」ボタンを⊖。

2 「開く」ダイアログで挿入する画像を⊖。

3 「開く」ボタンを⊖。

POINT 標準で挿入できるのは、BMP形式の画像のみである。別ソフトの「Susie Plug-in」をインストールし、「ファイルの種類」ボックスで指定することで、JPEGなど他の形式の画像を挿入できる。指定したファイルの種類はJw_cadを終了するまで保持される。

参考 JPEG画像の挿入▶別書『Jw_cad 8を仕事でフル活用するための88の方法』p.20

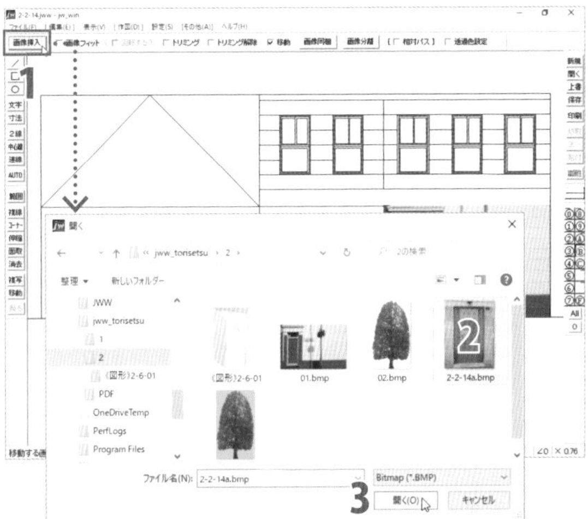

4 基準点を⊖（または⊖）。

➡ 基準点に左下角が位置するように、**2**で選択した画像が横幅100mm（図寸）で挿入される。

POINT 横幅の初期値（100mm）は環境設定ファイル「MSET」で変更できる（▶JWWトリセツ付録.pdf p.53）。画像は、その左下に画像表示命令文（文字要素）が記入され、その命令文に従って画面に表示されている。画像自体は別のファイルであるため、JWWファイルとともに保存するには、「画像同梱」（▶p.107）が必須である。

参考 画像表示命令文▶JWWトリセツ付録.pdf p.15

参考 画像に重なる線・文字・ソリッドの描画設定▶p.207の**35**、**36**

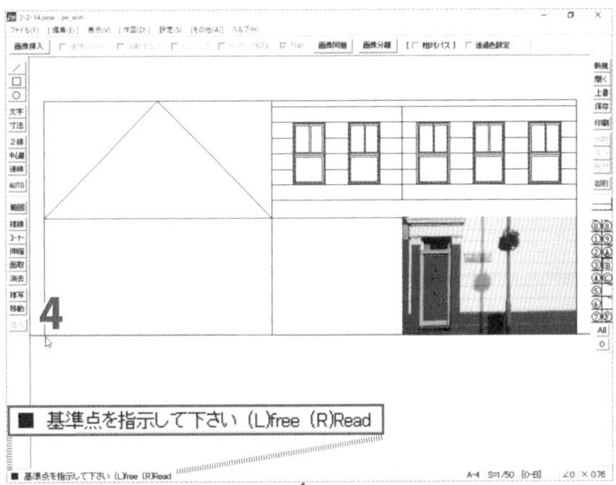

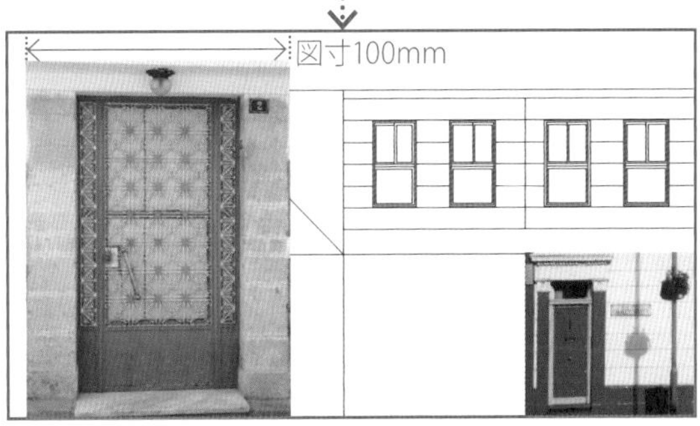

② 「画像フィット」チェックボックス
元画像の2点と、それに対応する大きさ変更後の2点を指示することで、画像の大きさを変更する。

1 「画像編集」コマンドのコントロールバー「画像フィット」を⊖してチェックを付ける。

2 フィットさせる画像の範囲の始点を⊖（または⊖）。

3 フィットさせる画像の範囲の終点を⊖（または⊖）。

4 フィットさせる範囲の始点を⊖（または⊖）。

5 フィットさせる範囲の終点を⊖（または⊖）。

➡ 画像の縦幅（**2**－**3**）を枠の縦幅（**4**－**5**）に合わせ、大きさが変更される。

> **POINT** 画像とフィットさせる範囲の縦横比が異なる場合、画像の縦横比を保ち、画像の長い辺の方向（この例では縦）をフィットさせる範囲の長さに合わせて大きさを変更する。

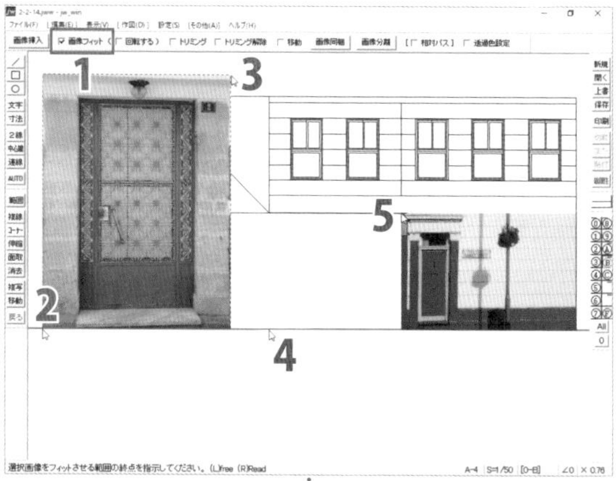

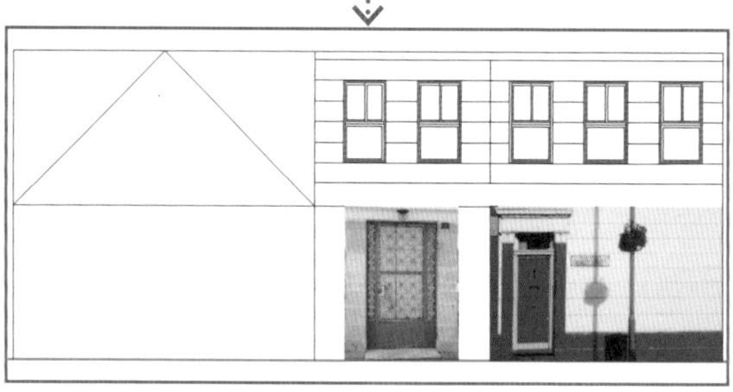

③ （回転する）チェックボックス
チェックを付けて②「画像フィット」を行うことで、画像上の指示した2点を結ぶ線を、フィットさせる範囲として指示する2点を結ぶ線の角度に合わせ、回転して大きさを変更する。

1 「画像編集」コマンドのコントロールバー「画像フィット」と「（回転する）」にチェックを付ける。

2 画像の範囲の始点を⊖（または⊖）。

3 画像の範囲の終点を⊖（または⊖）。

4 フイットさせる範囲の始点を⊖（または⊖）。

5 フィットさせる範囲の終点を⊖（または⊖）。

➡ **2**－**3**の辺を**4**－**5**の線の角度に合わせ、図のように画像が回転して、大きさが変更される。

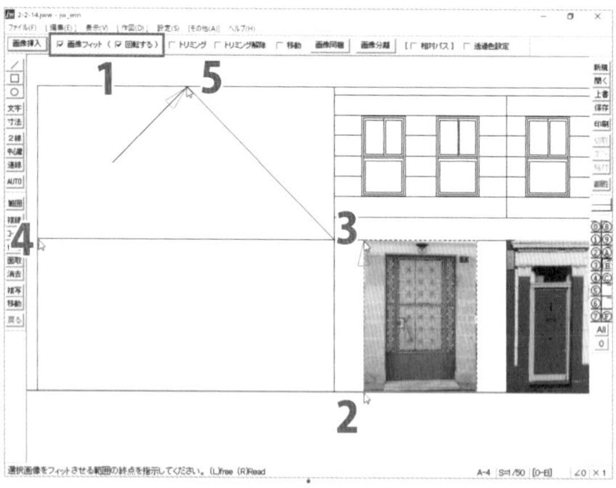

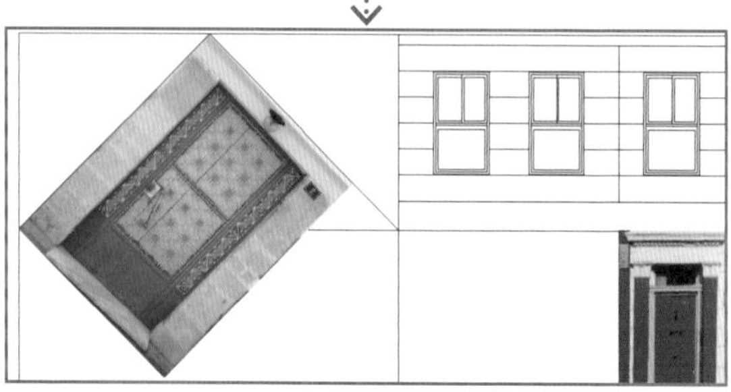

④「トリミング」チェックボックス
画像をトリミングする。

1「画像編集」コマンドのコントロールバー「トリミング」にチェックを付ける。

2 トリミング範囲の始点を⊖。

3 表示される範囲枠で画像の残す部分を囲み、終点を⊖。

➡ **2**、**3**を対角とする長方形の範囲がトリミングされる。

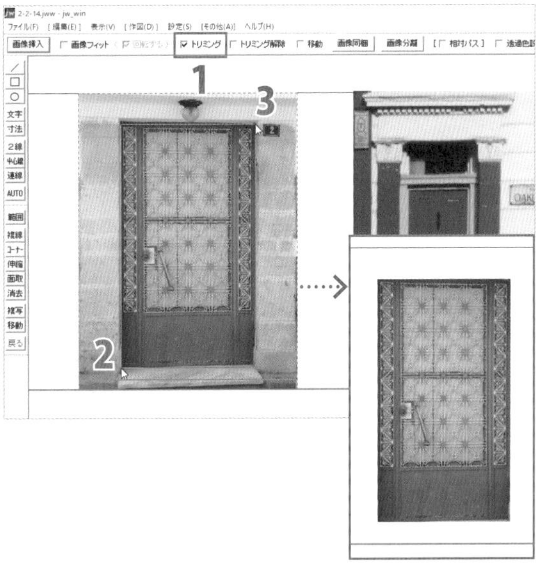

> **POINT**「トリミング」では、画像の指示した範囲をJw_cad図面上で表示する。画像自体は加工されないため、「トリミング解除」でトリミング前の画像全体の表示に戻せる。

⑤「トリミング解除」チェックボックス
トリミングされた画像を⊖することで、画像のトリミングを取り消し、画像全体の表示にする。

⑥「移動」チェックボックス
画像を移動する。

1「画像編集」コマンドのコントロールバー「移動」にチェックを付ける。

2 移動する画像の移動基準点を⊖(または⊖)。

➡ 移動する画像が指定されるとともに、**2**の位置が移動の基準点になる。

3 移動先を⊖(または⊖)。

➡ **2**の位置を**3**に合わせて移動する。

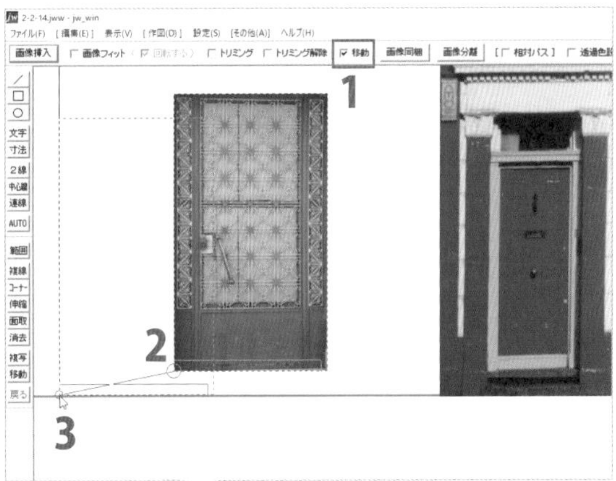

⑦「画像同梱」ボタン
挿入したすべての画像をJWWファイルに同梱する。図面ファイルと挿入した画像は別々のファイルに分かれているため、図面ファイルと画像を両方とも保存するには、「画像同梱」が必須である。

⑧「画像分離」ボタン
JWWファイルに同梱されているすべての画像を、別のBMP形式の画像ファイルとして分離する。分離されたBMPファイルは、右図のようにJWWファイルの収録フォルダー内に作成された「JWWファイル名〜分離画像」フォルダーに収録される。

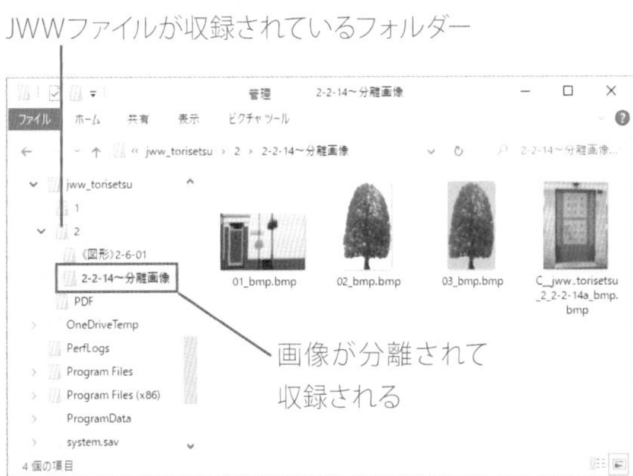

⑨[相対パス]チェックボックス
チェックを付けて、①「画像挿入」や⑧「画像分離」を行うことで、画像の表示命令文の記入が相対パス(▶p.330)になる。

参考 画像表示命令文▶JWWトリセツ付録.pdf p.15

⑩「透過色設定」チェックボックス

画像ごとに透過色を設定する。

「基本設定」の「一般(1)」タブの「透過属性」(▶p.207の**38**)にチェックを付けると、画像の白(R255/B255/G255)部分を透過して表示する。

> **POINT** 透過されない場合は、メニューバー[表示]の「Direct2D」のチェックを外す。

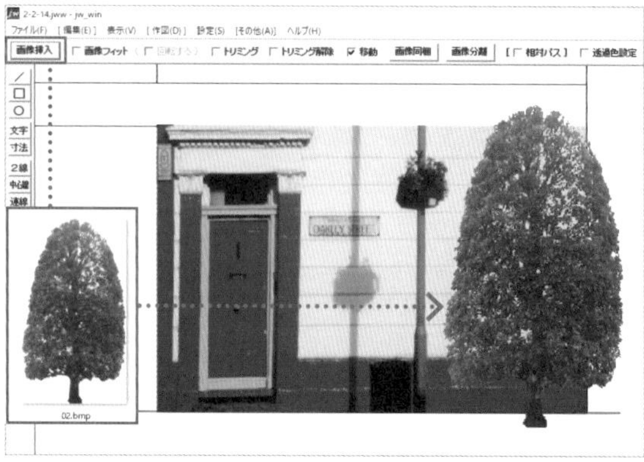

白以外の色の部分を透過する場合に、コントロールバー「透過色設定」にチェックを付け、以下の手順で透過する色を指定する。

1「画像編集」コマンドのコントロールバー「透過色設定」にチェックを付ける。

2 透過色を指定する画像の透過色にする色の部分を㊀。

➡ **2**の色のRGB値が入力された「透過色」ダイアログが開く。

> **POINT** **2**で画像を㊀した場合は、開いた「透過色」ダイアログの「赤」「緑」「青」ボックスに数値を入力することで、透過色を指定する。

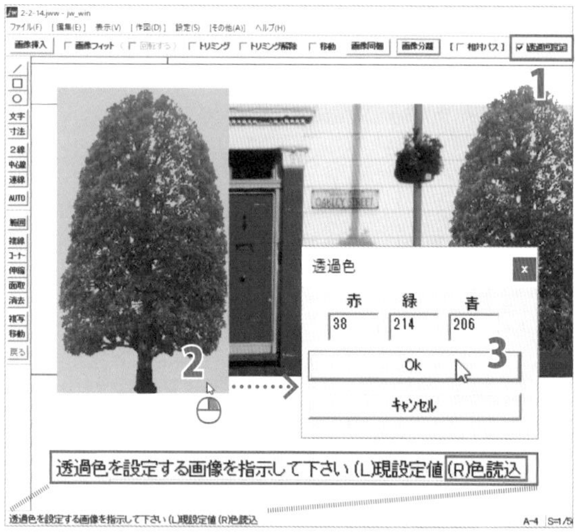

3「OK」ボタンを㊀。

➡ **2**で㊀した画像の色が透過されて表示される。

> **POINT** プリンターによっては透過表示された状態で印刷されない場合もある。その場合は、「プリント出力形式」ダイアログ(▶p.65)の**10**、**11**にチェックを付けて印刷する。

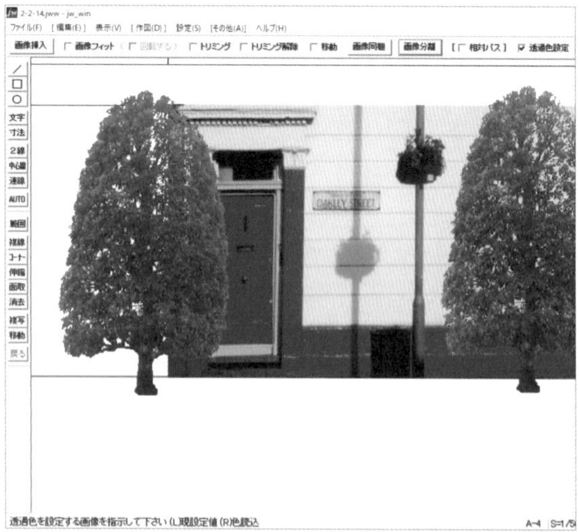

包絡処理 包絡 ⊖→AM3時包絡

CD-ROM 2-2-15.jww

指示範囲内の同一属性（線色・線種・レイヤ）の線どうしを包絡処理する

基本操作1　包絡処理

1　メニューバー［編集］－「包絡処理」（「包絡」コマンド）を⊖。

2　始点として包絡対象の左上で⊖。

3　包絡範囲枠で対象を囲み、終点を⊖。

➡ 図の例のように、包絡範囲枠内にその端点が入る実線のみが包絡処理される。

POINT　同一レイヤの同一線色・線種の線どうしを包絡処理する。円・弧・文字および建具属性を持つ直線やブロック、寸法図形、曲線（グループ化による線は除く）は包絡対象にならない。また、コントロールバーでチェックの付いていない線種も包絡対象にならない。**1**、**2**の操作の代わりに、包絡範囲の始点位置から⊖→AM3時包絡でも包絡できる（▶p.41）。

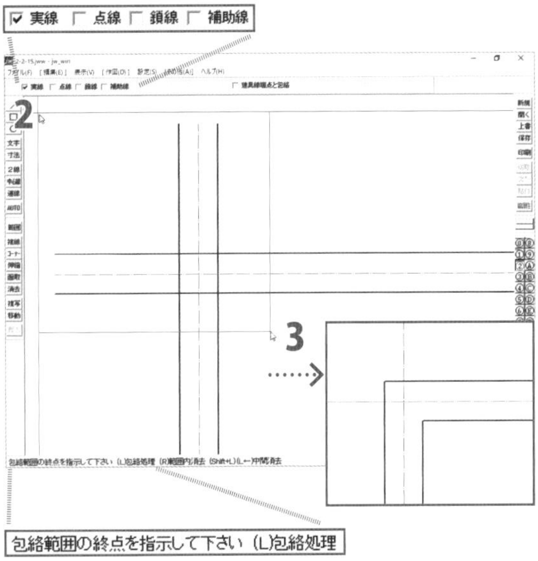

POINT　包絡範囲の囲み方で包絡結果は異なる

包絡範囲枠に線の端部を含めるか否かで、包絡結果は以下のように異なる。

線端部を含めず交差部分を囲む

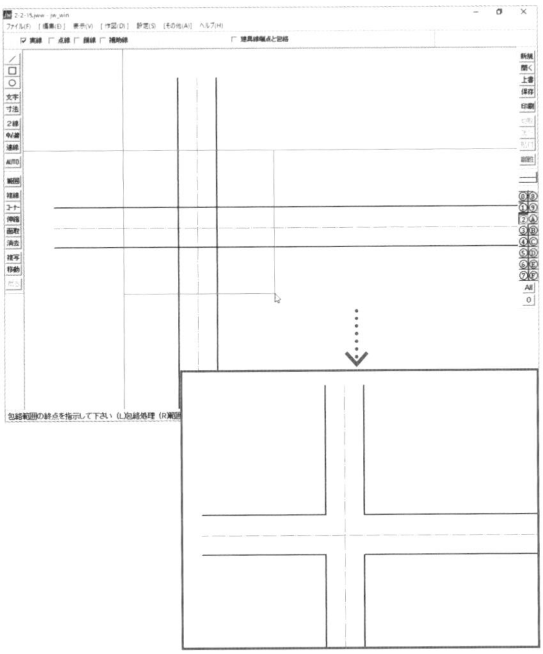

線の上端部を含めて囲む

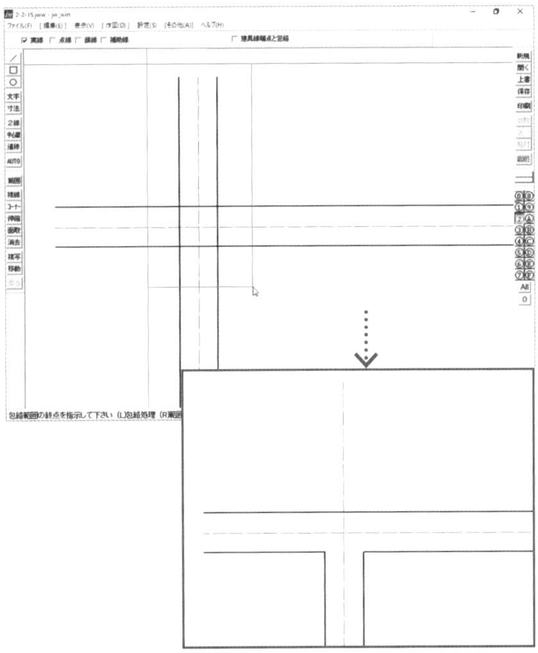

基本操作2　範囲内消去

包絡範囲の終点を⊖することで、包絡範囲枠内の包絡対象線を切り取り消去する。

1　「包絡」コマンドで、包絡範囲の始点で⊖。

2　包絡範囲枠で対象を囲み、終点を⊖（範囲内消去）。

➡ 包絡範囲枠内の線（コントロールバーでチェックの付いた線種に限る）が切り取り消去される。

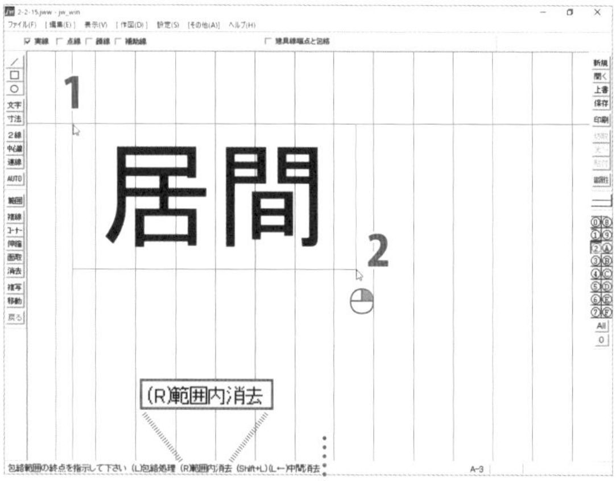

基本操作3　中間消去

包絡範囲の終点を Shift キーを押したまま⊖（または←⊖AM9時 中間消去）することで、包絡処理したうえ、その中間の線を消去する。開口部を作成する場合などに便利な機能である。

1　「包絡」コマンドで、包絡範囲の始点として、包絡対象の左上で⊖。

2　包絡範囲枠で対象を囲み、終点を、Shift キーを押したまま⊖（または←⊖AM9時 中間消去）。

➡ 包絡範囲枠内にその端点が入る線が包絡処理され、その中間の線が消去される。

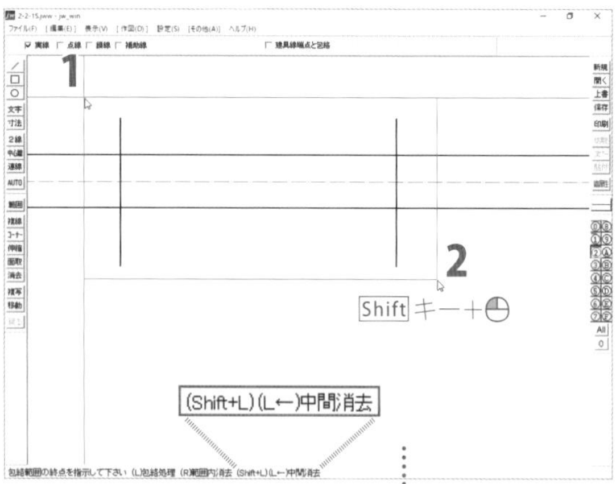

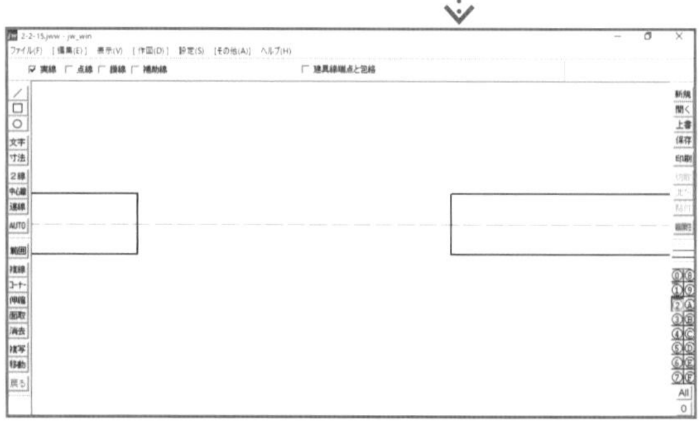

できる 建具を残して中間消去

建具属性（▶p.15）を持つ要素は、包絡処理の対象にならない。そのため、「建具平面」で作図した建具や「範囲」コマンドの「属性変更」（▶p.79）で建具属性を付加した建具もともに、包絡範囲枠で囲んで中間消去することができる。

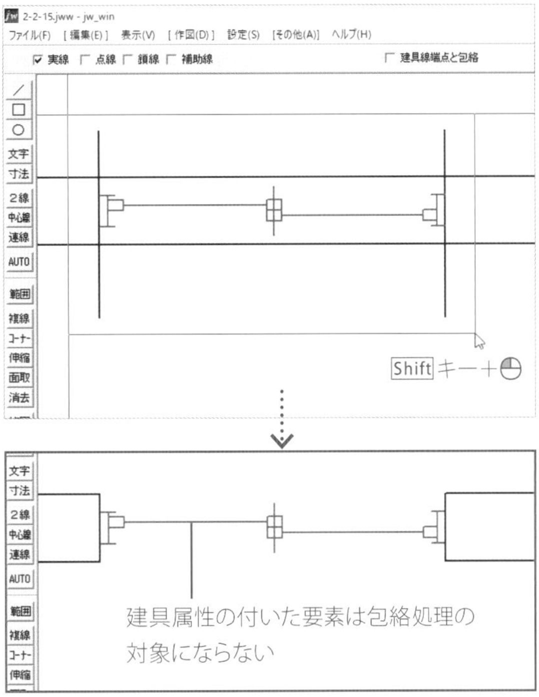

「包絡」コマンドのコントロールバー

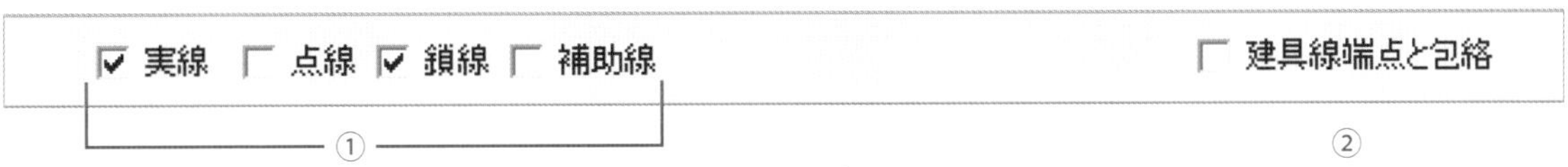

① 包絡処理の対象にする線種
チェックを付けた線種のみが包絡処理の対象になる。
ただし、倍長線種（▶p.241）の点線と鎖線は、包絡処理の対象にはならない。

② 建具線端点と包絡
チェックを付けることで、右図のように、建具属性を持った線の端点と壁線が連結するように包絡して開口部を作成できる。

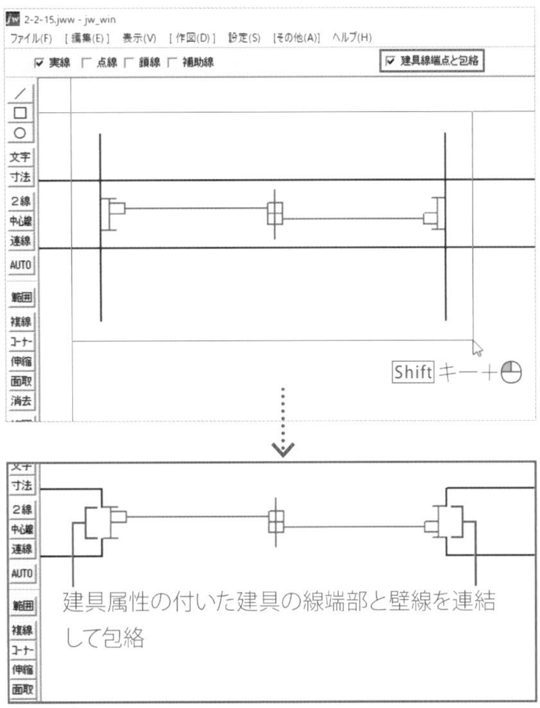

分割 分割

CD-ROM 2-2-16.jww

2つの点・線・円・弧間を等分割する点や線・円・弧を作図する

基本操作1 等分割線・円・弧を作図

1 メニューバー[編集]-「分割」(「分割」コマンド)を選択し、コントロールバー「分割数」ボックスに分割数を入力する。

2 コントロールバー「等距離分割」を選択する。

3 分割始めの線を⊖(または点を⊖)。

> **POINT** 対象とする要素が、線・円・弧の場合は⊖、点の場合は⊖で指示をする。

➡ ⊖した線が選択色になり、もう一方の対象指示を促す操作メッセージが表示される。

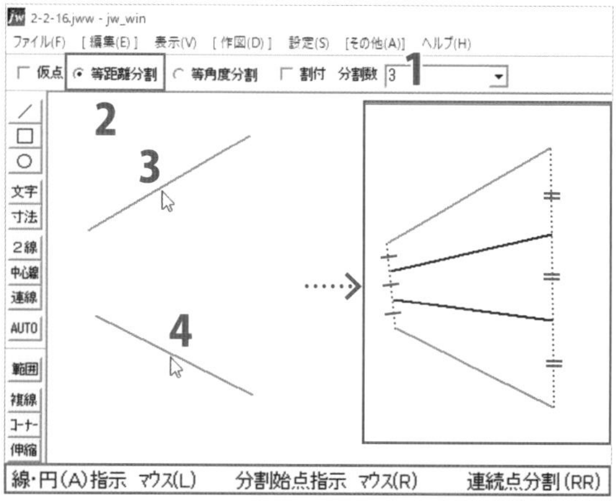

4 分割終わりの線を⊖。

➡ **3**－**4**間を等分割する線が作図される。

5 分割始めの点を⊖。

6 分割終わりの線を⊖。

➡ **5**－**6**間を等分割する線が作図される。

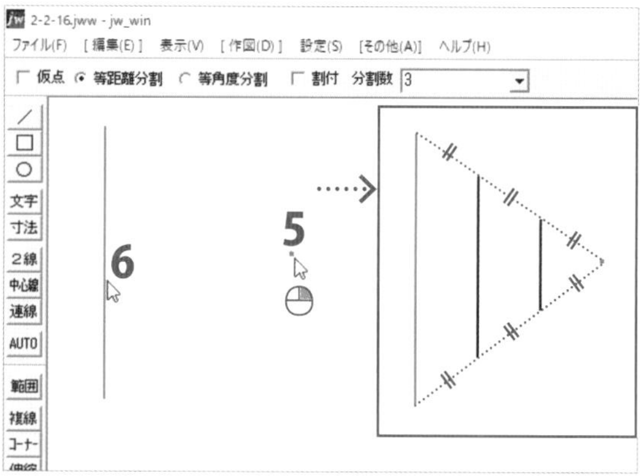

> **POINT** 2つの指示要素が、点の場合は等分割点を、一方が線の場合は等分割線を、円・弧の場合は等分割円・弧を作図する。平行でない2線間を分割する場合、コントロールバーの指定「等距離分割」と「等角度分割」では、結果が異なる(▶p.115)。

7 分割始めの円・弧を⊖。

> **POINT** 分割始めの要素として円・弧を指示した場合、分割終わりの要素として線を指示することはできない。

8 分割終わりの点を⊖(または円・弧を⊖)。

➡ **7**－**8**間を等分割する円・弧が作図される。

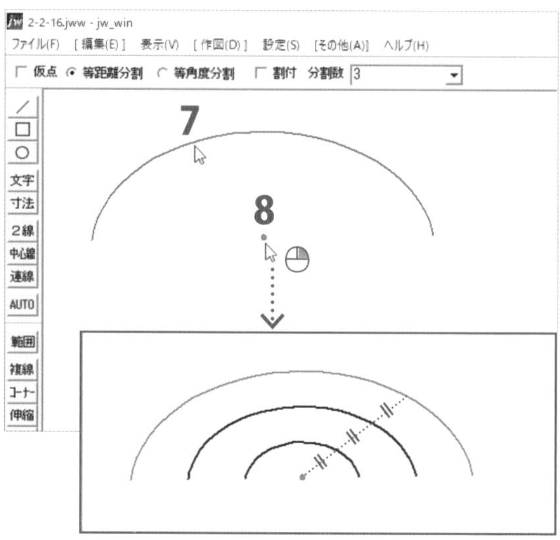

基本操作2　2点間を等分割する点を作図

1　「分割」コマンドのコントロールバー「分割数」ボックスに分割数を入力する。

2　分割始点を🖱。

3　分割終点を🖱。

4　要素がない位置で🖱（2点間分割）。

➡ **2**－**3**間を**1**で指定した分割数で等分割する点として、書込線色の実点が作図される。分割距離＊＊＊と画面左上に表示され、分割された1区分の距離が示される。

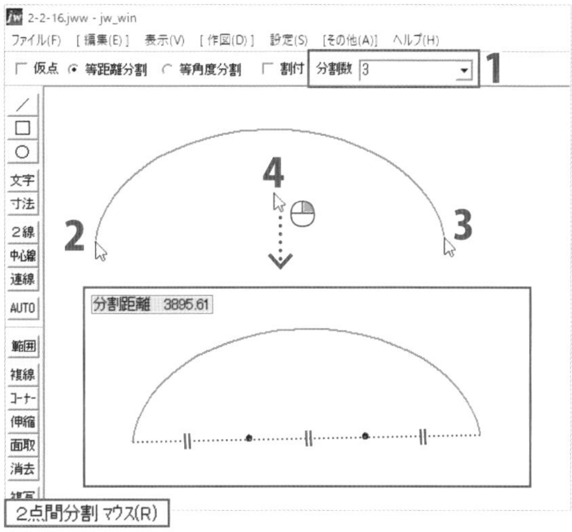

基本操作3　円・楕円・弧上の2点間を等分割する点を作図

1　「分割」コマンドのコントロールバー「等距離分割」を選択し、「分割数」ボックスに分割数を入力する。

2　分割始点を🖱。

3　分割終点を🖱。

4　円・楕円・弧を🖱。

➡ **4**の円周上の**2**－**3**間を等距離で分割する書込線色の実点が作図される。

> **POINT**　楕円周を分割する場合、コントロールバー「等距離分割」と「等角度分割」では、結果が異なる（▶p.115）。

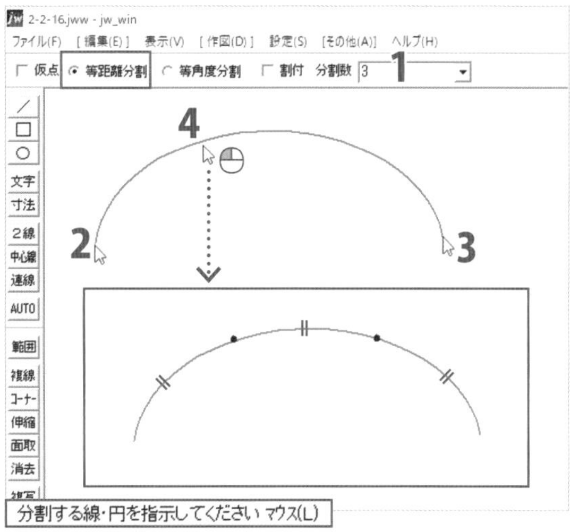

できる　円の等分割点を作図

分割始点として円周上の点を🖱した後、円を🖱すると円の円周を等分割する。

1　「分割」コマンドのコントロールバー「分割数」ボックスに分割数を入力する。

2　分割始点を🖱。

3　分割対象の円を🖱。

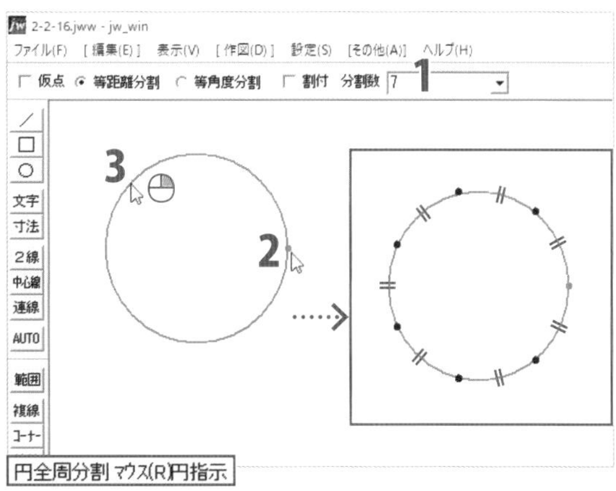

■ 基本操作4　連続線を等分割する点を作図

1　「分割」コマンドのコントロールバー「等距離分割」を選択し、「分割数」ボックスに分割数を入力する。

2　分割始点を⊖⊖。

3　連続分割の次点を⊖。

4　連続分割の次点を⊖。

> **POINT**　コントロールバー「両端に点」にチェックが付いた状態で終点を指示すると、始点と終点にも点を作図する。

5　連続分割の終点を⊖⊖。

➡ **2**～**5**の連続線を**1**で指定した数で等分割する点が作図される。画面左上に分割距離が表示される。

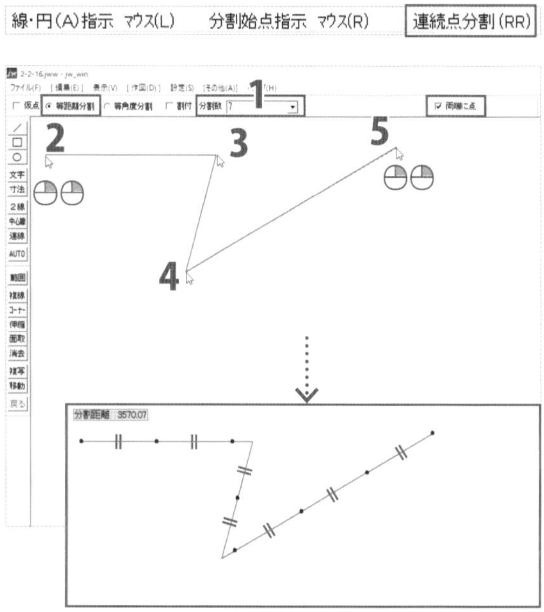

できる 曲線や連続線を指定距離で分割する点を作図

コントロールバー「割付」にチェックを付けることで指定距離での分割点を作図できる（▶p.116）。また、曲線や連続線はShiftキーを押したまま⊖することで分割対象として指定できる。

1　「分割」コマンドの「割付」にチェックを付け、「距離」ボックスに分割距離を入力する。

2　Shiftキーを押したまま、分割対象の曲線（または連続線）を⊖。

3　曲線（または連続線）の終点を⊖。

➡ 始点から**1**で指定した距離ごとに分割点が作図され、画面左上に分割数が表示される。

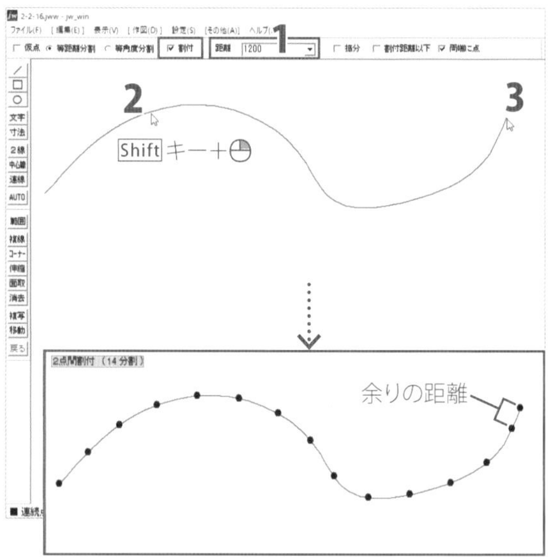

「分割」コマンドのコントロールバー

① ② ③ ④ ⑤

①「仮点」チェックボックス

作図する分割点として、実点(チェックなし)⇔仮点(チェックあり)を切り替える。いずれも書込線色で作図する。

②「等距離分割」ラジオボタン

距離が等しくなるように分割する。
2線間の分割では2本の線の端点どうしを結んだ線を等距離分割する線を作図する。
楕円弧の分割では、楕円弧上の距離を等距離分割する点を作図する。

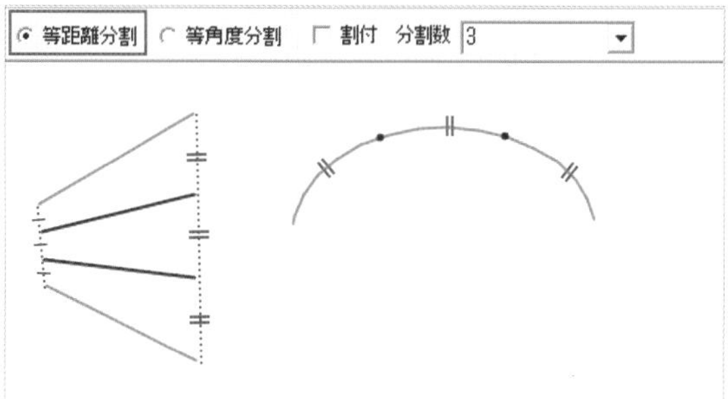

③「等角度分割」ラジオボタン

角度が等しくなるように分割する。選択すると、コントロールバーから④「割付」が消える。
2線間の分割では、2本の線の角度を等分割する線を作図する。
楕円弧上の分割では、楕円中心点からの角度を等分割する点を作図する。

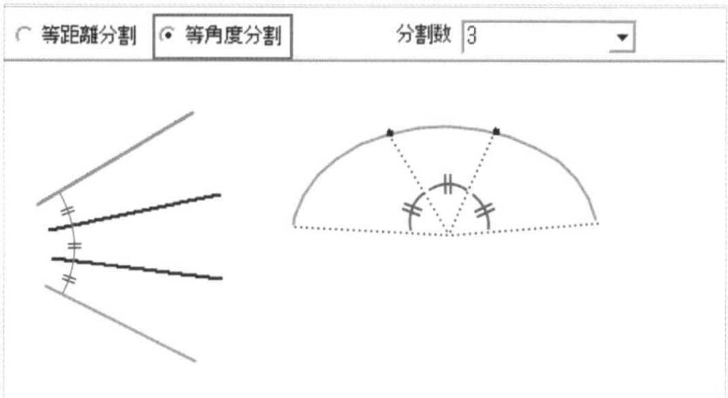

④「割付」チェックボックス

指定距離で分割する。(▶次ページ)

⑤「分割数」ボックス

分割数を入力する。
ー(マイナス)の小数値を入力して分割線を作図すると、比例分割線になる。

分割数「ー8.5」の例
小数点前の「8」は分割数、小数点以下の「0.5」は最後の分割距離÷最初の分割距離を示す。この指定で、最後の分割距離が、最初の分割距離の0.5倍になるよう、8分割する線が作図される(図1)。
環境設定ファイル「S_COMM_7」の指定で、分割距離が前の分割距離の0.5倍になるよう、順次前の距離の0.5倍で8分割される(図2)。

参考 JWWトリセツ付録.pdf p.43

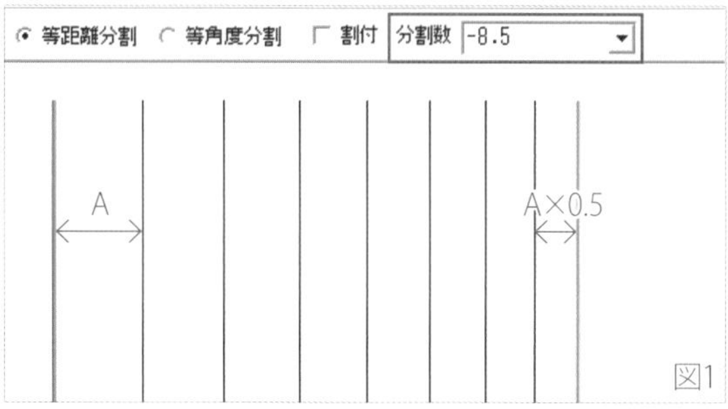

図1

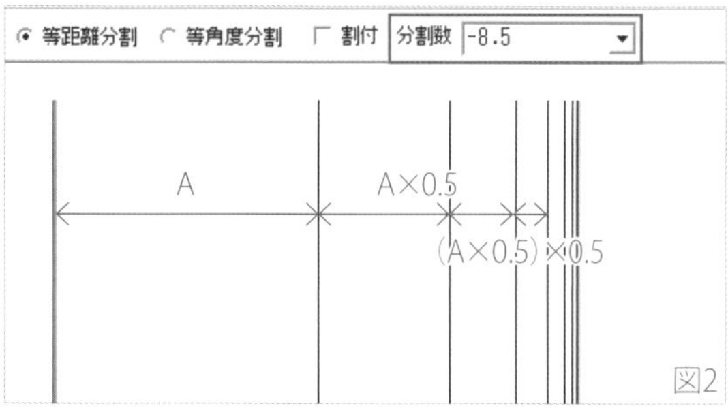

図2

「割付」チェック時のコントロールバー

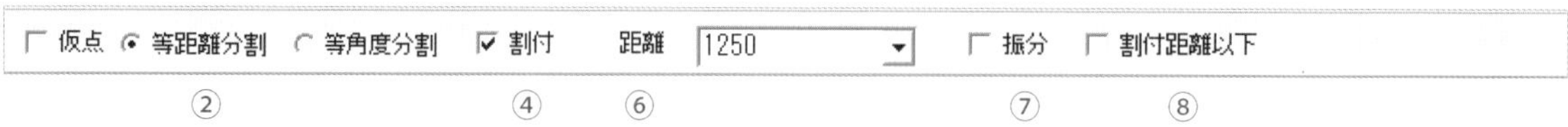

④「割付」チェックボックス　※②「等距離分割」選択時に指定可能
指定距離で分割する線・点を作図する。
チェックを付けることで、⑤「分割数」ボックスに代わり⑥、⑦、⑧が表示される。

⑥「距離」ボックス
分割距離を実寸で指定する。

1 コントロールバー「等距離分割」を選択し、「割付」にチェックを付ける。

2 コントロールバー「距離」ボックスに、分割距離（右図では「1250」）を入力する。

3 分割始めの線を㊧。

4 分割終わりの線を㊧。

➡ 画面左上に[間隔割付（分割数）]が表示され、分割始めの線**3**から距離1250mmで分割線が作図される。指定距離で割り切れない場合、最後が余りの距離になる。

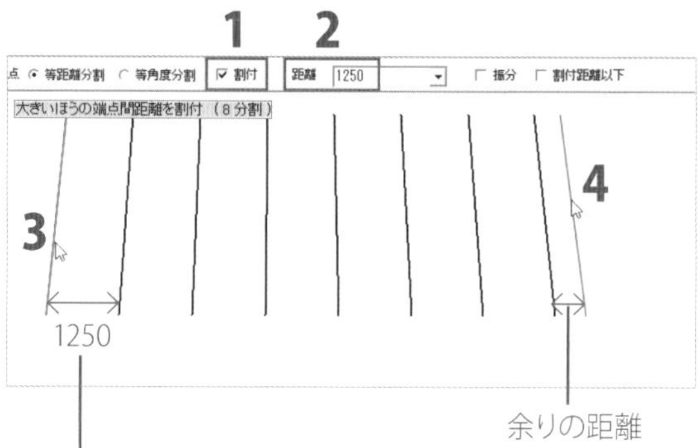

平行でない2本の線を指示した場合、分割距離の長い端点側を基準に、始めの線から指定距離で割り付ける

⑦「振分」チェックボックス
指定距離の分割線・点を、指示した2つの要素の中心から振り分ける。

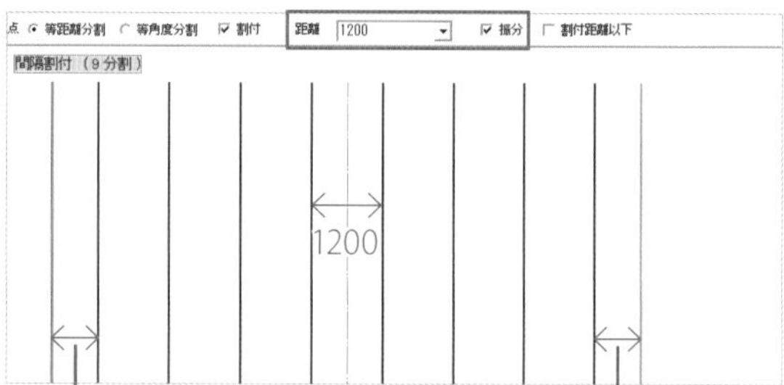

指定距離で割り切れない場合、両端が余りの距離になる

⑧「割付距離以下」チェックボックス
指定距離以下での最大分割数で等分割する分割線・点を作図する。

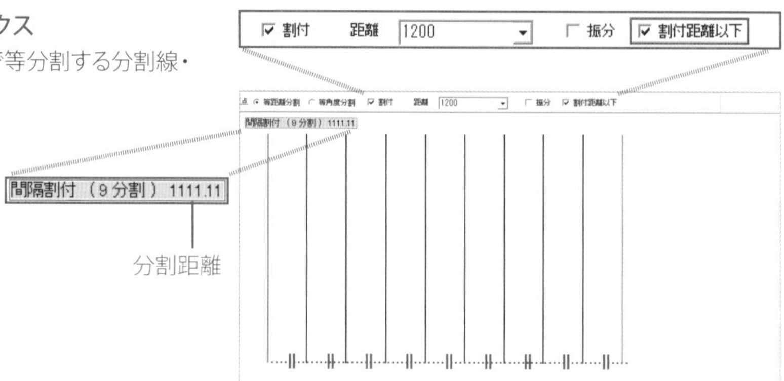

等距離分割の1本目の線を⊖後のコントロールバー

② ④ ⑨ ⑩ ⑪

⑨～⑪は、②「等距離分割」を選択し、④「割付」のチェックなしで、1本目に線を⊖した場合に限り表示される。

⑨「逆分割」ボタン

1 分割始めの線を⊖。

2 コントロールバー「逆分割」ボタンを⊖。

3 分割終わりの線を⊖。

POINT 通常2本の線の近い端点どうしを結んだ線を等分割するが、「逆分割」を指定すると、遠い端点どうしを結んだ線を等分割する。

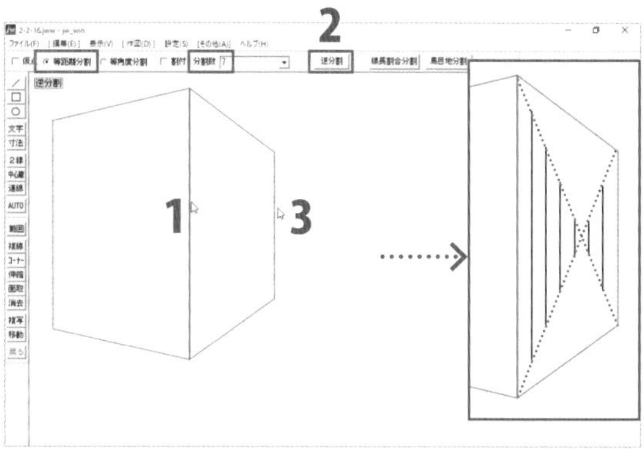

⑩「線長割合分割」ボタン

2線間を「長い線の長さ÷短い線の長さ」の比率で指定数に分割する線を作図する。

1 分割始めの線を⊖。

2 コントロールバー「線長割合分割」ボタンを⊖。

3 分割終わりの線を⊖。

➡ 図のように分割され、コントロールバー「分割数」ボックスの数値がマイナスの小数値になる（▶p.115⑤）。

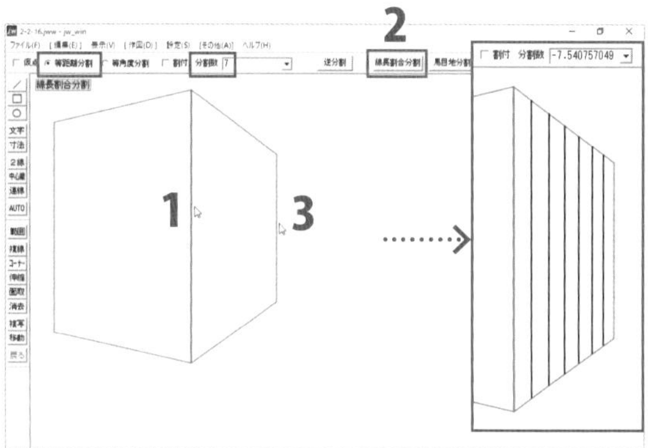

⑪「馬目地分割」ボタン

1 分割始めの線を⊖。

2 コントロールバー「馬目地分割」ボタンを⊖。

3 「数値入力」ダイアログに馬目地の縦の分割数を入力し、「OK」ボタンを⊖。

4 分割終わりの線を⊖。

POINT コントロールバー「分割数」ボックスで**1**－**4**の線間の分割数、**3**で馬目地縦（**1**の線上）の分割数を指定する。分割数×馬目地縦分割数が100000を超えると 分割数が多すぎます と表示され、作図されない。また、「2.5D」コマンド（▶p.285）と計算方法が違うため、「2.5D」コマンドで作図した目地とは一致しない。**4**の前にコントロールバー「逆分割」ボタンを⊖すると、位置が半目地分ずれる。

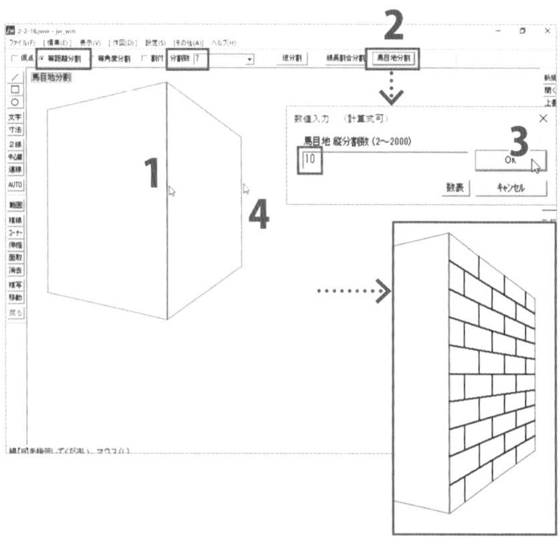

データ整理 整理

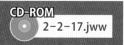

CD-ROM 2-2-17.jww

重複して作図された同一属性（線色・線種・レイヤ）の線・円・弧・実点・文字・ソリッドを1つに整理する

基本操作

重ねがきされた同一属性の要素（線・円・弧・文字など）を1つにし、さらに途切れた線も1本に連結する。

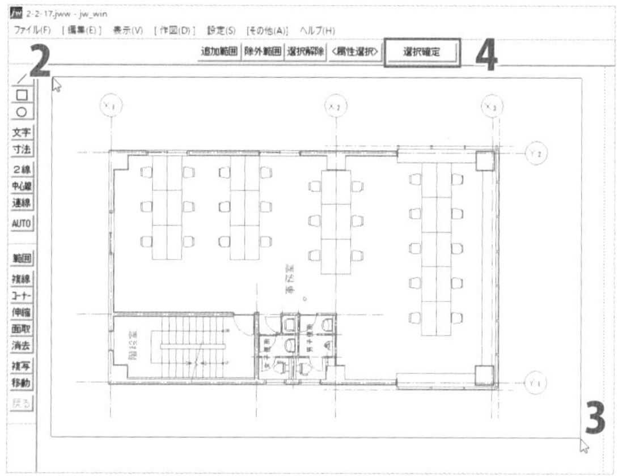

1 メニューバー［編集］–「データ整理」（「整理」コマンド）を⊖。

2 範囲選択の始点を⊖。

3 表示される選択範囲枠でデータ整理対象を囲み、終点を⊖（文字を含む）。

参考 範囲選択共通操作▶p.20

4 コントロールバー「選択確定」ボタンを⊖。

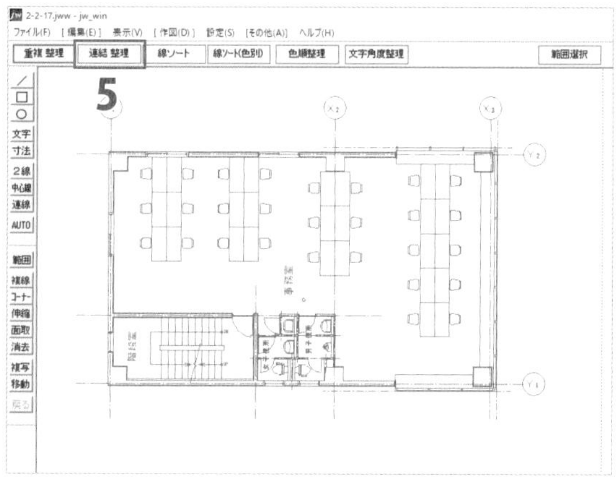

5 コントロールバー「連結整理」ボタンを⊖。

➡ データ整理が行われ、画面左上に－（マイナス数値）で整理された数が表示される（▶右下図）。

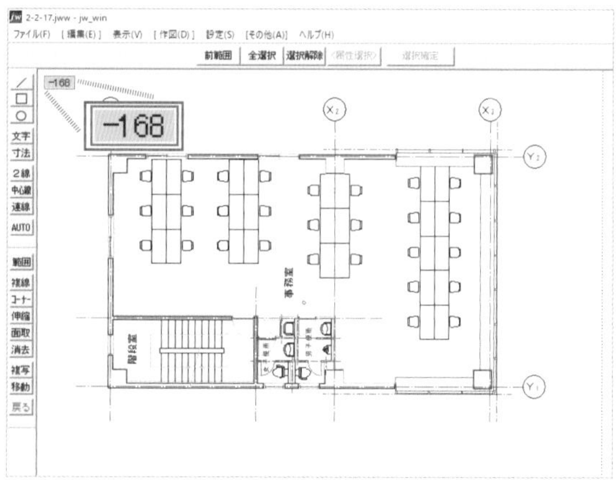

POINT この例では「連結整理」で以下の同一属性の線が1本にされる。

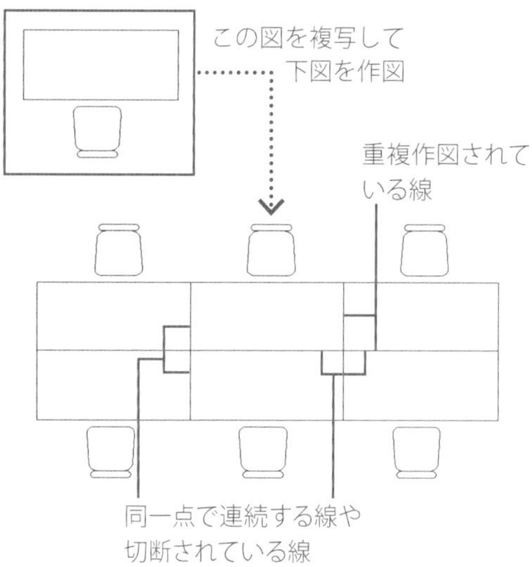

「データ整理」コマンドの範囲選択後のコントロールバー

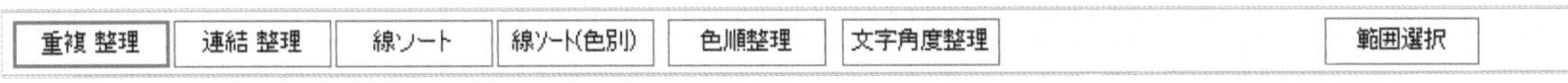

① ② ③ ④ ⑤ ⑥ ⑦

参考 前ページ**2**〜**4**で表示されるコントロールバー▶p.22

① 「重複整理」ボタン

同じレイヤに重複して作図された同一線色・線種の線・円・弧・実点、同じレイヤに重複して記入された同一文字種（サイズ）・フォント・色で、同一の記入内容の文字列を1つにする。同じレイヤに重複して作図された同一内容の寸法図形とソリッドも1つにするが、同一内容でもブロックは1つにしない。

② 「連結整理」ボタン

①「重複整理」の機能に加え、同じレイヤに作図されている同一線色・線種の線で、外見上は1本の線に見えても途中切断されている線や、同一点で連続して作図された同一線上の線どうしを1本に連結する。弧は連結しない。

③ 「線ソート」ボタン

左上の線から描画し、次にその線の終点に近い端点の線を描画するように線を並び替える。選択した線以外の要素（円・弧・文字・実点・曲線・ブロック図形・寸法図形・ブロック）は、線作図後に描画される。

Shiftキーを押したままボタンを⊖すると、上から順に描画するように並び替える。

Ctrlキーを押したままボタンを⊖すると、左から順に描画するように並び替える。

④ 「線ソート(色別)」ボタン

線色1〜9の線色別に、③と同じ線の並び替えを行う。

Shiftキーを押したままボタンを⊖すると、上から順に描画するように並び替える。

Ctrlキーを押したままボタンを⊖すると、左から順に描画するように並び替える。

⑤ 「色順整理」ボタン

線色1〜9の線色順に描画するように線を並び替える。

⑥ 「文字角度整理」ボタン

選択した文字列の角度を、基点を（中中）として軸角の角度に一括変更する。

垂直な文字列を一括で水平にする。

1 「基本操作」（▶前ページ）の**1〜4**を行う。

2 ステータスバーで現在の軸角が「∠0」であることを確認する。「∠0」以外の場合、「軸角」ボタンを⊖し、「∠0」にする。

3 コントロールバー「文字角度整理」ボタンを⊖。

➡ 90°で記入されている複数の文字列の角度が、（中中）を基点として一括して現在の軸角「0°」に変更される。

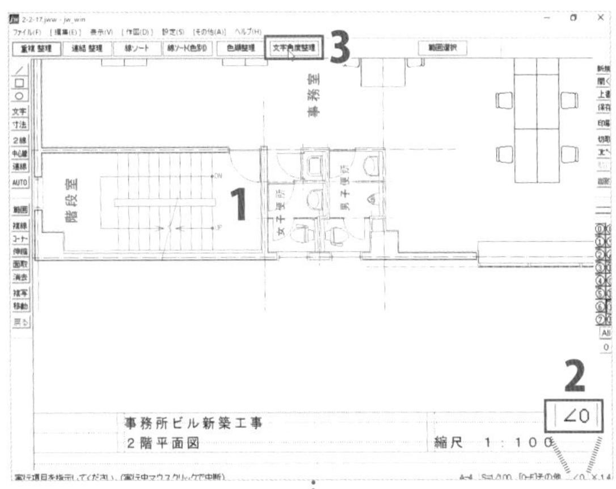

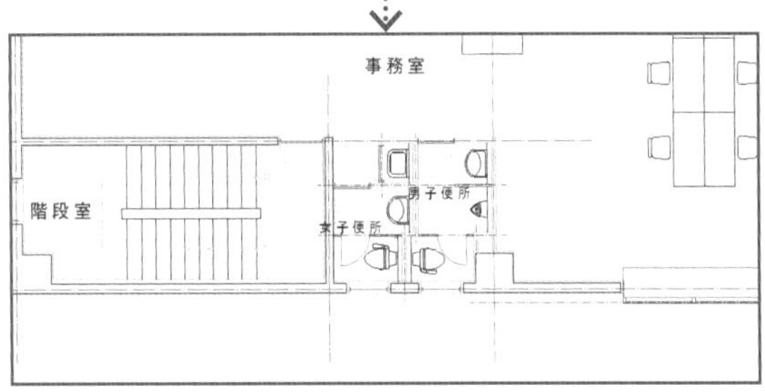

⑦ 「範囲選択」ボタン

現在、選択されているデータ整理対象を解除し、新しくデータ整理対象を範囲選択する。

属性変更 属変

⊖↘AM5時 線種変更 (または 文字種変更)

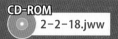

CD-ROM 2-2-18.jww

線・円・弧・実点・文字の属性(線色・線種・文字種・レイヤ)を変更する

基本操作1　線色・線種、レイヤの変更

1 メニューバー[編集]−「属性変更」(「属変」コマンド)を⊖。

2 コントロールバー「線種・文字種変更」と「書込みレイヤに変更」にチェックが付いていることを確認する。

3 「線属性」コマンドを選択し、書込線の線色・線種を変更後の線色・線種に設定する。

4 変更後のレイヤを書込レイヤにする。

5 変更対象の線(または円・弧・実点)を⊖。

➡ 画面左上に 属性変更◆書込レイヤに変更 と表示され、⊖した線が書込線色・線種に、レイヤが書込レイヤに変更される。実点を⊖した場合は色とレイヤが変更される。

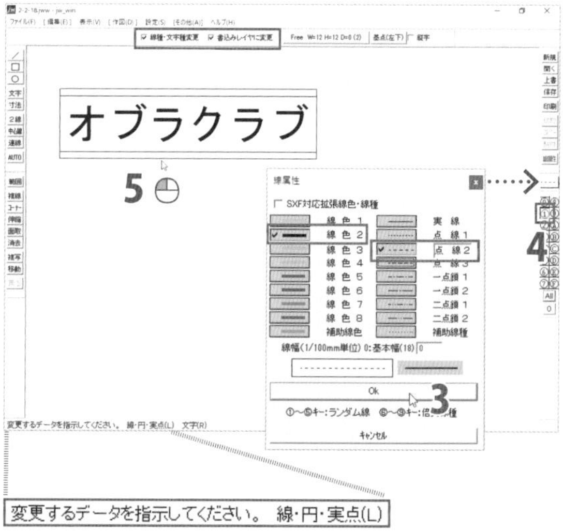

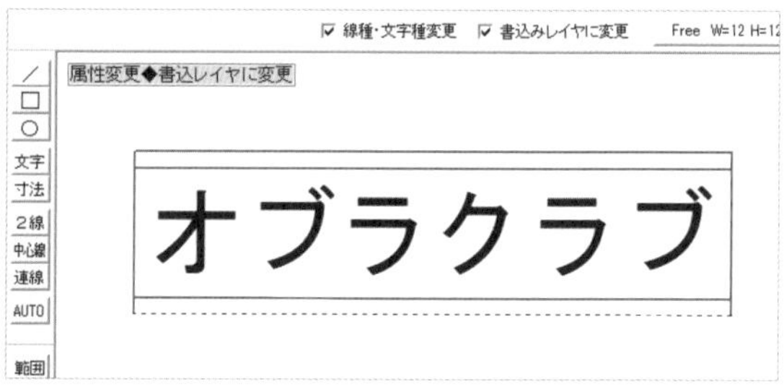

> **POINT** 個別線幅の線を⊖したり書込線が個別線幅の場合、線色・線種だけでなく個別線幅も変更される。寸法図形やブロックは⊖しても 寸法図形です ブロック図形です と表示され、変更されない。
>
> 変更対象の線(または円・弧・実点)を⊖↘AM5時 線種変更 でも線色・線種・レイヤを変更できる。
>
> 
>
>
> 参考 関連設定▶p.210の9

基本操作2　文字種、文字フォントの変更

1 「属性変更」コマンドのコントロールバー「線種・文字種変更」と「書込みレイヤに変更」にチェックが付いていることを確認する。

2 コントロールバー「書込文字種」ボタンを⊖。

3 「書込み文字種変更」ダイアログの「フォント」ボックスを変更後のフォントに変え、必要に応じて「斜体」「太字」にチェックを付ける。

4 変更後の文字種を⊖で選択する。

> **POINT** 変更したいサイズの文字種がない場合は、「任意サイズ」を選択し、「幅」「高さ」「間隔」「色No.」を指定して「OK」ボタンを⊖。

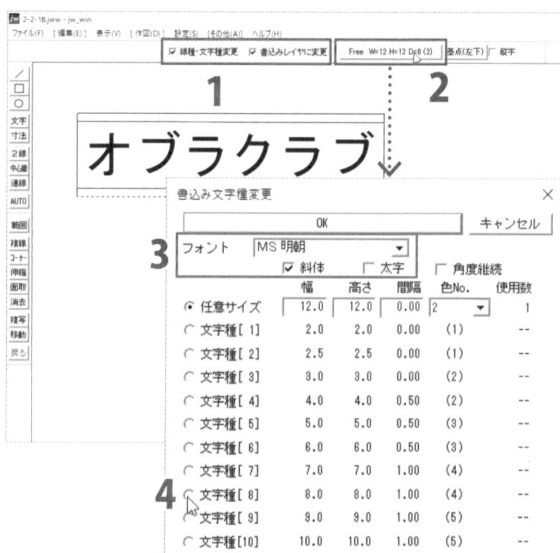

	幅	高さ	間隔	色No.	使用数
任意サイズ	12.0	12.0	0.00	2	1
文字種[1]	2.0	2.0	0.00	(1)	--
文字種[2]	2.5	2.5	0.00	(1)	--
文字種[3]	3.0	3.0	0.00	(2)	--
文字種[4]	4.0	4.0	0.50	(2)	--
文字種[5]	5.0	5.0	0.50	(3)	--
文字種[6]	6.0	6.0	0.50	(3)	--
文字種[7]	7.0	7.0	1.00	(4)	--
文字種[8]	8.0	8.0	1.00	(4)	--
文字種[9]	9.0	9.0	1.00	(5)	--
文字種[10]	10.0	10.0	1.00	(5)	--

5 コントロールバー「基点」ボタンを⊖し、「文字基点設定」ダイアログで、文字サイズ変更時の基点を選択する。

POINT 文字は、コントロールバーの「基点」を基準に大きさが変更される。

6 変更対象の文字を⊖。

➡ 画面左上に 属性変更◆書込レイヤに変更 と表示され、⊖した文字が**5**で指定した基点を基準に「書込み文字種変更」ダイアログで指定した文字種、フォント（斜体／太字含む）に、レイヤが書込レイヤに変更される。

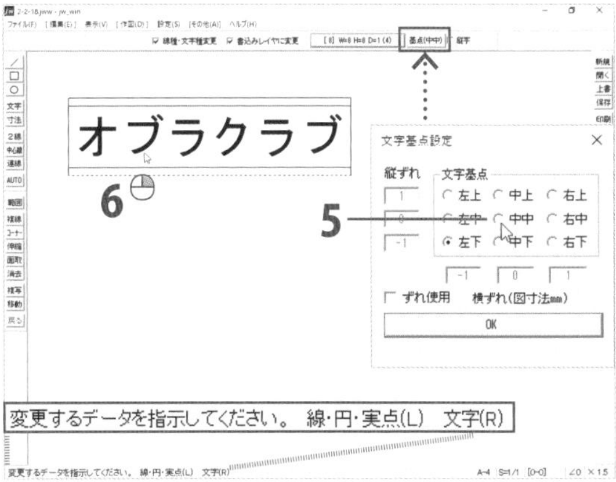

POINT 「文字」コマンド選択時、変更対象の文字を⊖↘AM5時 文字種変更 でもコントロールバーの「基点」を基準に書込文字種に変更される。

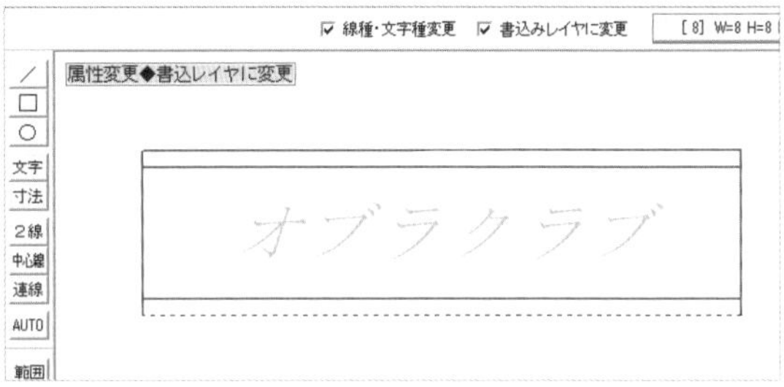

「属性変更」コマンドのコントロールバー

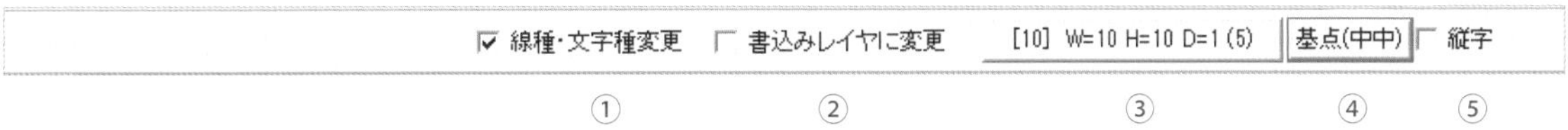

①と② の両方のチェックを同時に外すことはできない。③〜⑤は文字の属性変更の指定

① **「線種・文字種変更」チェックボックス**
指示した線・円・弧・実点、文字の属性を、書込線色（個別線幅を含む）・線種、書込文字種に変更する。チェックを外すと②にチェックが付き、レイヤのみを変更する。

② **「書込みレイヤに変更」チェックボックス**
指示した線・円・弧・実点、文字のレイヤを書込レイヤに変更する。チェックを外すと①にチェックが付き、レイヤは変更しない。

③ **「書込文字種」ボタン**
書込文字種の文字種、幅、高さ、間隔、色No.を表示する。
⊖で開く「書込み文字種変更」ダイアログで変更後の文字種（文字サイズと色No.）、フォント、斜体・太字の指定を行う（▶前ページ）。

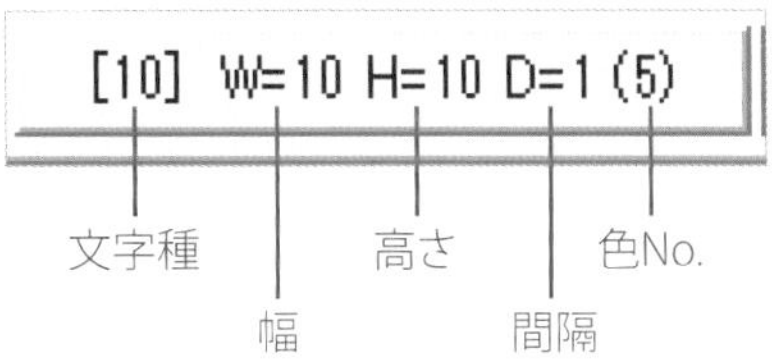

④ **「文字基点」ボタン**
現在の文字基点を表示する。
⊖で開く「文字基点設定」ダイアログで文字変更時の基準になる基点を指定する。

⑤ **「縦字」チェックボックス**
①「線種・文字種変更」と⑤「縦字」にチェックを付けて文字を⊖すると、文字種・フォントの変更に加え、横字を縦字（縦書き用の文字）に変更する。

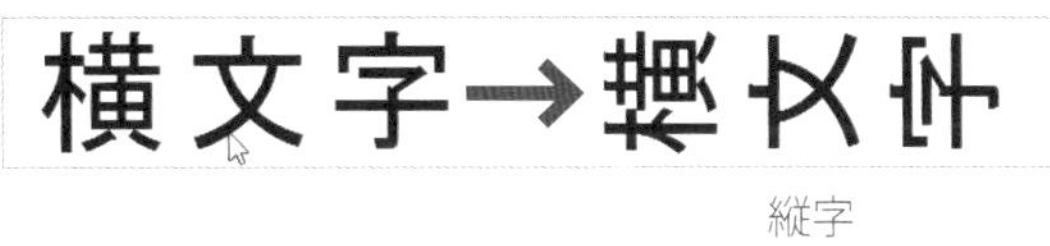

ブロック化 BL化

CD-ROM 2-2-19.jww

選択した要素に名前を付け、ひとまとまりのブロックにする

基本操作

1 メニューバー [編集] ー「範囲選択」(「範囲」コマンド) を選択し、ブロック化の対象要素を範囲選択する。

参考 範囲選択共通操作▶p.20

> **POINT** ブロックは基準点を持ち、その基準点で移動・複写を行える。**1**で自動的に決まった基準点を、そのままブロックの基準点として利用する場合、**2**、**3**の操作は不要である。

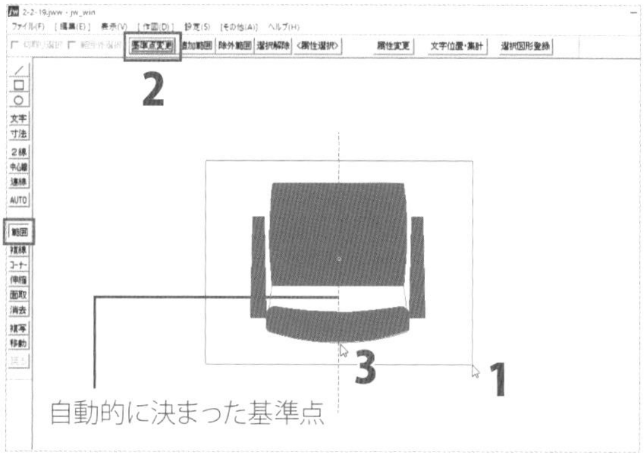

2 コントロールバー「基準点変更」ボタンを🖱。

3 ブロックの基準点にする点を🖱。

4 書込レイヤを確認 (適宜変更) し、メニューバー [編集] ー「ブロック化」(「BL化」コマンド) を🖱。

> **POINT** **4**の操作時の書込レイヤがブロックのレイヤになる。

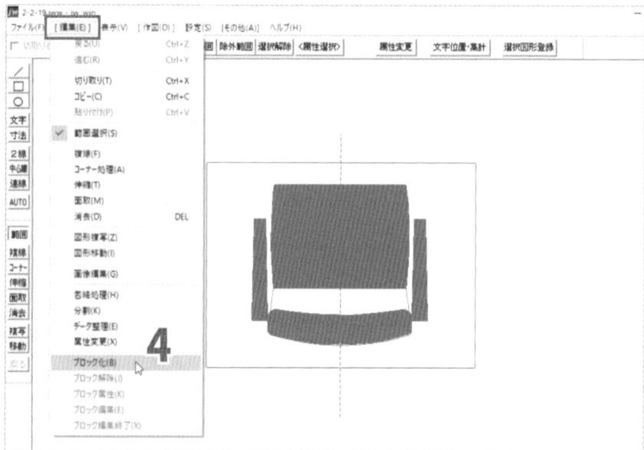

➡「選択した図形をブロック化します」ダイアログが開く。

5 「ブロック名」ボックスにブロック名を入力し、「OK」ボタンを🖱。

> **POINT** 全角文字で入力するには 半角/全角 キーを押して日本語入力を有効にする。同じ図面上の他のブロックと同じブロック名を指定することはできない。

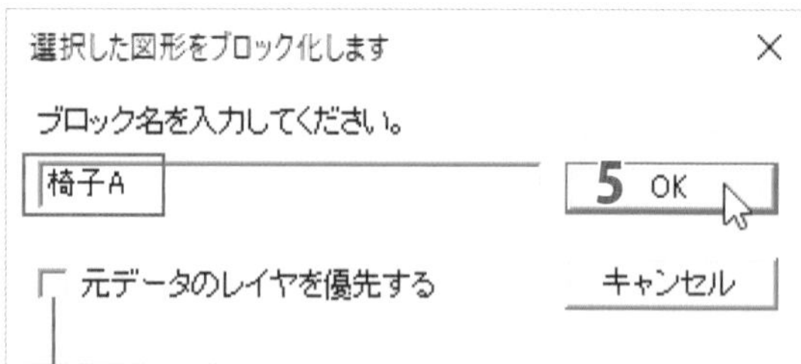

チェックを付けると各要素のレイヤを変更せずにブロック情報が書込レイヤに作成される。このチェックを付けたブロックは、「属性変更」コマンドや「作図属性設定」の指定でもレイヤ変更できない。また、このブロックを属性取得した場合には、🖱指示した要素のレイヤではなく、ブロック情報が作成されているレイヤが書込レイヤになる。

➡ **1**の選択要素が**3**の点を基準点とし、**5**のブロック名でブロック化される。

> **POINT** ブロック化により、**1**で選択した各要素はすべて書込レイヤに変更される。曲線属性の付いた要素をブロック化した場合、曲線属性は解除される。

ブロック解除 BL解

CD-ROM 2-2-20.jww

ブロックを解除する。多重ブロックの場合、最上層のブロックが解除される

基本操作

1 メニューバー［編集］－「範囲選択」（「範囲」コマンド）を選択し、ブロック解除の対象要素を範囲選択する。

参考 範囲選択共通操作▶p.20

POINT ブロック以外の要素が選択されても問題ない。また、選択範囲外に基準点を持つブロックは選択されない。Shiftキーを押したまま⊖（連続線選択）することで選択する。

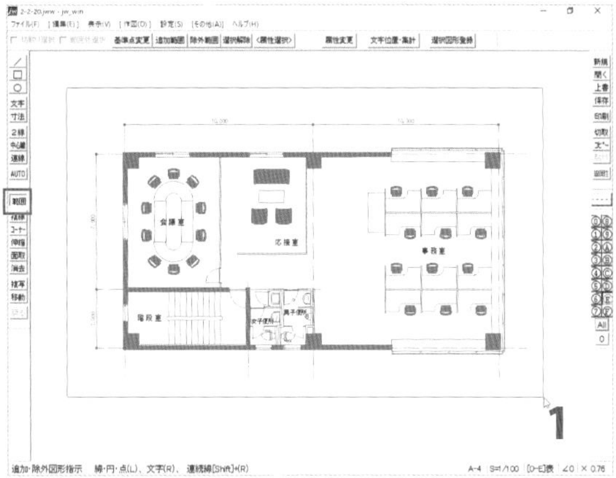

2 メニューバー［編集］－「ブロック解除」（「BL解」コマンド）を⊖。

POINT 選択要素の中にブロックがない場合は、「ブロック解除」（「BL解」）はグレーアウトされて選択できない。

➡ 選択したブロックが解除される。

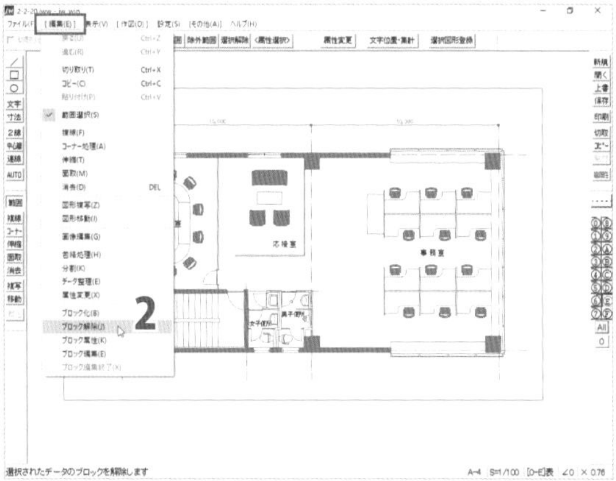

POINT 多重構造のブロックの解除

ブロックは多重構造になっている場合がある。1回のブロック解除操作では、最上層のブロックが解除される。

図面上のブロックをすべて解除するには、**2**でブロック解除後、「ブロックツリー」コマンド（▶p.132）または基本設定の「一般（1）」タブの最下行（▶p.207の**41**）でブロック数を確認し、すべてのブロックがなくなるまで**1**～**2**の操作を繰り返す。

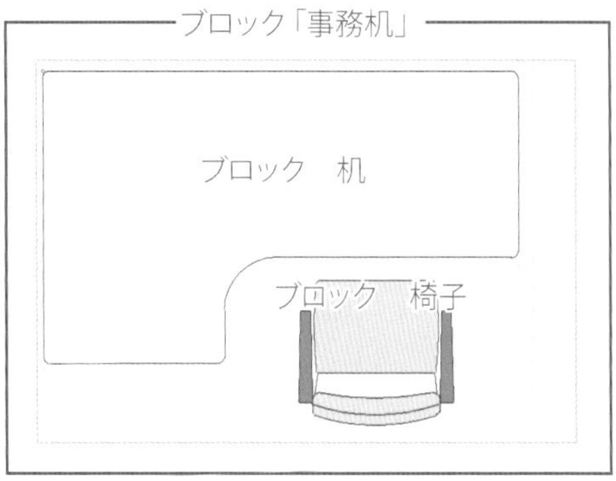

一度のブロック解除操作で最上層のブロック「事務机」が解除され、中（下層）のブロック「机」と「椅子」が現れる。

ブロック属性 BL属

CD-ROM 2-2-21.jww

ブロック属性（元データのレイヤを優先する）指定を切り替える

基本操作

すべてのブロックを「元データのレイヤを優先する」指定なしに変更する。

1 メニューバー［編集］－「範囲選択」（「範囲」コマンド）を選択し、ブロック属性変更対象の要素を範囲選択する。

参考 範囲選択共通操作▶p.20

> **POINT** ブロック以外の要素が選択されても問題ない。この例では、複数のブロックのブロック属性を一括変更するが、1で範囲選択せずにブロックを（連続線選択）で選択することで、個別に変更できる。

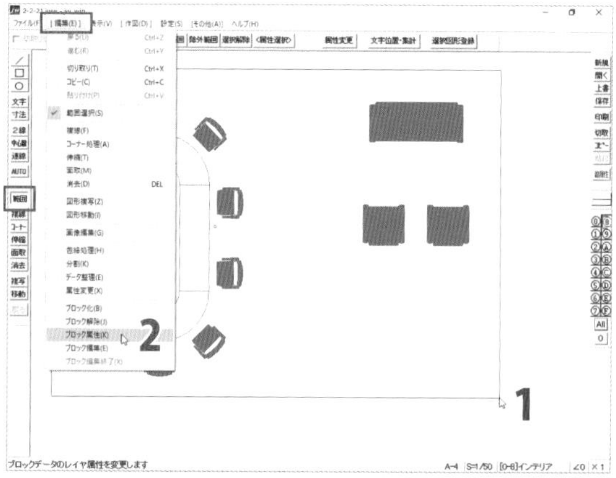

2 メニューバー［編集］－「ブロック属性」（「BL属」コマンド）を。

➡「ブロック属性」ダイアログが開く。

> **POINT** 1で1つのブロックを選択した場合は、「ブロック名」ボックスにそのブロック名がグレーアウトして表示される。図の「元データのレイヤを優先する」チェックボックスのチェックがグレーのときは、選択要素の中にチェック有無のブロックが混在している。

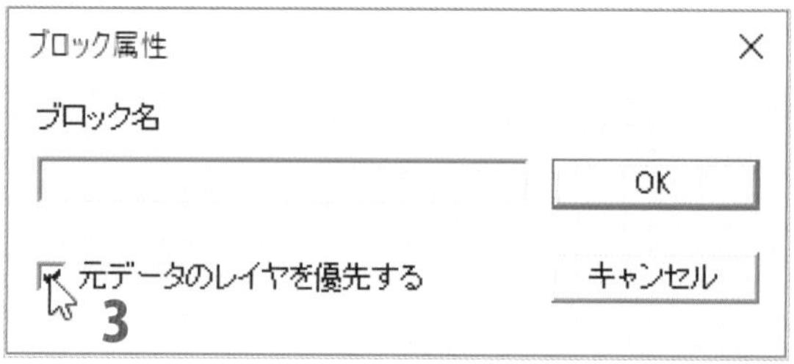

3 「元データのレイヤを優先する」をし、チェックなしにする。

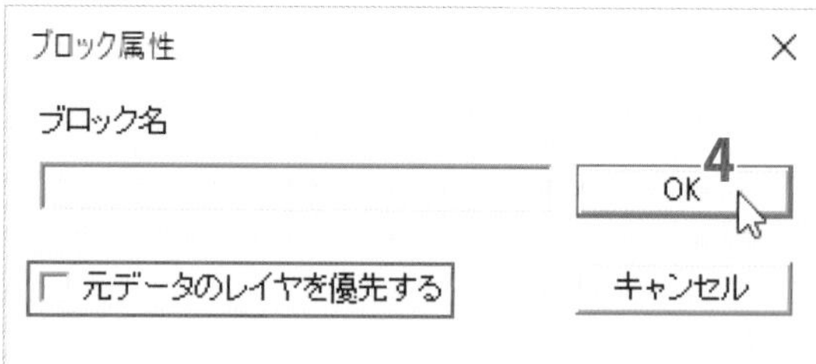

4 「OK」ボタンを。

➡ 選択要素になっていたすべてのブロックの属性「元データのレイヤを優先する」のチェックが外れる。

POINT 「元データのレイヤを優先する」のチェック有無の違い

「元データのレイヤを優先する」のチェックあり

ブロック内の各要素はブロック化前と同じレイヤにあり、そのレイヤを変更することはできない。

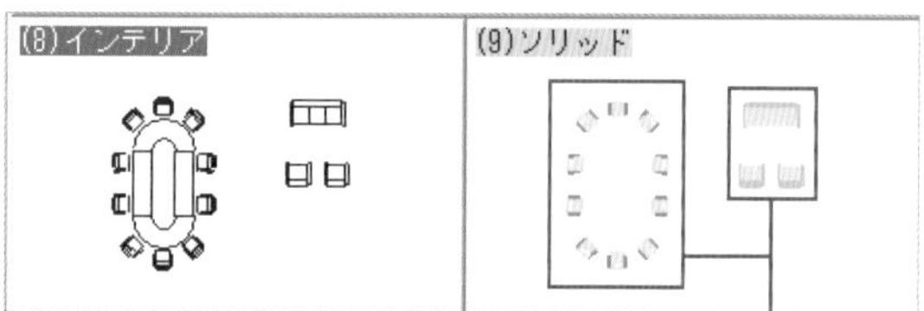

ブロックの一部のソリッドは別のレイヤにある

「元データのレイヤを優先する」のチェックなし

ブロック内の各要素はすべてブロック化時の書込レイヤにあり、ブロックごとレイヤを変更できる。

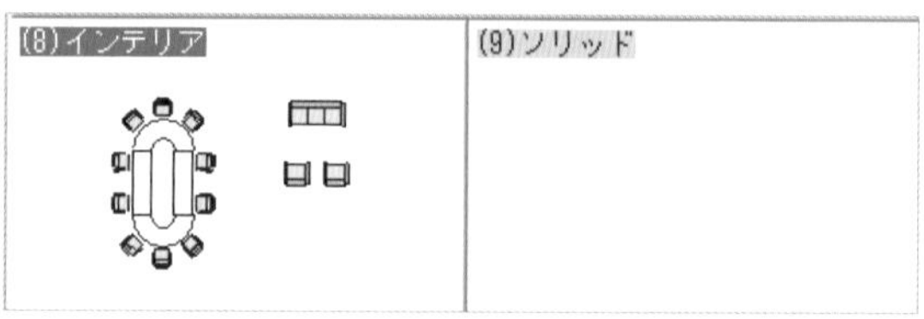

ブロック編集 BL編

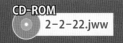

CD-ROM 2-2-22.jww

ブロックを解除せずに、その内容を変更する

基本操作

1 メニューバー[編集]－「範囲選択」(「範囲」コマンド)を選択し、編集対象のブロックを⊖(連続線選択)で選択する。

2 メニューバー[編集]－「ブロック編集」(「BL編」コマンド)を⊖。

> **POINT** **1**～**2**の操作の代わりに編集対象のブロックを属性取得(▶p.230)してもよい。

➡「選択されたブロックを編集します」ダイアログが開き、「ブロック名」ボックスに、**1**で選択したブロックの名前が表示される。

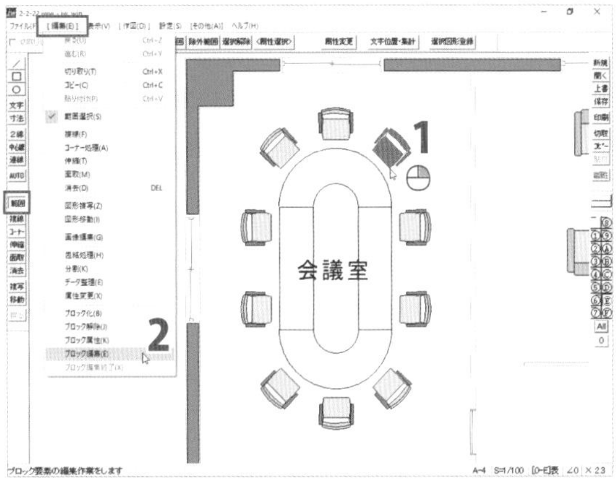

3 「すべてのブロックに反映させる」にチェックを付け、「OK」ボタンを⊖。

> **POINT** **1**で選択したブロックと同じブロックすべてに編集結果を反映させるには「すべてのブロックに反映させる」にチェックを付ける。**1**で選択したブロックのみを編集し、他の同じブロックを変更しない場合は、「選択したブロックのみに反映させる」にチェックを付ける。その場合、編集したブロックのブロック名が自動的に変更される。

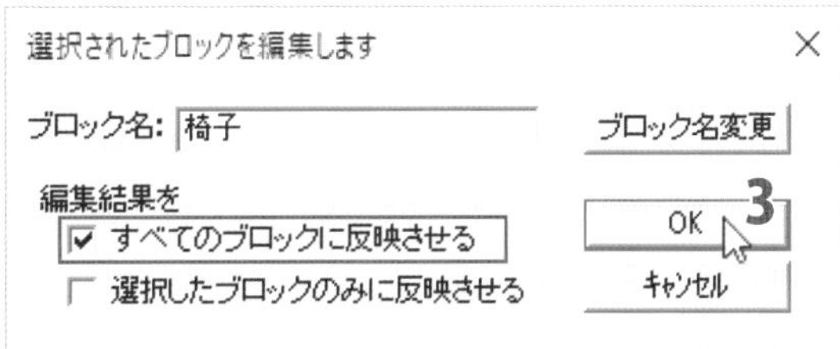

できる 「選択されたブロックを編集します」ダイアログでブロック名の変更

「選択されたブロックを編集します」ダイアログでは、以下の手順でブロック名を変更できる。

1 「ブロック名」ボックスのブロック名を変更する。

2 「すべてのブロックに反映させる」にチェックが付いた状態で「ブロック名変更」ボタンを⊖。

➡ ダイアログが閉じ、ブロック名が変更される。

※選択したブロックのみ名前を変更する場合は、ブロックツリー(▶p.132)で行う。

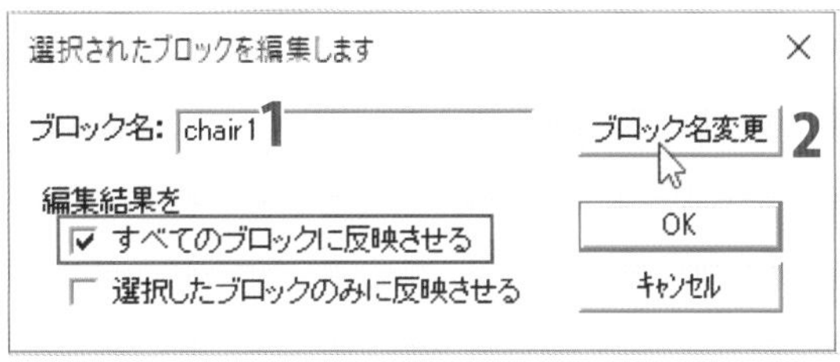

2 [編集]メニュー ➡ ブロック編集

➡ タイトルバーの表示が「◆◆◆ブロック図形【椅子】編集中◆◆◆」となり、1で選択したブロックのブロック編集ウィンドウに切り替わる。

> **POINT**　ブロック編集ウィンドウでは大部分のコマンドが通常の作図時と同様に使用できる（使用できないコマンドはグレーアウトになる）。編集対象のブロックはブロック化前のレイヤ、角度で表示され、それ以外の要素はグレーアウトされ編集できない。また、レイヤの表示状態は、「ブロック編集」ウィンドウを開く前のレイヤ表示状態が反映される。

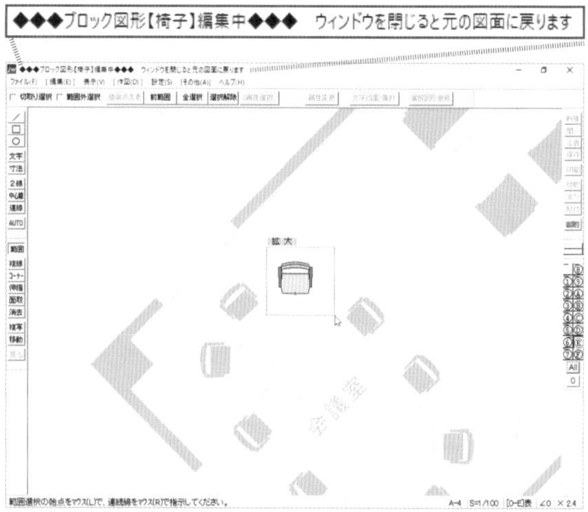

4　変更を行う。

> **POINT**　ブロック編集ウィンドウでブロック内部のブロックに**1**〜**3**の操作を行うことで、多重ブロック内部のブロックを編集することができる。

5　**変更作業が完了したら、ブロックの編集を終了する**（▶次ページ「ブロック編集終了」）。

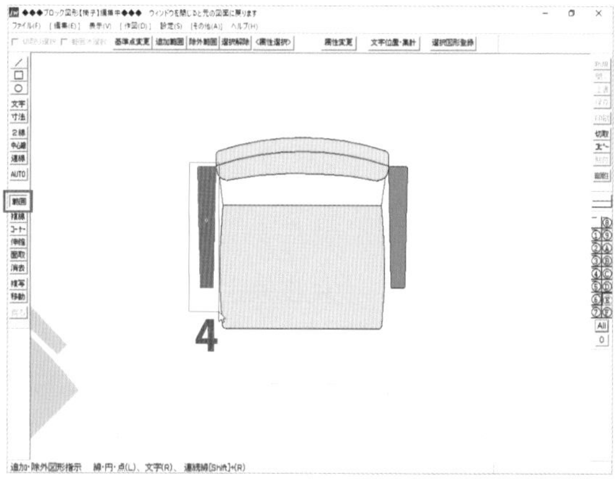

POINT　SXFファイルの部分図の編集

SXFファイルの部分図（▶p.52）の編集も「ブロック編集」で行える。**1**でSXFファイルの部分図（ブロック）を選択した場合、下図の「選択された部分図を編集します」ダイアログが開く。

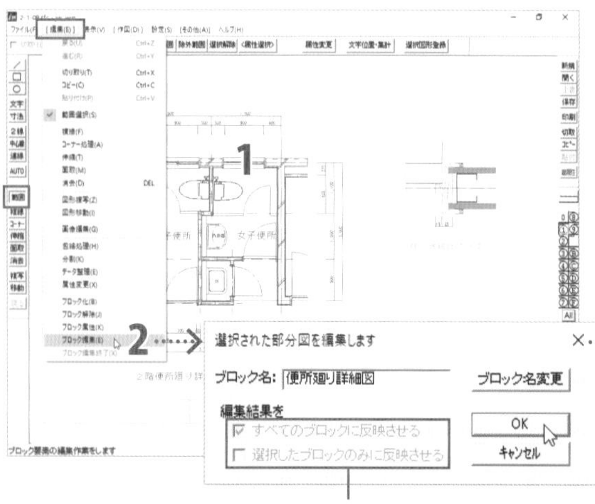

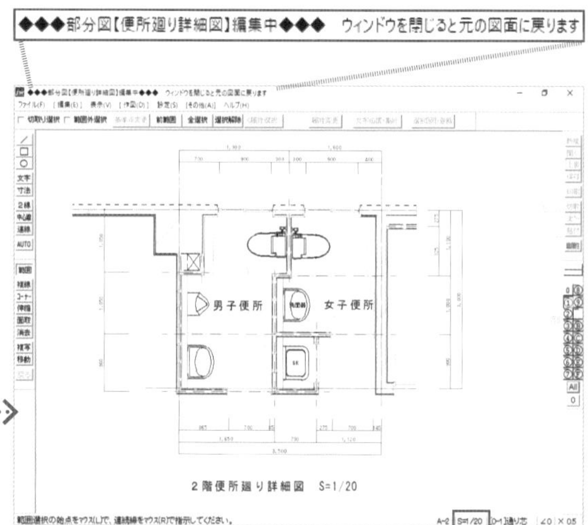

部分図編集では、編集結果の選択項目はグレーアウトして選択できない

部分図の編集ウィンドウでは部分図の持つ縮尺になる

ブロック編集終了 BL終

ブロック編集を終了する

基本操作（前項5の続き）

1 メニューバー[編集]－「ブロック編集終了」（「BL終」コマンド）を⊖。

> **POINT** ブロック編集は、タイトルバー右上の ✕ ボタンを⊖でも終了できる。

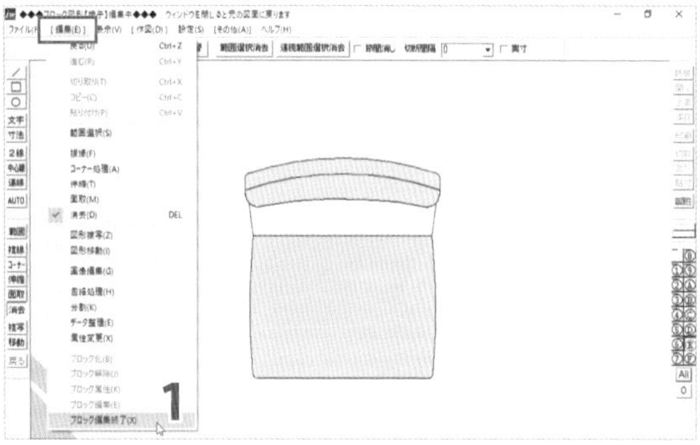

➡ ブロック編集ウィンドウが閉じ、タイトルバーの表示が編集中の図面名表示に戻る。p.125の**3**の指定では選択・編集したブロック図形と同じブロック図形すべてが、同じ状態に変更される。

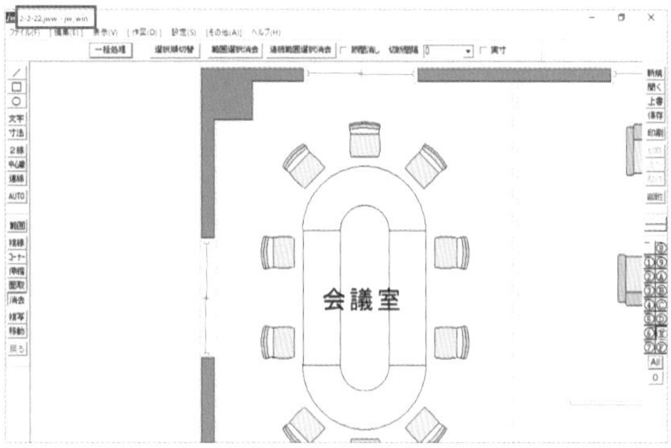

POINT 「ブロック編集終了」指示後の動作

多重ブロック内のブロックを編集していた場合は、**1**の操作で通常の図面の編集画面に戻る。

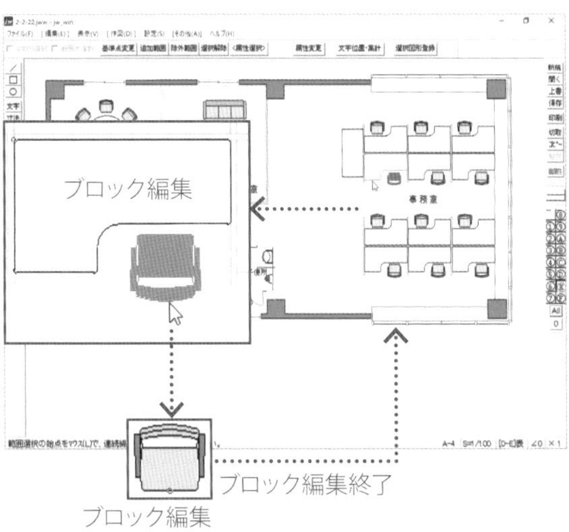

部分図（▶p.52）内部のブロックを編集していた場合は、**1**の操作で部分図編集ウィンドウに戻る。

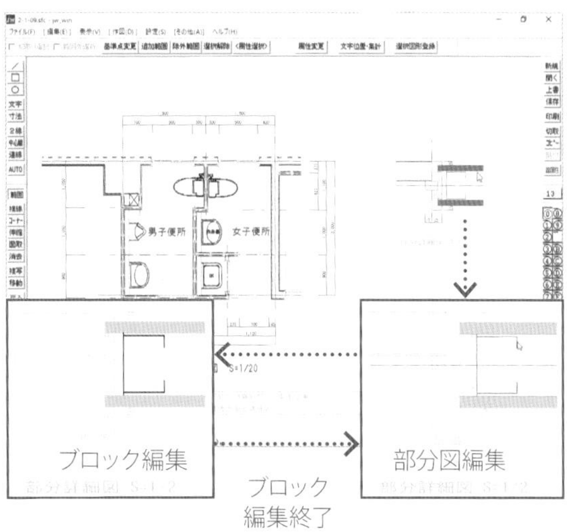

3 [表示] メニュー

[表示] メニューのコマンドの機能と使い方

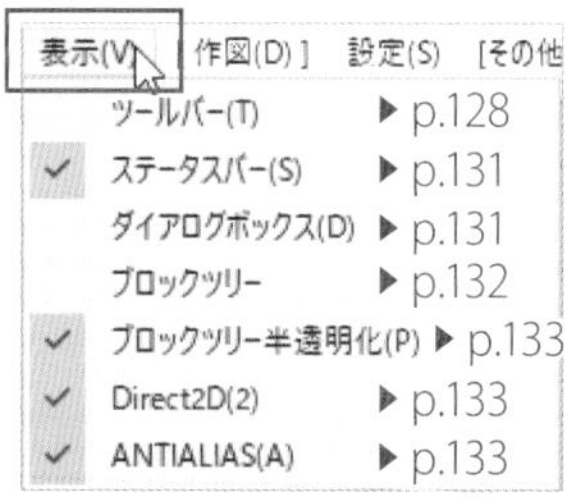

ツールバー

作図ウィンドウに表示するツールバーを設定する

基本操作

1 メニューバー [表示] –「ツールバー」を⊖。

➡「ツールバーの表示」ダイアログが開く。

POINT 「ツールバーの表示」ダイアログで、チェックが付いている項目が、現在画面に表示されているツールバーである。項目のチェックボックスを⊖することで、チェックを外すことや付けることができる。

2 画面に表示するツールバーの項目だけにチェックが付いた状態にして、「OK」ボタンを⊖。

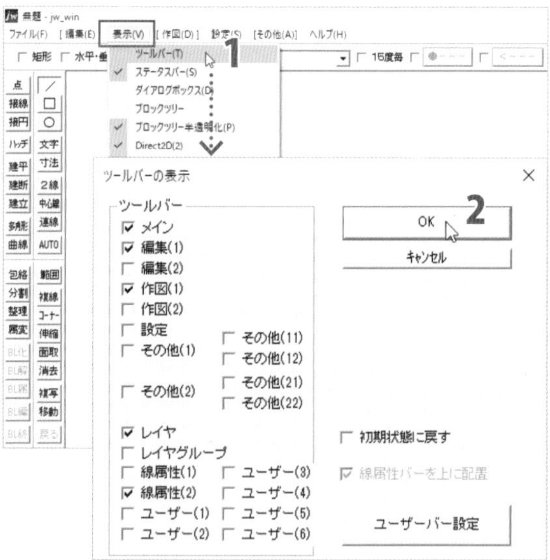

➡ ダイアログが閉じ、チェックを付けたツールバーのみがJw_cad画面の両側に表示される。

POINT 作図ウィンドウに飛び出しているツールバーの端にマウスポインタを合わせ、ポインタ形状が⇔になった状態でドラッグすることで、ツールバーの幅や高さを変更できる。ツールバーのタイトルバー部分をドラッグし、他のツールバーの区切り線上でマウスボタンをはなすことで、その位置に配置できる。

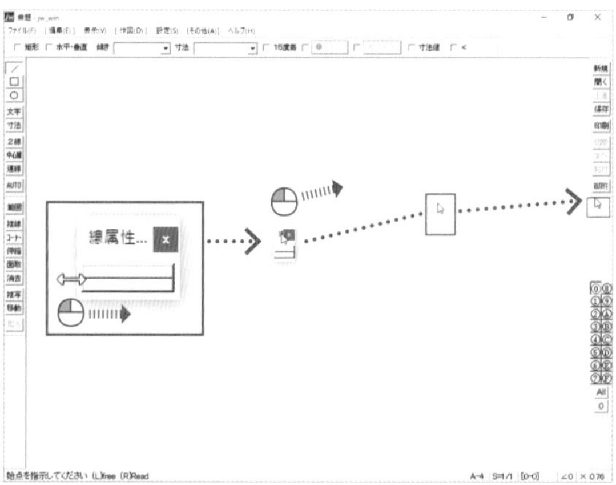

「ツールバーの表示」ダイアログ

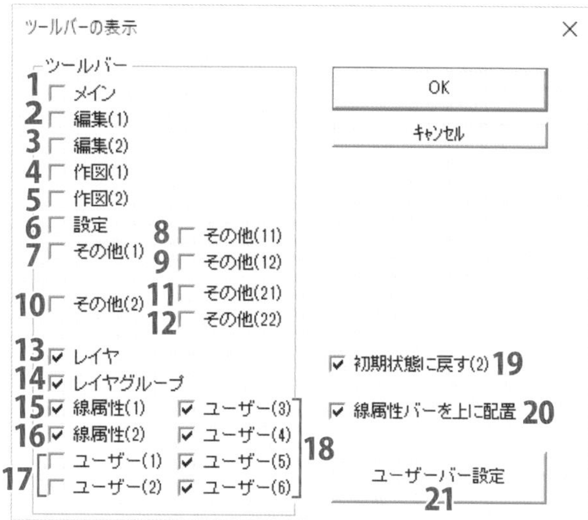

1～16 ツールバー

チェックを付けると、下図のツールバーが表示される。**15**「線属性（1）」と**16**「線属性（2）」は同じ働きをする。

17～18 ユーザーバー

「ユーザーバー設定」で独自に設定したツールバー（▶次ページ）。

19 初期状態に戻す

⊖するとチェックが付き「初期状態に戻す（1）」になり、インストール直後の指定（初期状態）に戻る。崩れたツールバーを直す場合などに利用できる。再度⊖すると「初期状態に戻す（2）」になり、**13～16**、**18**、**20**にチェックが付く。

20 線属性バーを上に配置

線属性バー（**15**、**16**）をツールバーの一番上に配置する。**19**が「初期状態に戻す（2）」のときに指定可能。

21「ユーザーバー設定」ボタン

「ユーザー（1）」～「ユーザー（6）」バーに並べるコマンドを指定する「ユーザー設定ツールバー」ダイアログが開く（▶次ページ）。

1 メイン

2 編集（1）

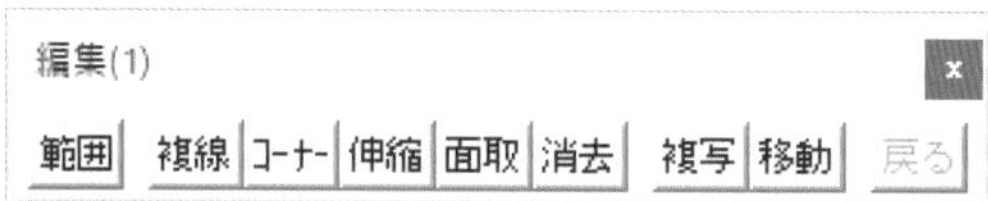

3 編集（2）

4 作図（1）

5 作図（2）

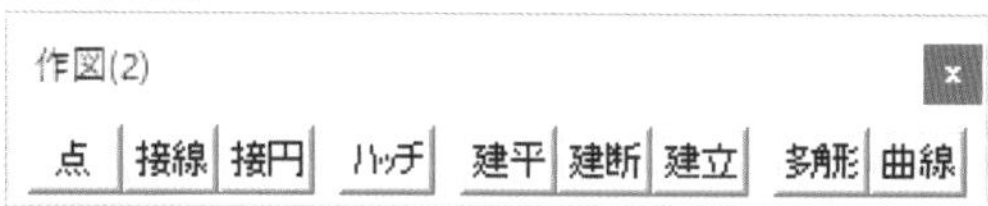

6 設定

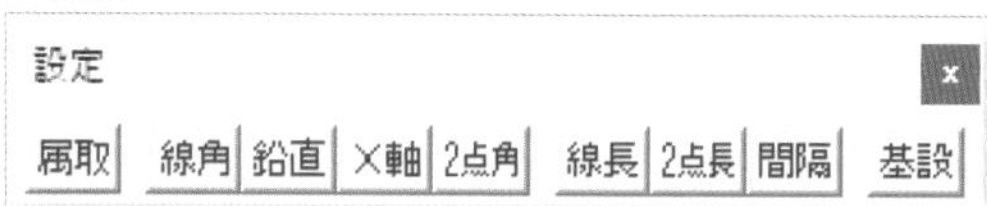

7 その他（1）

8 その他（11）

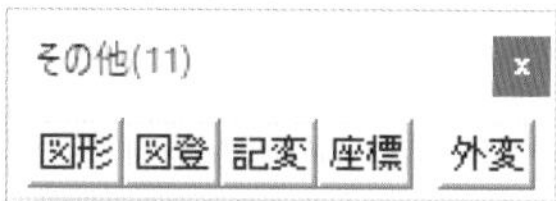

9 その他（12）

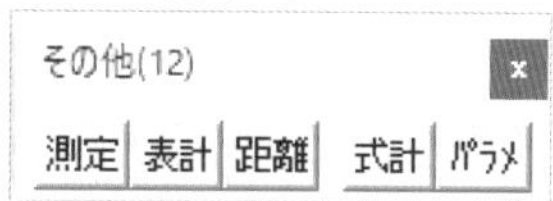

10 その他（2）

11 その他（21）

12 その他（22）

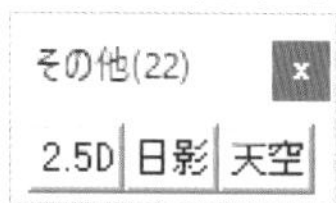

13 レイヤ

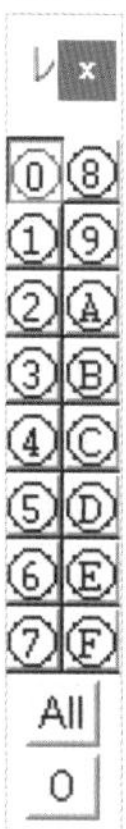

14 レイヤグループ

15 線属性（1）

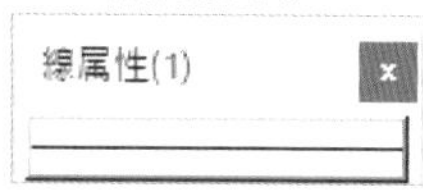

16 線属性（2）

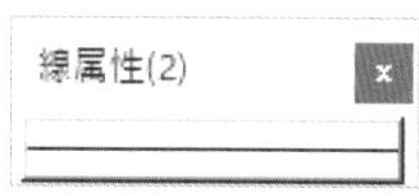

「ユーザー設定ツールバー」ダイアログ

「ツールバーの表示」ダイアログの「ユーザーバー設定」ボタンを㊀で開く「ユーザー設定ツールバー」ダイアログで、必要なコマンドを好きな順序でツールバーに配置できる。
「ユーザー(1)」〜「ユーザー(6)」それぞれの指定ボックスに、コマンドを示すコード番号（ダイアログ下部に記載）を半角スペースで区切って順に入力し、「OK」ボタンを㊀して確定する。

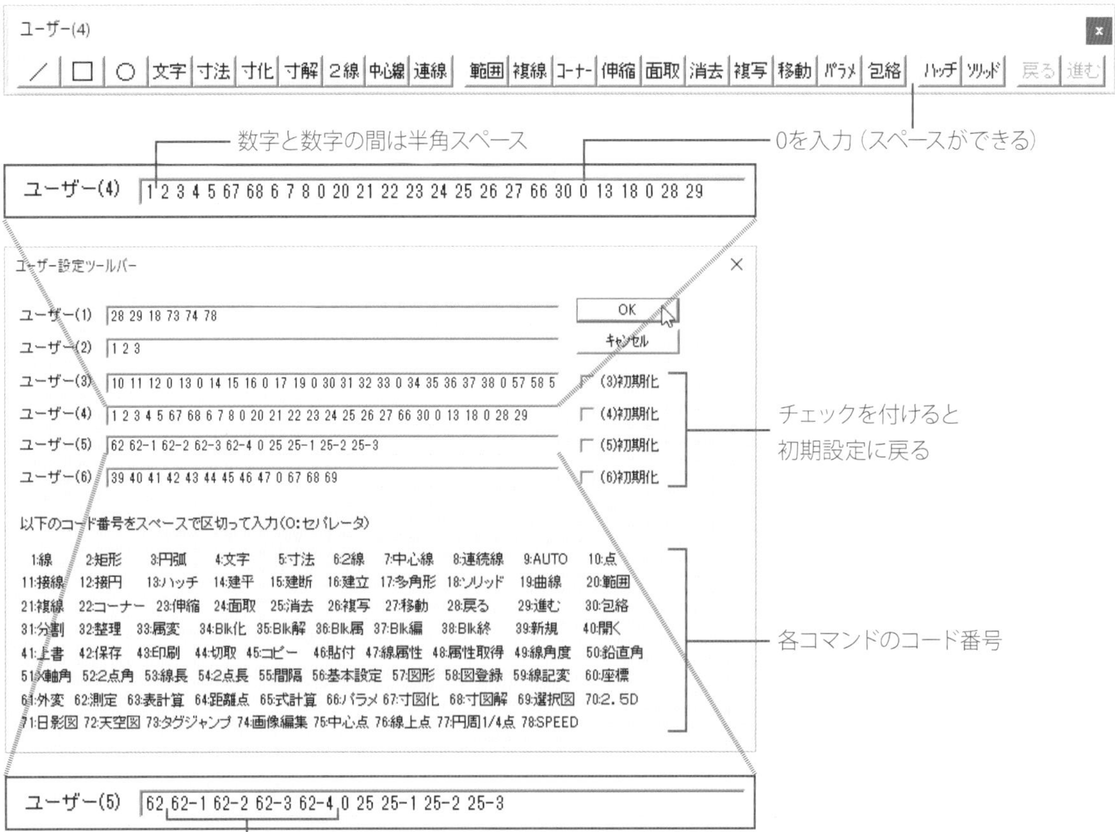

「測定」コマンドのコード番号「62」に続けて「－1」「－2」などを記入

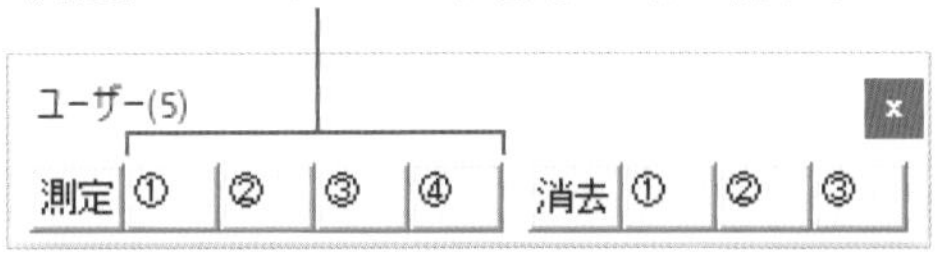

「③」を選択すると「測定」コマンドのコントロールバー「座標測定」ボタンを㊀した状態になる

コード番号に続けて「−1」「−2」などを入力すると、コントロールバーの指定ボタンを選択した状態になるコマンドボタンを配置できる。指定可能なコード番号は次ページ**POINT**を参照。

POINT

コントロールバーの指定が可能なコマンドとコード番号（赤字）は以下のとおり。

コマンド	コード番号
「文字」	4－1範囲選択　4－2連　4－3文読　4－4文書　4－5貼付　4－6NOTEPAD
「寸法」	5－1半径　5－2直径　5－3円周　5－4角度　5－5寸法値　5－6設定
「連線」	8－1 角度15度毎《基準点：マウス位置》　8－2 角度45度毎《基準点：マウス位置》 8－3 角度（無指定）【基準点：前線終点】　8－4 角度15度毎【基準点：前線終点】 8－5 角度45度毎【基準点：前線終点】
「ハッチ」	13－11線　13－22線　13－33線　13－4目地　13－5図形　13－6範囲選択
「多角形」	17－12辺　17－2中心→頂点指定　17－3中心→辺指定　17－4辺寸法指定　17－5任意
「曲線」	19－1サイン曲線　19－22次曲線　19－3スプライン曲線　19－4ベジェ曲線
「範囲」	20－1前範囲　20－2全選択
「複線」	21－1範囲選択
「伸縮」	23－1一括処理
「消去」	25－1一括処理　25－2範囲選択消去　25－3連続範囲選択消去
「複写」	26－1前範囲　26－2全選択
「移動」	27－1前範囲　27－2全選択
「分割」	31－1等距離分割　31－2等角度分割
「座標」	60－1ファイル名設定　60－2ファイル読込　60－3YX座標読込　60－4mm単位読書 60－5m単位読書　60－6ファイル書込　60－7条件設定　60－8ファイル編集 60－9新規ファイル
「測定」	62－1距離測定　62－2面積測定　62－3座標測定　62－4角度測定

ステータスバー

ステータスバーの有無を切り替える

メニューバー［表示］－「ステータスバー」を⊖することで、Jw_cadウィンドウ下のステータスバー（▶p.10）の表示の有無を切り替える。

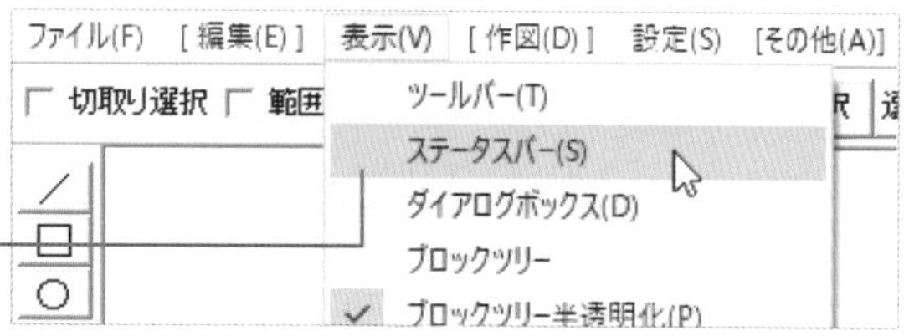

チェックが付いているとステータスバーが表示される

ダイアログボックス

ダイアログの表示位置を初期化する

基本操作

1　メニューバー［表示］－「ダイアログボックス」を⊖。

2　右図のメッセージウィンドウが開くので「OK」ボタンを⊖。

➡ 各種設定ダイアログの表示位置が初期状態に戻る。

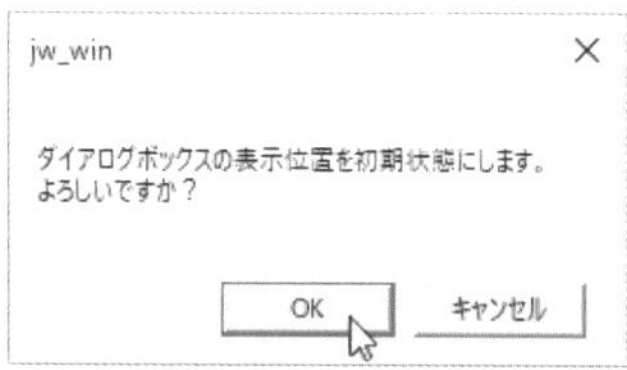

ブロックツリー

CD-ROM 2-3-04.jww

編集中の図面内のブロックをツリー表示する

基本操作

1 メニューバー [表示] –「ブロックツリー」を⊖。

➡「ブロックツリー」ウィンドウが開く。

2 「ブロックツリー」ウィンドウに表示されるブロック名を⊖。

➡ **2**で⊖したブロックが図面上で選択色になる。

> **POINT** メニューバー [表示] –「ブロックツリー半透明化」(▶次ページ) でブロックツリーの半透明指定や透明度の指定を行える。

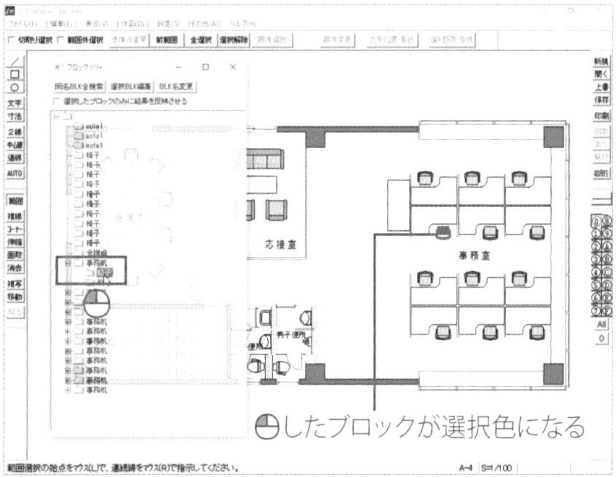

「ブロックツリー」ウィンドウ

「ブロックツリー」ウィンドウのフォルダーアイコンがブロックを示す。

先頭の ⊞ マークは、その内部にさらにブロックを含んでいることを示す。⊖すると、その内部のブロックが表示される。

1「同名BLK全検索」ボタン

「ブロックツリー」ウィンドウで選択(色反転) しているブロックと同名のブロックを、すべて太字で表示する。

2「選択BLK編集」ボタン

「ブロックツリー」ウィンドウで選択したブロックを編集するための「ブロック編集」モードになる(▶p.125)。

3「BLK名変更」ボタン

「ブロックツリー」ウィンドウで選択したブロックの名前を変更するダイアログ(▶右下図) が開く。名前を変更し、「OK」ボタンを⊖。

4「選択したブロックのみに結果を反映させる」チェックボックス

チェックを付けて**2**や**3**のボタンを⊖すると、編集や名前変更されるのは選択したブロックのみになる。同じ名前の他のブロックは編集や名前変更が行われない。

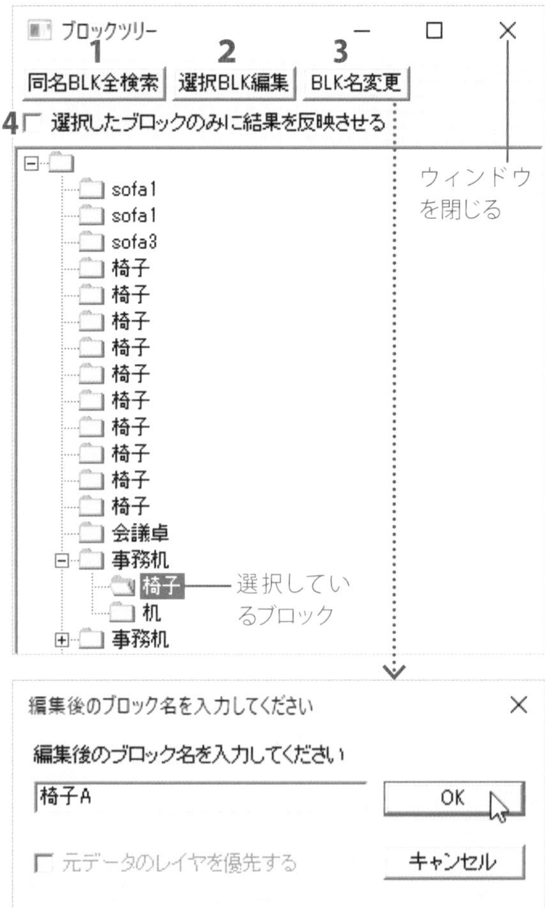

2 メニューバーのコマンド

ブロックツリー半透明化

ブロックツリーウィンドウの透明（チェックあり）⇔不透明（チェックなし）を切り替える

基本操作

1 メニューバー［表示］－「ブロックツリー半透明化」を⊖。

➡ メニューコマンド名にチェックが付いていない場合、右図のウィンドウが開く。

2 「透過率設定」ボックスに透過率を指定し、「OK」ボタンを⊖。

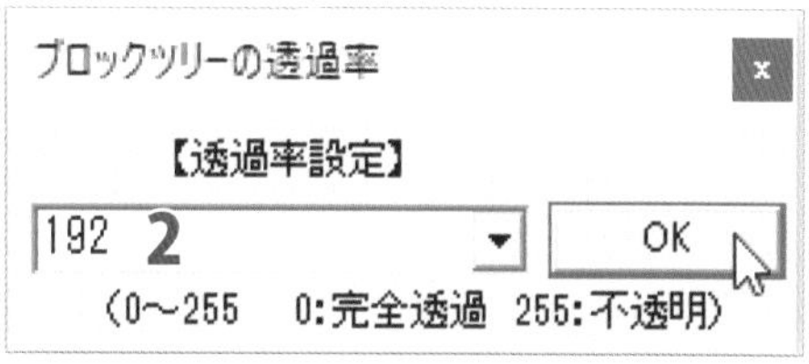

Direct2D

Direct2Dの有効・無効を切り替える

Direct2Dを有効にすることで、線本数の多い図面データの再描画が速くなる。しかし、パソコンによっては、有効にすると一部の描画機能に支障をきたすことがあるため、必要に応じて有効・無効を切り替えて使用する。
メニューバー［表示］－「Direct2D」を⊖することで、有効（チェックあり）⇔無効（チェックなし）を切り替える。

> **POINT** 「Direct2D」のチェックの有無はJWWファイルに保存される。

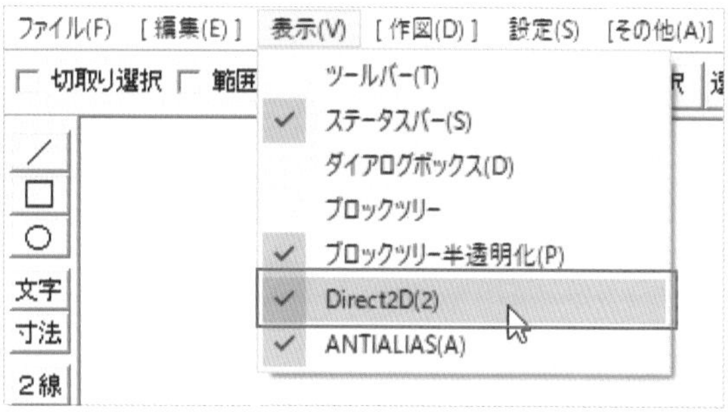

ANTIALIAS

ANTIALIAS（アンチエイリアス）の有効・無効を切り替える

ANTIALIAS（アンチエイリアス）は、画面上の線などのギザギザを目立たなくする処理である。「Direct2D」を有効にした状態で、指定できる。
メニューバー［表示］－「Direct2D」にチェックが付いた状態で、「ANTIALIAS」を⊖することで、有効（チェックあり）⇔無効（チェックなし）を切り替える。

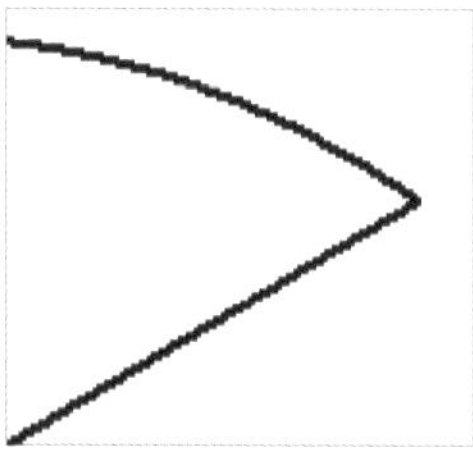
ANTIALIAS無効

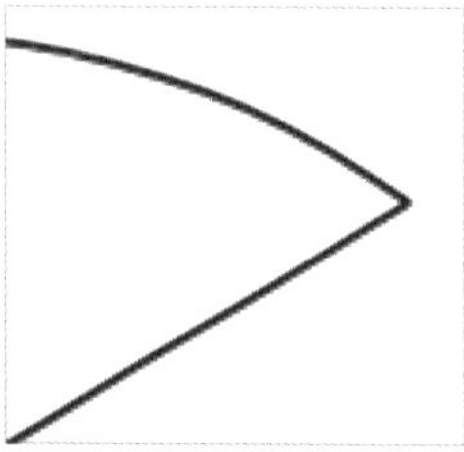
ANTIALIAS有効

4 [作図]メニュー

[作図] メニューのコマンドの機能と使い方

線 ／

⊖（または⊖）↗AM1時 線・矩形

始点と終点をクリック指示することで線を作図する

基本操作

1 メニューバー［作図］－「線」（「／」コマンド）を⊖。

2 始点を⊖（または⊖）。

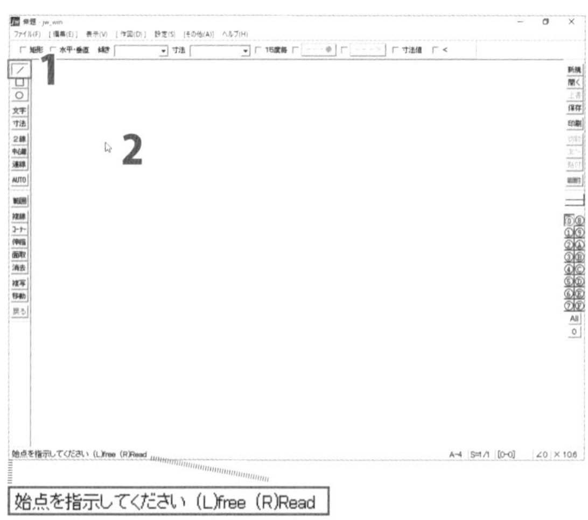

➡ **2**からマウスポインタまで仮線が表示される。

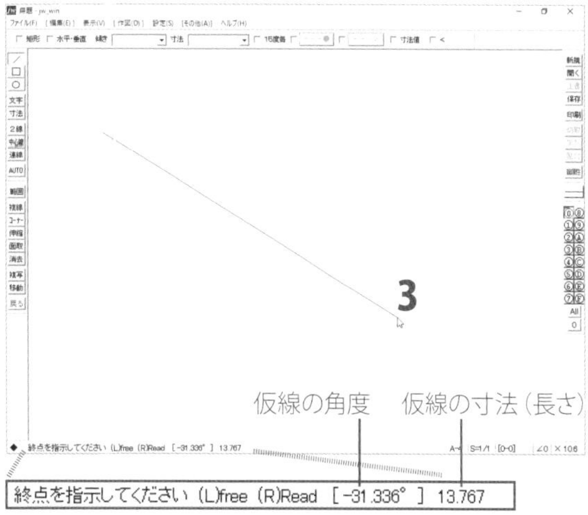

できる クロックメニューで「／」コマンドを選択ー

他のコマンド選択時に、**1**、**2**の操作の代わりに作図ウィンドウで⊖↗（または既存点を⊖↗）AM1時線・矩形すると「／」コマンドになり、⊖↗（または⊖↗）位置を始点とした線がマウスポインタまで仮表示された状態になる。

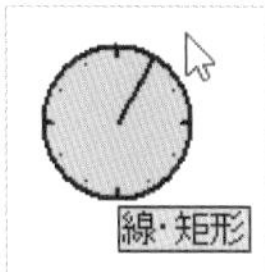

3 終点を⊖（または⊖）。

➡ 線が作図され、次の線の始点指示を促す操作メッセージに変わる。

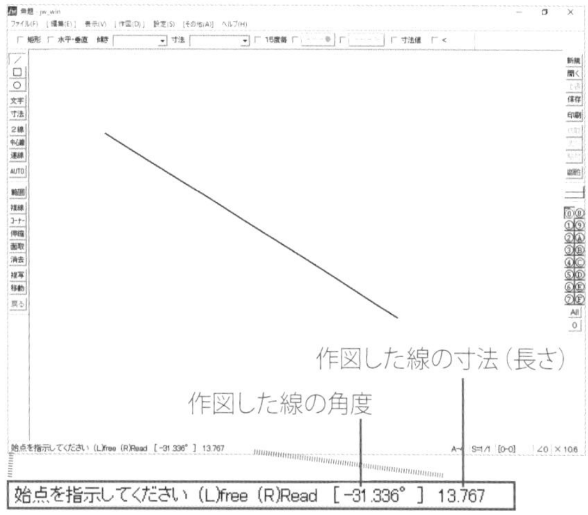

POINT 角度・長さを固定した線を作図

コントロールバー「傾き」ボックスに角度を、「寸法」ボックスに長さを、それぞれ入力することで、角度・長さを固定した線を作図できる。

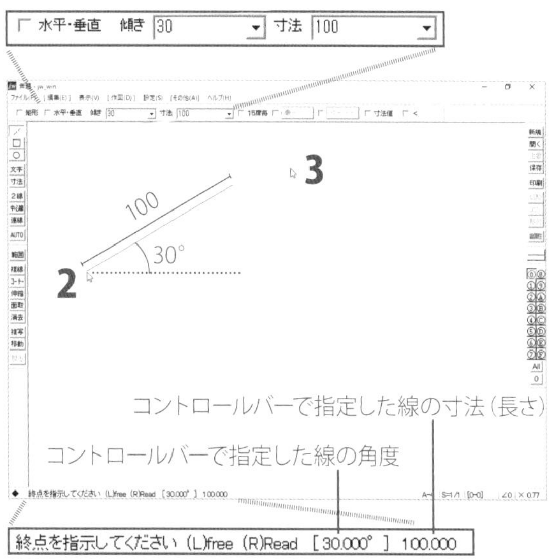

「／」(線) コマンドのコントロールバー

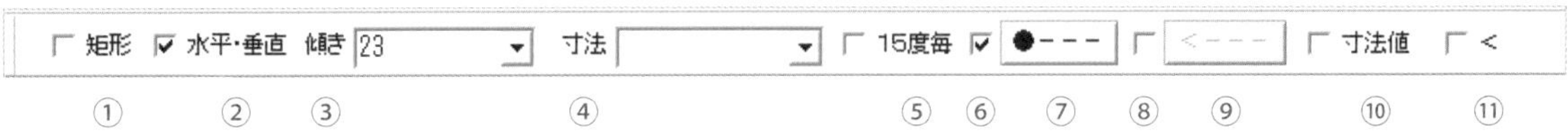

① 「矩形」チェックボックス

「／」(線) コマンドのまま、コントロールバーが「□」(矩形) コマンドの表示になり、矩形作図になる。

このチェックの有無の切り替えは、クロックメニューでも行える (⊕↗PM1時■矩形 ⇔ ⊕↗PM1時線)。

② 「水平・垂直」チェックボックス

作図線の角度を水平と垂直に固定する。

このチェックの有無の切り替えは、「／」コマンドを再度⊕することや、スペースキーを押すか、クロックメニュー⊕→PM3時■水平・垂直でも行える。また、基本設定の「一般 (1)」タブでの指定 (▶p.207の**28**) により、始点指示後に作図ウィンドウでマウスポインタを左右か上下に4回移動することでも切り替えできる。

③ 「傾き」入力ボックス

作図線の角度を指定角度に固定する。

②の「水平・垂直」にチェックを付けると、水平・垂直の線と水平・垂直線からの指定角度の線に固定される。

クロックメニュー⊕↑PM0時【角度±反転】で、「傾き」ボックスの数値を±反転できる。

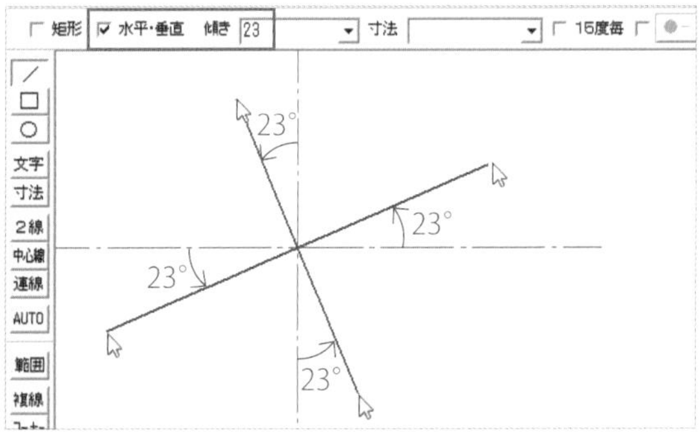

参考 度分秒、寸勾配の入力▶p.39
既存線の角度などを取得して入力▶p.232

④ 「寸法」入力ボックス

作図線の長さを指定寸法に固定する。

基本設定の「一般 (2)」タブの指定 (▶p.210の**8**) で、他コマンド選択後も「寸法」ボックスの数値が保持される。

参考 図面上の長さを取得して入力▶p.234

⑤ 「15度毎」チェックボックス

作図線の角度を15° ごと (0° /15° /30° /45° …) に固定する。

このチェックの有無の切り替えは、Shift＋スペースキーを押すか、クロックメニュー⊕↗PM2時15度毎でもできる。

⑥ 「端部に実点」チェックボックス

⑦ 「端部に実点」ボタン

端部に実点が付いた線を作図する。

実点の色は、「寸法設定」ダイアログの「矢印・点色」での指定 (▶p.224の**7**)。

⑥のチェックを付けることで、⑦「端部に実点」ボタンが指定可能になる。⑦のボタンを⊕で「●−−−」(始点に実点) ⇒「−−−●」(終点に実点) ⇒「●−−●」(両点に実点) に切り替わる。

また、コントロールバーの⑥、⑧にチェックがない状態で、始点指示後に⊕↗ AM2時●−−−で始点に実点、再度⊕↗ AM2時−−−●で終点に実点、さらに再度⊕↗ AM2時●−−●で両点に実点が付いた線を作図する (⑥にはチェックは付かない)。

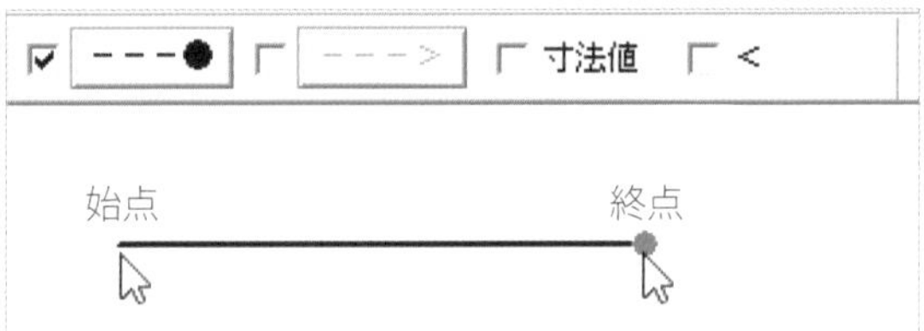

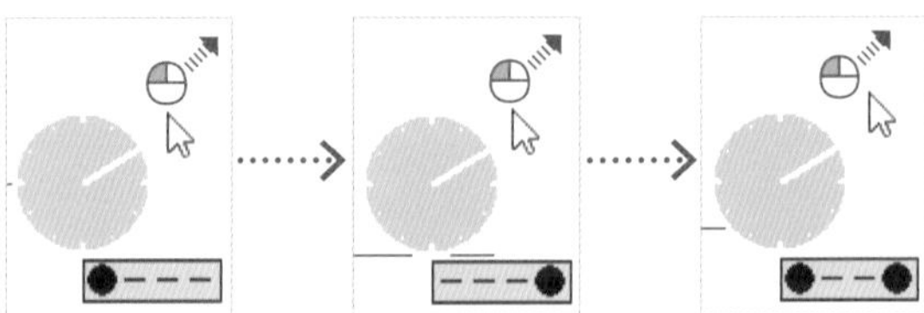

⑧「端部に矢印」チェックボックス

⑨「端部に矢印」ボタン

端部に書込線色・線種の矢印が付いた線を作図する。

矢印の大きさと角度および塗りつぶし指定は、「寸法設定」ダイアログの「矢印設定」の「長さ」「角度」「ソリッド」での指定（▶p.224の**10**）。

⑧のチェックを付けることで⑨「端部に矢印」ボタンが指定可能になる。⑨のボタンをで「<－－－」（始点に矢印）⇒「－－－>」（終点に矢印）⇒「<－－>」（両点に矢印）に切り替わる。

また、コントロールバーの⑥、⑧にチェックがない状態で、始点指示後に→AM3時<－－－で始点に矢印、再度→AM3時－－－>で終点に矢印、さらに再度→AM3時<－－>で両点に矢印が付いた線を作図する（⑧にチェックは付かない）。

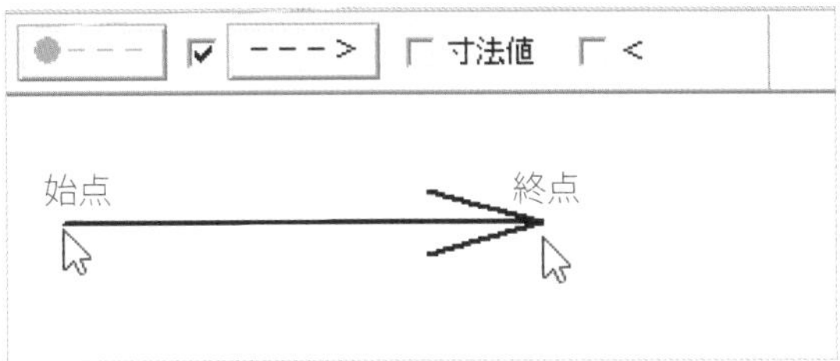

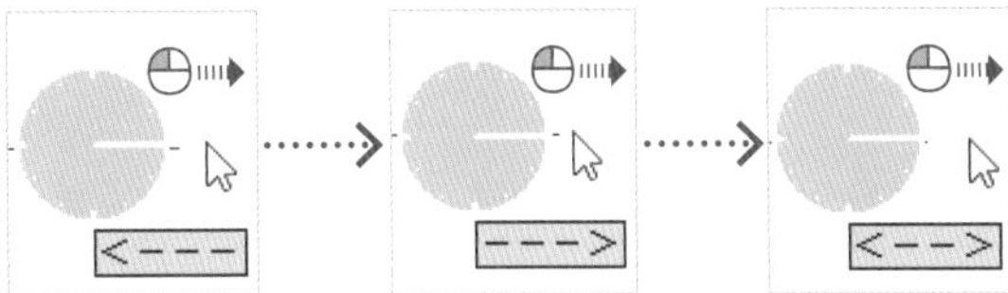

⑩「寸法値」チェックボックス

始点→終点に対して左側に、作図線の実寸法を記入する。

記入される寸法値は、「寸法設定」ダイアログの「文字種類」「フォント」での指定（▶p.224の**1**、**2**）。

また、コントロールバー「寸法値」にチェックがない状態で、始点指示後に↘AM4時寸法値で寸法値付きの線を、再度↘AM4時下寸法値で下側に寸法値の付いた線を作図する（いずれもコントロールバー⑩にチェックは付かない）。

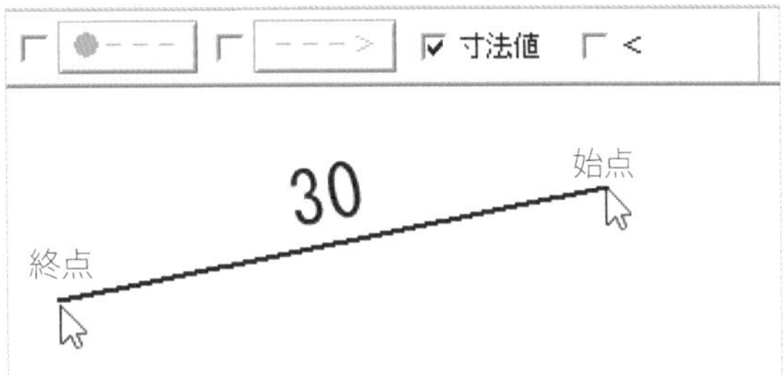

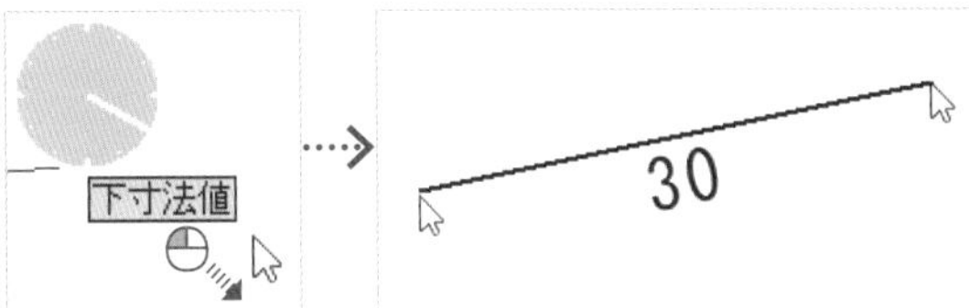

⑪「矢印」チェックボックス

指示した線、弧の端部に矢印を作図する。

線、弧をすると書込線色・線種で、すると「寸法設定」ダイアログで指定（▶p.224の**7**）の線色・線種で作図する。

作図される矢印の大きさと角度および塗りつぶし指定は、「寸法設定」ダイアログの「矢印設定」の「長さ」「角度」「ソリッド」での指定（▶p.224の**10**）。

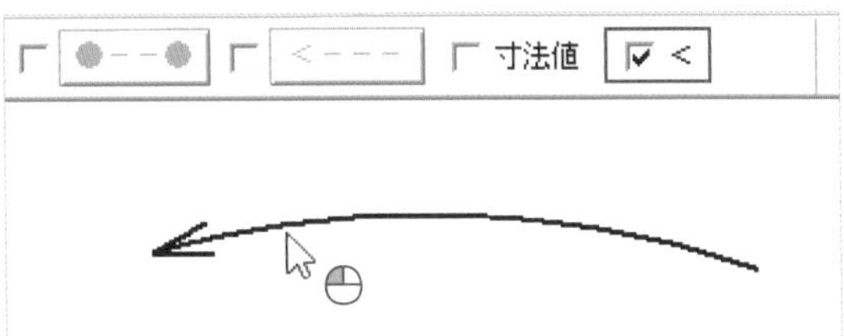

コントロールバー⑥～⑪の指定は、他コマンド選択後も保持されるので注意する。なお、環境設定ファイル「S_COMM_1」で、他コマンドを選択したときにチェックが自動的に外れるように指定できる。

▶JWWトリセツ付録.pdf p.37

2 メニューバーのコマンド

矩形 □

⊖(または⊖) ↗AM1時 線・矩形

CD-ROM 2-4-02.jww

長方形 (矩形) を作図する

基本操作1 対角を指定して長方形を作図

1 メニューバー [作図] −「矩形」(「□」コマンド) を⊖。

2 コントロールバー「寸法」ボックスを空白にするか、または「寸法」ボックスの ▼ ボタンを⊖し、「(無指定)」を選択する。

3 始点を⊖ (または⊖)。

4 終点を⊖ (または⊖)。

➡ **3** − **4** を対角とする長方形が作図される。

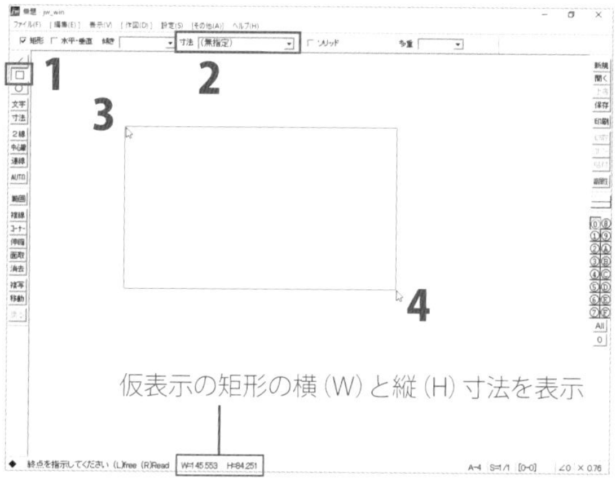

基本操作2 サイズを指定して長方形を作図

横70mm、縦40mmの長方形の左中を既存点に合わせ、作図する。

1 「□」コマンドのコントロールバー「寸法」ボックスに「70,40」を入力する。

参考 数値の入力▶p.38

2 長方形作図の基準点として、交点を⊖。

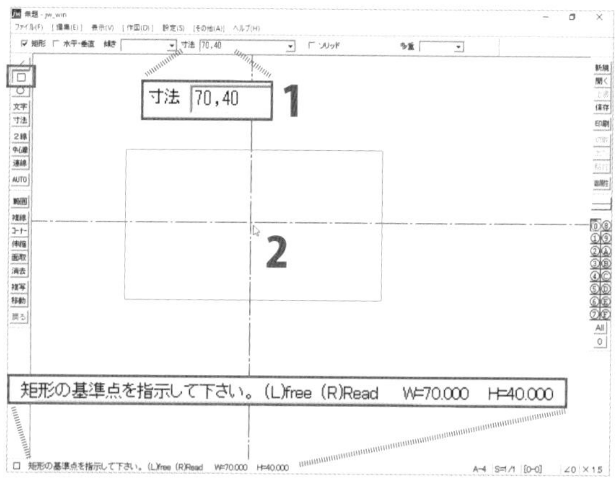

3 マウスポインタを移動し、**2** で指定した点に仮表示の長方形の左中を合わせて⊖。

> **POINT** 「□」コマンドでは、作図基準点を指示後、マウスポインタを移動して矩形の基準点9カ所 (下図) のいずれかを作図基準点に合わせて⊖することで作図する。
>
> 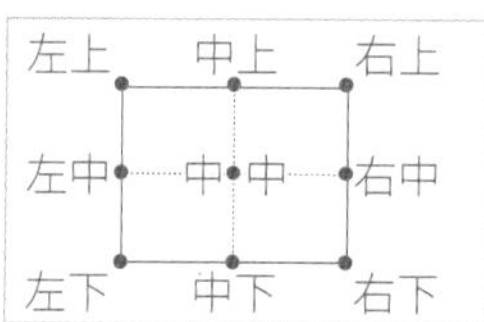
>

➡ **2** の交点にその左中を合わせ、70 × 40 (mm) の長方形が作図される。

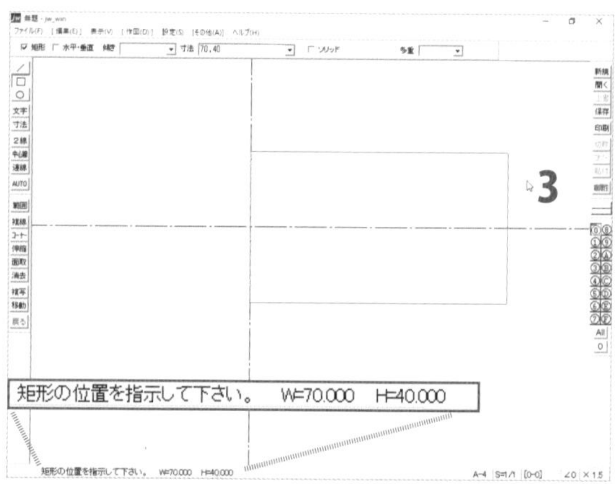

「□」(矩形) コマンドのコントロールバー

① ② ③ ④ ⑤ ⑥

①「矩形」チェックボックス

チェックを外すと、「□」(矩形) コマンドのまま、コントロールバーが「／」(線) コマンドの表示になり、線作図モードになる。

チェックの有無の切り替えは、クロックメニューでも行える (⊖↗ PM1時[線] ⇔ ⊖↗ PM1時[■矩形])。

②「水平・垂直」チェックボックス

チェックを付けることで「傾き」ボックスの指定が無視され、水平方向 (0°) で長方形を作図する。

チェックの有無の切り替えは、Shift＋スペースキーを押すか、クロックメニュー⊖→PM3時[■水平・垂直]でも行える。

③「傾き」入力ボックス

指定角度の長方形を作図する。

クロックメニュー⊖↑PM0時【角度±反転】で、「傾き」ボックスの数値の±反転が行える。

④「寸法」入力ボックス

半角の「,」で区切り「横,縦」の寸法を入力することで、指定寸法の矩形を作図する (▶前ページ)。

⑤「ソリッド」チェックボックス

ソリッドの長方形を作図する。

コントロールバーから⑥が消え、下図の⑤－1～⑤－3の項目が追加される。

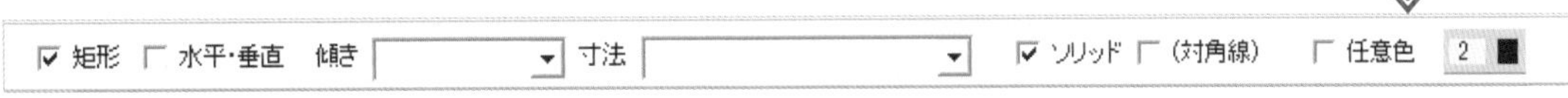

⑤－1 ⑤－2 ⑤－3

⑤－1 「(対角線)」チェックボックス

長方形の対角線だけを線形ソリッド (▶p.203) で作図する。

⑤－2 「任意色」チェックボックス

作図するソリッドの色が任意色になる。チェックなしの場合は、ソリッドは書込線色で作図される。

⑤－3 「任意■」ボタン (または「線色」ボタン)

「任意■」ボタンを⊖すると「色の設定」パレットが、「線色」ボタン (⑤－2のチェックなし) を⊖すると「線属性」ダイアログがそれぞれ表示され、ソリッド色を選択できる。

※⑤－2と⑤－3 は「ソリッド図形」のコントロールバー (▶p.202) の⑨－4、⑨－5と連動している。

⑥「多重」入力ボックス

多重の長方形や面取りを施した長方形を作図する。

「,」前の数値で多重の指示、「,」後の数値で面取を指示する。

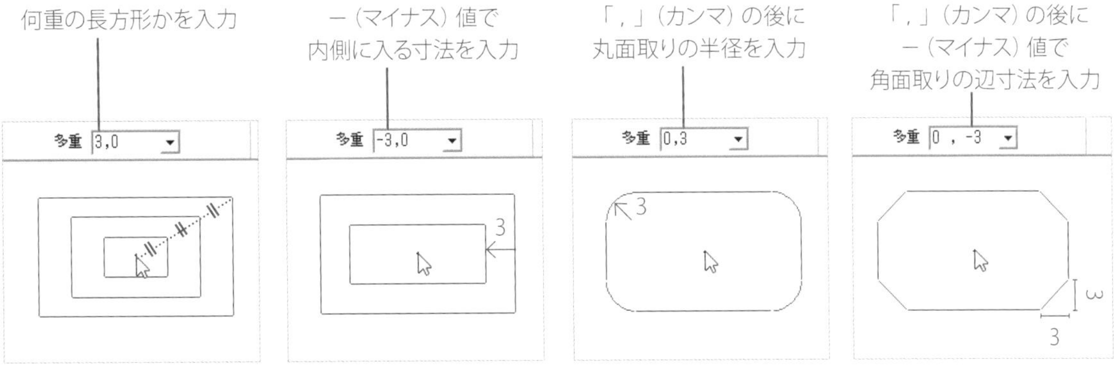

指定した数の多重長方形　指定寸法分内側に入った二重の長方形　角が丸面取りされた長方形　角が角面取りされた長方形

円弧 ◯

⊖（または⊖）↗AM2時 円・円弧

CD-ROM 2-4-03.jww

円や円弧、楕円や楕円弧を作図する

基本操作1　指示した2点を半径（直径）とする円を作図

1　メニューバー［作図］－「円弧」（「◯」コマンド）を⊖。

2　作図する円の中心点位置を⊖（または⊖）。

➡ **2**を中心とする円が、マウスポインタまで仮表示される。

3　円位置を⊖（または⊖）。

➡ **2**－**3**間を半径とする円が作図される。

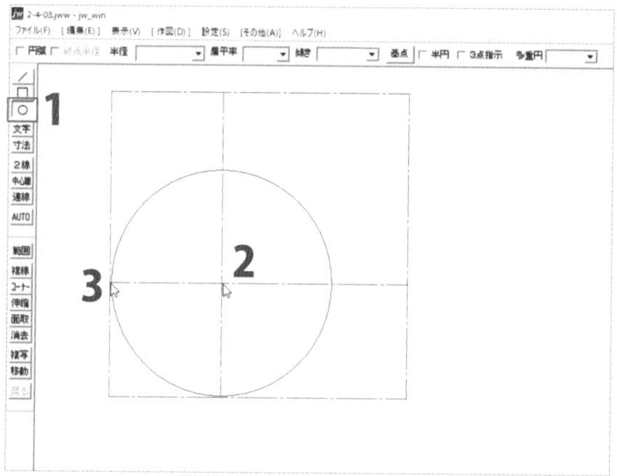

POINT　コントロールバー「半径」入力ボックスが空白の場合は、「基点」ボタンを⊖することで「外側」（指示した2点が直径）⇔「中央」（指示した2点が半径）に切り替わる。上記の**2**または**3**の前にコントロールバー「基点」ボタンを⊖し、「外側」に切り替えることで、**2**－**3**間を直径とする円を作図できる。

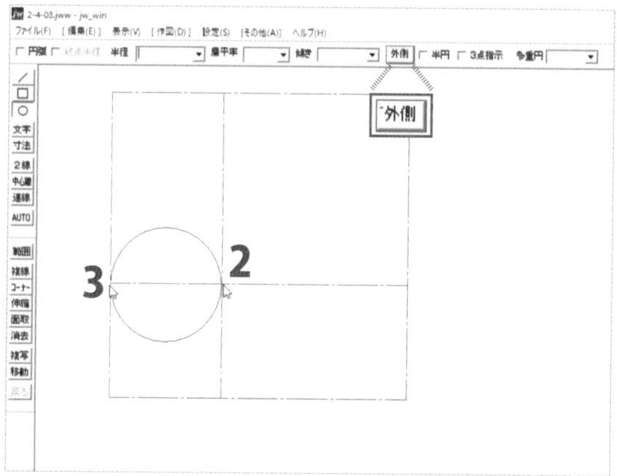

基本操作2　指定半径の円を作図

1　「◯」コマンドのコントロールバー「半径」ボックスに半径寸法を入力する。

➡ 指定半径の円がマウスポインタに仮表示される。

POINT　仮表示の円に対するマウスポインタの位置を「基点」と呼ぶ。コントロールバー「基点」（または「中・中」）ボタンを⊖することで、基点を変更できる（▶p.142の⑥）。

2　円の作図位置を⊖（または⊖）。

➡ **2**の位置に基点を合わせ、**1**で指定した半径寸法の円が作図される。

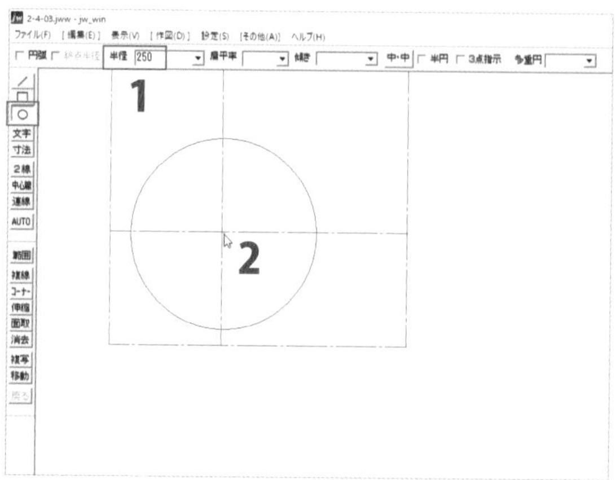

➡ 基本操作3　円弧を作図

1　「○」コマンドのコントロールバー「円弧」にチェックを付ける（「半径」ボックスは空白）。

2　中心点位置を⊖（または⊖）。

➡ **2**を中心とする円が、マウスポインタまで仮表示される。

3　始点位置を⊖（または⊖）。

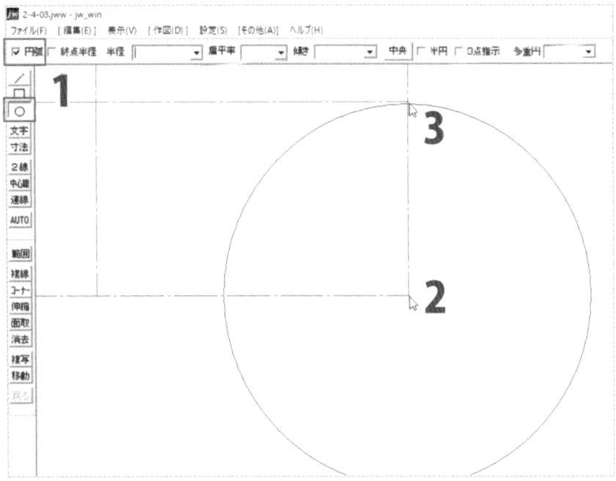

➡ **2**－**3**を半径とした弧が、**3**を始点としてマウスポインタまで仮表示される。

4　終点位置を⊖（または⊖）。

➡ **2**－**3**を半径とし、中心点**2**と**4**を結んだ線上までの弧が作図される。

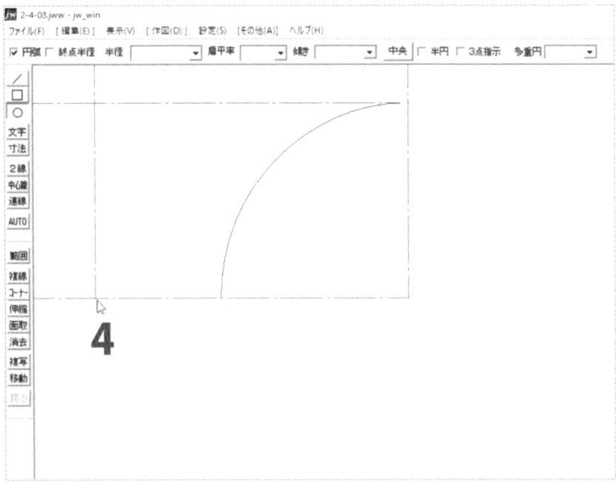

> **POINT**　始点指示は弧の始点位置を決めるとともに半径を確定する。終点指示は円中心から見た弧の作図角度を決める。半径を指定した弧を作図する場合は、コントロールバー「半径」ボックスに半径を入力し、**2**～**4**の操作を行う。弧作図時の始点→終点指示は、左回り、右回りのいずれでも行える。

できる 中心点－終点を半径にする

4の操作前に、コントロールバー「終点半径」にチェックを付けることで、中心点－終点の間隔が弧の半径になる。

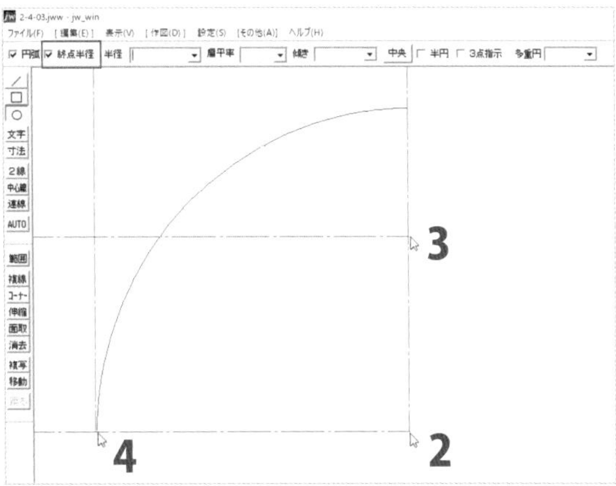

「○」(円弧) コマンドのコントロールバー

④と⑤は、楕円・楕円弧を作図する場合に指定する

① 「円弧」チェックボックス
弧を作図する。チェックなしの場合は円の作図になる。チェックの有無の切り替えは、スペースキーを押すことでも行える。

② 「終点半径」チェックボックス ※①「円弧」にチェックを付け、③「半径」ボックスが空白の場合に指定可能になる。
通常、始点位置で決まる円弧の半径を終点位置で決める(▶前ページ できる)。

③ 「半径」入力ボックス
作図する円・弧の半径を指定する。
楕円(④に「1」以外の数値を指定)の場合は、長軸径を指定する。

④ 「扁平率」入力ボックス
楕円の扁平率(短軸半径÷長軸半径×100)を指定することで、楕円・楕円弧の作図になる(図1)。
また、「扁平率」ボックスに−(マイナス値)で短軸径を入力することで、「扁平率」ボックスの表示が「短軸径」に変わり、長軸径(「半径」ボックスに入力)と短軸径を指定した楕円・楕円弧を作図できる(図2)。

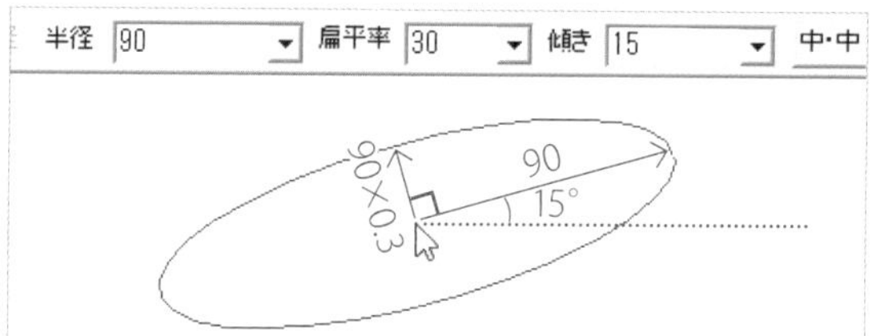

図1

⑤ 「傾き」入力ボックス
楕円・楕円弧の長軸の傾き(角度)を指定する。

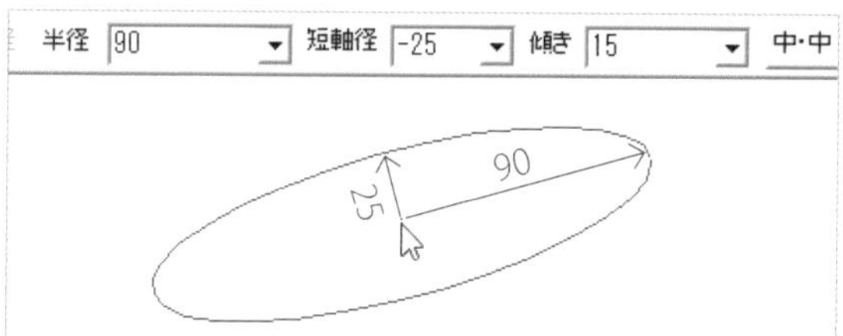

図2

⑥ 「基点」ボタン
円・弧の基点を指定する。
コントロールバー「半径」入力ボックスが空白の場合は、Ⓛで「外側」⇔「中央」に切り替わる(▶p.140)。
「半径」ボックスに数値が入力されている場合は、Ⓛで「中・中」⇒「左・上」⇒「左・中」⇒「左・下」⇒「中・下」⇒「右・下」⇒「右・中」⇒「右・上」⇒「中・上」の9カ所に切り替わる。Ⓡでは逆回りに切り替わる。
基点の切り替えは、Shiftキーを押したままスペースキーを押すことでもできる。

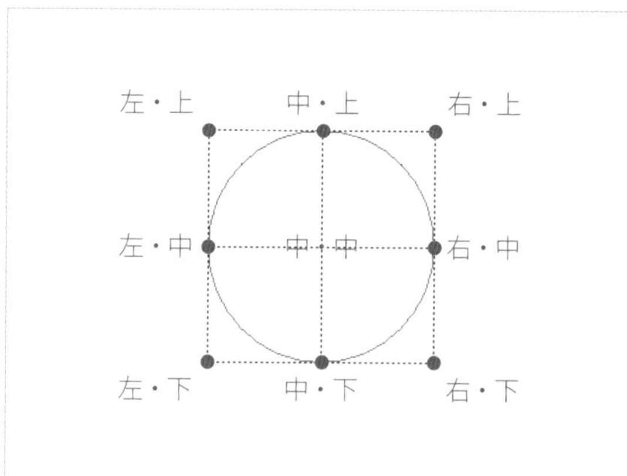

⑦「半円」チェックボックス

1始点、**2**終点、**3**作図方向を指示することで、始点－終点を直径とする半円（扁平率を指定した場合は半楕円）を作図する。

⑧「3点指示」チェックボックス

1点目⇒**2**点目⇒**3**点目の指示で、3点を通る円、または、**1**と**2**を両端点として**3**を通る弧を作図する。

半径を指定した場合は、指定半径で**1**と**2**を通る円、または、**1**と**2**を両端点とする指定半径の弧を作図する。

「円弧」のチェックなしの場合

3点を通る円を作図

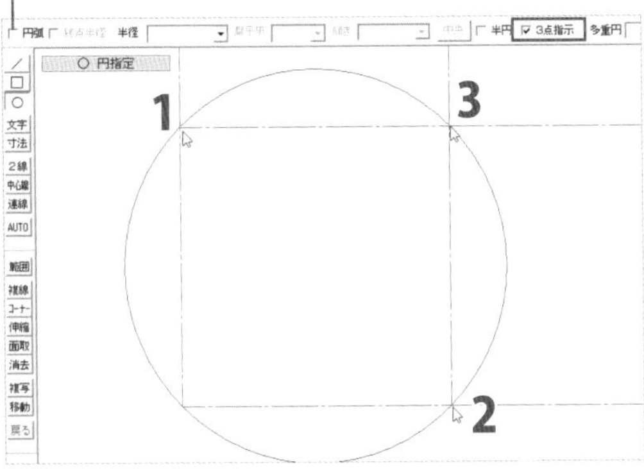

「円弧」のチェックありの場合

1と**2**を端点とし、**3**を通る円弧を作図

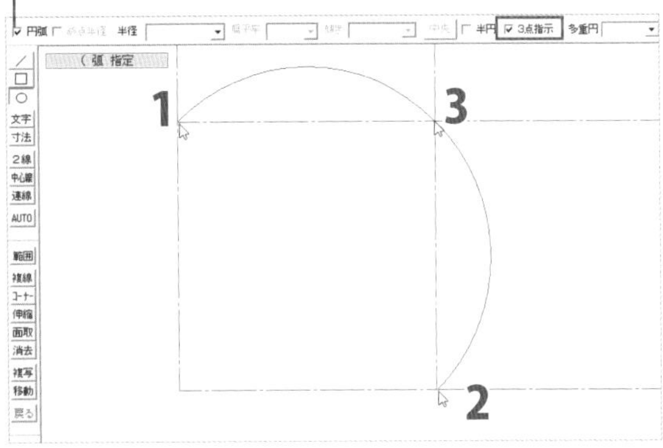

始点と終点を指示し、半径1000mmの円弧を作図する。

1　コントロールバー「円弧」「3点指示」にチェックを付け、「半径」ボックスに半径を入力する。

2　1点目（始点）を㊀（または㊀）。

3　2点目（終点）を㊀（または㊀）。

➡ 指定した半径で**2**－**3**を通る弧が複数個、仮表示される。

4　作図する弧にマウスポインタを近づけ、実線で表示された状態で㊀。

➡ **4**で選択した弧が作図される。

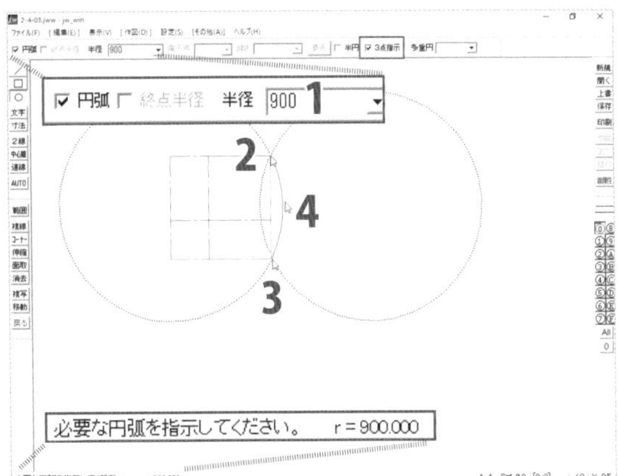

⑨「多重円」入力ボックス

半径寸法を指定数で等分割した多重円・弧を作図する。

何重の円にするかを入力

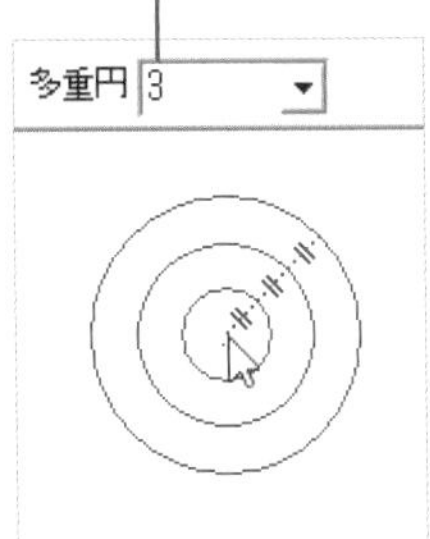

－（マイナス）値で内側に入る寸法を入力

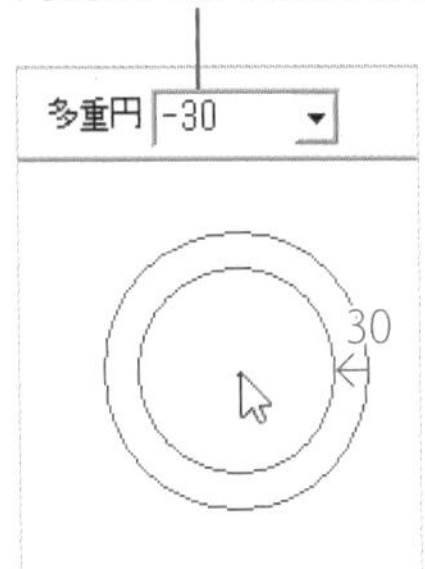

文字 文字 ⊖↑AM0時 文字

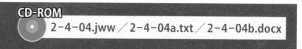

CD-ROM 2-4-04.jww／2-4-04a.txt／2-4-04b.docx

文字の記入、書き換え、移動、複写などを行う

「文字」コマンド選択直後の操作メッセージ　文字を入力するか、移動･変更(L)、複写(R)で文字を指示して下さい。

基本操作1　文字の記入

1　メニューバー［作図］－「文字」（「文字」コマンド）を⊖。

2　コントロールバー「書込文字種」ボタンで、記入する文字の大きさを確認（変更▶p.148）する。

3　「文字入力」ボックスに記入する文字を入力する。

➡ 入力した文字の外形を示す文字枠がマウスポインタに基点を合わせて表示される。

> **POINT**　文字枠に対するマウスポインタの位置を「基点」と呼び、コントロールバー「基点」ボタンで変更できる（▶p.149）。

4　文字の記入位置を⊖（または⊖）。

➡ **4**に基点（右図では左下）を合わせ、**3**で入力した文字が記入される。

> **POINT**　記入された1行の文字が編集の最小単位になる。これを「文字列」と呼ぶ。

参考　記入位置指示後に文字を入力する設定▶p.210 基本設定「一般（2）」タブの**11**

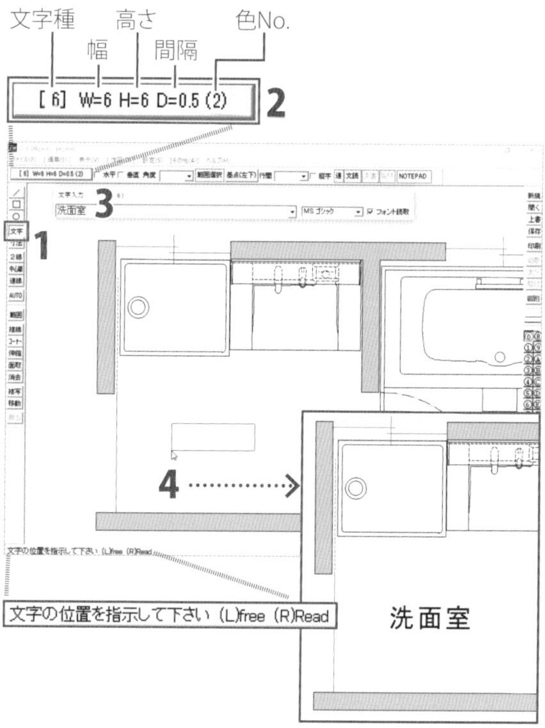

文字入力／文字変更・移動／文字変更・複写ダイアログの指定

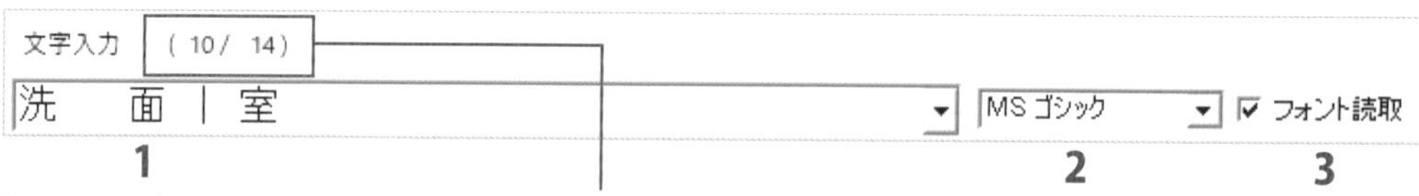

数値はマウスポインタまでの文字数／全体の文字数（半角文字換算）（全角文字換算にする設定▶p.207の**24**）

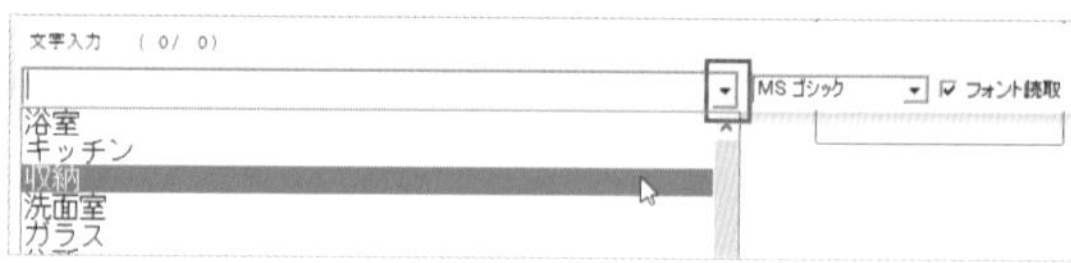

1「文字入力」ボックス

キーボードから文字を入力するほか、▼を⊖して表示される履歴リストから、文字を⊖して選択入力できる。

2「フォント」ボックス

▼を⊖して表示されるリストからフォントを選択することで、記入する文字のフォントを指定する。

リストに表示されるフォントは、パソコンにインストールされている日本語TrueType（トゥルータイプ）フォントのみ。

3「フォント読取」チェックボックス

既存文字を⊖（移動･変更）または⊖（複写）したとき、既存文字のフォントを「フォント」ボックスに読み取る。

チェックがない設定で既存文字を⊖または⊖した場合は、現在の「フォント」ボックスのフォントで、既存文字が移動・変更または複写される。

できる 複数行の文字の記入

コントロールバー「行間」ボックスに行間を指定することで、複数行の文字を連続して記入できる。

複数行の文字を行間8mmで記入する。

1 「文字」コマンドのコントロールバー「書込文字種」「基点」(右図では「右下」「ずれ使用」(▶p.149))などを指定し、「行間」ボックスに行間「8」(「8,0」)を入力する。

2 「文字入力」ボックスを⊖し、1行目の文字を入力する。

3 記入位置を⊖。

➡ 文字が記入される。その下の行(行間指定した8mm下)に文字枠が仮表示され、「文字入力」ボックスが入力待ちになる。

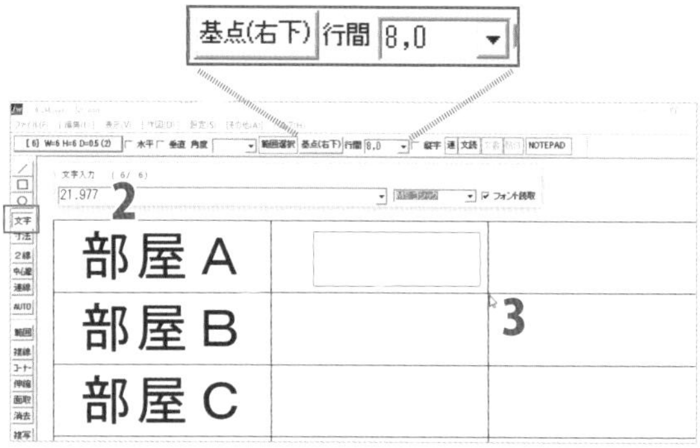

4 「文字入力」ボックスに2行目の文字を入力し、Enterキーで確定する。

➡ 2行目に文字が記入される。その下の行に文字枠が仮表示され、「文字入力」ボックスが入力待ちになる。

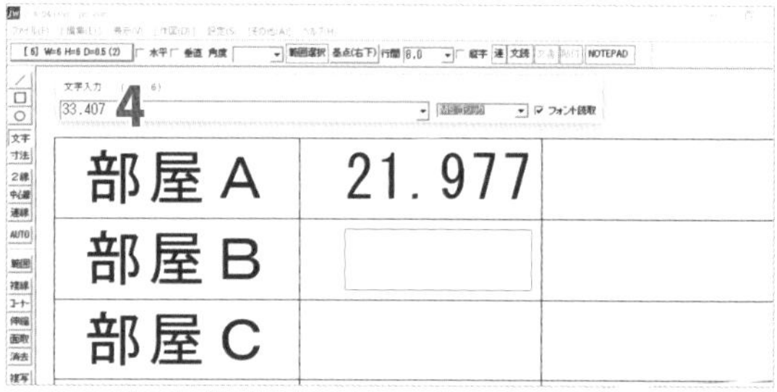

5 「文字入力」ボックスに3行目の文字を入力し、Enterキーで確定する。

➡ 3行目に文字が記入される。その下の行に文字枠が仮表示され、「文字入力」ボックスが入力待ちになる。

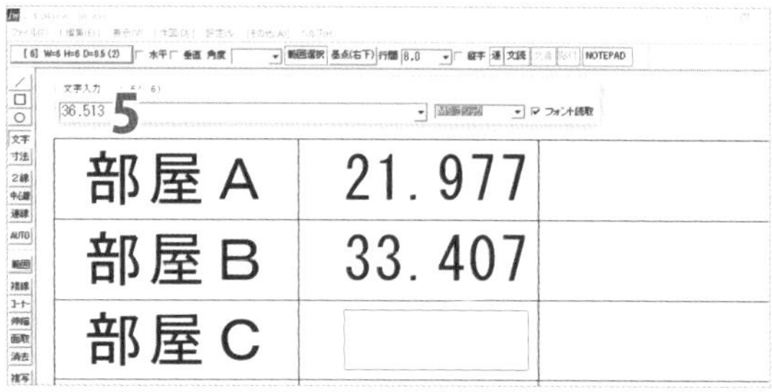

6 「文字」コマンドを⊖し、行連続入力を終了する。

POINT 「行間」ボックスの「8,0」は、行間8mm、列間(横)0mmを意味する。「行間」ボックスに「0,25」を指定した場合は、横方向に25mm(図寸)間隔で連続入力する。

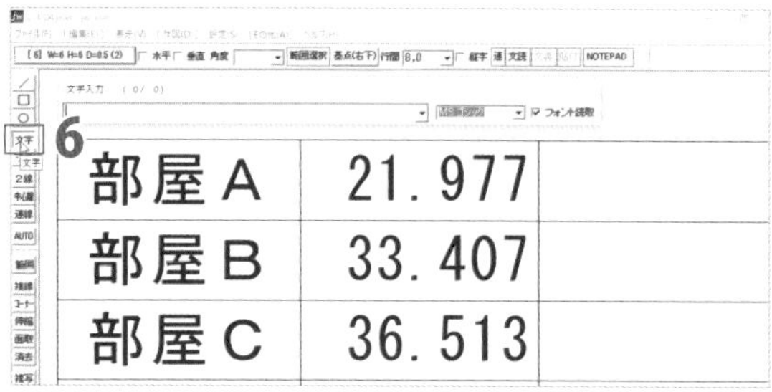

■ 基本操作2　文字の書き換え

枠内の「2階平面図　S=1:100」を「2階平面図」に変更する。

1　「文字」コマンドで、書き換え対象の文字「2階平面図　S=1:100」を⊖(移動・変更)。

> **POINT**　記入済みの文字を⊖すると、その文字の書き換えや移動ができる。

➡「文字入力」ボックスが「文字変更・移動」ボックスに変わり、入力ボックスには⊖した文字が色反転して表示される。

2　「文字変更・移動」ボックスの文字末尾を⊖し、Backspaceキーで不要な文字を削除する。

> **POINT**　現在の文字基点位置を基準に文字の記入内容が変更される。変更前後で文字数が変わる場合は、文字の位置がずれないよう、この段階で文字基点を確認または変更する。

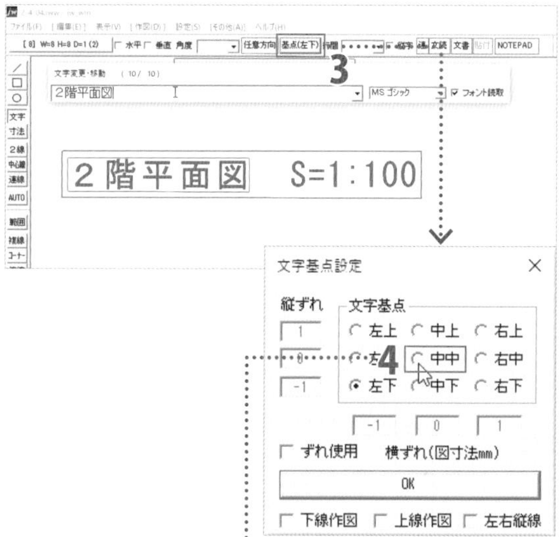

3　コントロールバー「基点(左下)」ボタンを⊖。

4　「文字基点設定」ダイアログで、「中中」を⊖。

➡ダイアログが閉じて、文字の基点が(中中)に変更される。

> **POINT**　この段階でEnterキーを押すことで文字の変更が確定する。また、図面上の別の位置をクリックすることで、記入内容の変更と移動が同時に行われる。

5　Enterキーを押す。

➡文字「2階平面図　S=1:100」が、現在の文字基点(中中)を基準に、「2階平面図」に変更される。

基本操作3　文字の移動・複写

文字「洗面室」と文字「浴室」の水平位置が揃うように、文字「洗面室」を移動する。

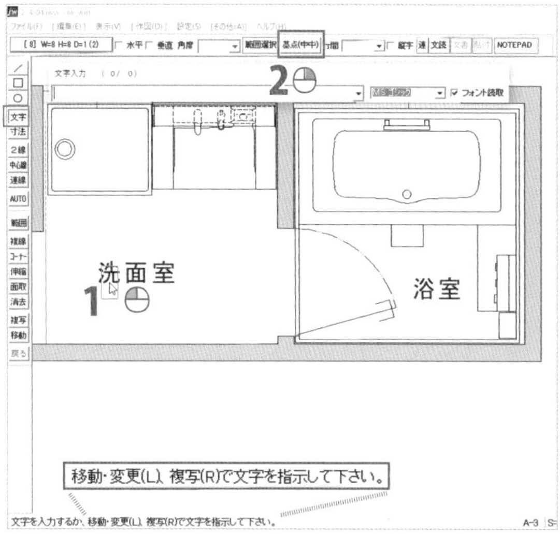

1　「文字」コマンドで、移動対象の文字「洗面室」を⊖（移動・変更）。

> **POINT**　文字要素を複写する場合は⊖する。以下同じ操作で文字を複写できる。

➡「文字入力」ボックスが「文字変更・移動」ボックスに変わり、入力ボックス内に文字「洗面室」が色反転して表示される。

2　コントロールバー「基点」ボタンを⊖し、「基点（左下）」にする。

> **POINT**　「基点」ボタンを⊖で「基点（左下）」と直前の基点を切り替える。

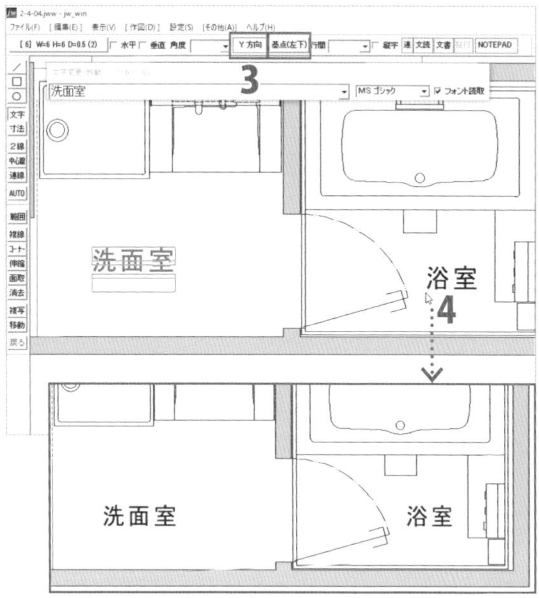

3　コントロールバーの「任意方向」ボタンを2回⊖し、移動方向を「Y方向」にする。

> **POINT**　コントロールバー「任意方向」ボタンを⊖すると、文字の移動（または複写）方向を、「X方向」（横方向固定）⇒「Y方向」（縦方向固定）⇒「XY方向」（横または縦の移動距離の多いほうに固定）に切り替える。

4　移動位置として、右隣の文字「浴室」の左下を⊖。

> **POINT**　文字列の左下と右下は、⊖で読み取ることができる。

➡ 文字「洗面所」の基点（左下）が、文字「浴室」の左下角に揃うように移動される。

できる 文字移動方向の固定をキーボードで行う

3の操作で指示した移動（または複写）方向の固定は、キーボードを併用することでも行える。

3の操作の代わりにCtrlキーを押したままにすることで一時的にコントロールバーの「任意方向」ボタンが「Y方向」に変わり、そのまま移動先を指示することでY方向固定の移動になる。

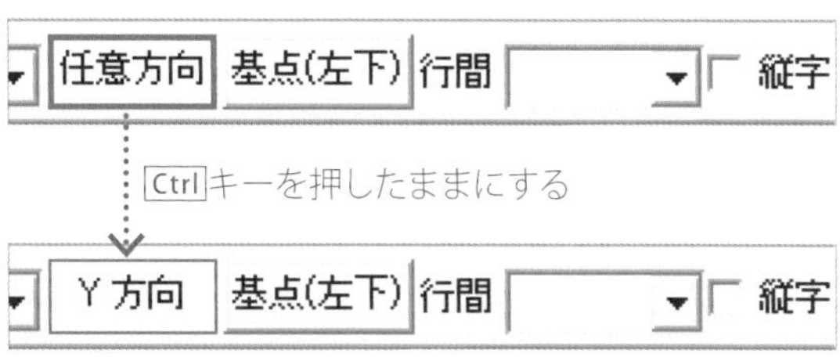

初期値では、右記の3つのキーに移動（複写）方向が割当てされている。この割り当ては、「基本設定」（▶p.216の**5**）で変更できる。

- Shiftキーを押したままにすると「X方向」
- Ctrlキーを押したままにすると「Y方向」
- Altキーを押したままにすると「XY方向」

「文字」コマンドのコントロールバー

① 「書込文字種」ボタン

文字は、「書込文字種」ボタンに表示されている文字種、サイズ、文字色で記入される。ボタンを⊖すると、「書込み文字種変更」ダイアログが開き、書込文字種やフォントを変更できる。ボタンを⊖すると、文字種3（環境設定ファイル「MSET」で変更可）と直前に指定した文字種とを切り替える。

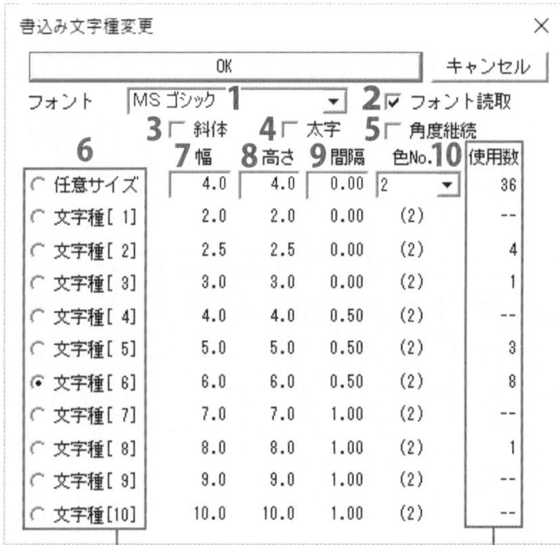

図面に記入されている文字種ごとの文字列数

サイズ（幅・高さ・間隔）、色No.固定の文字種［1］～［10］と自由にサイズ・色No.を指定できる任意サイズがある

1　フォント

文字のフォントを指定する。

「フォント」ボックスの▼ボタンを⊖し、表示されるリスト（パソコンにインストールされている日本語TrueTypeフォント）から選択する。

2　フォント読取

既存の文字を⊖（移動・変更）または⊖（複写）したときに、その文字のフォントを読み取り、書込文字種のフォントに指定する。

3　斜体

文字を斜体に指定する。

4　太字

文字を太字に指定する。

5　角度継続

コントロールバー④「角度」入力ボックスで指定した角度を、他コマンドを選択した後も保持する設定。

6　文字種類

書込文字種類を選択する。

文字種［1］～［10］を⊖することで書込文字種に確定し、ダイアログが閉じる。「任意サイズ」は、⊖してからサイズなど（**7～10**）を指定し、「OK」ボタンを⊖。

7　幅／8　高さ／9　間隔

全角1文字分の幅（**7**）と高さ（**8**）と文字間（**9**）を図寸（mm）で指定する。

10 色No.

文字色（表示色およびカラー印刷時の印刷色の区別）を、標準線色・SXF対応拡張線色から選択する。

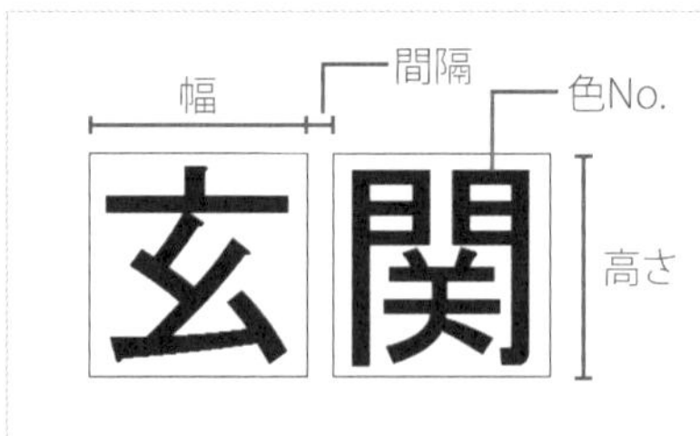

② 「水平」チェックボックス／③「垂直」チェックボックス

チェックを付けることで、「角度」ボックスの数値を無視して水平方向または垂直方向に文字を記入する。

「角度」ボックスが空白で「水平」「垂直」にチェックがない場合、文字は水平方向に記入される。

クロックメニュー⊖→PM3時■任意方向で②と③両方のチェックが外れる。

④ 「角度」入力ボックス

記入する文字の角度を指定する。

既存線に平行に文字を記入するには、「線角度取得」（▶p.232）で既存線の角度を取得する。

⑤「範囲選択」ボタン
選択範囲枠で囲むことで、文字要素のみを選択する。

⑥「基点」ボタン
現在の文字基点を(　)内に表示する。
ボタンを🖱すると、「文字基点設定」ダイアログが開き、基点の指定などが行える。ボタンを🖱すると「(左下)」(環境設定ファイル「MSET」で変更可能)と直前に指定した基点を切り替える。

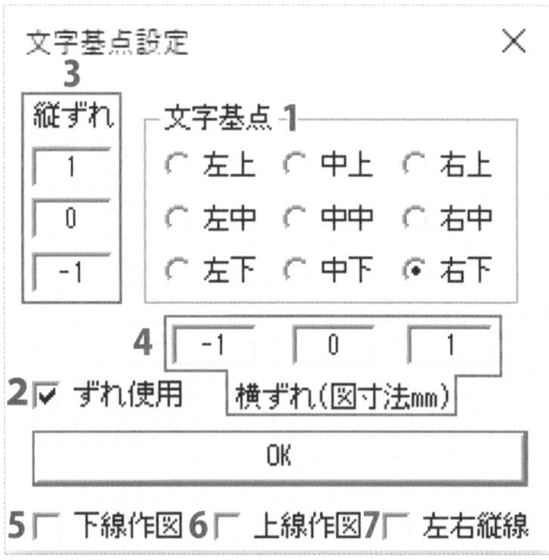

1　文字基点
9カ所から選択する。
🖱で確定し、ダイアログが閉じる。

> **POINT**　記入(または編集)時の基点は文字列ごとに記憶されている。記憶されている基点を利用するには、Shiftキーと Ctrlキーを押したままコントロールバー「基点」ボタンを🖱する。画面左上に設定OKと表示され、「文字基点設定」ダイアログが開くので、「OK」ボタンを🖱してダイアログを閉じる。以降、図面上の文字を🖱(変更・移動)または🖱(複写)すると、「基点」ボタンがその文字列に記憶されている基点に変わる。再度、Shiftキーと Ctrlキーを押したまま「基点」ボタンを🖱すると、画面左上に設定×と表示され、文字列ごとの基点を利用する設定が解除される。

2　ずれ使用／3　縦ずれ／4　横ずれ
2のチェックを付けることで、**3**、**4**の指定が有効になる。基点から「縦ずれ」「横ずれ」の指定寸法離れた位置がマウスポインタの位置になる。

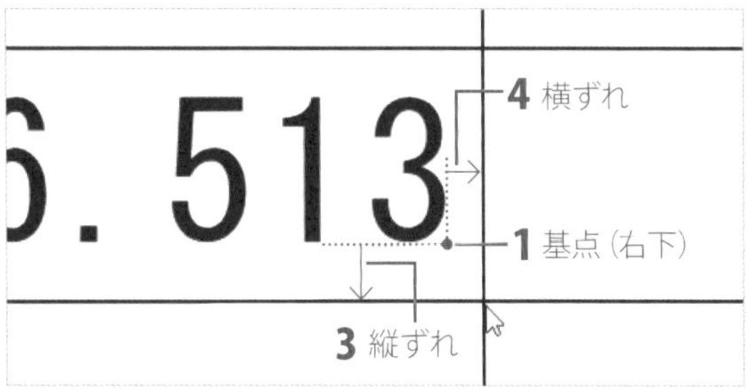

5　下線作図／6　上線作図／7　左右縦線
チェックを付けることで、書込線の下線(**5**)、上線(**6**)、左右の縦線(**7**)付きで文字を記入する。
2のチェックを付けた場合、**3**、**4**の「ずれ」寸法だけ離れた位置に線が作図される。

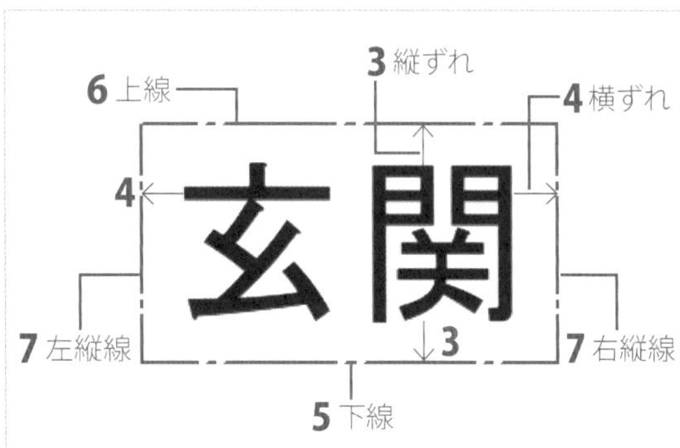

⑦「行間」入力ボックス

行間（および列間）を図寸（mm）で指定する。

行間を入力して文字を記入すると、複数行の文字の連続入力（▶p.145）になる。また、⑩や⑫で複数行の文字を読み込むときに「行間，1行の文字数（全角換算）」を指定する。

⑧「縦字」チェックボックス

縦書き用の文字を記入する。

③「垂直」と⑧「縦字」にチェックを付けることで、縦書き文字の記入になる。

POINT 縦書きで記入する場合、半角文字は使用しないこと。「ルーム」などの「ー」（全角の長音）は、「-」（ハイフン）ではなく、ほ キーの「ー」（全角の長音）を入力すること。

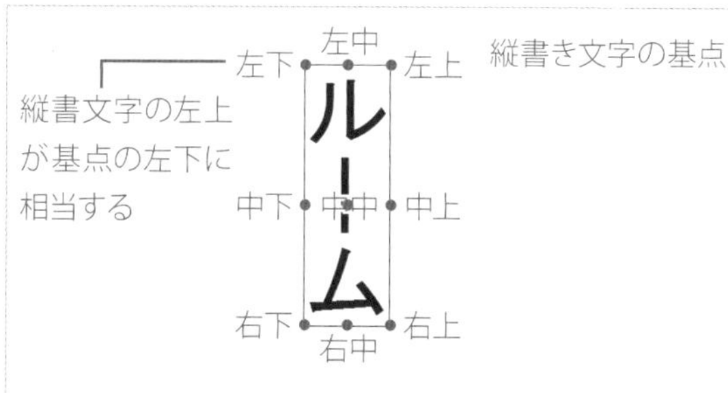

⑨「連」ボタン

文字列の連結、切断を行う。

1 「文字」コマンドのコントロールバー「連」ボタンを⊖。

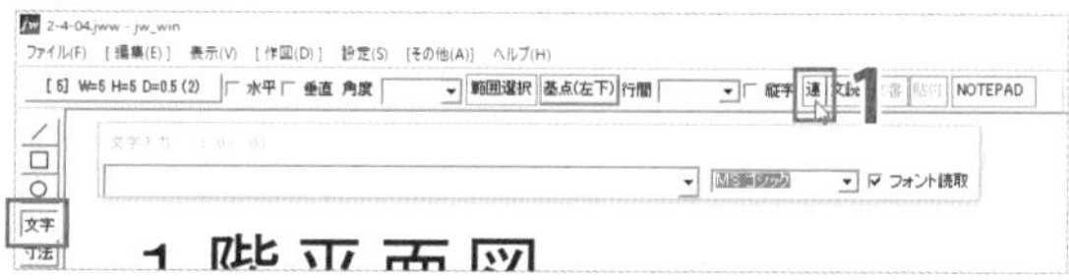

2 連結元の文字列を、連結する側（後に次の文字列を連結する場合は文字列の後）で⊖。

POINT 文字列を切断する場合は切断位置で⊖。文字列を移動する場合は⊖⊖。

➡ コントロールバーに「後付け」ボタンが表示され、後に連結する文字の指示を促す操作メッセージになる。

POINT コントロールバー「後付け」ボタンを⊖すると「前付け」になり、次に指示する文字列を**2**の文字列の前に連結する。

3 連結対象の文字列を⊖（移動）。

➡ **2**で⊖した文字列の後に、**3**の文字列が連結される。

POINT **3**で文字列を⊖（複写）すると、**3**の文字列を残したまま、**3**の文字列の複写を**2**の後に連結する。

⑩「文読」ボタン
指定したテキストファイルを書込文字種で図面に読み込む。

1　「文字」コマンドのコントロールバー「文読」ボタンを⊖。

2　「開く」ダイアログで、読み込むテキストファイルを⊖で選択し、「開く」ボタンを⊖。

3　書込文字種と基準点を指定し、コントロールバー「行間」ボックスに「行間（図寸mm），1行の文字数（全角文字換算）」を指定する。

> **POINT**　行間を指定しない場合、書込文字種の大きさに応じて自動調整される。1行の文字数を指定しない場合、テキストファイルでの改行マークまでを1行（1文字列）として読み込む。

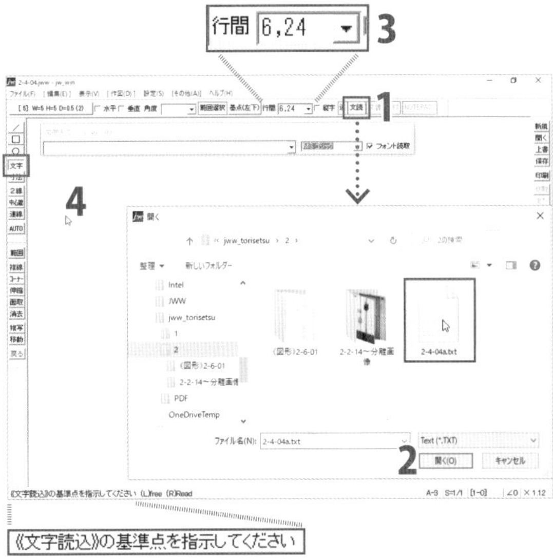

4　読み込みの基準点（1行目の文字の基点）を⊖（または⊖）。

➡ **4**の位置を1行目の基点として、**3**で指定した書込文字種、行間、1行の文字数でテキストファイルが読み込まれる。

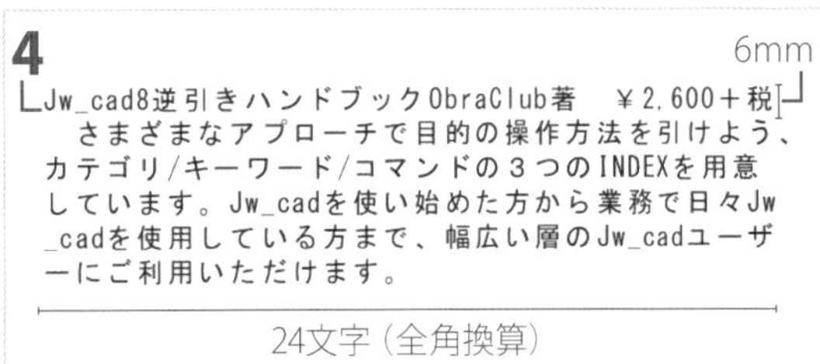

⑪「文書」ボタン　※文字列が選択されている場合に指定できる。
選択されている文字列をテキストファイルに保存する。

1　「文字」コマンドのコントロールバー「範囲選択」ボタンを⊖し、選択範囲枠でテキストファイルとして保存する文字列を選択してコントロールバー「選択確定」ボタンを⊖。

2　コントロールバー「文書」ボタンを⊖。

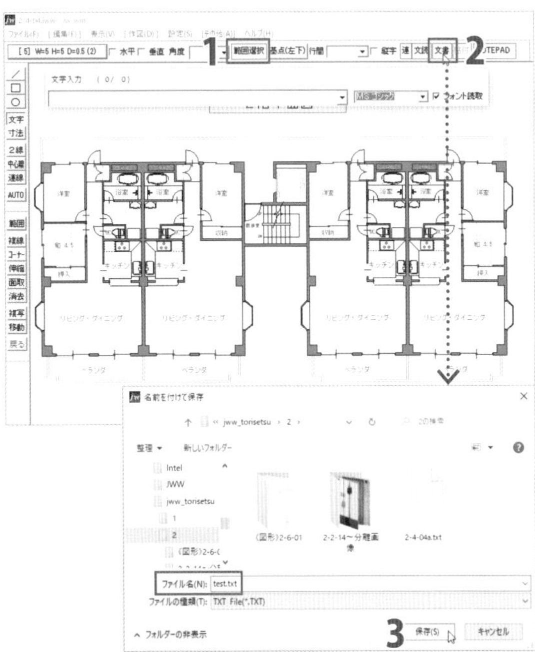

3　「名前を付けて保存」ダイアログで、保存場所を指定し、ファイル名を入力して、「保存」ボタンを⊖。

➡ **1**で選択した文字が**3**で指定したファイル名でテキストファイルとして保存され、画面左上には文書込完了と表示される。

⑫ 「貼付」ボタン　※クリップボードに文字データが存在する場合に指定できる。

クリップボードの文字を書込文字種で指定位置に貼り付ける。

Microsoft Word(以下、Word) など、他のアプリケーションでコピーした文字をJw_cad図面に貼り付ける場合などに使用する。

Word文書の文字をJw_cadの図面に貼り付ける。

1　Wordでコピー対象の文を選択し、「コピー」コマンドを⊖。

➡ 選択した文字がクリップボードにコピーされる。

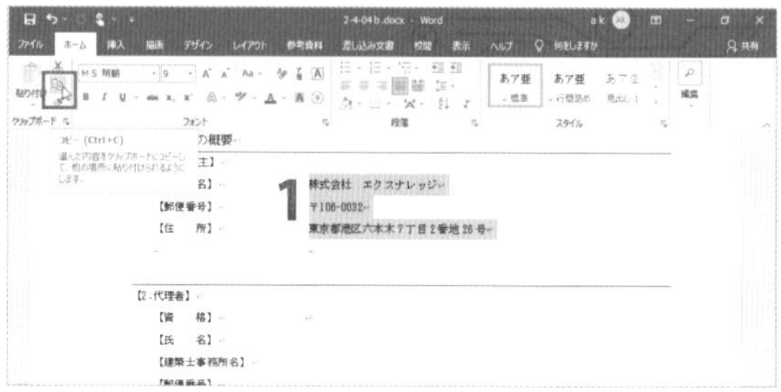

2　Jw_cadで貼り付け先の図面を開き、「文字」コマンドを選択し、コントロールバー「書込文字種」を指定する。

3　コントロールバー「貼付」ボタンを⊖。

4　コントロールバー「行間」を指定する。

5　文字を貼り付ける位置を⊖（または⊖）。

➡ **1**でコピーした文字が、**2**で指定した文字種、行間で貼り付けられる。

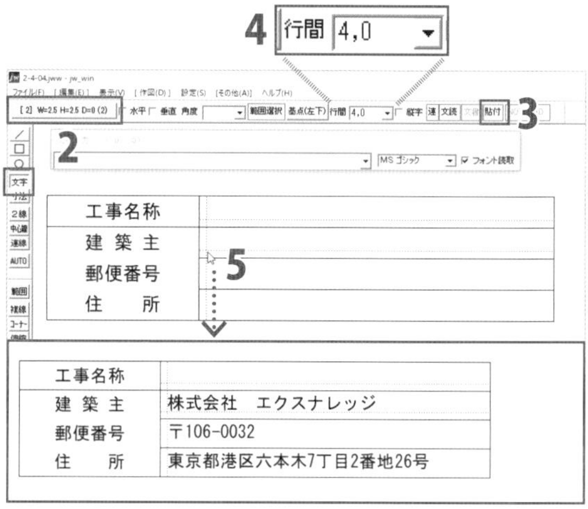

POINT　Word文書の改行マークまでがJw_cad図面の1文字列（1行）として貼り付けられる。Word文書で指定している文字サイズ、フォント、文字飾りなどの情報は無視され、Jw_cadで指定の文字種とフォントで貼り付けられる。貼り付けできるのは文（テキスト）だけで、Word文書の図、表、ワードアートの文字などは貼り付けできない。

⑬ 「NOTEPAD」ボタン

基本設定の「一般（1）」タブの「外部エディタ」（▶p.207の**1**）で指定しているテキストエディタ名が表示される。初期値は「NOTEPAD」である。選択した文字を外部テキストエディタで開き、編集後、Jw_cadの図面に戻すことができる。テキストエディタの機能を使って、Jw_cadの機能にはない単語の置き換えなどが行える。

文字「キッチン」を「台所」に一括変更する。

1　「文字」コマンドを選択し、適宜「基点」を変更する（文字内容の変更は現在の基点設定で行われるため）。

2　コントロールバー「NOTEPAD」（または「外部エディタ」）ボタンを⊖。

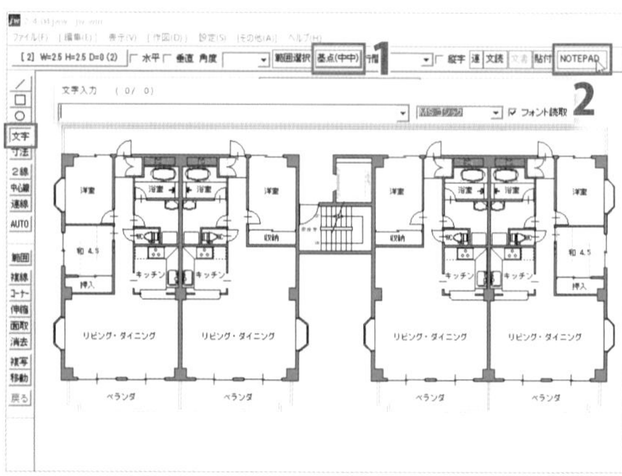

3 範囲選択の始点を⊖。

4 表示される選択範囲枠で変更対象の文字を囲み、終点を⊖。

> **POINT** **1**で基点を指定しなくても、以下のキーを押したまま終点を⊖することで、基点を指定できる。
> - Ctrlキー：基点（中中）
> - Shiftキー：基点（左下）
> - Shift＋Ctrlキー：選択した文字列の基点

➡ 選択範囲枠内の文字要素が選択色になる。

5 コントロールバー「選択確定」ボタンを⊖。

➡ NOTEPAD（メモ帳）が開き、選択した文字が表示される。

6 NOTEPAD（メモ帳）のメニューバー［編集］－「置換」を⊖。

➡「置換」ダイアログが開く。

7 「検索する文字列」ボックスに置き換え前の文字「キッチン」を入力する。

> **POINT** 半角／全角キーを押すことで、日本語入力が有効になる。

8 「置換後の文字列」ボックスを⊖し、置き換え後の文字「台所」を入力する。

9 「すべて置換」ボタンを⊖。

➡ NOTEPAD上の「キッチン」がすべて「台所」になる。

10 「置換」ダイアログ右上の ✕ ボタンを⊖し、「置換」ダイアログを閉じる。

11 メニューバー［ファイル］－「上書き保存」を⊖。

12 メニューバー［ファイル］－「メモ帳の終了」を⊖し、NOTEPADを閉じる。

➡ NOTEPADが閉じ、「キッチン」の文字が**1**で指定した基点（中中）を基準として、すべて「台所」に変更される。

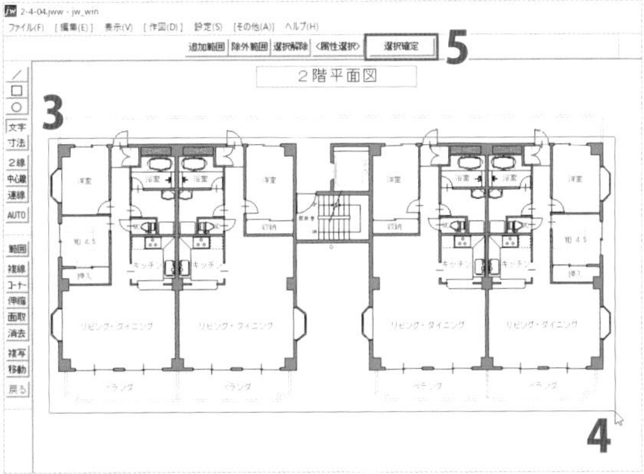

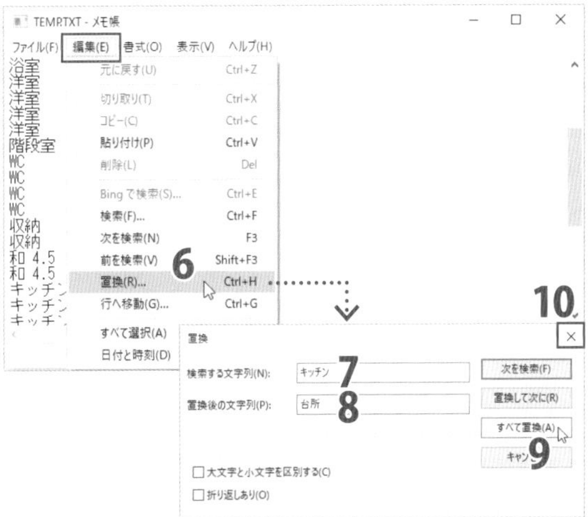

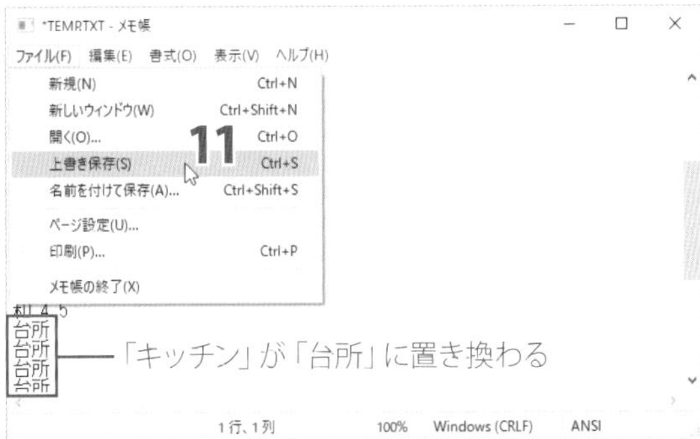

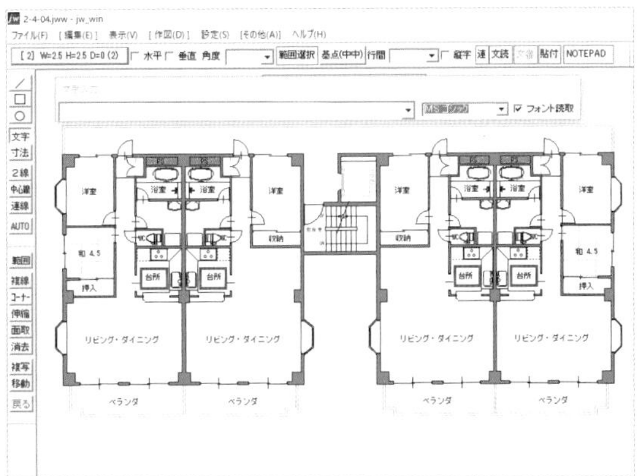

2 メニューバーのコマンド

できる 単語の検索

指定した単語を含む文字列が図面上のどこに記入されているかを検索できる。

1　Ctrlキーと Shiftキーを押したまま「文字」コマンドを🖱。

➡「文字入力」ダイアログに「検索」ボタンが表示される。

2　文字を判別できるように画面を拡大表示してから、「文字入力」ボックスに検索する単語（右図では「浴室」）を入力する。

3　「文字入力」ボックス右端の「検索」ボタンを🖱。

> **POINT**　「文字入力」ボックスに入力した単語を含む文字列を検索する。半角と全角、アルファベットの大文字と小文字は区別される。

➡ 入力した単語を含む文字列が作図ウィンドウの中央になるよう、画面表示範囲が変更される。

4　さらに「検索」ボタンを🖱すると、入力した単語を含む他の文字列が順次、画面に表示される。

ひととおりの検索および画面表示が終了すると、画面左上に 検索終了 と表示される。検索終了後、さらに「検索」ボタンを🖱すると、再度、入力した単語を含む最初の文字列が画面に表示される。

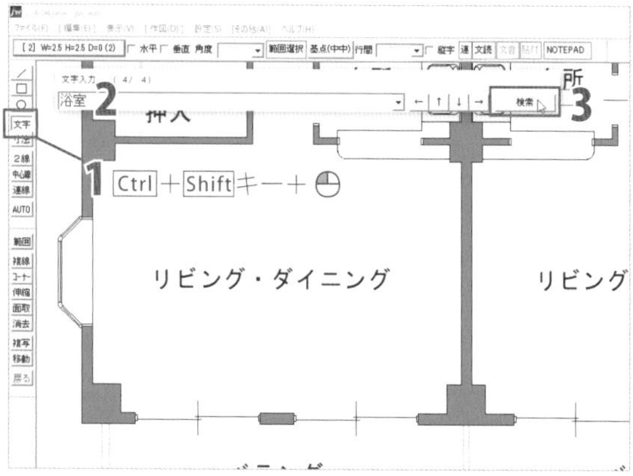

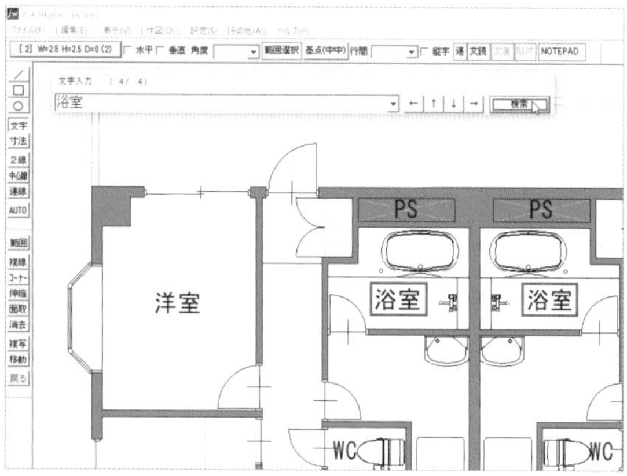

できる Jw_cad特有の文字入力

均等割付

3文字分のスペースに2文字の単語を均等割付するには、2文字の単語の末尾に足りない1文字分の「・」（めキーの中点を全角文字で）を入力する。
均等割付ではなく、文字の末尾に本来の「・」を記入する場合は、「・」の後にスペースを入力する。

均等縮小

3文字分のスペースに4文字の単語を収めるには、4文字の単語の末尾に「^」（半角のアクセント）に続けて余分な文字数（半角換算）を入力する。指定できる文字の最大は「9」（半角9文字）である。

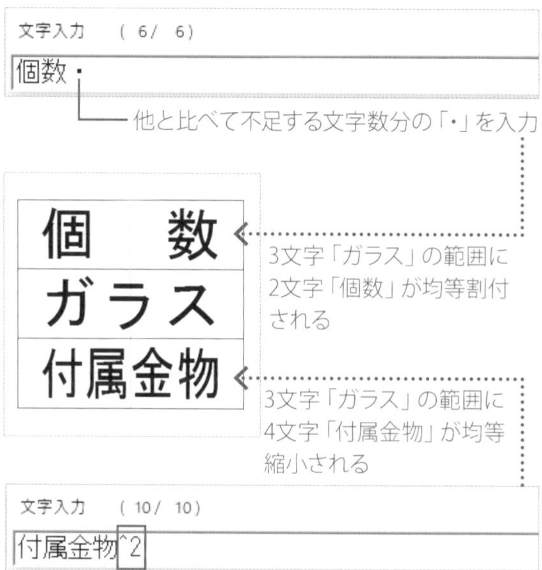

「^」に続けて、他と比べて余分な文字数（半角換算なので「2」）を入力

特殊文字

以下の赤文字は、すべて半角小文字で入力する。

^u　上付き文字

「^u」に続けて入力した1文字を上付きにする。

^d　下付き文字

「^d」に続けて入力した1文字を下付きにする。

^o　中央重ね文字

○や□に続けて「^o」（英文字のo）と1文字を入力すると、○や□中央に「^o」後の文字を重ねて1文字で表示する。

^w　半角2文字の中央重ね文字

○や□に続けて「^w」と半角2文字を入力すると、○や□中央に「^w」後の2文字を重ねて1文字で表示する。

^b／^B／^n　重ね文字

「^b」「^B」「^n」に続けて入力した1文字を前の文字に重ねて表示する（bとBとnでは重なる割合が異なる）。

^c　中付き文字

「^c」に続けて入力した1文字を中付きにする。

計算結果を記入

「文字入力」ボックスに計算式を入力し、Ctrlキーを押したまま記入位置を㊀（または㊀）することで、入力した計算式の計算結果を記入できる（基本設定▶p.216の**5**の設定が必要）。

計算式を全角文字で記入すると計算結果も全角文字、計算式を半角文字で記入すると計算結果も半角文字で記入される（混在している場合は多いほうになる）。

「数値入力」ボックスに計算式を入力する場合と異なり、括弧（　）×÷もそのままの演算記号で入力できる。

四則演算	＋　－　×（または*）　÷（または/）
アークタンジェント	//数値
cos	c角度（度）
sin	s角度（度）
π（3.141593）	π
√	√
べき乗	^（上付文字^uも有効） 3^2＝9　3^u2＝9

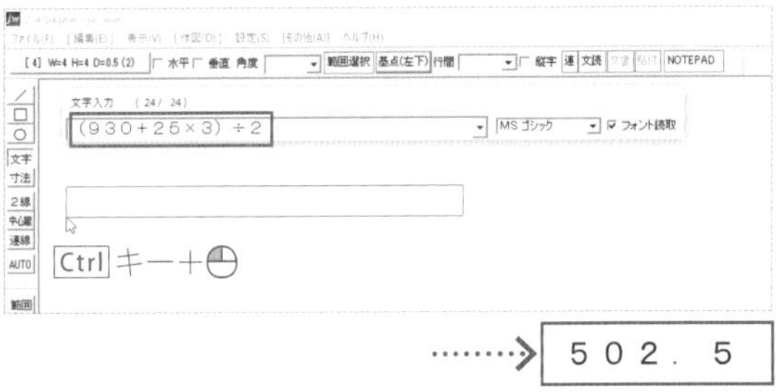

計算式に続けて「＝」を入力し、Ctrlキーを押したまま記入位置をクリックすることで、入力した計算式とその計算結果が記入される。「＝」が全角の場合は計算結果も全角で、半角の場合は計算結果も半角で記入される

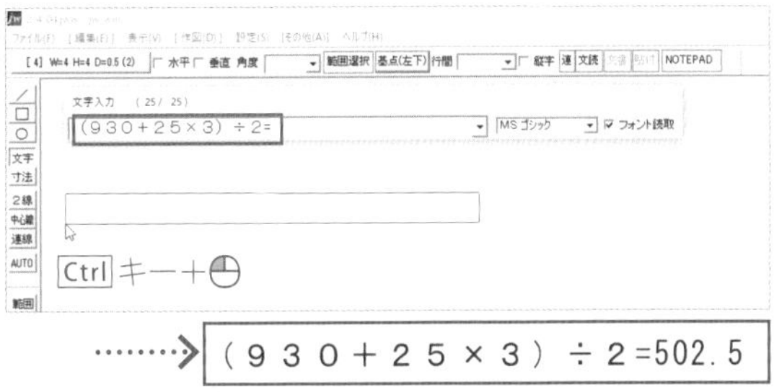

埋め込み文字（▶p.71）

印刷時にファイル名や印刷日時に変換される。

制御文字（▶JWWトリセツ付録.pdf p.27）。

制御文字を利用すると、1文字列内の一部の文字を異なるフォント、色、斜体・太字で記入できる。

寸法 寸法

CD-ROM 2-4-05.jww

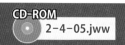

寸法の記入と寸法値の移動・変更を行う

基本操作1　寸法記入

1　メニューバー [作図] –「寸法」(「寸法」コマンド) を選択し、コントロールバー「傾き」ボックスが「0」、引出線タイプが「=」であることを確認する。

> **POINT**　「傾き」ボックスが「0」の場合は水平寸法を、「90」の場合は垂直寸法を記入する。引出線タイプにより、以下の**2**～**3**の操作が異なる。引出線タイプは、ボタンを⊖すると「=」⇒「=(1)」⇒「=(2)」⇒「–」に切り替わる。

2　引出線 (寸法補助線) の始点位置を⊖ (または⊖)。

➡ 引出線開始位置を示すガイドラインが赤の点線で表示され、操作メッセージは「寸法線の位置を指示して下さい」になる。

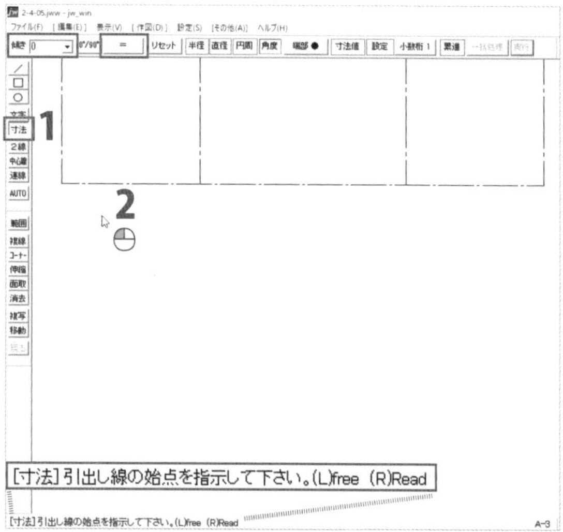

3　寸法線の記入位置として、**2**よりも下側で⊖。

➡ 寸法線記入位置を示すガイドラインが太めの赤の点線で表示され、操作メッセージは「寸法の始点を指示して下さい」になる。

4　寸法の始点を⊖。

5　寸法の終点を⊖。

> **POINT**　図面上の2点を指示し、その間隔を寸法として記入する。寸法の始点、終点として点のない位置は指示できない。寸法の始点・終点指示は、⊖、⊖のいずれでも既存点を読み取る。

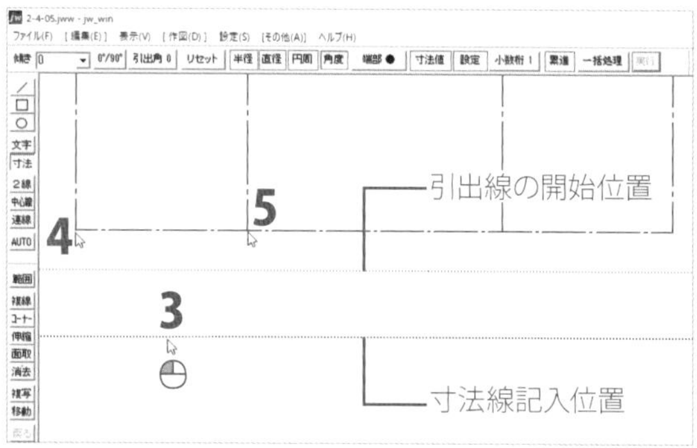

➡ **4**－**5**の寸法が記入される。操作メッセージは「寸法の始点はマウス (L)、連続入力の終点はマウス (R) で指示して下さい」になる。

> **POINT**　寸法の始点と終点の指示後、3点目以降の指示は⊖と⊖では違う働きをする。次の点を⊖すると、直前に記入した寸法の終点から⊖した点までの寸法を記入する。⊖すると、⊖した点を始点として次に⊖する終点までの寸法を記入する。

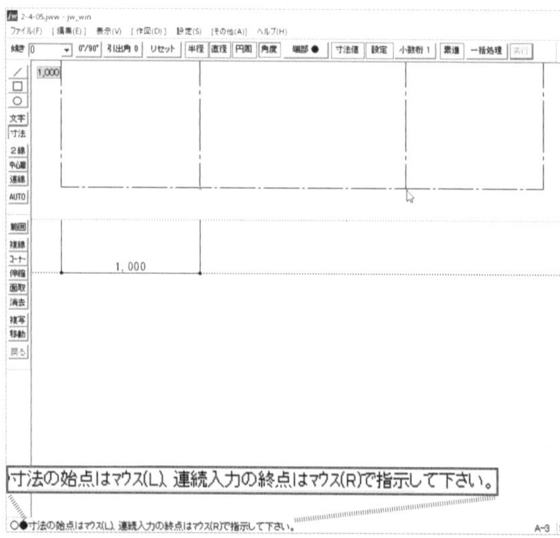

2 メニューバーのコマンド

前ページ5に続けて次の点を⊖（連続入力の場合）

6　連続入力の終点として、次の点を⊖（連続入力）。

➡ 右図のように**5**－**6**の寸法が記入される。

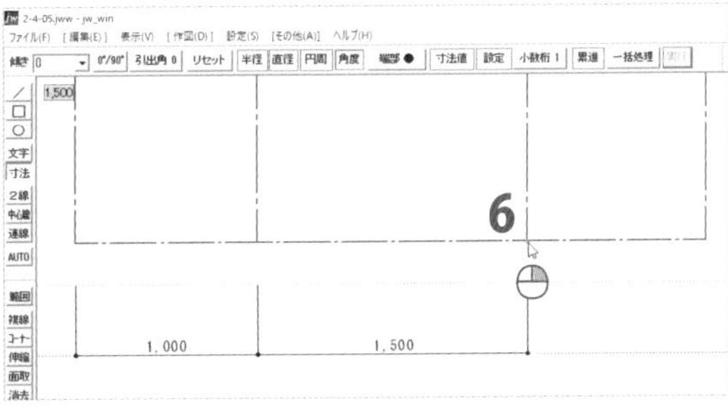

前ページ5に続けて次の点を⊖（始点指示の場合）

6　寸法の始点として、次の点を⊖（始点指示）。

7　寸法の終点として、その次の点を⊖。

➡ 右図のように、**6**－**7**の寸法が記入される（**5**－**6**間の寸法は記入されない）。

次に現在のガイドラインとは別の位置に寸法を記入するには、コントロールバー「リセット」ボタンを⊖。

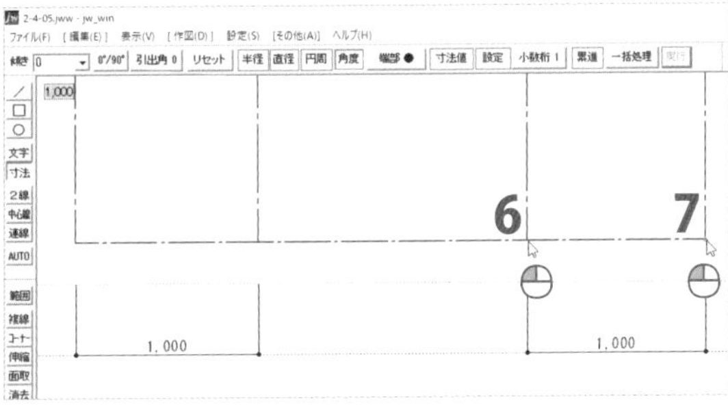

POINT　引出線タイプの違い　「＝」「＝（1）」「＝（2）」「－」

「＝」「＝(1)」「＝(2)」

引出線の開始位置は、始点・終点の指示位置にかかわらず、常に同じである。

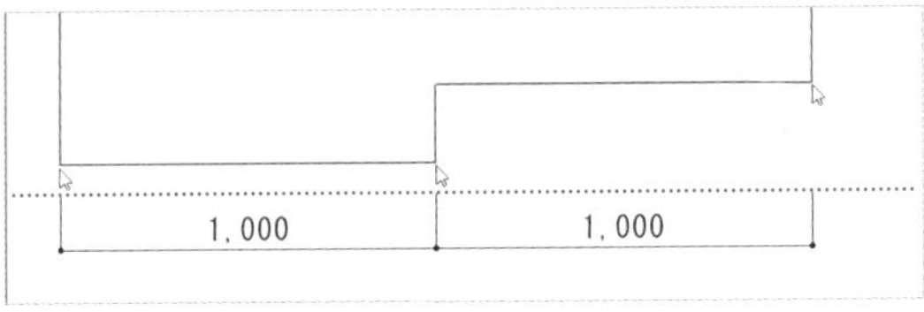

引出線タイプ「＝（1）」または「＝（2）」では、前ページ、**2**～**3**の代わりに寸法線記入位置の基準点を⊖。

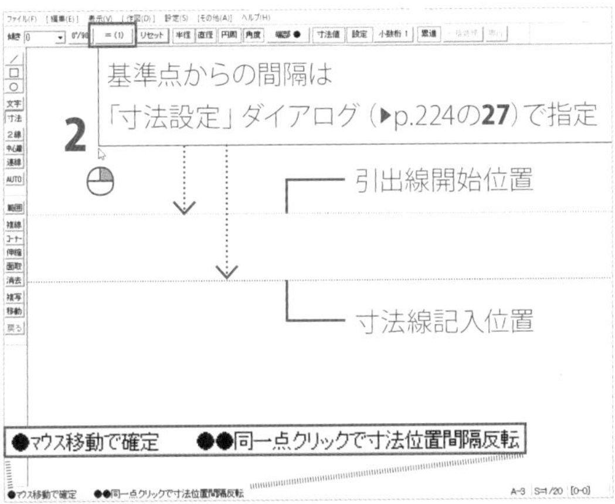

➡ 引出線開始位置と寸法線記入位置を示すガイドラインが下側（傾きが90°の場合は右側）に表示される。ガイドラインを上側（左側）に表示するには基準点を⊖⊖。

「－」

引出線の開始位置は、始点・終点指示位置から「寸法設定」ダイアログ（▶p.224の**28**）で指定した間隔になる。

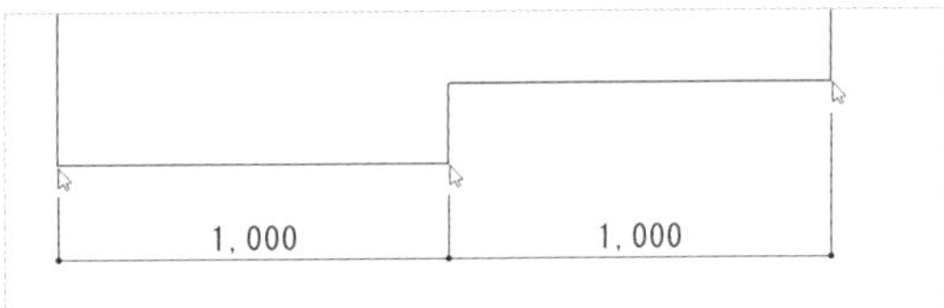

引出線タイプ「－」では、前ページ、**2**～**3**の代わりに、寸法線記入位置を⊖（または⊖）。

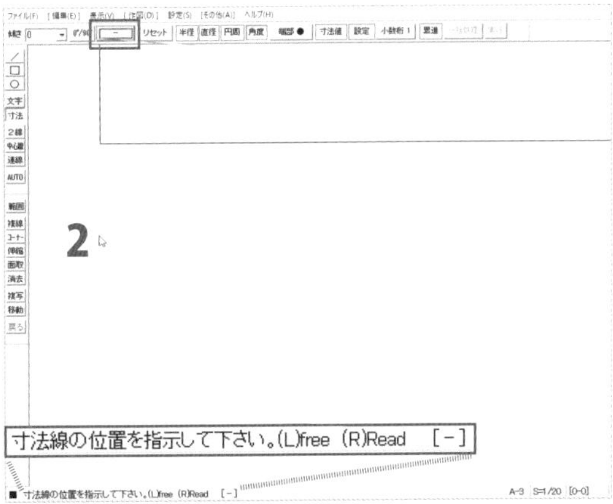

➡ **2**の位置に寸法線記入位置を示すガイドラインが表示される。

できる 寸法の一括記入

始点指示（▶p.156「基本操作1　寸法記入」の**4**）前に、コントロールバーの「一括処理」ボタンを⊖し、寸法記入の始めの線と終わりの線を指示することで、その間の寸法を一括で記入できる。

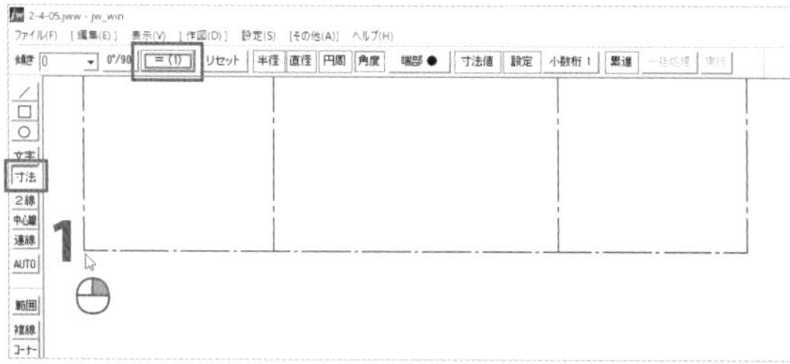

1 **「寸法」コマンドのコントロールバー引出線タイプを「= (1)」にし、基準点を⊖。**

> **POINT**　引出線タイプ「= (1)」は基準点を指示することで、「寸法設定」ダイアログ（▶p.224の**27**）で指定の位置に引出線開始位置のガイドラインと寸法線記入位置のガイドラインを表示する。

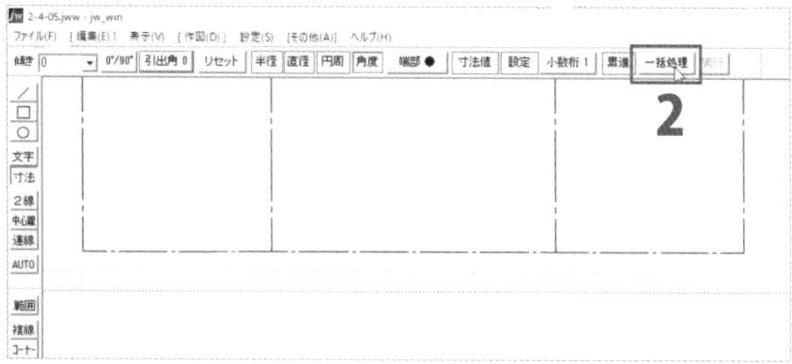

2 **コントロールバー「一括処理」ボタンを⊖。**

➡ 操作メッセージに「一括処理する始線を指示してください」と表示される。

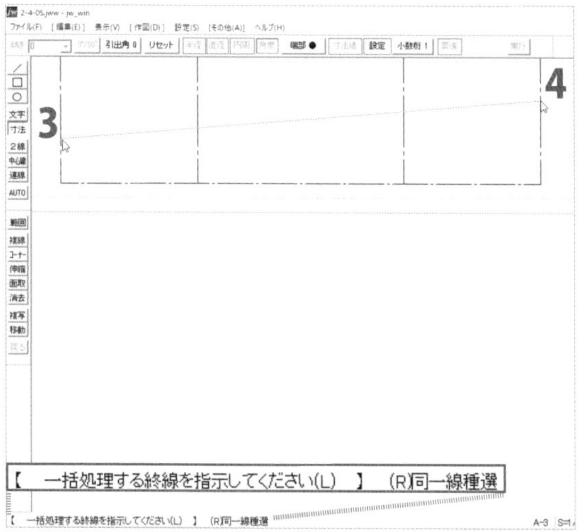

3 **一括処理の始線として左端の線を⊖。**

➡ ⊖した位置からマウスポインタまで赤の点線が仮表示され、終線指示を促す操作メッセージが表示される。

4 **一括処理の終線として右端の線を⊖。**

> **POINT**　終線指示時に赤の点線に交差する線が寸法一括処理の対象になる。始線または終線を⊖で指示（同一線種選択）した場合、⊖した線と同一レイヤで同一線色・線種の線だけが選択される。

➡ 赤の点線に交差した線が対象として選択色になる。

> **POINT**　この段階で線を⊖することで、対象から除外または追加できる。

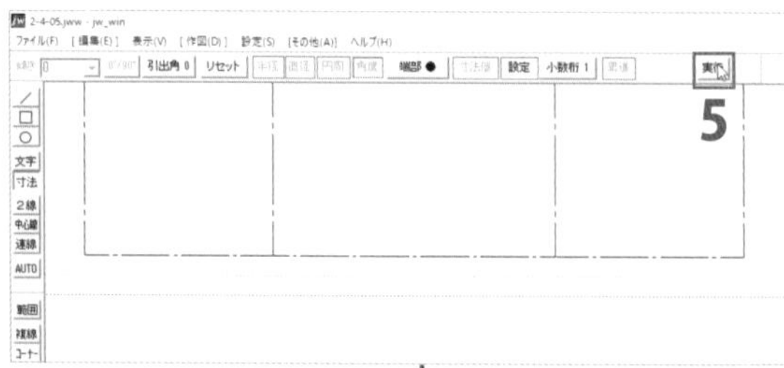

5 **コントロールバー「実行」ボタンを⊖。**

> **POINT**　**5**の代わりに⊖↑AM0時 処理実行 としてもよい。

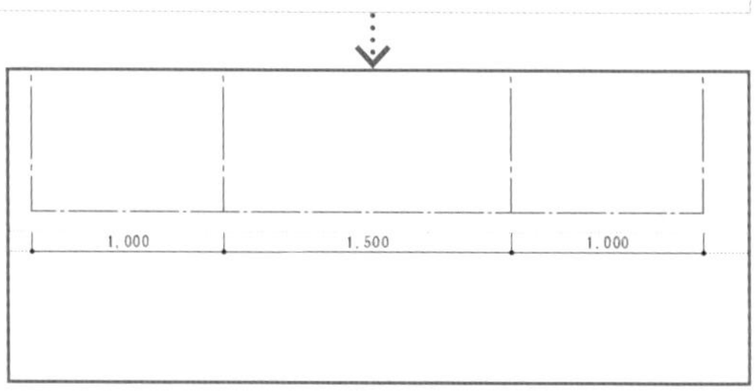

➡ 選択色の線端点を寸法の指示点として、一括で寸法が記入される。

■ 基本操作2　角度を記入

1　「寸法」コマンドのコントロールバー「角度」ボタンを(左クリック)。

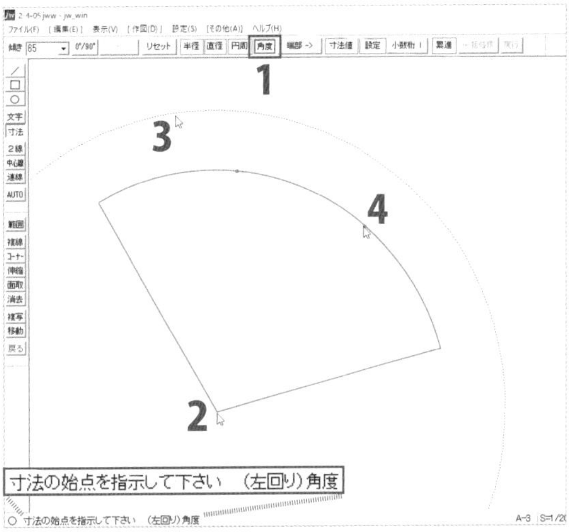

2　角度測定の原点を(左クリック)。

3　コントロールバーの引出線タイプボタンを(左クリック)で指定し（右図では「－」）、寸法記入位置を指示する。

| **POINT**　引出線タイプにより**3**の操作は異なる。

➡ 円状のガイドラインが表示される。

4　始点を(左クリック)。

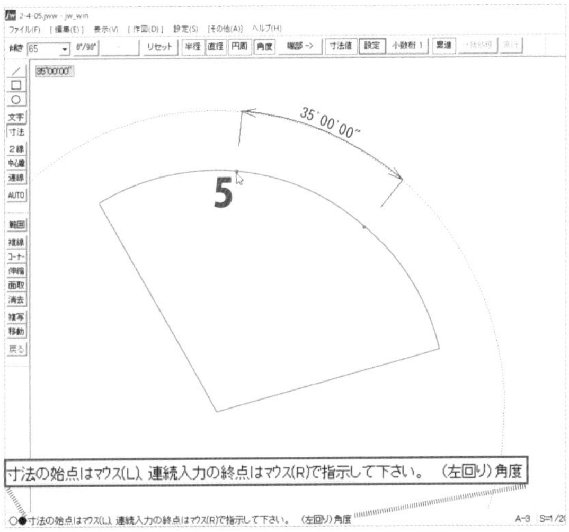

5　終点を(左クリック)。

➡ **4**－**5**間の角度が記入される。

| **POINT**　角度寸法の始点→終点は左回りで指示する。記入される角度の単位（度／度分秒）は、「寸法設定」ダイアログ（▶p.224の**24**）の指定による。

できる 2本の線の角度を記入

上記**2**で以下の操作を行うと、2本の線の角度を記入する。

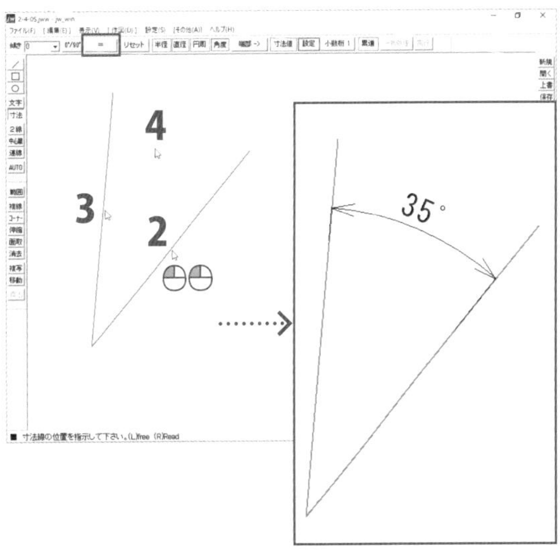

2　コントロールバー引出線タイプを「＝」にし、角度寸法を記入する2本の線のうち、右側の線を(左クリック)(右クリック)（2線角度線指示）。

3　もう一方の線を(左クリック)。

4　寸法の記入位置を(左クリック)（または(右クリック)）。

➡ **4**の位置に線**2**－**3**間の角度寸法が記入される（引出線は記入されない）。

※右図は「寸法設定」ダイアログ（p.224の**24**）で角度単位を「度（°）」に指定

基本操作3　寸法値のみを記入

1　「寸法」コマンドのコントロールバー「寸法値」ボタンを⊖。

2　寸法の始点を⊖（【寸法値】の始点指示）。

3　寸法の終点を⊖。

➡ **2**－**3**の中心に寸法値が記入される。

4　連続入力の終点を⊖（連続入力）。

➡ **3**－**4**の中心に寸法値が記入される。

> **POINT**　寸法値は、始点→終点の指示順方向の左側に記入される。寸法値の記入を終了するにはコントロールバー「リセット」ボタンを⊖。

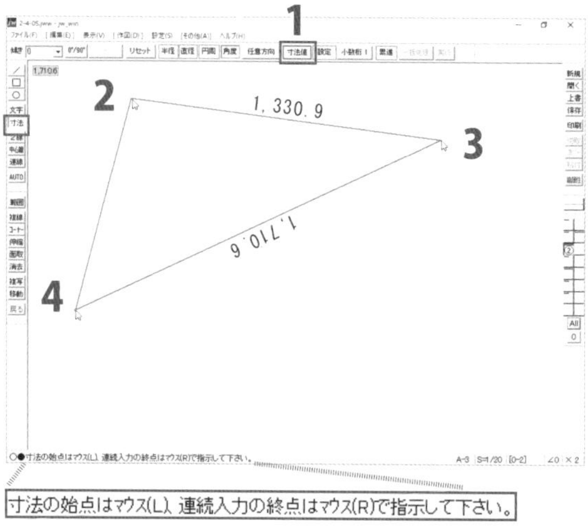

基本操作4　寸法値を移動

1　「寸法」コマンドのコントロールバー「寸法値」ボタンを⊖。

2　移動対象の寸法値を⊖（移動寸法値指示）。

> **POINT**　**2**の操作時、寸法値の下側（寸法線の側）を⊖すること。寸法図形の場合は、その寸法線を⊖してもよい。

➡ 寸法値の外形枠がマウスポインタに仮表示される。

3　コントロールバー「任意方向」ボタンを⊖し、「－横－方向」にする。

> **POINT**　**3**のボタンは、寸法値の移動方向固定を指定する。⊖するごとに「－横－方向」（横方向に固定）⇒「｜縦｜方向」（縦方向に固定）⇒「＋横縦方向」（横と縦の移動距離の長い方向に固定）⇒「任意方向」（固定なし）に切り替わる。ここでの横方向・縦方向は、画面に対する横・縦ではなく、寸法値に対しての横・縦である。

➡ 寸法値の移動方向は、文字に対して横方向に固定される。

4　移動先の位置を⊖。

> **POINT**　**1**、**2**の代わりに「寸法」コマンドで寸法値を⊖↗AM1時[寸法値移動]でも同じことが行える。

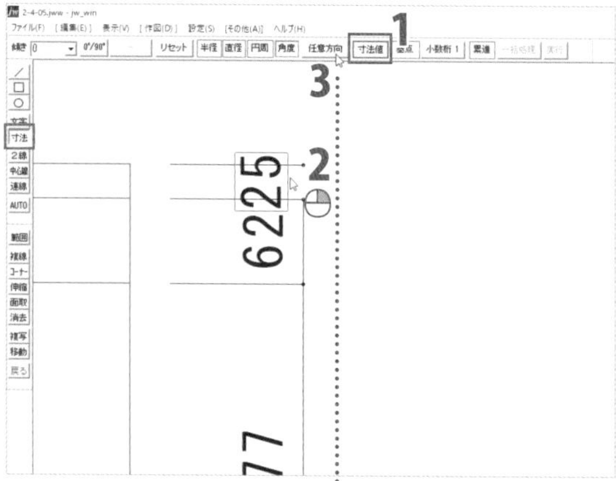

寸法値の移動方向が寸法値の横方向に固定される

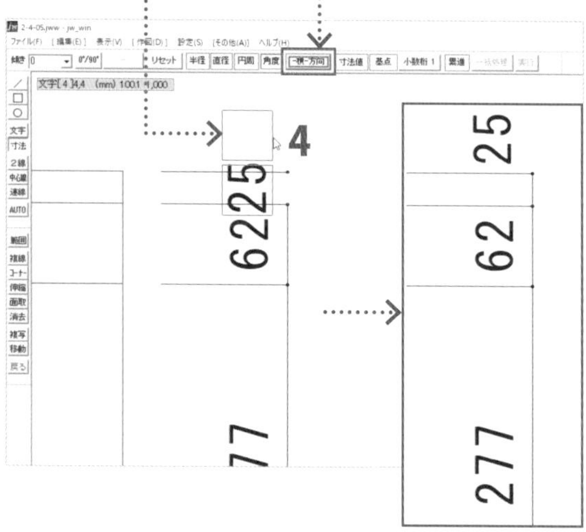

■ 基本操作5　寸法値を書き換え

1 「寸法」コマンドでコントロールバー「寸法値」ボタンを⊖。

2 変更対象の寸法値を⊖⊖（変更寸法値指示）。

> **POINT**　変更対象の寸法値が寸法図形の場合は、その寸法線を⊖⊖してもよい。

3 「寸法値を変更してください」ダイアログの「寸法図形を解除する」を⊖し、チェックを付ける。

> **POINT**　チェックを付けずに変更した寸法値は、移動時に寸法線の実寸法に戻る。**2**の寸法値が文字要素の場合、「寸法図形を解除する」はグレーアウトされてチェックできない。

4 「数値入力」ボックスの寸法を書き換える。

5 「OK」ボタンを⊖。

➡ 画面左上に W=800〜1,500 寸法図形解除 と表示され、**2**の寸法値が「W＝800〜1,500」に変更される。寸法値と寸法線の寸法図形は解除され、文字要素と線要素に分解される。

> **POINT**　**1**、**2**の代わりに「寸法」コマンドで寸法値を⊖↗AM2時 寸法値【変更】 でも同じことが行える。

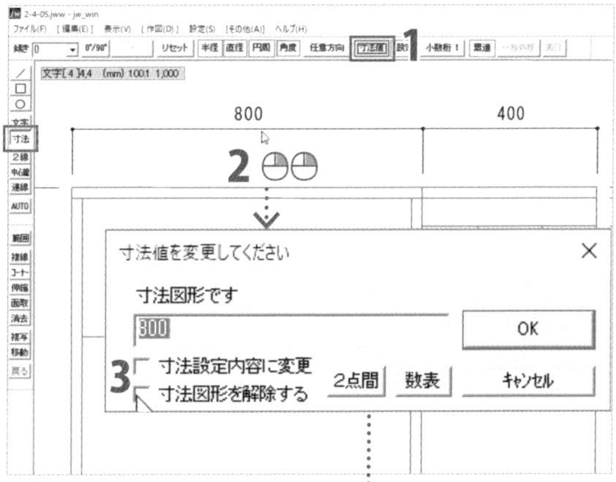

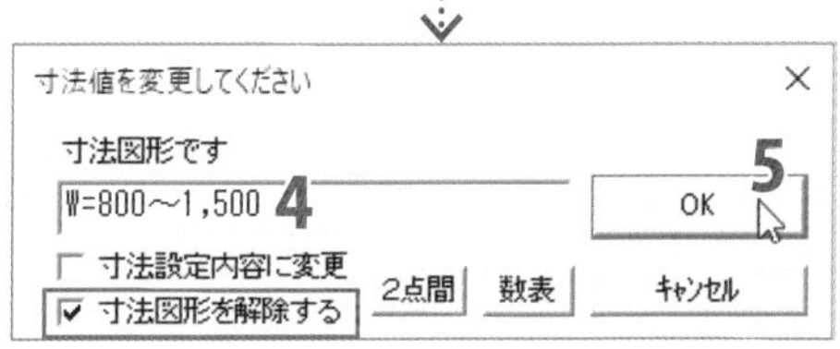

できる　図面上の2点間の距離に書き換え

上記**2**で、Shiftキーを押したまま寸法値を⊖⊖（または**3**で「2点間」ボタンを⊖）すると、操作メッセージが「基準点を指示してください」になる。このとき、図面上で**3**基準点と**4**終点を指示することで、**2**の寸法値を**3**－**4**の距離に書き換えることができる。

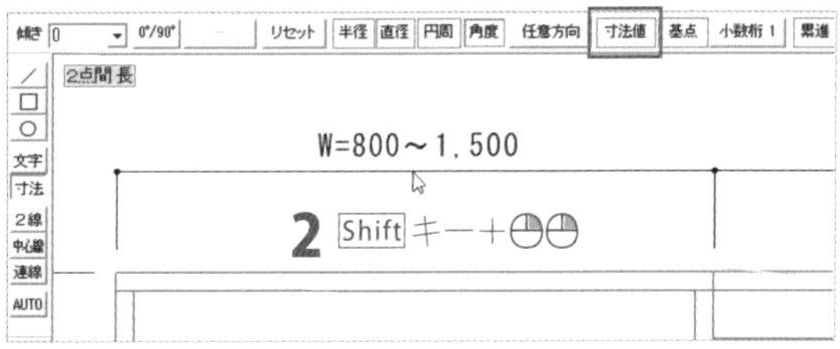

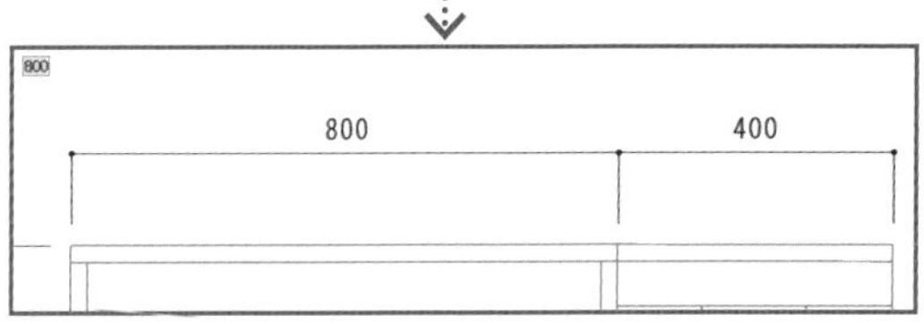

「寸法」コマンドのコントロールバー

「寸法設定」コマンドと同じ（▶p.225）

① 「傾き」入力ボックス

寸法線の角度を指定する。

既存の斜線と平行に寸法を記入するには、「線角度」コマンド(▶p.232）で斜線の角度を取得する。

② 「0°/90°」ボタン

⊖すると、寸法線の記入角度が0°⇔90°に切り替わる。この切り替えは、スペースキーを押すか、クロックメニュー⊖↗PM 1 時0°/90°でも行える。

③ 「引出線タイプ」ボタン

引出線のタイプ（▶p.157）を指定する。

⊖すると、「＝（1）」⇒「＝（2）」⇒「－」⇒「＝」に切り替わる（⊖すると逆順）。

④ 「リセット」ボタン

現在の寸法記入指定を解除する。

⑤ 「半径」ボタン ／ ⑥「直径」ボタン

コントロールバー「傾き」ボックスに指定した角度で円・弧の半径寸法（⑤）や直径寸法（⑥）を記入する。寸法値を円・弧の内側に記入する場合は⊖、外側に記入する場合は⊖で円・弧を指示する。

> **POINT**　半径寸法に付く「R」や直径寸法に付く「φ」は、「寸法設定」ダイアログで前付／後付／無の指定ができる（▶p.224の**23**）。

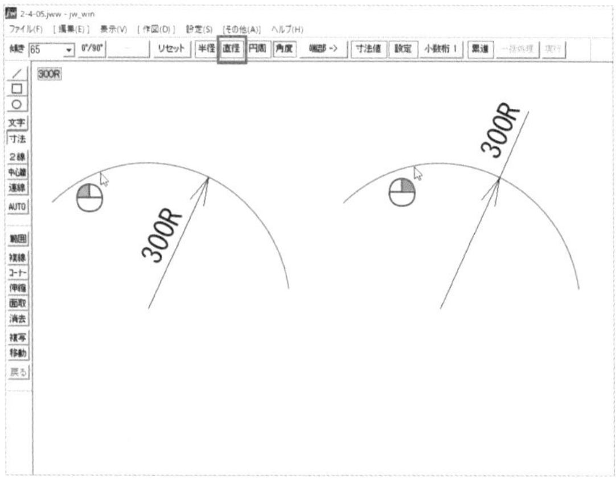

⑦ 「円周」ボタン

円周寸法を記入する。

1　「寸法」コマンドのコントロールバー「円周」ボタンを⊖。

2　円周寸法の記入対象の円・弧を⊖。

3　コントロールバー引出線タイプを指定（右図は「－」）し、操作メッセージに従い、寸法記入位置を指示する。

4　始点を⊖。

5　終点を⊖。

> **POINT**　引出線タイプにより**3**の操作は異なる。**4**始点⇒**5**終点は左回りで指示する。

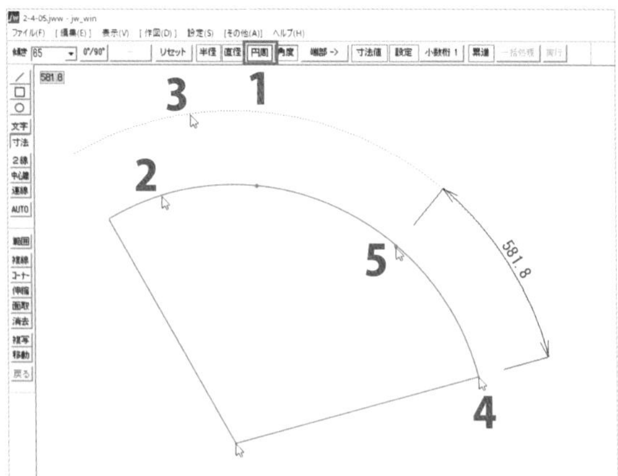

⑧ 「角度」ボタン

角度を記入する（▶p.159）。

⑨「端部形状」ボタン

寸法線端部の実点、矢印を切り替える。

で「端部●」(実点) ⇒「端部－>」(矢印) ⇒「端部－<」(逆矢印) に切り替わる。

矢印の大きさと角度および塗りつぶし指定は「寸法設定」ダイアログ (▶p.224の**10**) で指定する。

端部－< (逆矢印) では、寸法端部の矢印を寸法線の外側に記入する。始点⇒終点の指示順で結果が右図のように異なる。

左⇒右 (下⇒上) の順では外側に寸法線の延長線が記入されるが、右⇒左 (上⇒下) の順では寸法線の延長線は記入されない.

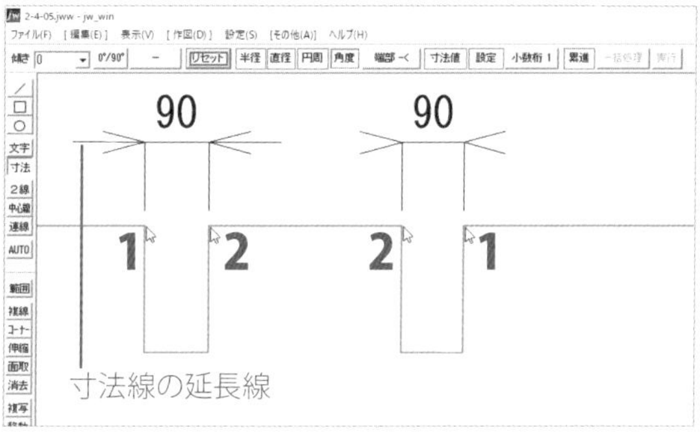

⑩「寸法値」ボタン

「寸法値」ボタンをした後のステータスバーの操作メッセージは以下になる。マウスのクリック操作で、寸法値の記入 (▶p.160)・移動 (▶p.160)・書き換え (▶p.161) を使い分ける。

【寸法値】の始点指示(L)　移動寸法値指示(R) 変更寸法値指示(RR) 2点間[Shift]+(RR)

変更対象の寸法値をで、右図の「寸法値を変更してください」ダイアログが開く。

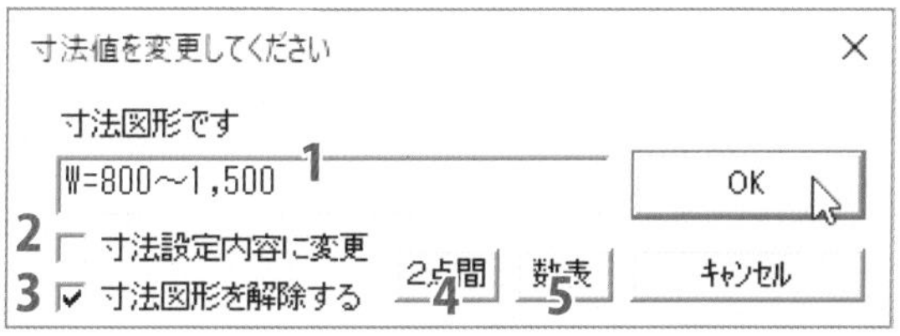

1　変更後の寸法値を入力する(文字の入力も可能)。

2　変更後の寸法値に、「寸法設定」ダイアログの内容 (文字種、寸法線の線色、カンマ有/無など▶p.224) を適用する指定。

3　寸法図形を寸法値(文字要素) と寸法線に分解する指定。

4　図面上の2点を指示し、その距離に寸法値を変更する(▶p.161 できる)。

5　「数値入力」ダイアログ(▶p.38) を開く。

⑪「小数桁」ボタン

寸法値の小数点以下の記入桁数を指定する。

で「0」⇒「1」⇒「2」⇒「3」に切り替わる。

⑫「累進」ボタン

累進寸法を記入する。

1　「寸法」コマンドでコントロールバー「傾き」と引出線タイプ (右図は「－」) を指定し、「累進」ボタンを選択する。

2　寸法記入位置を。

3　累進寸法の始点を。

4　累進寸法の終点を。

5　累進寸法の次の終点を。

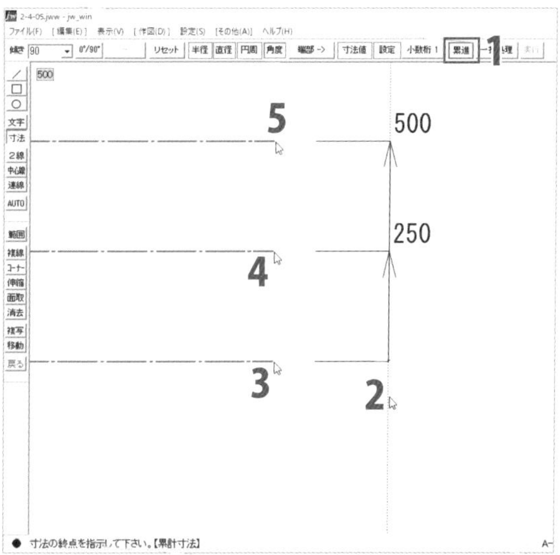

⑬「一括処理」ボタン ／ ⑭「実行」ボタン

同一寸法線上の寸法を一括記入する（▶p.158）。

⑬は引出線開始位置、寸法線記入位置が確定した時点で指定可能になり、⑭は一括処理対象が選択された時点で指定可能になる。

できる 引出線の角度を指定

寸法線のガイドライン表示後、コントロールバー「引出角0」ボタンを[左クリック]すると、引出線の角度を「30°」⇒「45°」⇒「－45°」⇒「－30°」に切り替えできる。

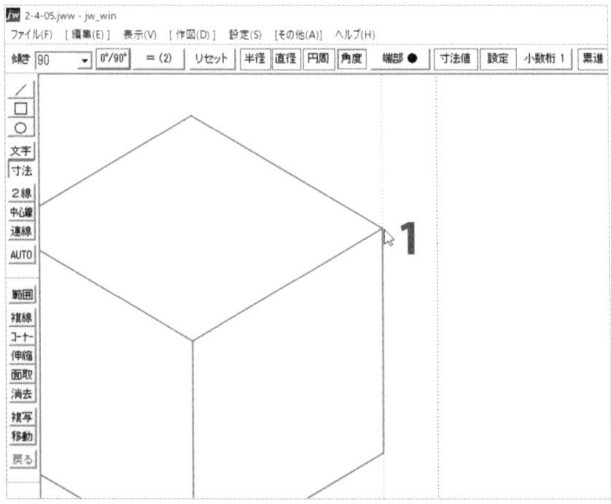

1 「寸法」コマンドで、傾きを「90」、引出線タイプを「＝（2）」とし、基準点位置を[左クリック]。

➡ 引出線開始位置と寸法線記入位置のガイドラインが仮表示され、コントロールバーの引出線タイプボタンが「引出角0」になる。

2 コントロールバー「引出角0」ボタンを[左クリック]。

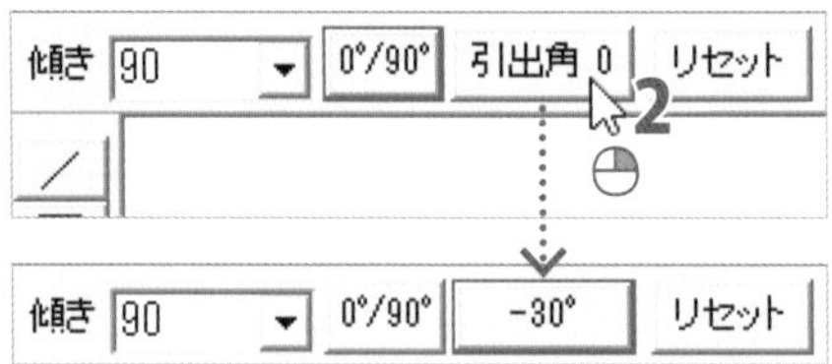

➡ 引出線角度が「－30°」になる。

> **POINT**　コントロールバー「引出角0」ボタンを[左クリック]すると、引出線の作図角度が「30°」⇒「45°」⇒「-45°」⇒「-30°」に切り替わり、[右クリック]すると逆順に切替わる。現在の切り替え角度以外の角度で引出線を作図するには、環境設定ファイル「S_SET5」で指定する（▶JWWトリセツ付録.pdf p.58）。この指定で切り替え角度を10個まで用意できる。

3 始点を[左クリック]。

4 終点を[左クリック]。

➡ 右図のように、本来（引出角0）の引出線の角度から－30°傾いた引出線で寸法が記入される。

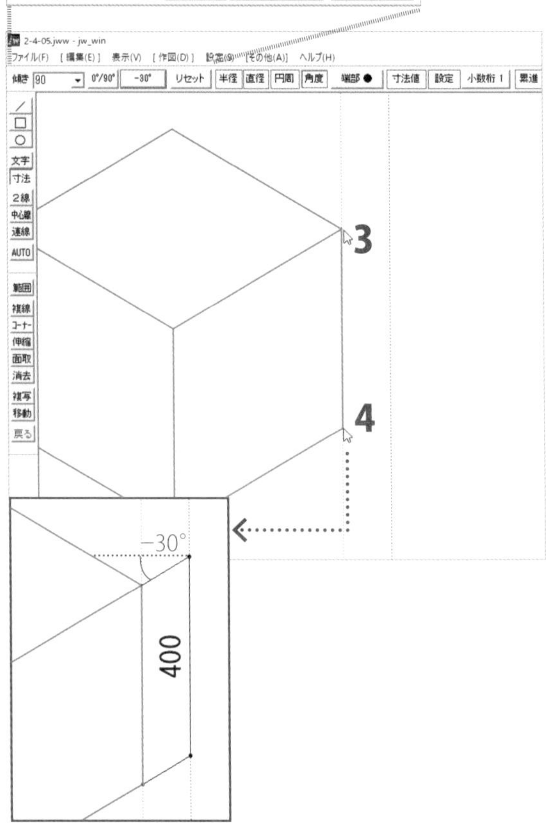

2線 2線 ⊖↖PM10時 2線

CD-ROM 2-4-06.jww

基準線から指定間隔離れた平行な2本の線（振分線）を作図する

基本操作1

鎖線の両側に125mm、75mmの振り分けで2本の線を作図する。

1 メニューバー［作図］－「2線」（「2線」コマンド）を⊖。

2 コントロールバー「2線の間隔」ボックスに「125, 75」を入力する。

3 基準線を⊖。

4 始点位置を⊖（または⊖）。

➡ **4**の位置からマウスポインタまで**3**の基準線両側に、指定した間隔で2本の線が仮表示される。

5 **仮表示される2線の間隔が逆の場合は、コントロールバー「間隔反転」ボタンを⊖して反転する。**

> **POINT** 2線の振り分け間隔は、終点指示前にコントロールバー「間隔反転」ボタンを⊖で反転できる。振り分け間隔が同じ場合、「間隔反転」ボタンはグレーアウトされて⊖できない。コントロールバー「間隔反転」ボタンを⊖する代わりに、作図ウィンドウで⊖↗PM1時［間隔反転］でも2線の振り分けを反転できる。

6 終点位置を⊖（または⊖）。

➡ 2線が作図され、始点指示を促す操作メッセージが表示される。続けて始点を指示することで、同じ基準線上にさらに2線を作図する。

> **POINT** 基準線の変更をしない限り、次の始点・終点指示では**3**で指定した基準線の両側に2線を作図する。基準線を変更するには、次の基準線を⊖⊖する。

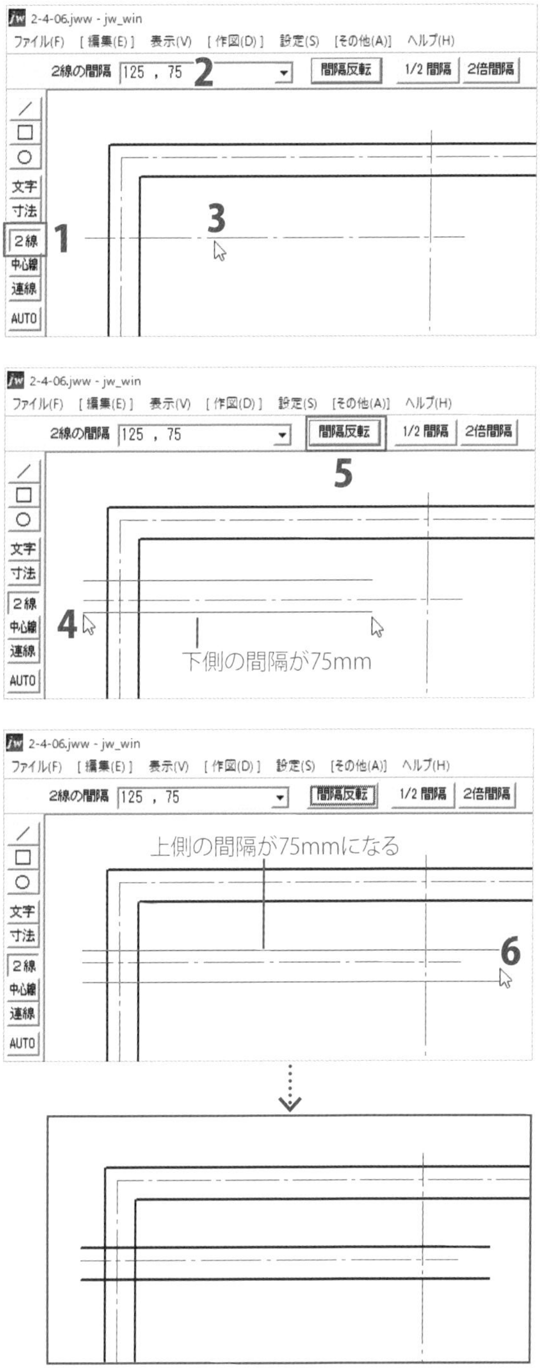

基本操作2　連続した2線を作図

1　「2線」コマンドのコントロールバー「2線の間隔」を指定する。

2　基準線を⊖。

3　始点を⊖（または⊖）。

➡ 3の位置からマウスポインタまで、基準線両側に2線が仮表示される。

> **POINT**　仮表示される2線の振り分けが逆の場合は、コントロールバー「間隔反転」ボタンを⊖して反転する。

4　終点を指示せずに、次の基準線を⊖⊖（基準線変更）。

➡ 4の線が基準線になり、その両側に前の2線と連続する2線が仮表示される。

> **POINT**　終点を指示せずに次の基準線を⊖⊖することで、連続して2線を作図できる。この段階でコントロールバー「間隔反転」ボタンを⊖することで4の基準線両側の間隔を反転できる。

5　次の基準線を⊖⊖。

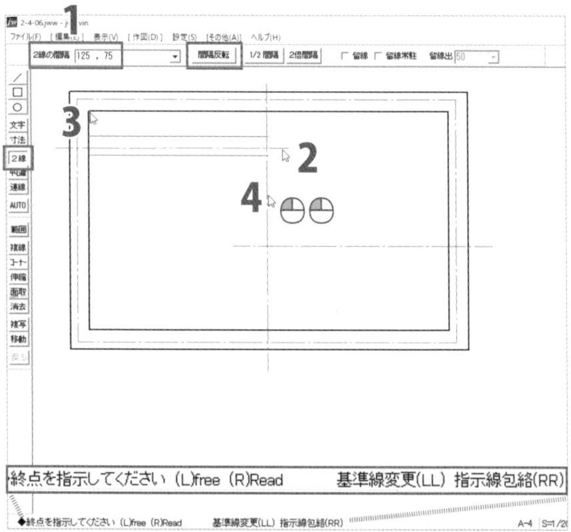

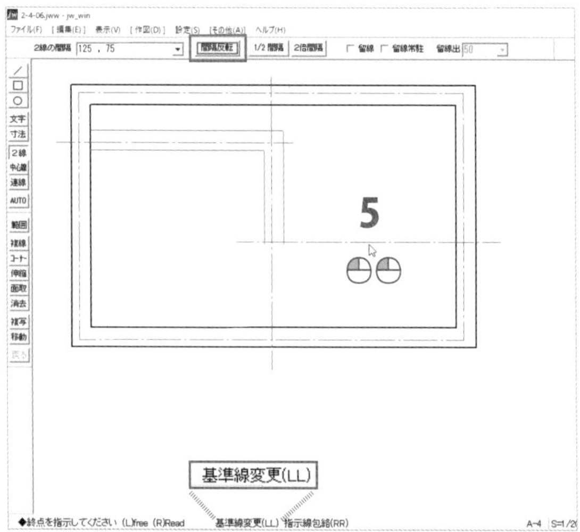

➡ 連続した2線が、5の基準線の両側に仮表示される。

> **POINT**　この段階でコントロールバー「間隔反転」ボタンを⊖することで、5の基準線両側の間隔を反転できる。

6　終点を⊖（または⊖）。

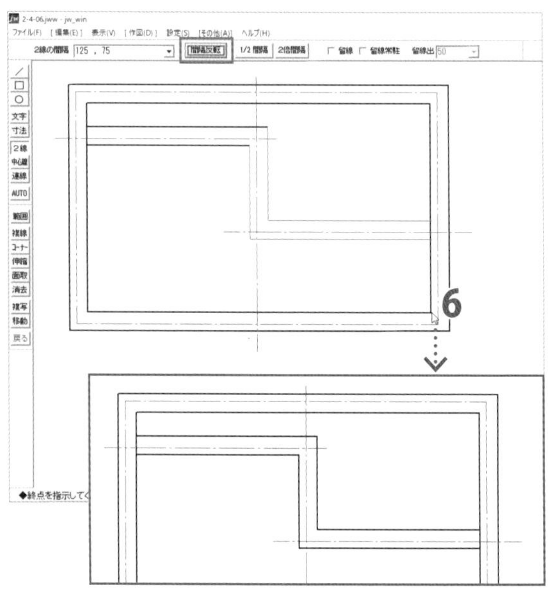

できる 既存線と2線の始点・終点を包絡処理

「2線」コマンドの始点・終点指示時に、点ではなく線を(指示線包絡)することで、した線と包絡処理した2線を作図する。作図する2線の内側・外側に対して指示線を残す側ですること。

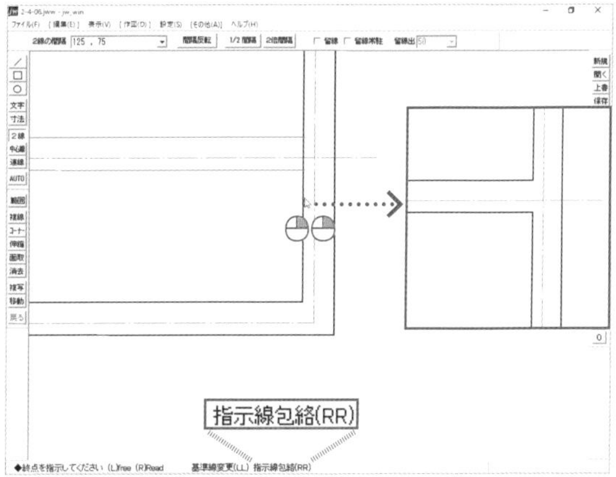

「2線」コマンドのコントロールバー

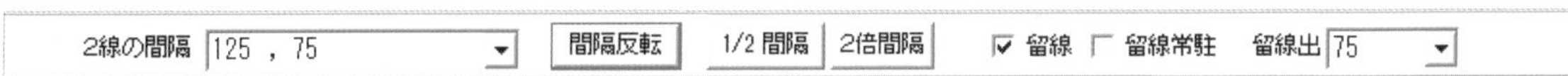

① ② ③ ④ ⑤ ⑥ ⑦

① 「2線の間隔」入力ボックス
基準線から両側の振り分け間隔を「,」(半角カンマ)区切りで入力する。

② 「間隔反転」ボタン　※①で指定した2数が異なる数値の場合に指定できる。
終点指示前にすることで、仮表示されている2線の基準線からの振り分け間隔を反転する。
クロックメニュー↗PM1時[間隔反転]でも指定できる。

③ 「1/2間隔」ボタン
で①「2線の間隔」ボックスの数値を1/2にする。
[スペース]キーを押すか、クロックメニュー↓PM6時[間隔÷2]でも指定できる。

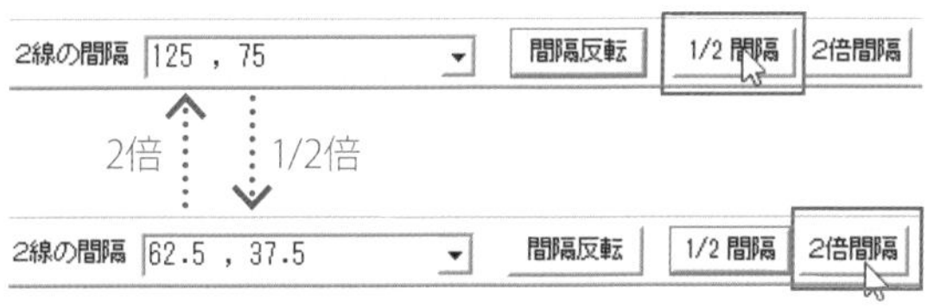

④ 「2倍間隔」ボタン
で①「2線の間隔」ボックスの数値を2倍にする。
[Shift]+[スペース]キーを押すか、クロックメニュー↑PM0時[間隔×2]でも指定できる。

⑤ 「留線」チェックボックス
次にする始点または終点(1カ所のみ)に、「留線出」ボックス⑦の間隔で留線を作図する。

⑥ 「留線常駐」チェックボックス
始点、終点に⑦「留線出」ボックスの間隔で留線を作図する。
チェックを外すまで有効。

⑦ 「留線出」入力ボックス
始点・終点から留線までの間隔を指定する。

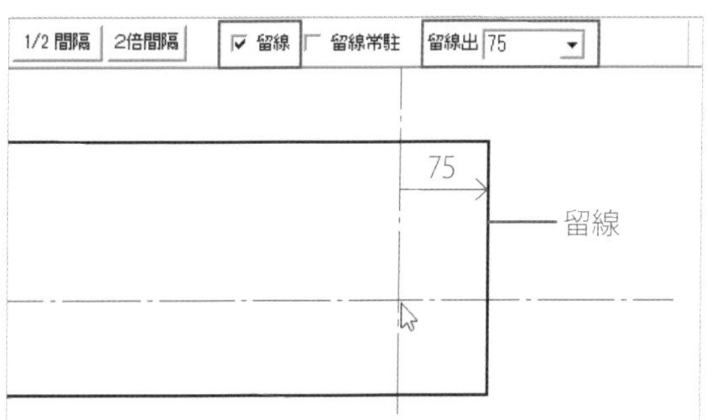

中心線 中心線 ← PM9時 中心線

CD-ROM 2-4-07.jww

2つの線・円・弧・点間の中心線を作図する

基本操作

1 メニューバー［作図］－「中心線」（「中心線」コマンド）を⊖。

2 1番目の線（または円・弧）を⊖（点は⊖）。

3 2番目の線（または円・弧）を⊖（点は⊖）。

4 中心線の始点を⊖（または⊖）。

➡ **4**の位置からマウスポインタまで、**2**と**3**の中心線が仮表示される。

5 終点を⊖（または⊖）。

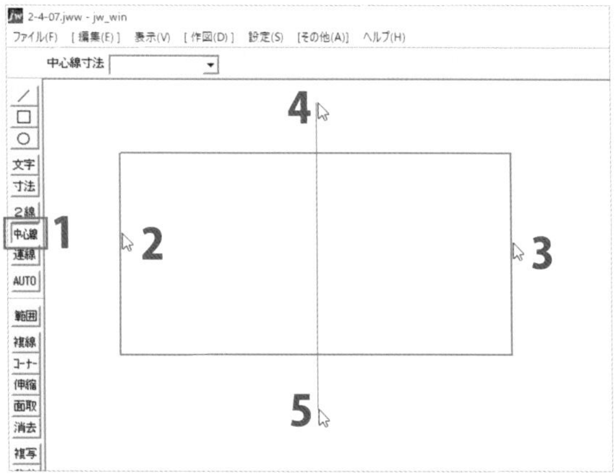

できる 中心線の長さを指定

コントロールバー「中心線寸法」ボックスに長さを指定することで、始点位置から指定長さの中心線を作図できる。

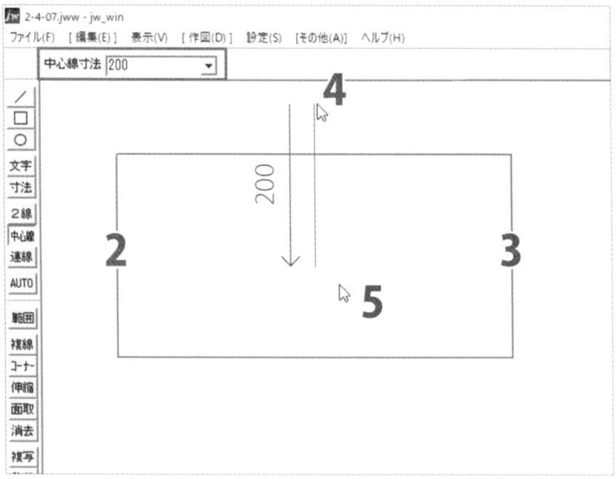

できる 延長上の線を作図

基本操作**2**（1番目の線）、**3**（2番目の線）で同じ直線を⊖し、続いて**4**始点、**5**終点を指示することで、指示した線の延長上に線を作図できる。

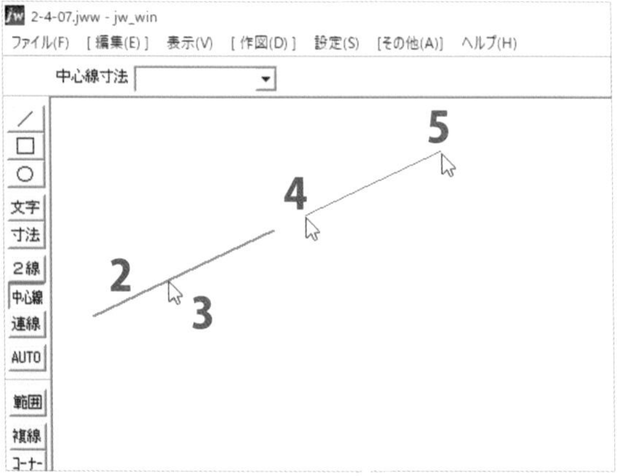

2 メニューバーのコマンド

POINT　基本操作2、3の指示要素と作図される中心線

平行でない線どうしを指示

2本の線の角度を2等分する線を作図。

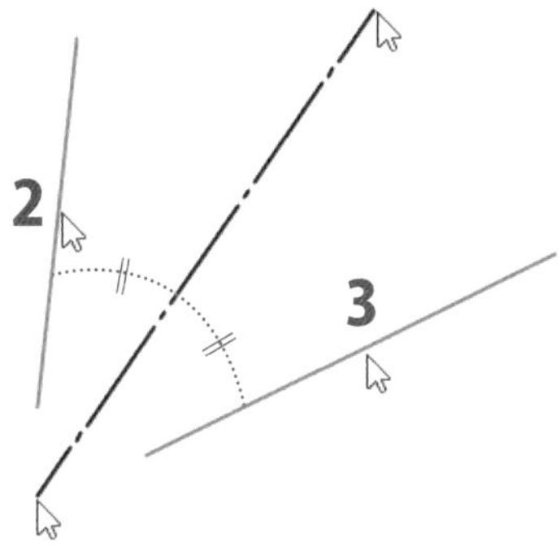

線と円・弧を指示

線とそれに平行な円接線の間を2等分する線を作図。

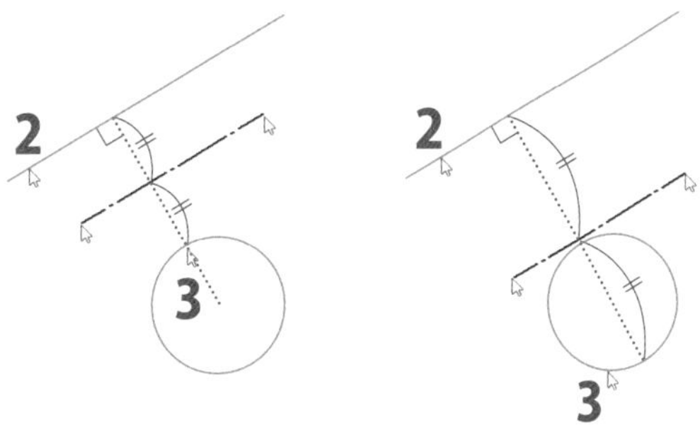

円の◓位置で、中心線位置が左右の結果のように異なる

点と線を指示

点から線への垂線を2等分する線を作図。

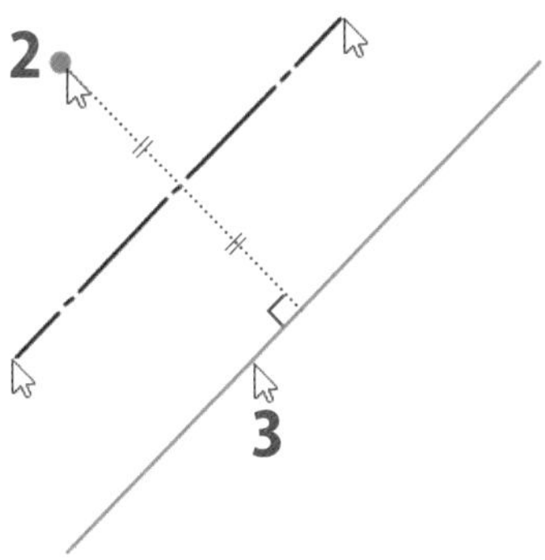

点と円・弧を指示

点から円・弧の接線への垂線を2等分する線を作図。

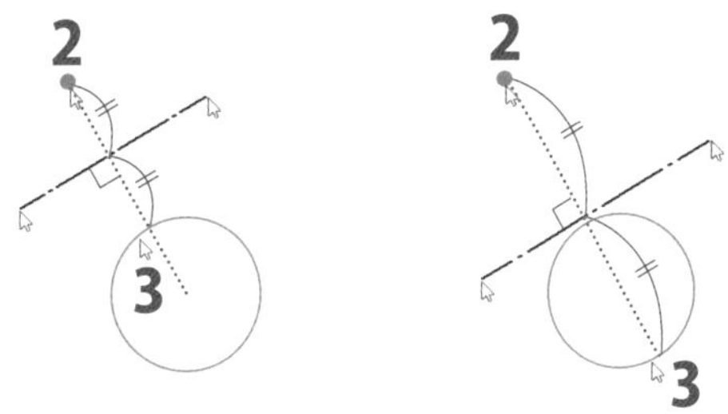

円の◓位置で、中心線位置が左右の結果のように異なる

点どうしを指示

点と点を結ぶ線を垂直に2等分する線を作図。

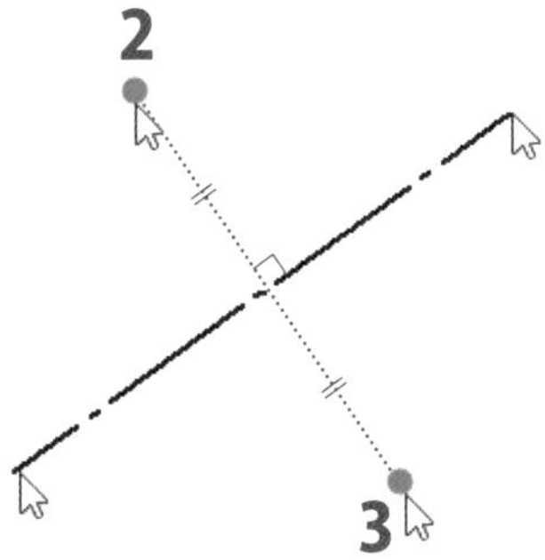

円・弧どうしを指示

2つの円・弧の◓した側の円接線間を2等分する線を作図（同心円の指示はできない）。

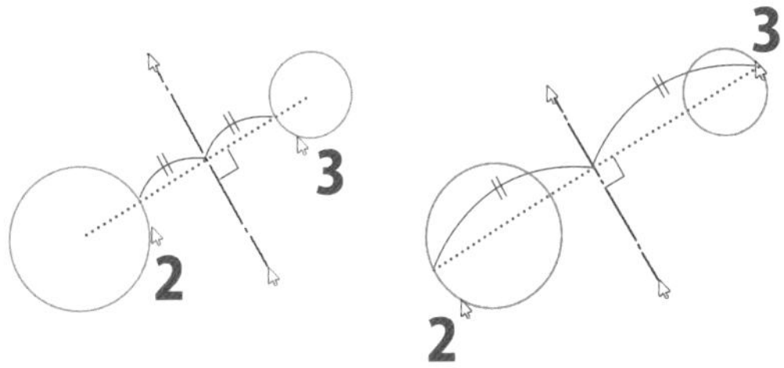

円の◓位置で、中心線位置が左右の結果のように異なる

連続線

連線　⊖↙PM8時 連続線

CD-ROM 2-4-08.jww

連続線、連続弧、フリーハンドの線を作図する

基本操作1　連続線の作図【基準点：前線終点】

1　メニューバー［作図］－「連続線」（「連線」コマンド）を⊖。

2　コントロールバー「基準角度」、「基点」ボタンを何度か⊖して 角度（無指定）【基準点：前線終点】 にする。

3　コントロールバー「丸面辺寸法」ボックスを空白または「（無指定）」にする。

4　始点を⊖（または⊖）。

➡ **4** からマウスポインタまで点線の仮線が表示される。

5　終点を⊖（または⊖）。

➡ **4**－**5** の線が実線の仮線になり、**5** からマウスポインタまで点線の仮線が表示される。

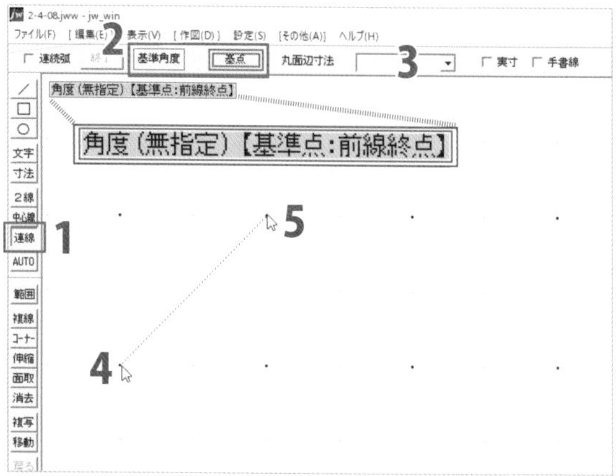

6　コントロールバー「基準角度」ボタンを⊖し、角度15度毎【基準点：前線終点】 にする。

➡ **5** からマウスポインタまで表示される仮線の角度が15°ごとに固定される。

7　終点を⊖（または⊖）。

➡ **4**－**5** の線が作図され、**5**－**7** の線が実線の仮表示になり、**7** の位置からマウスポインタまで15°ごとに固定された点線の仮線が表示される。

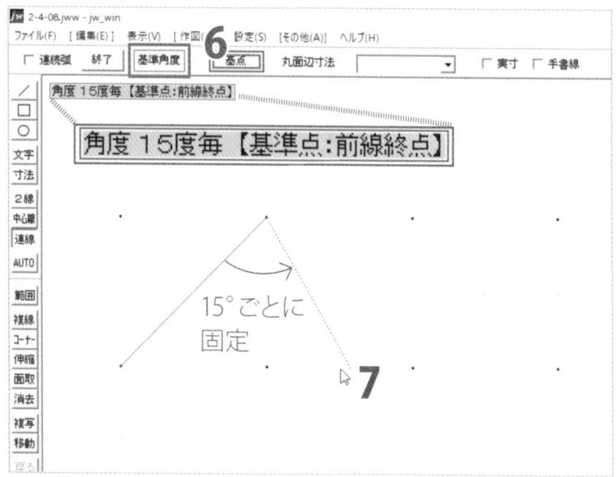

8　終点を⊖⊖（または⊖⊖）。

➡ **4**～**8** までの連続線が作図される。

> **POINT**　**8** で終点を⊖（または⊖）後、コントロールバー「終了」ボタンを⊖または、Enter キーを押すことでも、連続線作図が終了する。作図した連続線は1本ずつ独立した線要素であり、ひとまとまりで扱うための属性は付いていない。

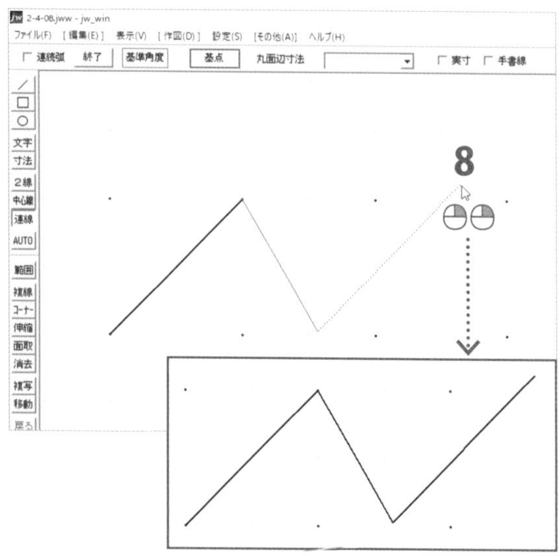

基本操作2　連続線の作図《基準点：マウス位置》

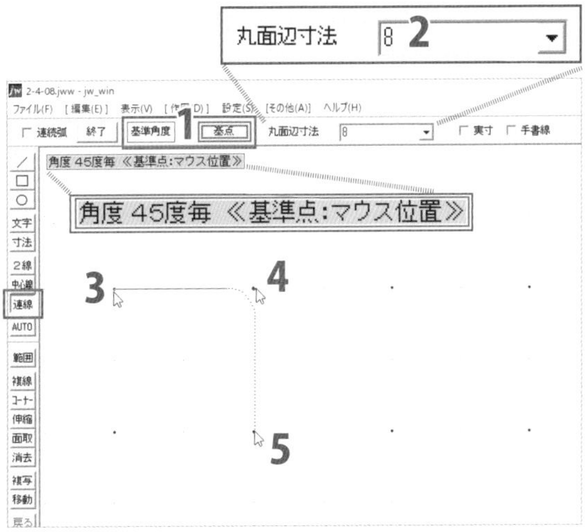

1 「連線」コマンドのコントロールバー「基準角度」「基点」ボタンを⊖し、角度45度毎《基準点：マウス位置》にする。

2 コントロールバー「丸面辺寸法」ボックスに接続部の丸面の半径を図寸（mm）で指定する。

3 始点を⊖（または⊖）。

➡ 角度45°ごとに固定された点線の仮線がマウスポインタまで仮表示される。

4 終点を⊖（または⊖）。

➡ **3**－**4**の線が実線の仮線になり、**4**の位置からマウスポインタまで45°ごとに固定された点線の仮線が表示される。基点がマウス位置のため、この段階では連続線の接続部の位置は固定されない。

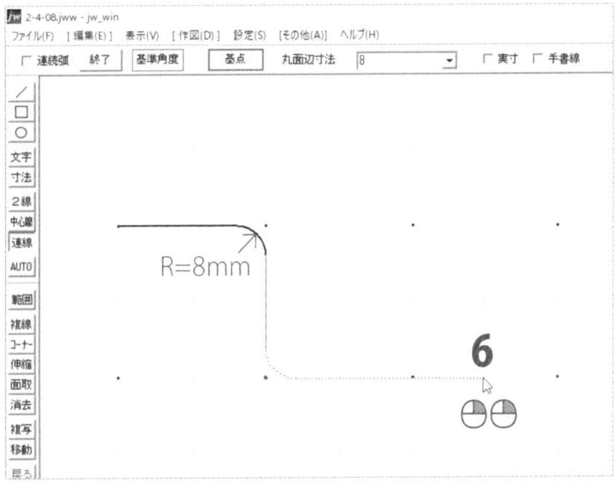

5 終点を⊖（または⊖）。

➡ **3**－**4**の線と接続部の半径8mmの弧が作図され、**4**－**5**の線が実線の仮表示になり、**5**の位置からマウスポインタまで45°ごとに固定された点線の仮線が表示される。

6 終点を⊖⊖（または⊖⊖）。

➡ **4**～**6**までの連続線が作図される。

できる 「連続線」コマンド特有のクロックメニュー　⊖↑ AM0時円上点&終了

終点指示時に円・弧を⊖↑AM0時円上点&終了することで、円周上を終点として連続線の作図を終了する。また、始点指示時に円・弧を⊖↑AM0時円上点&終了すると、円周上が連続線の始点になる。

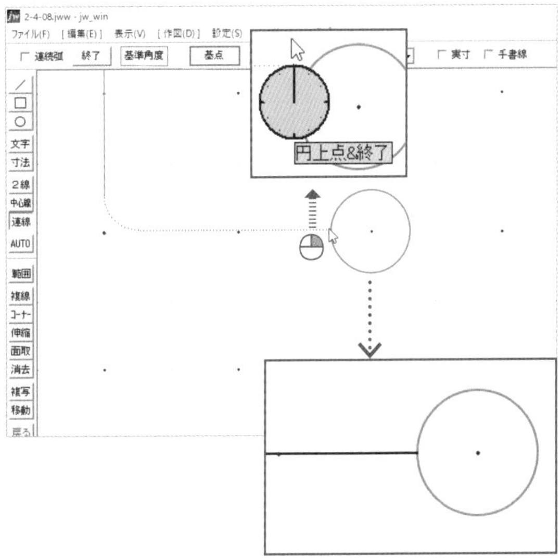

基本操作3　連続弧の作図

1　「連線」コマンドのコントロールバー「連続弧」を⊖し、チェックを付ける。

2　始点を⊖（または⊖）。

> **POINT**　図面上の線や弧に接続した連続弧を作図するには、**2**始点指示時に、接続する端点側で線または弧を⊖⊖し、**4**の操作へ進む。

3　中間点を⊖（または⊖）。

➡ **2**を始点とし、**3**を通る弧がマウスポインタまで点線で仮表示される。

4　終点を⊖（または⊖）。

➡ **2**－**3**－**4**の弧が実線の仮表示になり、**4**を始点とした弧がマウスポインタまで点線で仮表示され、終点指示を促すメッセージが表示される。

> **POINT**　コントロールバー「弧反転」ボタンを⊖で、点線の仮表示の弧の向きが反転する。

5　終点を⊖⊖（または⊖⊖）。

➡ **2**－**5**の連続弧が作図表示される。

> **POINT**　**5**で終点をクリック後、コントロールバー「終了」ボタンを⊖してもよい。

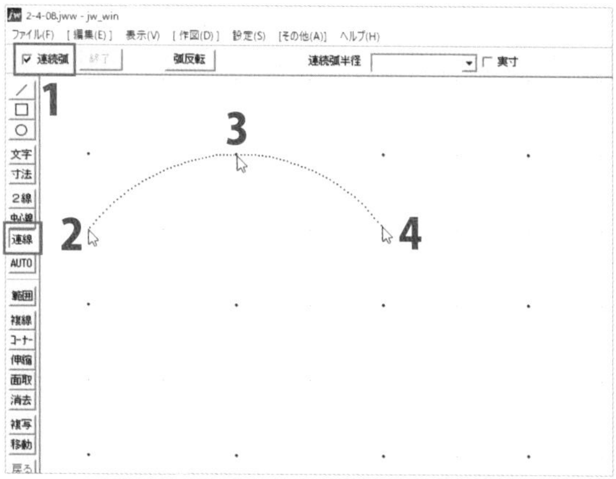

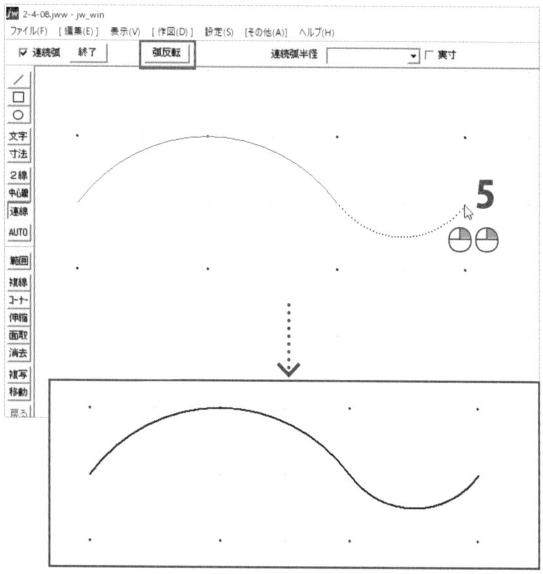

「連続弧」チェック時のコントロールバー

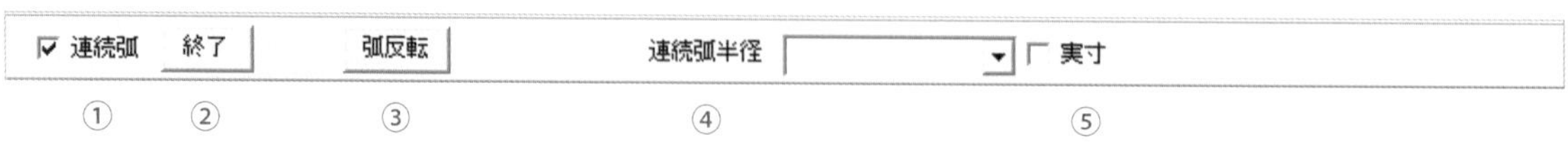

① **「連続弧」チェックボックス**
　チェックを外すことで、「連続線」コマンド選択時のコントロールバーに戻る。

② **「終了」ボタン**　※連続弧の1つ目の終点指示後に指定可能になる。
　連続弧の作図を終了する。

③ **「弧反転」ボタン**
　点線で仮表示されている弧の向きを反転する。

④ **「連続弧半径」入力ボックス ／ ⑤「実寸」チェックボックス**
　作図する弧の半径を図寸(mm)で指定する。
　⑤のチェックを付けることで実寸での指定になる。

「連線」(「連続線」)コマンドのコントロールバー

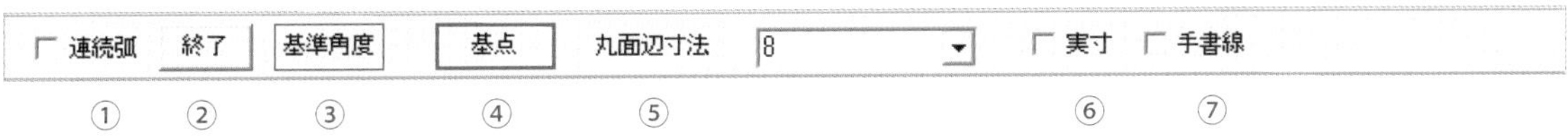

① **「連続弧」チェックボックス**
連続した弧を作図する(▶前ページ)。

② **「終了」ボタン** ※1つ目の終点指示後に指定可能になる。
連続線の作図を終了する。

③ **「基準角度」ボタン**
連続線の基準角度を指定する。
⊖すると、「無指定」⇒「15度毎」⇒「45度毎」に切り替わる。スペースキーを押しても切り替え指示ができる。

④ **「基点」ボタン**
⊖すると、連続線の基点が「前線終点」⇔「マウス位置」に切り替わる。Shiftキーを押したままスペースキーを押しても切り替え指示ができる。
③「基準角度」を「無指定」にした場合は、自動的に「前線終点」に切り替わる。

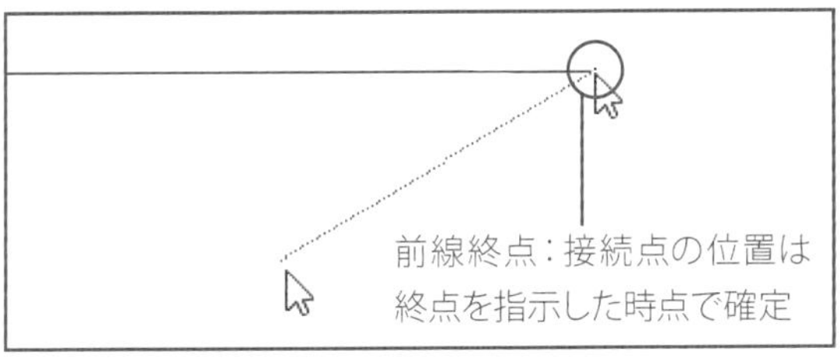

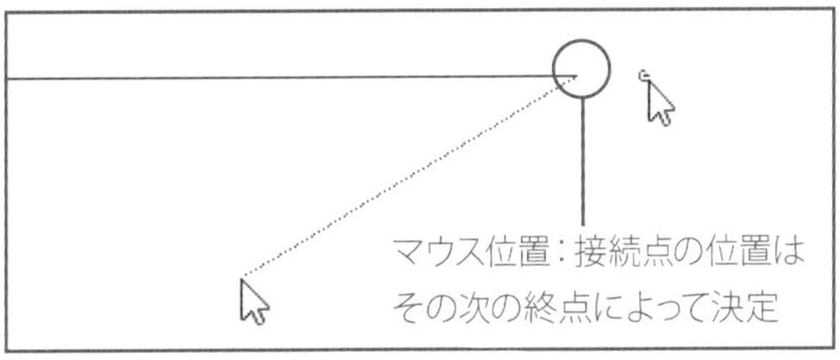

⑤ **「丸面辺寸法」入力ボックス**
半径寸法を図寸(mm)で入力することで、連続線の接続部に指定寸法の丸面を作図する(▶p.171)。

⑥ **「実寸」チェックボックス**
チェックを付けると、⑤「丸面辺寸法」が実寸法での指定になる。

⑦ **「手書線」チェックボックス**
マウスポインタの軌跡を連続線として作図する。

1 「連線」コマンドのコントロールバー「手書線」を⊖し、チェックを付ける。

2 始点を⊖(または⊖)。

3 マウスポインタを移動して線を作図する。

4 終点を⊖(または⊖)。

➡ マウスポインタの軌跡が、連続線として作図される。

> **POINT** 作図された手書線は短い直線が連続したもので、ひとまとまりで扱うための曲線属性は付いていない。「消去」コマンドで手書線を⊖すると、その部分の直線1本のみが消える。

チェックを外すと、「連続」コマンド選択時のコントロールバーに戻る

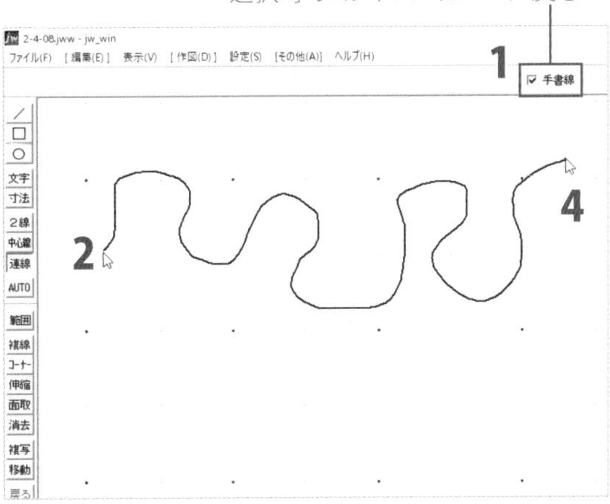

AUTOモード AUTO ◐← AM9時 AUTO

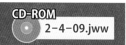

CD-ROM 2-4-09.jww

コマンドを変更せずにクリック操作の使い分けで、線・円・弧・矩形の作図や編集をする

「AUTO」コマンド選択時の操作メッセージ

AUTOモード (L)free:+／○，線:線編集 (R)Read:+／○，線:複線，無:□

基本操作1　線・円・弧の編集

1　メニューバー[作図] ー「AUTOモード」(「AUTO」コマンド) を◐。

2　図面上の線 (または円・弧) を◐。

> **POINT**　◐で対象にできるのは線と円・弧のみ。寸法図形、ブロック、曲線属性 (「線記号変形」コマンドの「グループ化」は除く) が付加された要素は編集の対象にならない。また、**2**で線・円・弧を◑した場合は、◑した線を基準線にして、「複線」コマンドに移行する (下図)。
>
> AUTOモード (L)free:+／○，線:線編集 (R)Read:+／○，線:複線，無:□

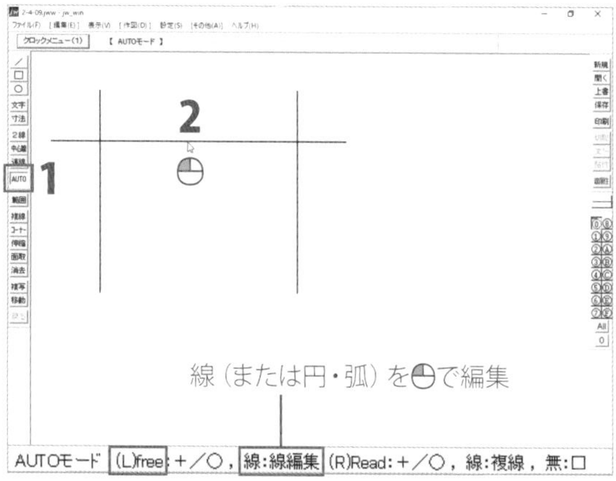

➡ ◐した線が編集対象として選択色になる。

> **POINT**　この後の◐と◑の使い分けと指示方法により、対象線に対する消去、部分消し、伸縮、コーナー処理を使い分ける。

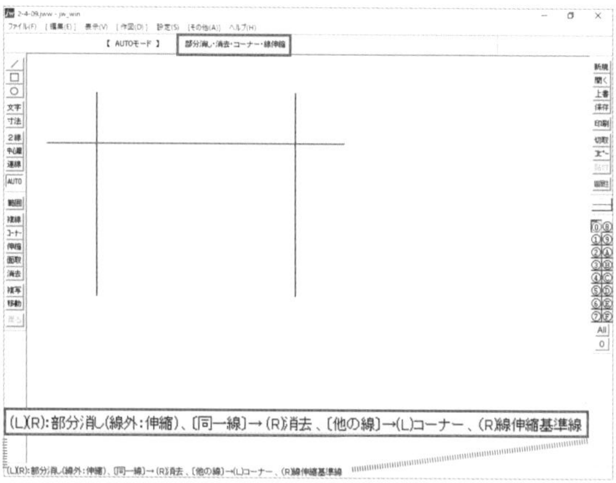

消去　上記❷で◐した線を消去

3　**2**と同じ線を◑。

➡ **2**で◐した線が消去される。

参考 「消去」コマンド▶p.96

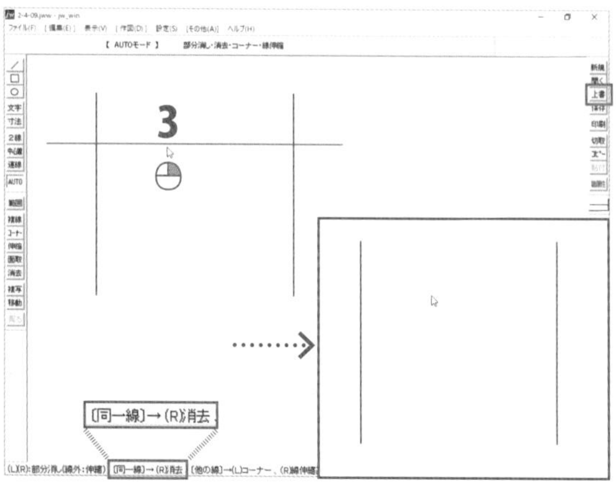

部分消し　前ページ②の線の一部分を消去

3　部分消しの始点を⊖（または⊖）。

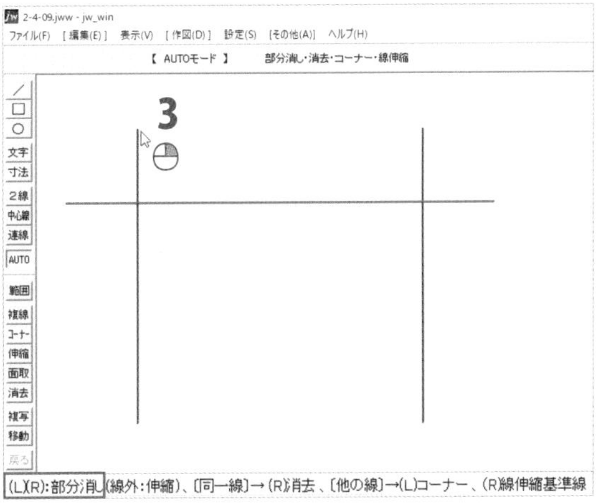

4　部分消しの終点を⊖（または⊖）。

| **POINT**　**3**と同じ点を⊖すると切断になる。

➡ **2**で指示した線の**3**－**4**間が部分消しされる。

参考　「消去」コマンド部分消し▶p.97

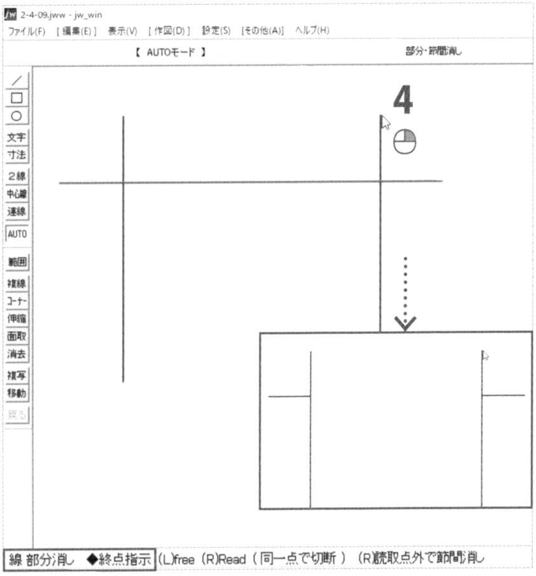

節間消し　前ページ②の線の最短交点間を消去

3　**2**と同じ線を⊖。

4　**3**の線の節間消しをする部分を読取点のない位置で⊖。

➡ **4**の両側の一番近い点間が部分消しされる。

参考　「消去」コマンド節間消し▶p.96「基本操作 2」

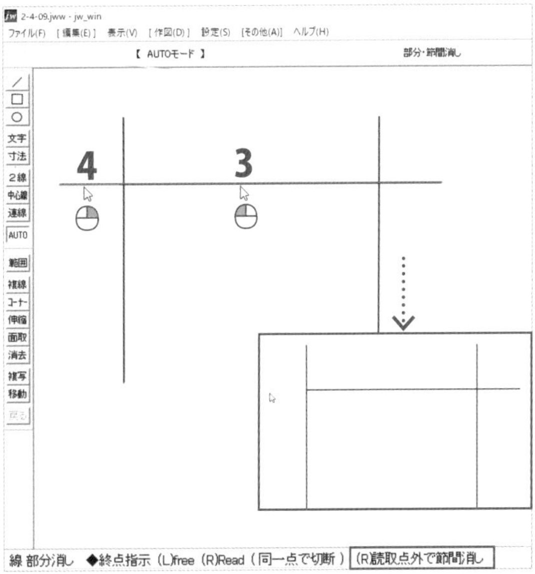

線まで伸縮　p.174の2で◓した線を他線まで伸縮

3　伸縮の基準線として、他の線（または円・弧）を⊖。

➡ 3の線に対し、対象線が2で⊖した側を残して伸縮される。

参考　「伸縮」コマンド基準線まで伸縮▶p.91

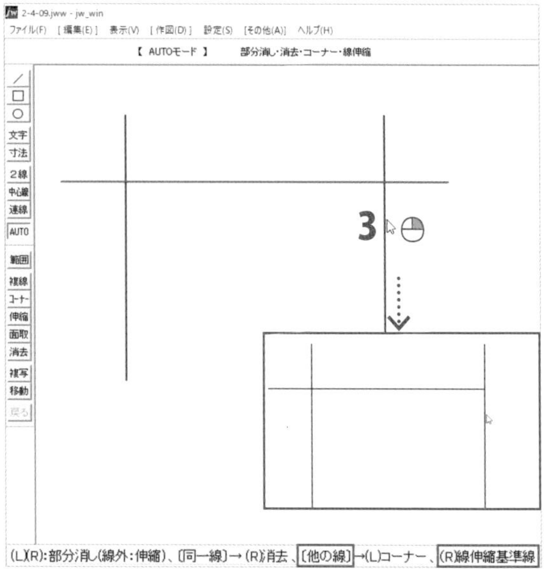

点まで伸縮　p.174の2で◓した線を指定点まで伸縮

3　対象線の範囲外（右図の点線の外側）で⊖。

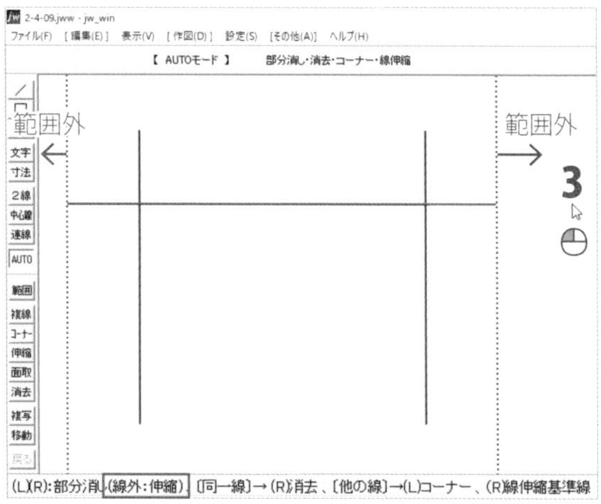

➡ 対象線の2で⊖した位置に水色の○が仮表示される。

4　伸縮点を⊖（または⊖）。

➡ 伸縮点に対し、水色の○が仮表示された側を残して、2の線が伸縮される。

参考　「伸縮」コマンド指定点まで伸縮▶p.90

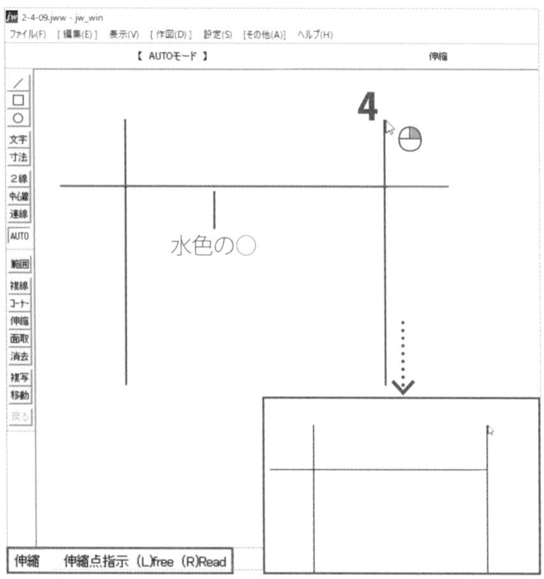

コーナー処理　p.174の❷と他の線で角を作成

3　角を作成するもう1本の線を㊀。

➡ **2**と**3**での㊀側が交点に対して残るように、**2**と**3**の線がコーナー処理される。

参考　「コーナー」コマンド▶p.88

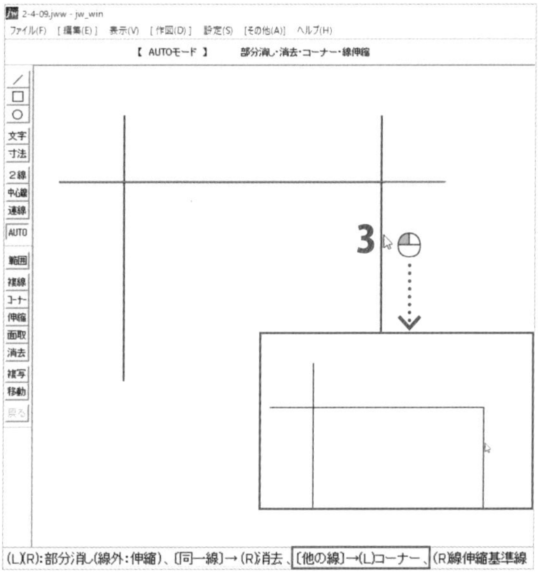

基本操作2　円・弧の作図

1　「AUTO」コマンドで点を㊀㊀。

POINT　**1**で㊀すると、下図の操作メッセージになる。つまり、円・弧の作図は**1**でダブルクリックする。

マウスポインタを移動すると「／」コマンドになる

線：マウス移動　　　円弧：同一点再指示

同じ点を続けて㊀または㊀すると「○」コマンドになる

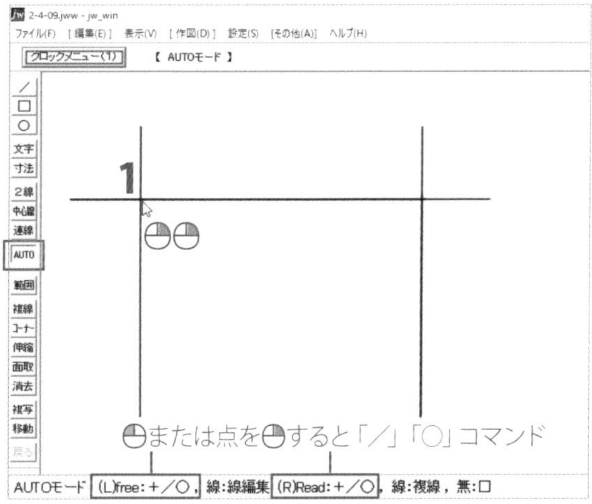

➡ 一時的に「○」コマンドに移行し、**2**を中心とする円がマウスポインタまで仮表示される。円位置を促す操作メッセージが表示される。

POINT　コントロールバー「円弧」のチェックや「半径」ボックスの数値は、前回「○」コマンド使用時の指定である。この時点で変更できる。

2　コントロールバーの項目を適宜指定し、円・弧を作図する。

➡ 作図が完了し、「AUTO」コマンド選択時の状態に戻る。

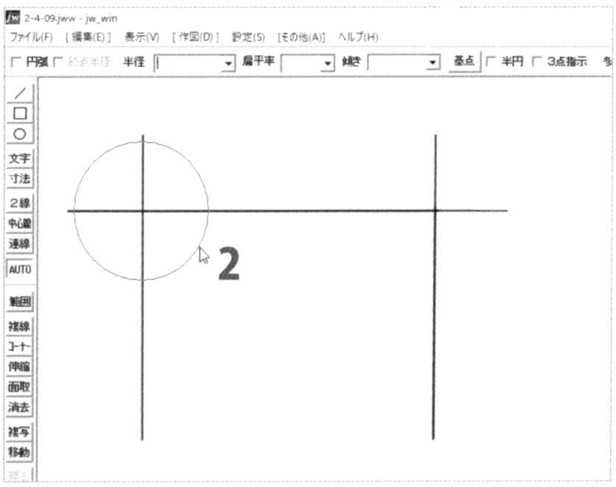

2
メニューバーのコマンド

AUTOモード（「AUTO」コマンド）でのクロックメニュー

「AUTO」コマンド選択時のクロックメニューは、基本設定のダイアログの「AUTO」タブ（▶p.217）での設定に準じる（設定変更可能）。

1 「AUTO」コマンドで、包絡対象の左上の位置から⊖→AM3時包絡。

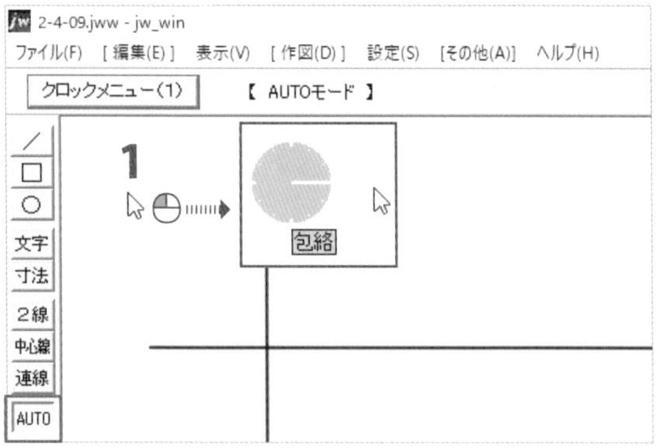

2 表示される包絡範囲枠で包絡対象を囲み、終点を⊖。

コントロールバーやステータスバーの操作メッセージは「包絡」コマンド用だが、ツールバーの選択コマンドは「AUTO」コマンドのままである

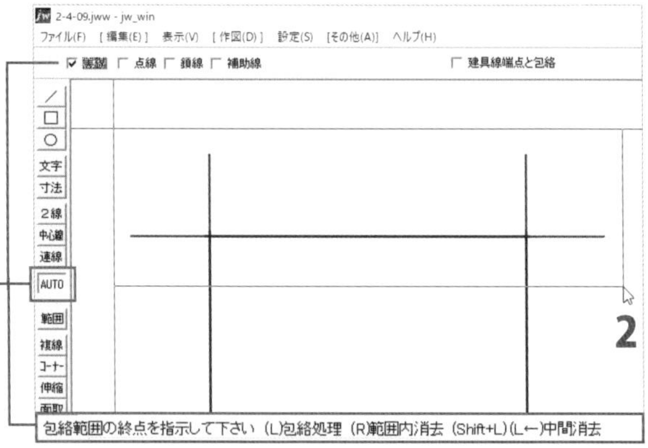

POINT 通常のコマンドでは、クロックメニューで選択したコマンドは継続使用だが、「AUTO」コマンドではクロックメニューで選択したコマンドの1操作が完了すると自動的に「AUTO」コマンドに戻る（「割込使用」と呼ぶ）。また、AUTOモード特有のクロックメニューで選択したコマンドの使用時は、通常のコマンドごとのクロックメニューが表示されるが、それらをAUTOモードクロックメニューに変更することも可能（▶p.210の**1**）。

できる 「クロックメニュー(1)」と「クロックメニュー(2)」の切り替え

Autoモードクロックメニューの「クロックメニュー（1）」と「クロックメニュー（2）」の切り替えは、コントロールバー「クロックメニュー（1）」ボタンを⊖するか、またはドラッグ操作で「クロックメニュー（1）」が表示された状態から、さらに一定距離以上ドラッグすることで「クロックメニュー（2）」に切り替わる。
この距離は基本設定のダイアログの「一般（2）」タブ（▶p.210の**4**）で指定できる。

⊖すると「クロックメニュー（2）」に切り替わる

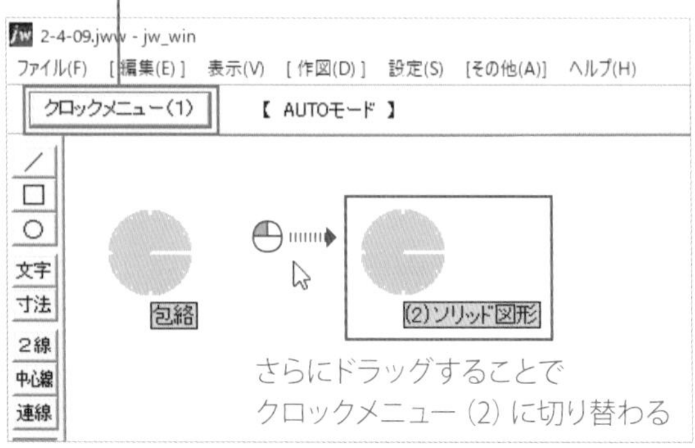

点 点

CD-ROM 2-4-10.jww

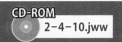

仮点、実点の作図と仮点の消去を行う

基本操作

1 メニューバー［作図］－「点」（「点」コマンド）を⊖。

2 点の作図位置を⊖（または⊖）。

➡ ⊖位置に書込線色の実点が作図される。

「点」コマンドのコントロールバー

① 「仮点」チェックボックス
チェックを付けると書込線色の仮点（印刷や編集操作の対象にならない点。縮尺変更時も用紙に対する仮点の位置は変わらない）を作図する。
チェックがないと書込線色の実点（編集操作の対象になる点。印刷される点だが、補助線色の実点は印刷されない）を作図する。

② 「交点」ボタン
2本の線・円・弧の（仮想）交点に点を作図する。

1 「点」コマンドのコントロールバー「交点」ボタンを⊖。

2 1つ目の線（または円・弧）を⊖。

3 2つ目の線（または円・弧）を⊖。

➡ **2**、**3**で⊖した位置に近い（仮想）交点に点が作図される。

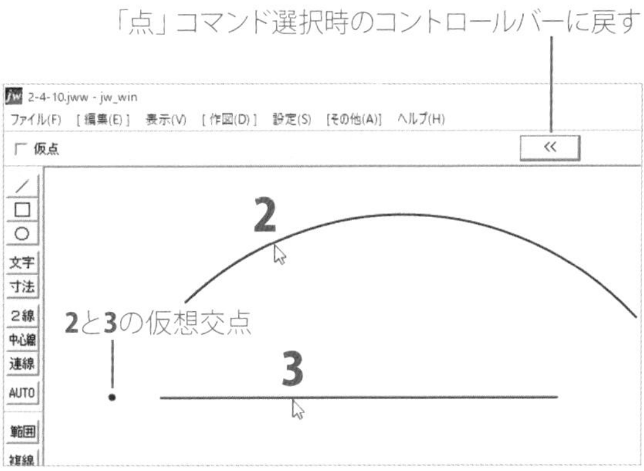

③ 「仮点消去」ボタン
⊖した仮点を消去する。

④ 「全仮点消去」ボタン
すべての仮点（表示のみレイヤ、非表示レイヤ、プロテクトレイヤの仮点は除く）を一括消去する。

接線 接線

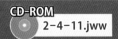

CD-ROM 2-4-11.jww

円・弧の接線を作図する

基本操作

1 メニューバー [作図] ー「接線」(「接線」コマンド) を㊀。

2 コントロールバーの4つのラジオボタンから、作図する接線の条件 (右図では「円→円」) を選択する。

3 円・弧を㊀。

4 別の円・弧を㊀。

➡ 円・弧を㊀した側の接線が作図される。

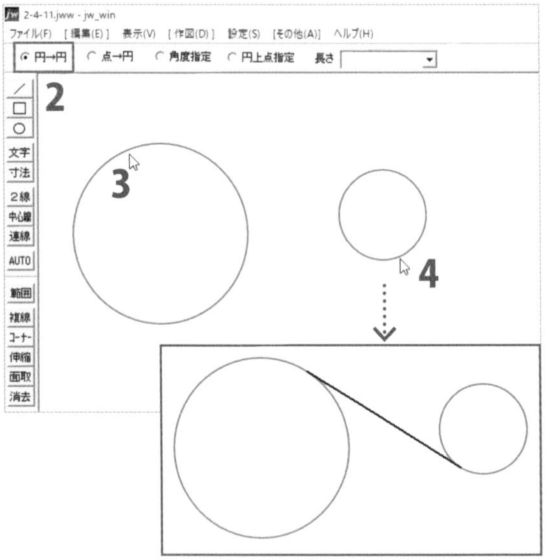

「接線」コマンドのコントロールバー

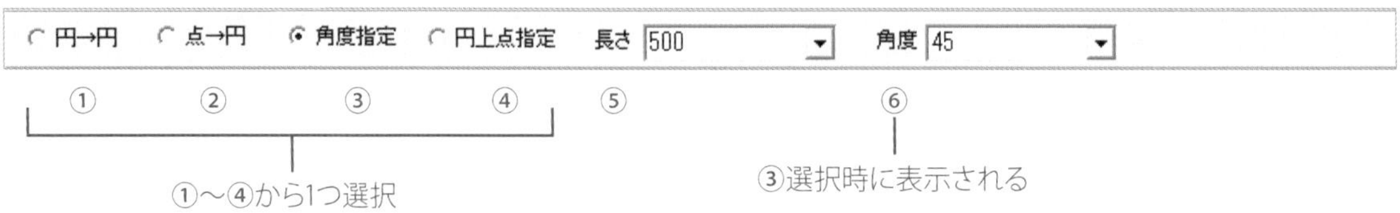

① 「円→円」ラジオボタン
2つの円・弧を指定し、その接線を作図する(▶基本操作)。

② 「点→円」ラジオボタン
点を始点とした円・弧までの接線を作図する。

1 「接線」コマンドのコントロールバー「点→円」を選択する。

2 点を㊀。

3 円・弧を㊀。

➡ **2**の点から**3**で㊀した側の接線を作図する。

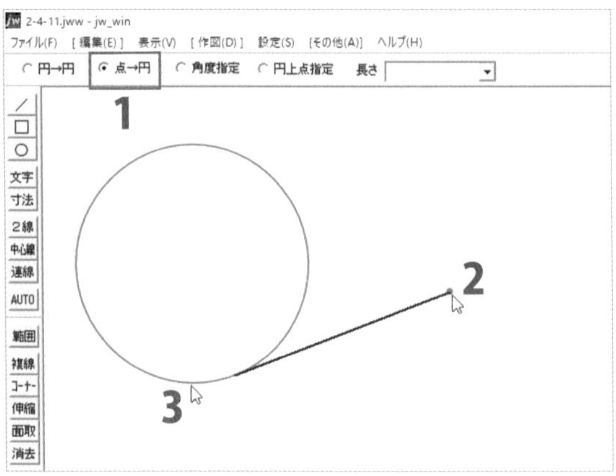

③「角度指定」ラジオボタン
コントロールバーに表示される⑥「角度」入力ボックスに、接線の角度を指定して接線を作図する。

1 「接線」コマンドのコントロールバー「角度指定」を選択する。

2 コントロールバー「角度」ボックスに角度を入力する。

3 円・弧を⊖。

4 始点を⊖（または⊖）。

5 終点を⊖（または⊖）。

➡ **3**で円・弧を⊖した側に、指定角度の接線を作図する。

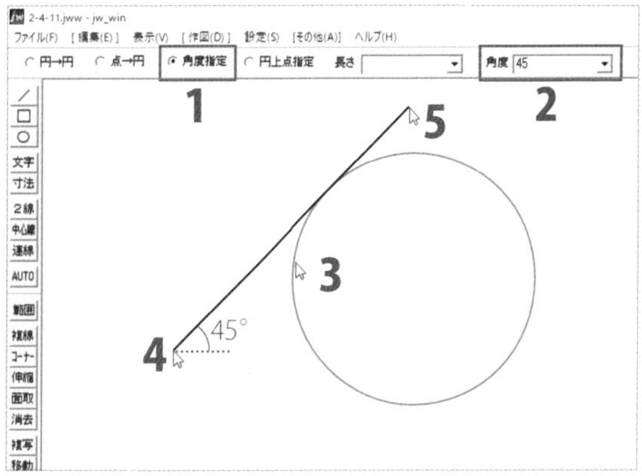

④「円上点指定」ラジオボタン
円上の指定点における接線を作図する。

1 「接線」コマンドのコントロールバー「円上点指定」を選択する。

2 円・弧を⊖。

3 円上点を⊖。

4 始点を⊖（または⊖）。

5 終点を⊖（または⊖）。

➡ **2**で指示した円・弧の、**3**の点における接線を作図する。

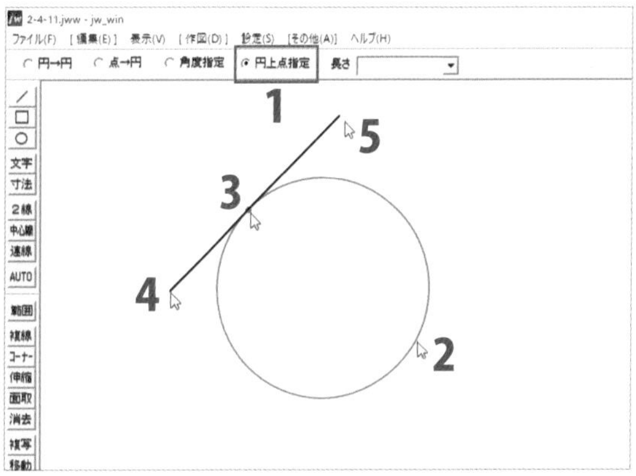

⑤「長さ」入力ボックス
接線の長さを指定することで、始点から指定長さの接線を作図する。
右図**1**〜**4**は、①「円→円」選択時の操作手順。

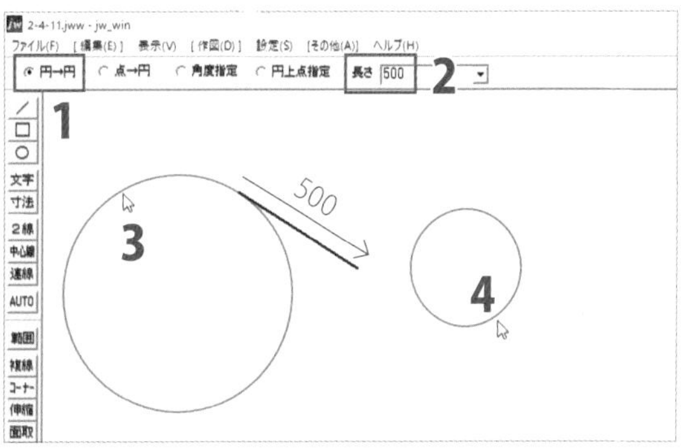

⑥「角度」入力ボックス　※③「角度指定」選択時に表示される。
接線の角度を指定する。

2 メニューバーのコマンド

接円 接円

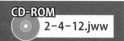

CD-ROM 2-4-12.jww

線・円・弧に接する円、楕円を作図する

基本操作　3つの接する要素指示で作図

線と円と点の接線を作図する。

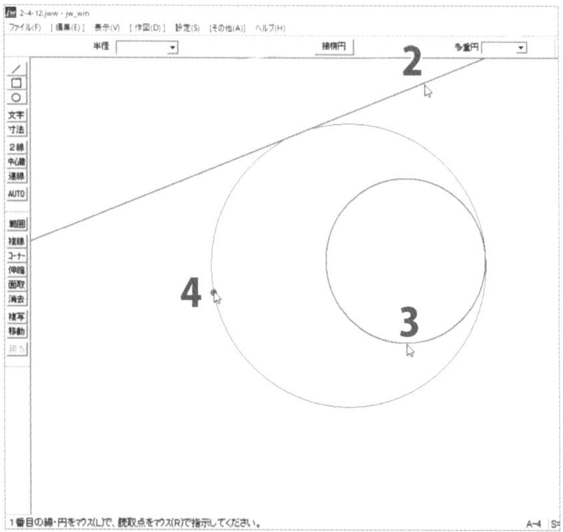

1　メニューバー [作図] ―「接円」(「接円」コマンド) を⊖。

2　1番目の線・円・弧を⊖ (または点を⊖)。

3　2番目の線・円・弧を⊖ (または点を⊖)。

4　3番目の点を⊖ (または線・円・弧を⊖)。

➡ **2**、**3**、**4**に接する円が作図される。

> **POINT**　円・弧を⊖する位置によって、作図される接円が異なるので注意する。

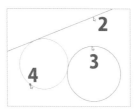

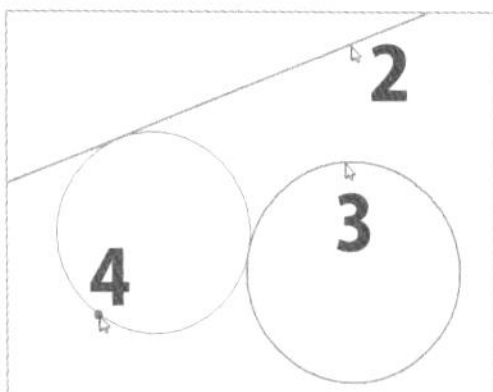

「接円」コマンドのコントロールバー

①　　②　　③

① 「半径」入力ボックス

作図する接円の半径を指定する。半径と2つの接する要素の指示で接円を作図する。

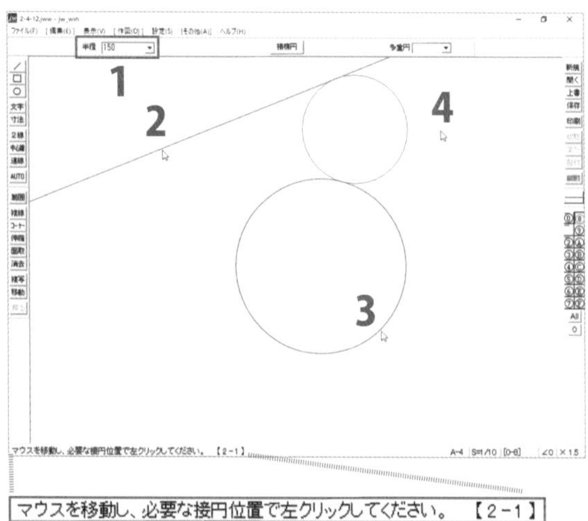

【条件に合う接円の数 － 現在仮表示している接円の番号】

1　「接円」コマンドのコントロールバー「半径」ボックスに、作図する接円の半径を入力する。

2　1番目の線・円・弧を⊖ (または点を⊖)。

3　2番目の線・円・弧を⊖ (または点を⊖)。

> **POINT**　**1**、**2**、**3**の条件に合う接円が複数ある場合は、マウスポインタを移動することでマウスポインタ位置に近い接円が仮表示される。**1**、**2**、**3**の条件で接円が成り立たない場合は計算できませんと表示される。

4　マウスポインタを移動し、必要な接円が仮表示された状態で⊖。

➡ **4**で仮表示された接円が作図される。

② 「接楕円」ボタン

接楕円を作図する。「接楕円」ボタンを選択すると、下図のコントロールバーに切り替わる。

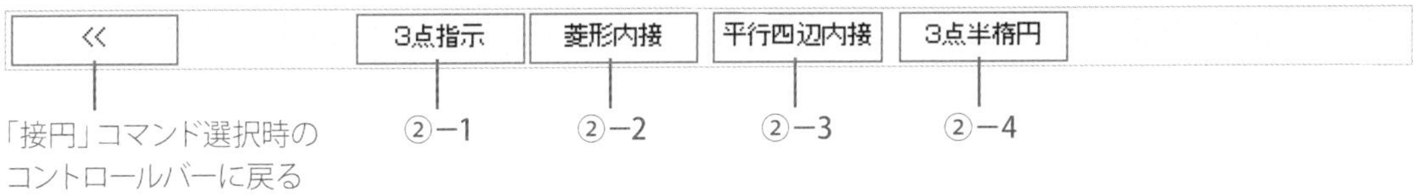

②−1 「3点指示」ボタン

楕円軸両端点と通過点指示で楕円を作図する。

1 コントロールバー「3点指示」ボタンを⊖。

2 楕円軸の始点を⊖(または⊖)。

3 楕円軸の終点を⊖(または⊖)。

4 通過点を⊖(または⊖)。

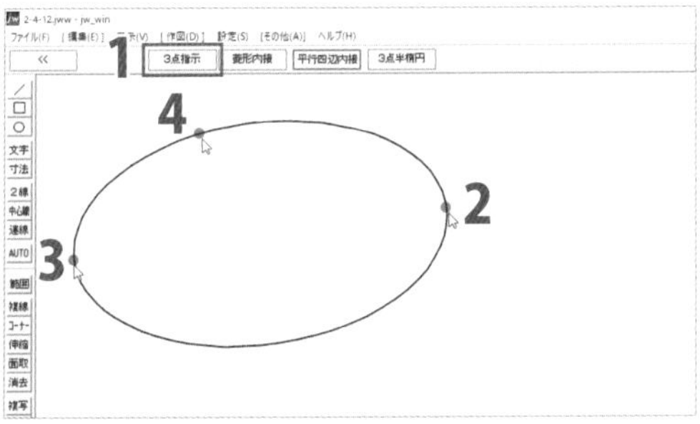

②−3 「平行四辺内接」ボタン

平行四辺形に内接する楕円を作図する。

1 コントロールバー「平行四辺内接」ボタンを⊖。

2 1辺目を⊖。

3〜5 2辺目、3辺目、4辺目を順に⊖。

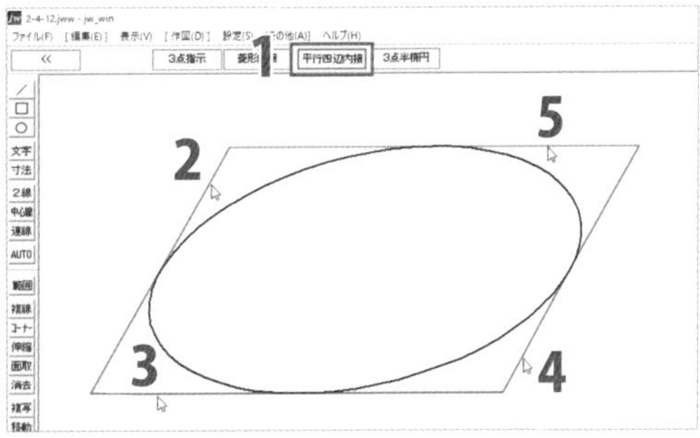

②−2 「菱形内接」ボタン

菱形に内接する楕円を作図する。

1 コントロールバー「菱形内接」ボタンを⊖。

2 1辺目を⊖。

3〜4 2辺目、3辺目を順に⊖。

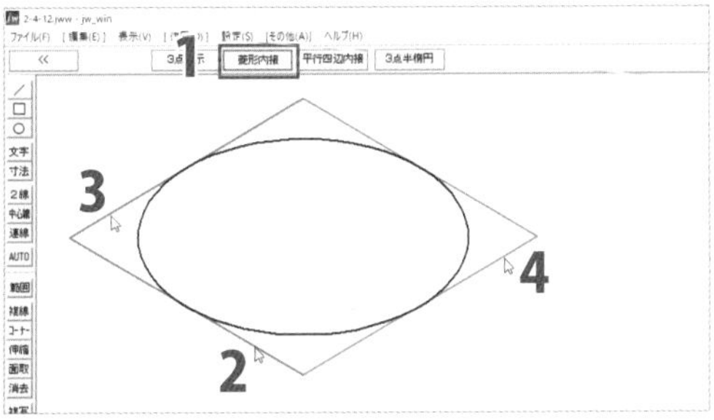

②−4 「3点半楕円」ボタン

楕円軸両端点と通過点指示で半楕円を作図する。

1 コントロールバー「3点半楕円」ボタンを⊖。

2 楕円軸の始点を⊖(または⊖)。

3 楕円軸の終点を⊖(または⊖)。

4 通過点を⊖(または⊖)。

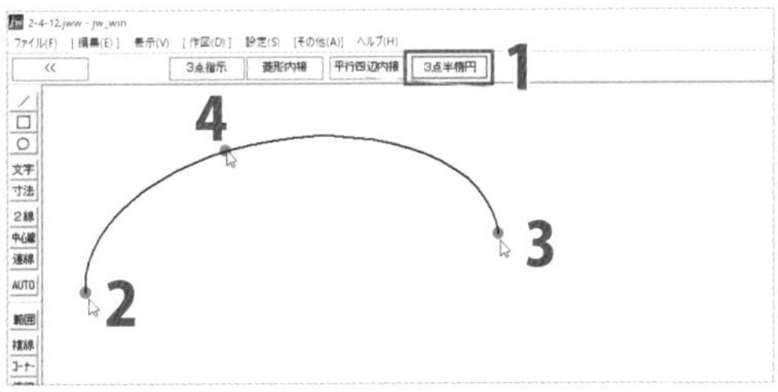

③ 「多重円」入力ボックス

半径寸法を指定数で等分割した多重の接円を作図する。

−(マイナス)数値を指定すると、その数値分内側に入った二重の接円を作図する。

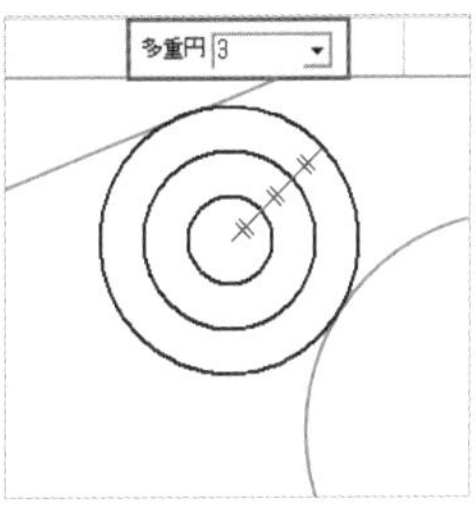

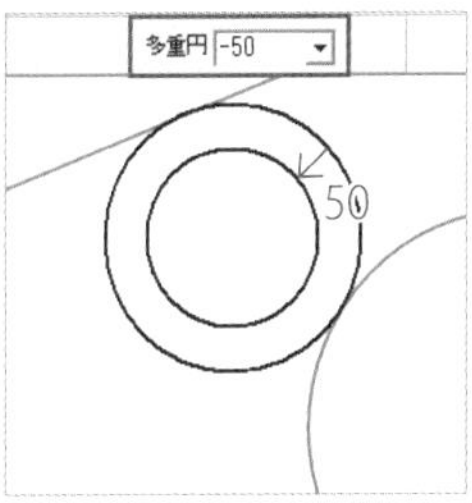

ハッチ ﾊｯﾁ

CD-ROM 2-4-13.jww

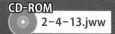

指定範囲内をハッチングする

基本操作

ハッチングする範囲とその種類を指定することで作図する。

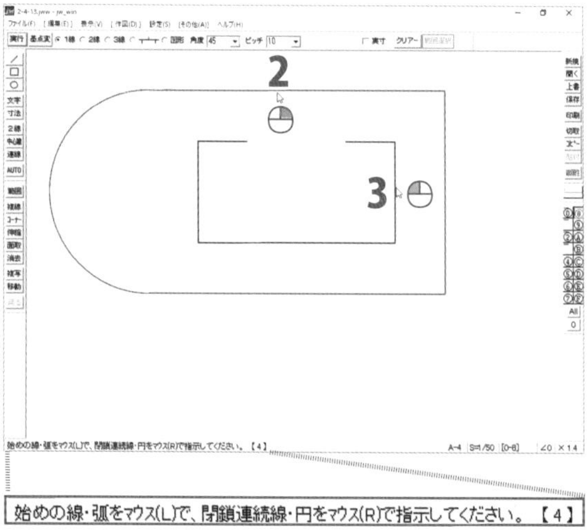

2
3
始めの線・弧をマウス(L)で、閉鎖連続線・円をマウス(R)で指示してください。【4】

1　メニューバー［作図］－「ハッチ」（「ハッチ」コマンド）を⊖。

2　ハッチング範囲の外形線を⊖（閉鎖連続線）。

➡ ⊖した線に連続する線が選択色になり、コントロールバー「実行」ボタンが⊖可能になる。

> **POINT**　ハッチング範囲の外形線が閉じた連続線や円のときは⊖して、閉じていないときは外形線を1本ずつ⊖して指定する。続けて複数のハッチング範囲を指定できる。中抜きはハッチング範囲と中抜きの範囲の両方をハッチング範囲として指定する。

3　内側の長方形の右辺を開始線として⊖。

➡ 開始線が波線表示される。

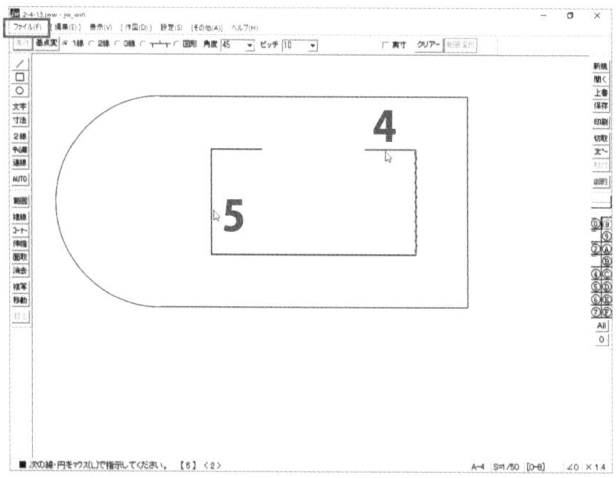

4
5

4　開始線の次の線を⊖。

➡ ⊖した線が選択色になる。

5　次の線として左辺を⊖。

➡ **4**、**5**の線は連続していないが、**4**に連続して**5**の線がハッチング範囲として選択色になる。

> **POINT**　**5**で、**4**の延長上の線を⊖した場合は、計算できません と表示され、次の線として選択されない。

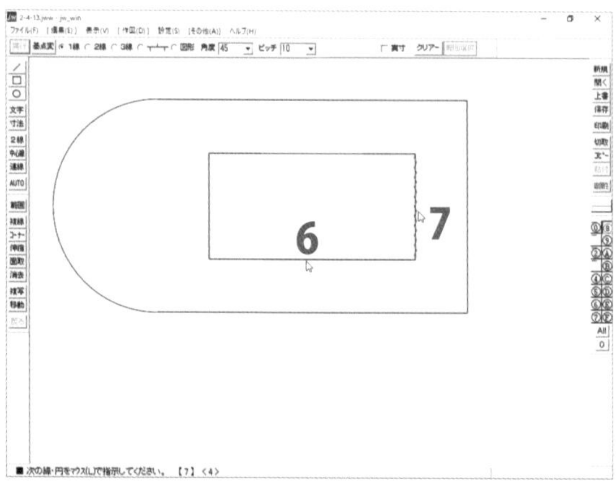

6
7

6　次の線として、下辺を⊖。

7　開始線を再度⊖。

➡ ハッチング範囲が確定し、コントロールバー「実行」ボタンが⊖可能になる。

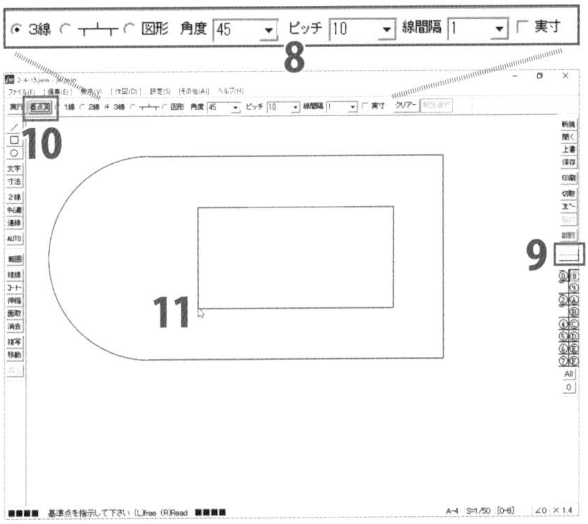

8 **コントロールバーで、種類（「3線」）を選択し、角度（45°）、ピッチ、線間隔をそれぞれ指定する。**

> **POINT** 「ピッチ」「線間隔」は図寸（mm）で指定する。コントロールバー「実寸」にチェックを付けることで実寸指定になる。

9 **「書込線」をハッチングの線色・線種にする。**

10 **コントロールバー「基点変」ボタンを⊖。**

11 **基準点（ハッチング線が通過する点）を⊖。**

12 **コントロールバー「実行」ボタンを⊖。**

➡ 選択色のハッチング範囲に、3線ハッチングが書込線で作図される。

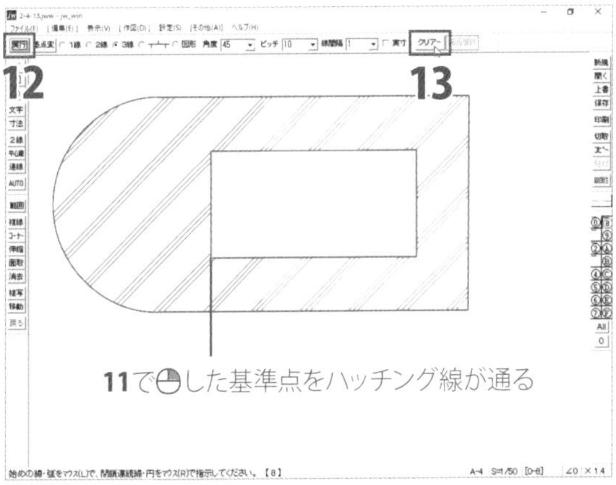

> **POINT** 基準点の指定が不要な場合は**10**、**11**の操作は省く。**12**の代わりに⊖↑ AM0時 作図実行 でも同じ。ハッチング作図後もハッチング範囲は選択色のままで、さらにハッチングを追加できる。他の範囲をハッチングするには、コントロールバー「クリアー」ボタンを⊖してハッチング範囲を解除する。

13 **コントロールバー「クリアー」ボタンを⊖。**

➡ ハッチング範囲が解除される。

できる 格子状にハッチング

基本操作の**12**の後、コントロールバー「角度」ボックスを「−45」に変更し、「実行」ボタンを⊖することで、同じハッチング範囲に90°傾けた角度で追加ハッチングされる。

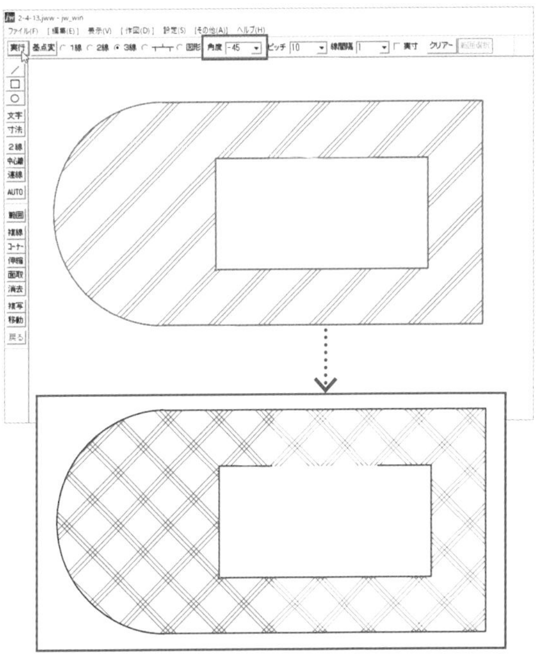

「ハッチ」コマンドのコントロールバー

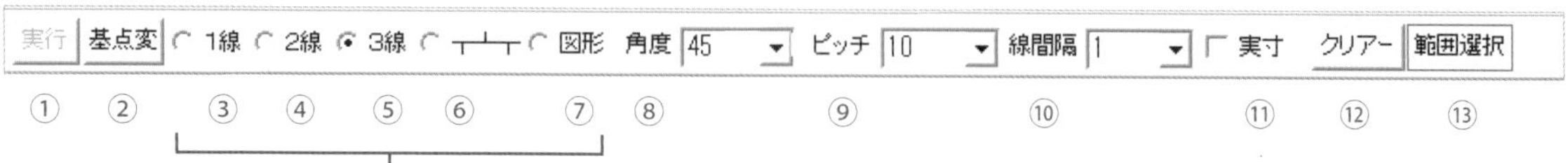

③〜⑦はいずれかの種類を選択（種類により⑨、⑩の表示や名称が異なる）

① 「実行」ボタン
ハッチングを作図する。ハッチング範囲が確定すると指定可能になる。

② 「基点変」ボタン
ハッチングの作図基準点（ハッチングが通過する点）を指定する（▶前ページ）。

③ 「1線」ラジオボタン

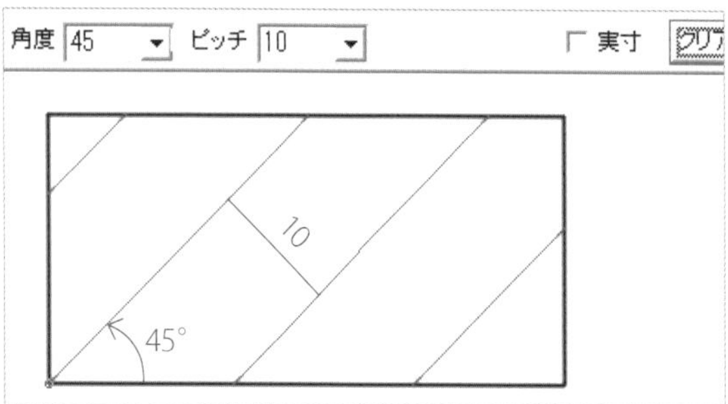

④ 「2線」ラジオボタン

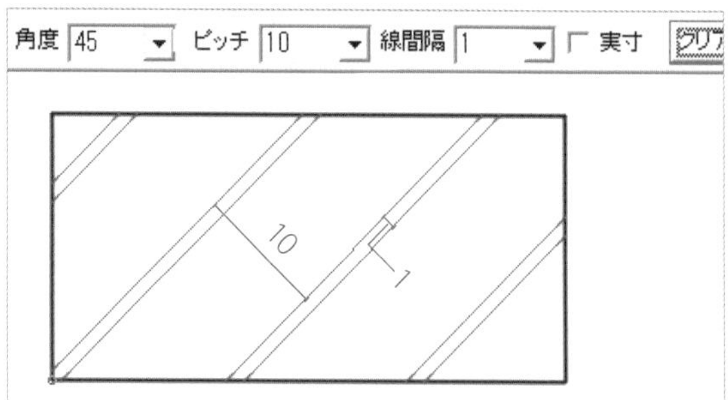

⑤ 「3線」ラジオボタン

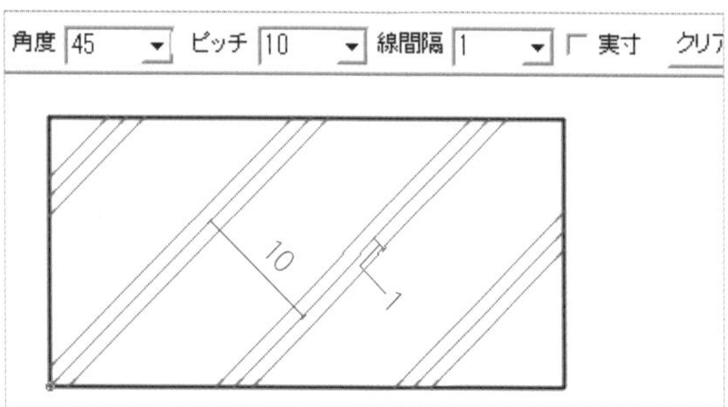

⑥ 「┬┴┬」（目地）ラジオボタン

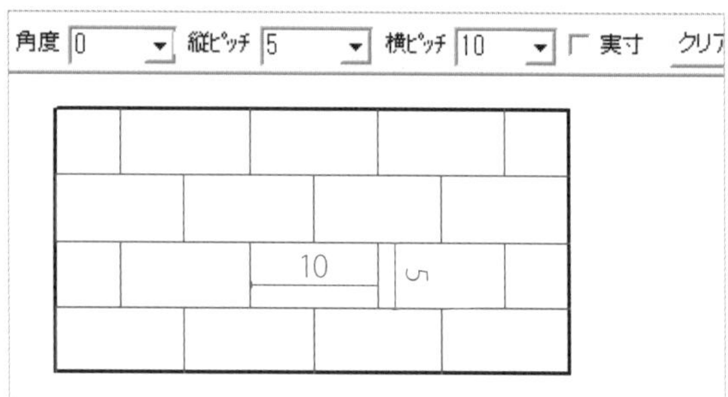

⑦ 「図形」ラジオボタン
指定図形をハッチング範囲に指定ピッチで並べてハッチングする。指定図形によっては、指定範囲からはみ出す場合がある。

1 ハッチング図形（ここでは実点）をハッチング範囲外に作図し、「選択図形登録」する（▶次ページ⑬「範囲選択」の **選択図形登録**）。

2 ハッチング範囲を指定する。

3 コントロールバーの種類「図形」を選択し、角度、縦ピッチ、横ピッチを指定し、「実行」ボタンを⊖。

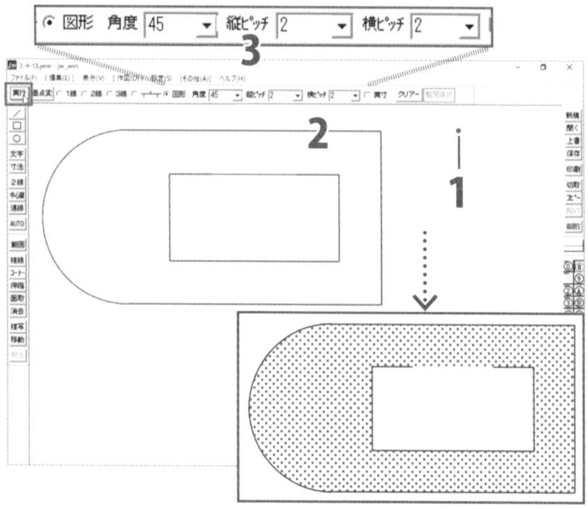

⑧「角度」入力ボックス
ハッチングの作図角度を指定する。

⑨「ピッチ」(または「縦ピッチ」) 入力ボックス
種類③～⑦により、名称が異なる。1線、2線、3線の「ピッチ」または目地、図形の「縦ピッチ」を図寸(mm)で指定する。⑪「実寸」にチェックを付けると実寸指定になる。

⑩「線間隔」(または「横ピッチ」) 入力ボックス
種類③～⑦により、名称が異なる。1線では表示されない。2線、3線の「線間隔」または目地、図形の「横ピッチ」を図寸(mm)で指定する。⑪「実寸」にチェックを付けると実寸指定になる。

⑪「実寸」チェックボックス
⑨、⑩の数値が実寸指定になる。

⑫「クリアー」ボタン
現在のハッチング範囲(選択色で表示)を解除する。

⑬「範囲選択」ボタン
ハッチング範囲を範囲選択する(すべてのハッチング範囲が閉じた連続線であることが前提)。また、種類「図形」で使用する図形を選択図形登録する。

ハッチング範囲を範囲選択

1 「ハッチ」コマンドのコントロールバー「範囲選択」ボタンを⊖。

2 選択範囲の始点を⊖。

3 ハッチング範囲対象を囲み、選択範囲の終点を⊖。

4 ハッチング範囲が選択色になっていることを確認し、コントロールバー「選択確定」ボタンを⊖。

5 ハッチング範囲が確定するので、「基本操作」(▶p.185) **8**へ進む。

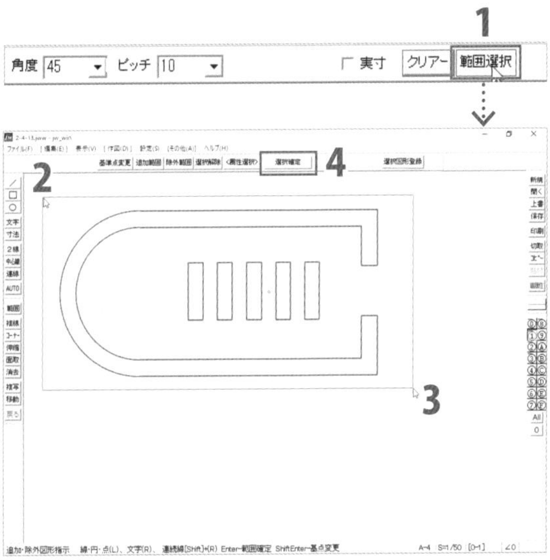

選択図形登録

1 ハッチ図形(ここでは実点)をハッチング範囲外に作図する。

2 「ハッチ」コマンドのコントロールバー「範囲選択」ボタンを⊖。

3 作図した実点を範囲選択する。

4 コントロールバー「選択図形登録」ボタンを⊖。

➡ 画面左上に《図形登録》と表示され、**3**で指定した実点が選択図形として登録される。

5 前ページ⑦「図形」ラジオボタンの操作の**2**へ進む。

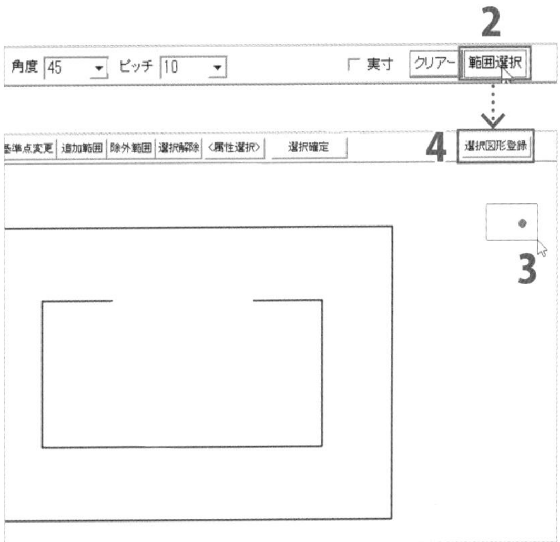

建具平面 建平

⊖↘PM5時 建具平面

CD-ROM 2-4-14.jww

あらかじめ用意された建具の平面を、見込、枠幅、内法寸法を指定して作図する

基本操作

1 メニューバー [作図] –「建具平面 (「建平」コマンド)」を⊖。

2 「ファイル選択」ダイアログのフォルダーツリーで、「JWW」フォルダー下の「【建具平面A】建具一般平面図」を⊖。

> **POINT** 建具平面は、基本的に書込線色・線種で作図されるが、この一覧表示で書込線色・線種以外の線色・線種で表示される要素は、表示の線色、線種で作図される。

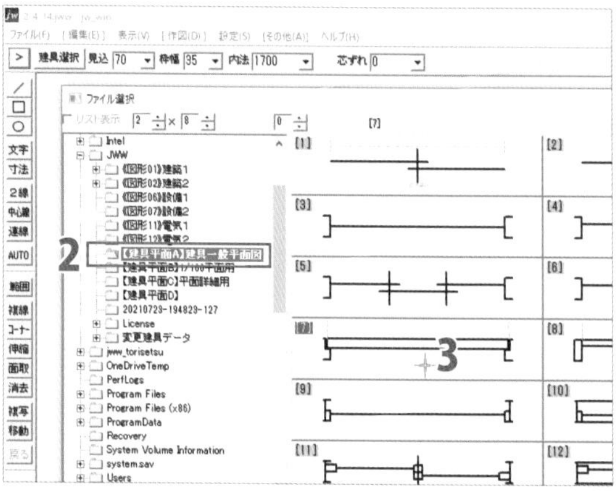

3 建具一覧で、建具 (右図は [7] の片開き戸) を⊖⊖で選択する。

4 コントロールバーで、建具の「見込」「枠幅」「内法」「芯ずれ」を指定する。

参考 各指定寸法▶p.190

5 建具の作図角度を決める基準線を⊖。

> **POINT** 5で既存点を⊖し、次にもう1点を⊖することで、その2点を結ぶ線を基準線として指示できる。

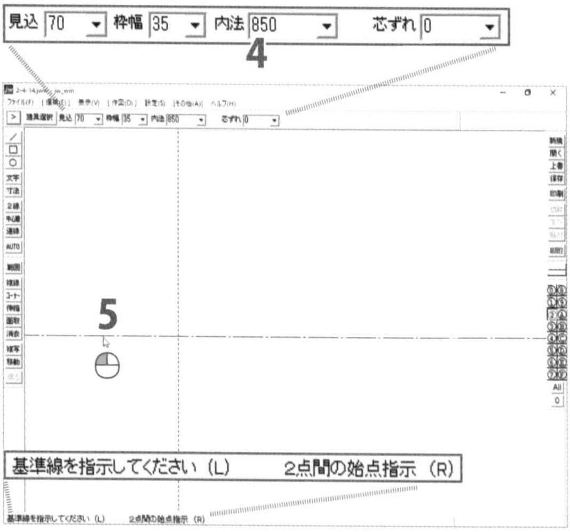

➡ 5の基準線上のマウスポインタ位置に、3で選択した片開き戸が仮表示される。

6 適宜、コントロールバー「基準点変更」ボタンを⊖して開く「基準点選択」ダイアログで⊖し、基準点 (仮表示の建具に対するマウスポインタの位置) を変更する。

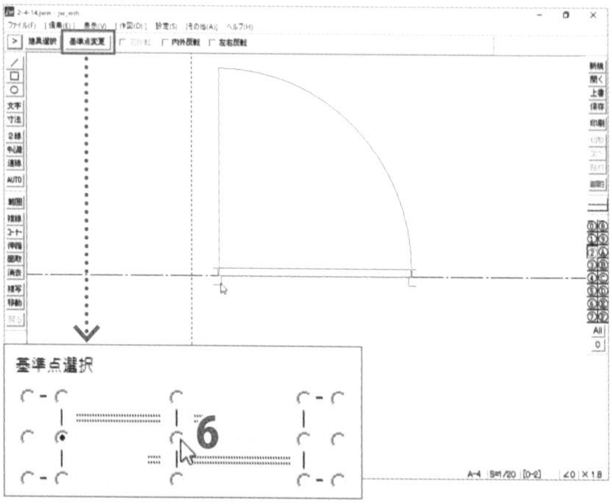

7　**コントロールバー「内外反転」「左右反転」に適宜チェックを付け、建具の開きの向きを調整する。**

8　**建具の作図位置を⊖（または⊖）。**

➡ 建具平面が作図される。次の基準線を指示することで同じ建具平面を続けて作図できる。他の建具平面を作図する場合は、コントロールバー「建具選択」ボタンを⊖。

> **POINT**　「建具平面」コマンドで作図した建具には「建具属性」が付加されるため、包絡処理（▶p.111）の対象にならない。

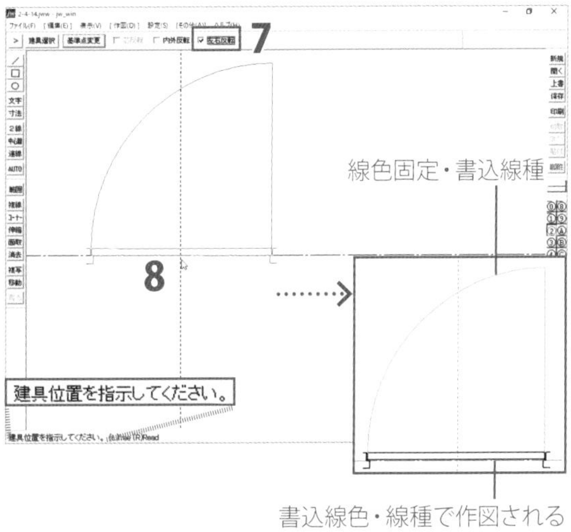

できる 2点間に収まるサイズの建具を作図

前ページの基本操作**4**で、コントロールバー「内法」ボックスを「（無指定）」にすることで、内法寸法を入力せずに、指示する2点間に収まるサイズの建具を作図できる。以下、基本操作**4**以降の操作を解説する。

4　**コントロールバーで、建具の「見込」「枠幅」「芯ずれ」を指定し、「内法」ボックスを「（無指定）」にする。**

5　**基準線を⊖。**

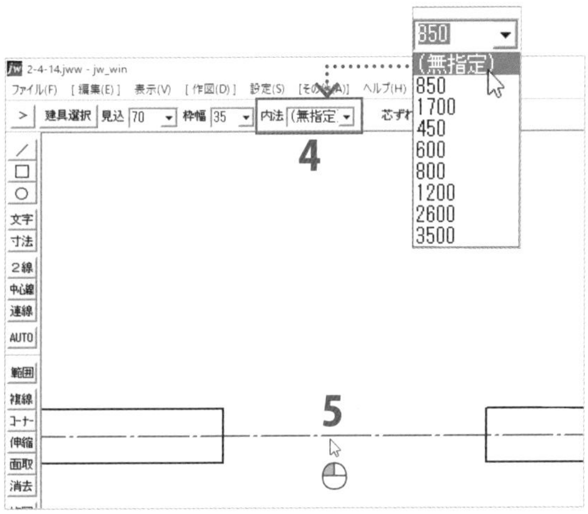

6　**コントロールバー「基準点変更」ボタンを⊖して開く「基準点選択」ダイアログで、基準点として左外端中を⊖で選択する。**

7　**建具の基準点位置として開口左角を⊖。**

8　**適宜、コントロールバーで「内外反転」「左右反転」の指定を行い、建具位置として開口右角を⊖。**

➡ **7**－**8**間に収まるサイズの建具平面が作図される。

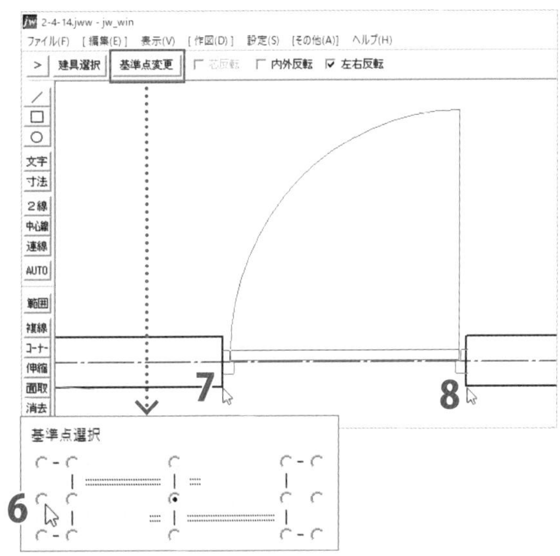

「建具平面」コマンド　基準線指示前のコントロールバー

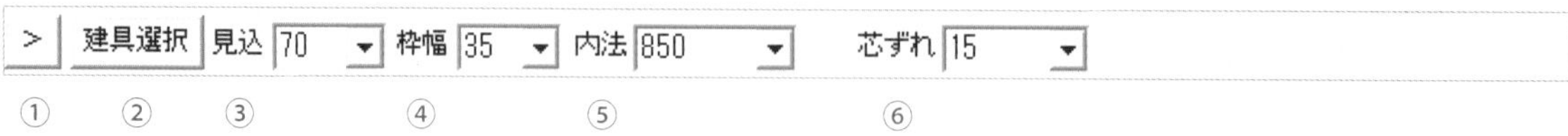

① 「>」ボタン
基準線指示後のコントロールバーに切り替える。

② 「建具選択」ボタン
建具選択のための「ファイル選択」ダイアログを開く。

③ 「見込」入力ボックス
見込寸法を指定する。

④ 「枠幅」入力ボックス
枠幅寸法を指定する。

⑤ 「内法」入力ボックス
内法寸法を指定する。
「(無指定)」を選択すると、2点を指示することで内法寸法が決定する(▶前ページ できる)。

⑥ 「芯ずれ」入力ボックス
芯ずれ寸法を指定する。
「−1」(任意間隔)を指定すると、基準線指示後に仮表示される建具平面の位置は、基準線の位置に関わりなく、マウスポインタの位置になる。

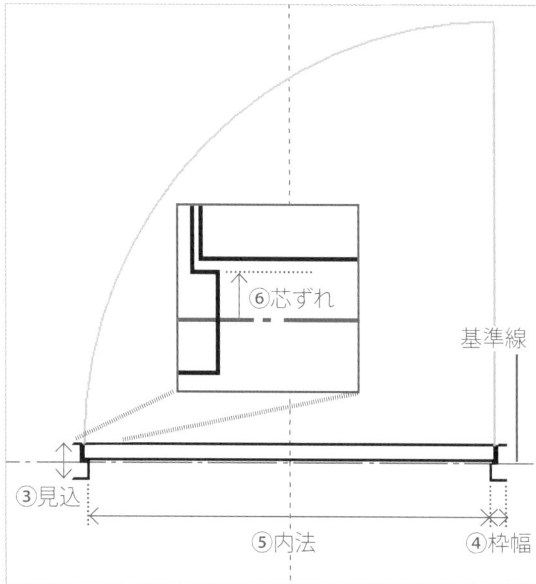

「【建具平面C】平面詳細用」基準線指示前のコントロールバー

「【建具平面C】平面詳細用」の建具はサイズの指定方法が異なる。

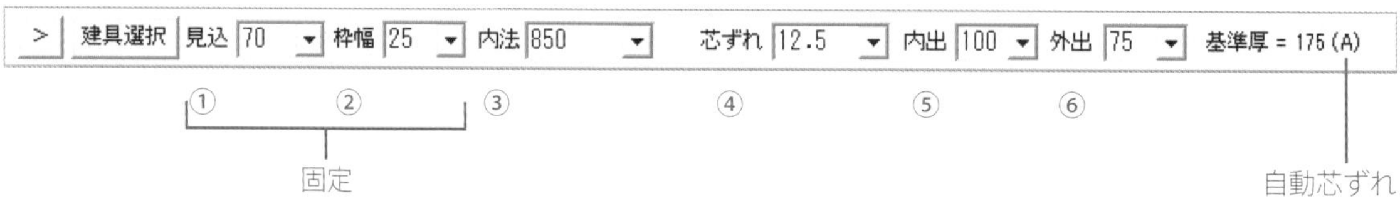

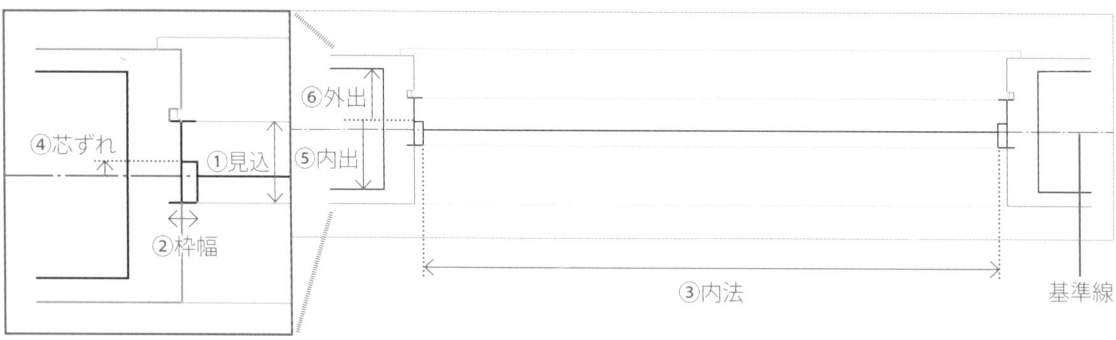

① 「見込」入力ボックス ／ ② 「枠幅」入力ボックス
平面詳細用建具では固定になる。

③ 「内法」入力ボックス
内法寸法を指定する。
「(無指定)」を選択すると、2点を指示することで内法寸法が決定する(▶前ページ できる)。

④ 「芯ずれ」入力ボックス
コントロールバー右端の「基準厚＝*」の後に「(A)」が表示される平面詳細用建具は、自動芯ずれ計算を行う(芯ずれ＝(⑤内出−⑥外出)÷2)。

⑤ 「内出」入力ボックス ／ ⑥ 「外出」入力ボックス
建具芯からの内側および外側の基準の出で、「①見込÷2」以上の数値を指定する(⑤+⑥＝基準厚)。

「建具平面」コマンド　基準線指示後のコントロールバー

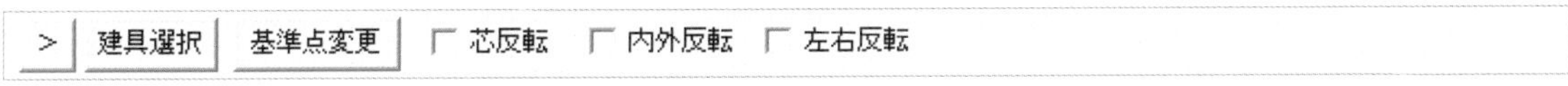

① ② ③ ④ ⑤ ⑥

①「＞」ボタン
基準線指示前のコントロールバーに切り替える。

②「建具選択」ボタン
建具選択のための「ファイル選択」ダイアログを開く。

③「基準点変更」ボタン
「基準点選択」ダイアログが開き、右図15カ所から基準点を㊀で選択する。

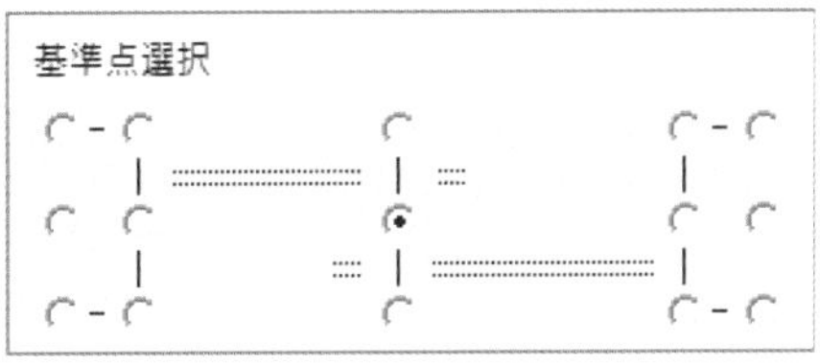

▼建具平面上の下図の位置を示す

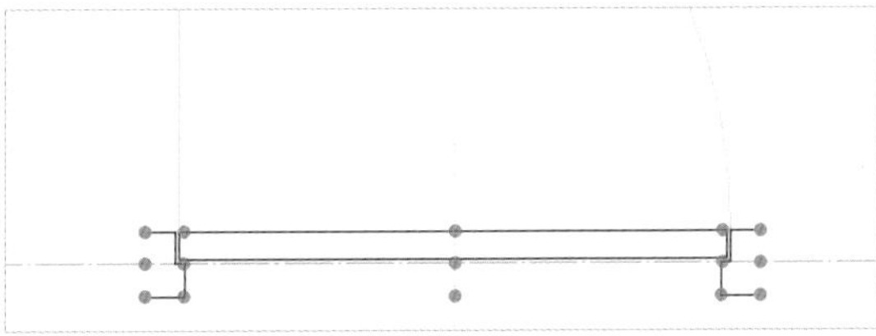

④「芯反転」チェックボックス　※基準線指示前のコントロールバー⑥「芯ずれ」ボックスに「0」以外の数値を入力した場合に指定可能。
芯ずれの方向を反転する。

⑤「内外反転」チェックボックス
建具の内と外を反転する。

⑥「左右反転」チェックボックス
建具の左右を反転する。

POINT　建具データファイル「JW_OPT1(～3)＊.DAT」

「建具平面」「建具断面」「建具立面」コマンドで選択する建具は、「JW_OPT1＊.DAT」「JW_OPT2＊.DAT」「JW_OPT3＊.DAT」(＊にはB～Zのアルファベットが入る)という名前の建具ファイルである。
「JWW」フォルダーには、標準で「JW_OPT1.DAT」「JW_OPT1B.DAT」「JW_OPT1C.DAT」「JW_OPT1D.DAT」の4つの建具平面データファイル、「JW_OPT2.DAT」「JW_OPT2B.DAT」「JW_OPT2C.DAT」の3つの建具断面データファイル、「JW_OPT3.DAT」「JW_OPT3B.DAT」「JW_OPT3C.DAT」「JW_OPT3D.DAT」の4つの建具立面データファイルが用意されている。
「JW_OPT1.DAT」「JW_OPT1B.DAT」「JW_OPT1C.DAT」「JW_OPT1D.DAT」は、「建具平面」コマンドでは、便宜上、「JWW」フォルダー下の4つの建具平面フォルダーとして表示される。
この建具ファイルを編集することで、建具の一部の変更や新しい建具の追加ができる(▶JWWトリセツ付録.pdf p.19)。

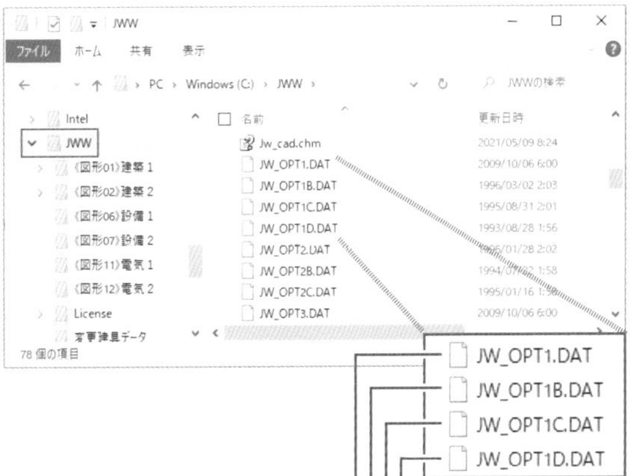

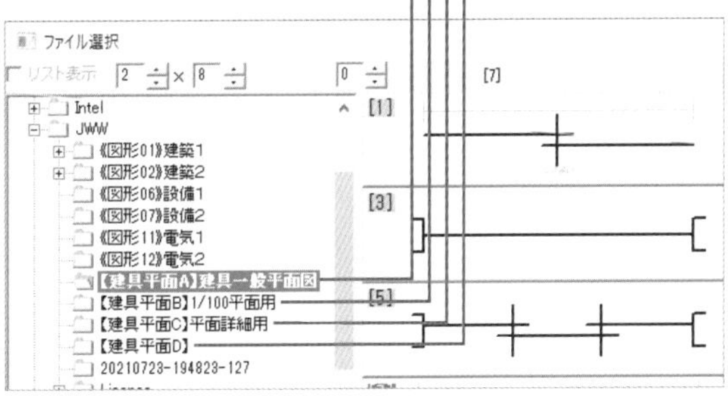

2 メニューバーのコマンド

建具断面

建断 ⊖↘PM4時 建具断面

CD-ROM 2-4-15.jww

あらかじめ用意された建具の断面を、見込、枠幅、内法寸法を指定して作図する

基本操作

1 メニューバー [作図] –「建具断面」(「建断」コマンド) を⊖。

2 「ファイル選択」ダイアログのフォルダーツリーで、「JWW」フォルダー下の「【建具断面A】下枠65サッシ」を⊖。

3 建具一覧で、建具 (右図は「[3]」) を⊖⊖で選択する。

> **POINT** 建具断面は、一部の要素を除き、基本的に書込線で作図される。

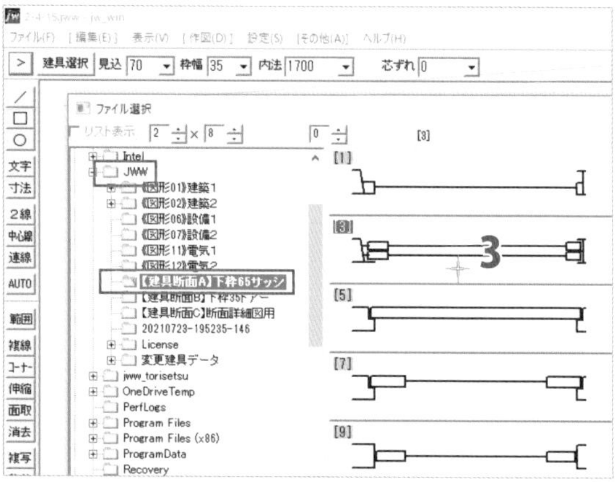

4 コントロールバーで、建具の「見込」「枠幅」「内法」「芯ずれ」を指定する。

参考 ▶次ページのコントロールバー③、④、⑤

> **POINT** コントロールバー「内法」ボックスを「(無指定)」にすることで、内法寸法を指定せずに、指示する2点間に収まるサイズの建具を作図できる (▶p.189 できる)。

5 建具の作図角度を決める基準線を⊖。

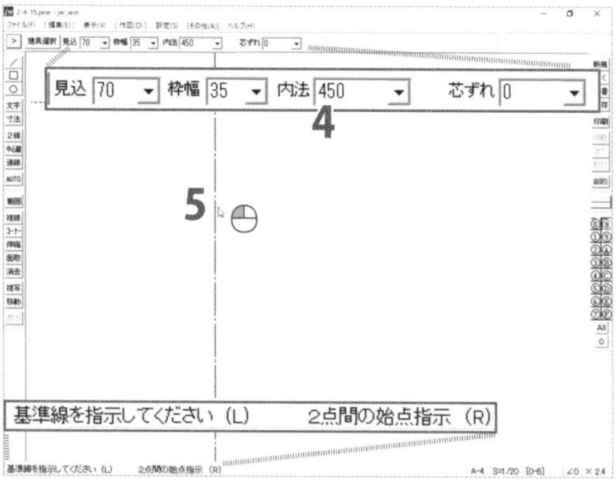

6 適宜、コントロールバー「基準点変更」ボタンを⊖し、基準点 (仮表示の建具に対するマウスポインタの位置) を変更する。

7 適宜、コントロールバー「内外反転」にチェックを付け、建具の内外を調整する。

8 建具位置を⊖。

➡ 建具断面が作図される。次の基準線を指示することで、同じ建具断面を続けて作図できる。他の建具断面を作図する場合は、コントロールバー「建具選択」ボタンを⊖。

> **POINT** 「建具断面」コマンドで作図した建具には「建具属性」が付加され、包絡処理 (▶p.111) の対象にならない。

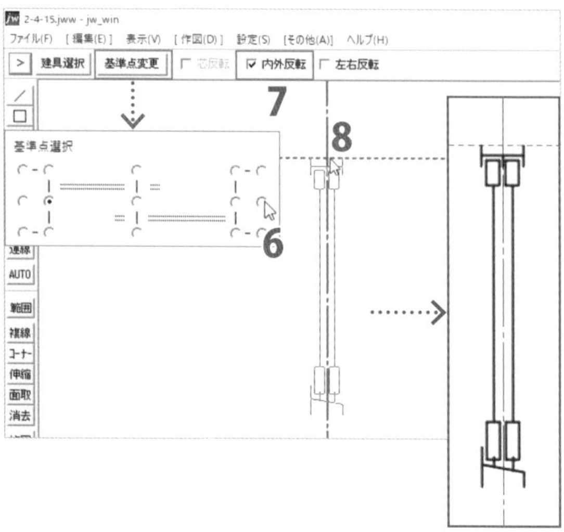

「建具断面」コマンド　基準線指示前のコントロールバー

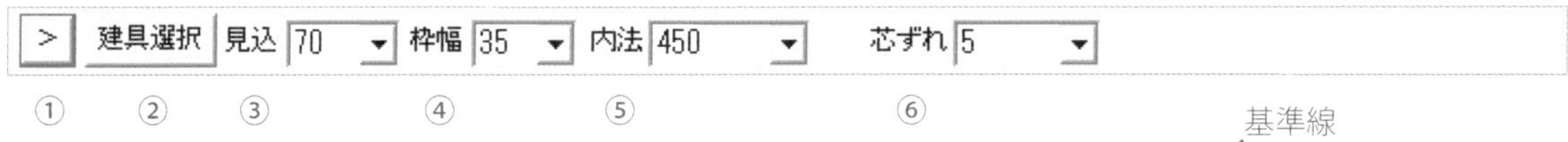

① 「>」ボタン
基準線指示後のコントロールバーに切り替える。

② 「建具選択」ボタン
建具選択のための「ファイル選択」ダイアログを開く。

③ 「見込」入力ボックス
見込寸法を指定する。

④ 「枠幅」入力ボックス
枠幅寸法を指定する。

⑤ 「内法」入力ボックス
内法寸法を指定する。
「(無指定)」を選択すると、2点を指示することで内法寸法が決定する(▶p.189 できる)。

⑥ 「芯ずれ」入力ボックス
芯ずれ寸法を指定する。
「−1」(任意間隔)を指定すると、基準線指示後に仮表示される建具の位置は、基準線の位置に関わりなく、マウスポインタの位置になる。

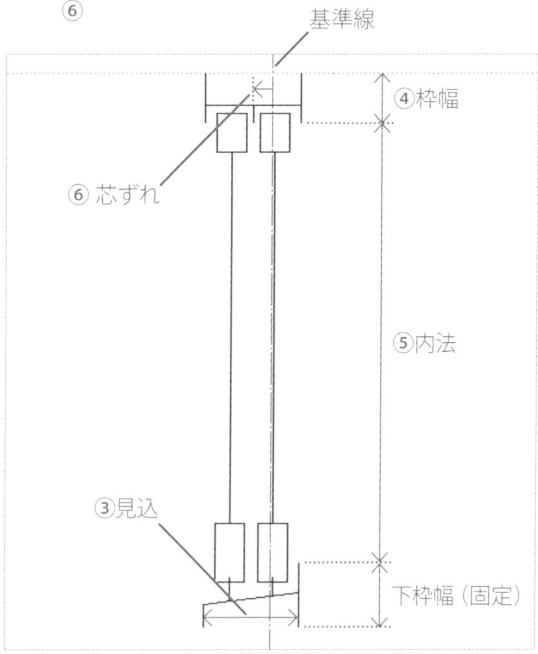

「【建具断面C】断面詳細図用」　基準線指示前のコントロールバー

「【建具断面C】断面詳細図用」の建具はサイズの指定方法が異なる。

① 「見込」入力ボックス ／ ② 「枠幅」入力ボックス
断面詳細用建具では固定になる。

③ 「内法」入力ボックス
内法寸法を指定する。
「(無指定)」を選択すると、2点を指示することで、内法寸法が決定する(▶p.189 できる)。

④ 「芯ずれ」入力ボックス
コントロールバー右端「基準厚＝*」表記の後に(A)が表示される断面詳細用建具は、自動芯ずれ計算を行う(芯ずれ＝(⑤内出−⑥外出)÷2)。

⑤ 「内出」入力ボックス ／ ⑥ 「外出」入力ボックス
建具芯からの内側および外側の基準の出で、「①見込÷2」以上の数値を指定する(⑤＋⑥＝基準厚)。

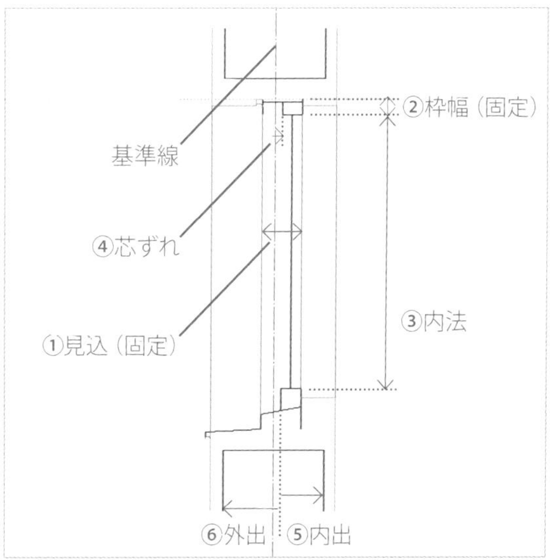

2 メニューバーのコマンド

「建具断面」コマンド　基準線指示後のコントロールバー

①　②　③　④　⑤　⑥

① 「>」ボタン
基準線指示前のコントロールバーに切り替える。

② 「建具選択」ボタン
建具選択のための「ファイル選択」ダイアログを開く。

③ 「基準点変更」ボタン
「基準点選択」ダイアログを開き、15カ所から基準点を㊀で選択する。「基準点選択」ダイアログの右側が建具断面の上側になる。

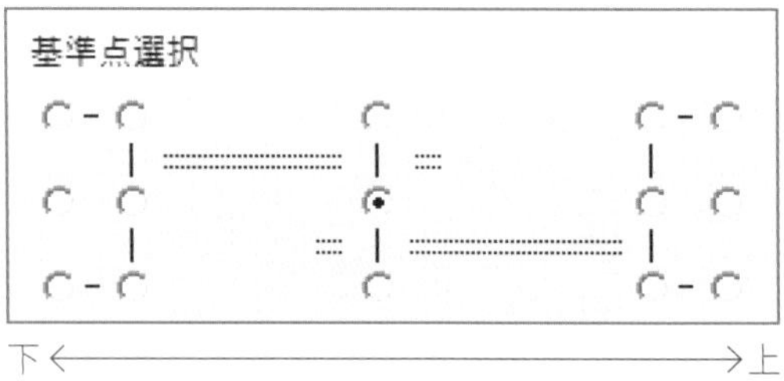

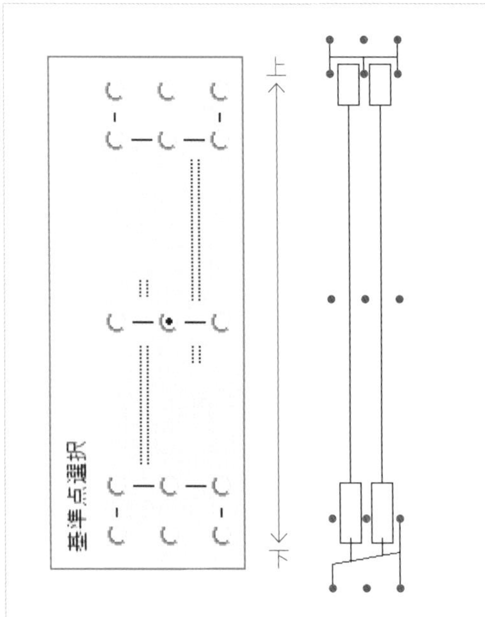

④ 「芯反転」チェックボックス　※基準線指示前のコントロールバー⑥「芯ずれ」ボックスに「0」以外の数値を入力した場合に指定可能。
芯ずれの方向を反転する。

⑤ 「内外反転」チェックボックス
建具の内と外を反転する。

⑥ 「左右反転」チェックボックス
建具の上下を反転する。

建具立面 建立 ⊖ → PM3時 建具立面

CD-ROM 2-4-16.jww

あらかじめ用意された建具の立面を、横・縦寸法を指定して作図する

基本操作

1 メニューバー [作図] ー「建具立面」(「建立」コマンド) を⊖。

2 「ファイル選択」ダイアログのフォルダーツリーで、「JWW」フォルダー下の「【建具立面A】」を⊖。

3 建具一覧で、建具 (右図は「[2] 引違2枚」) を⊖⊖で選択する。

POINT 建具立面は、一部の要素を除き、基本的に書込線で作図される。

➡ 3で選択した建具立面が、コントロールバー「内法」ボックスのサイズで、マウスポインタに仮表示される。

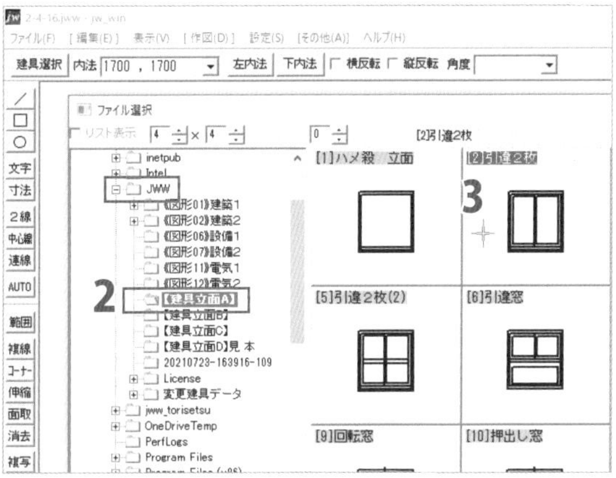

4 コントロールバー「内法」ボックスに、建具の内法「横幅, 高さ」を「,」(半角カンマ) で区切って指定する。

5 コントロールバー「左内法」「下内法」ボタンを⊖し、基準点 (仮表示の建具立面に対するマウスポインタの位置) を調整する。

6 適宜、コントロールバー「横反転」「縦反転」「角度」を指定し、建具の作図位置を⊖。

➡ 建具立面が作図される。次の建具位置を指示することで、同じ建具を続けて作図できる。

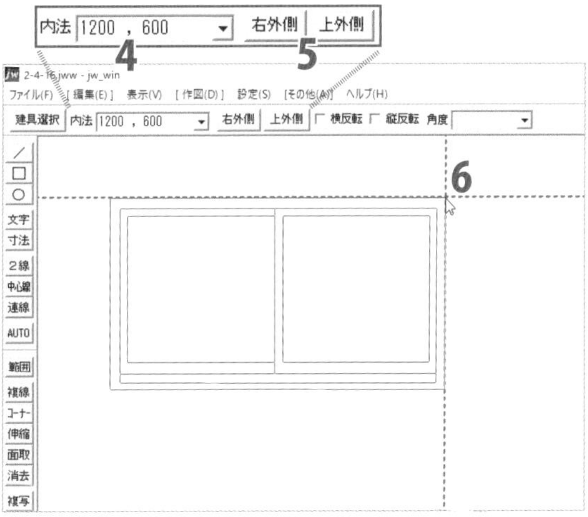

できる 対角2点を指示して建具を作図

コントロールバー「内法」ボックスを「0」または「(無指定)」にすることで、2つの対角 (始点・終点) 指示で建具を作図できる。このとき、コントロールバーの基準点ボタンは「外側」⇔「内法」の切り替えになる。
コントロールバーに追加される「縦＝横」チェックボックスにチェックを付けると、外寸 (「外側」指定で作図) または内法 (「内法」指定で作図) の縦と横の寸法が同じ建具を作図する。

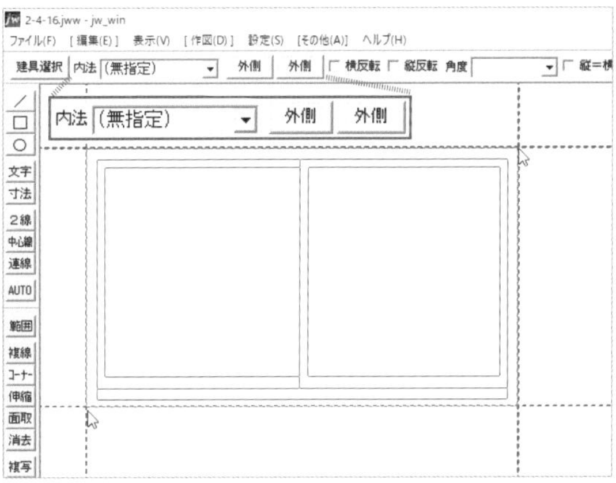

「建具立面」コマンドのコントロールバー

① **「建具選択」ボタン**
建具選択のための「ファイル選択」ダイアログを開く。

② **「内法」入力ボックス**
建具の内法寸法を「横, 縦」の順に「, 」(半角カンマ)で区切って入力する。
「0」または「(無指定)」にすると、コントロールバーが下図のように切り替わり、対角2点を指示することで建具を作図する(▶前ページ できる)。

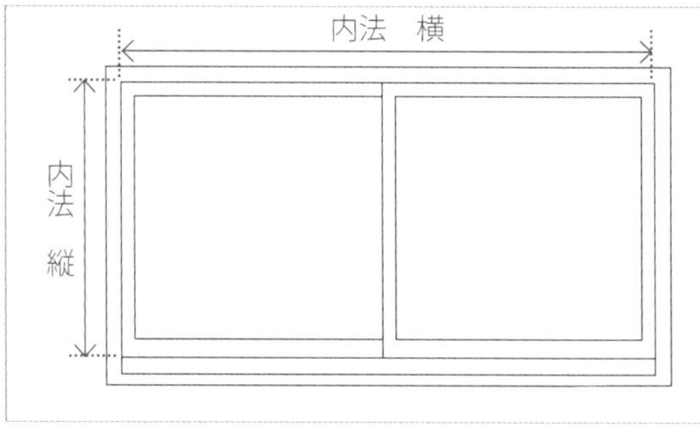

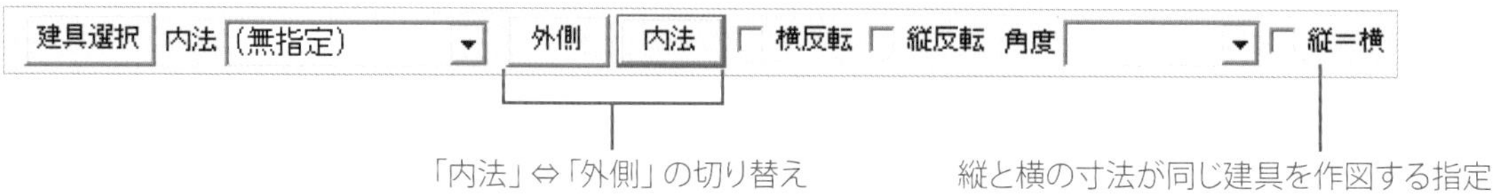

③、④を⊖して切り替え、その組み合わせで基準点(下図の15カ所)を指定する。

③ **「左内法」ボタン**
横方向の基準点を指定する。
⊖すると、「中」⇒「右内法」⇒「右外側」⇒「左外側」に切り替わる。

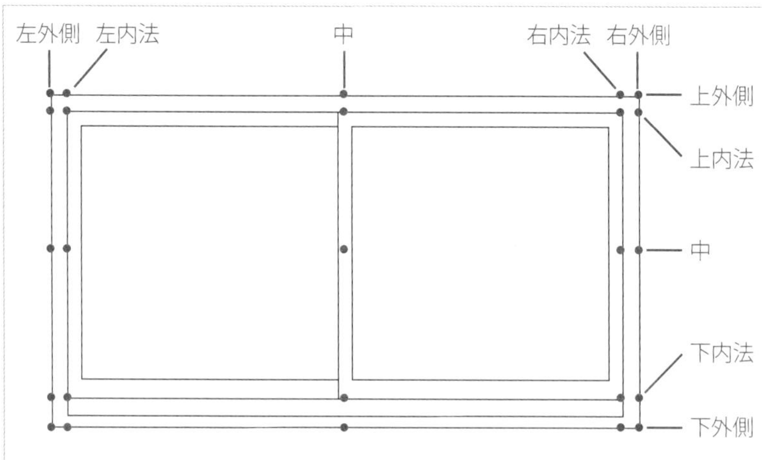

④ **「下内法」ボタン**
縦方向の基準点を指定する。
⊖すると、「中」⇒「上内法」⇒「上外側」⇒「下外側」に切り替わる。

⑤ **「横反転」チェックボックス**
建具の左右を反転する。

⑥ **「縦反転」チェックボックス**
建具の上下を反転する。

⑦ **「角度」入力ボックス**
建具の作図角度を指定する。

多角形 多角形

CD-ROM 2-4-17.jww

多角形およびソリッド(塗りつぶし)を作図する

基本操作1　正多角形を作図

円に内接する正五角形を作図する。

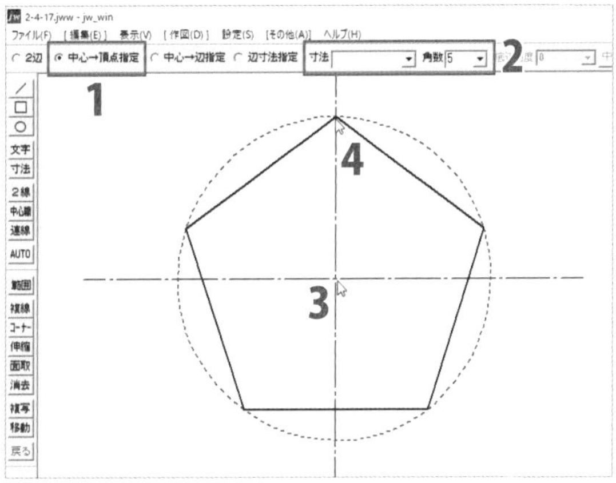

1　メニューバー[作図]－「多角形」(「多角形」コマンド)を選択し、コントロールバー「中心→頂点指定」を選択する。

2　コントロールバー「寸法」ボックスが空白(または「(無指定)」)の状態で、「角数」ボックスに「5」を入力する。

> **POINT**　コントロールバー「寸法」ボックスに、中心→頂点の長さを指定することもできる。

3　中心点を⊖(または⊖)。

➡ **3**を中心点として、マウスポインタの位置を頂点とする正五角形が仮表示される。

4　頂点の位置を⊖(または⊖)。

基本操作2　指定点を結ぶ多角形を作図

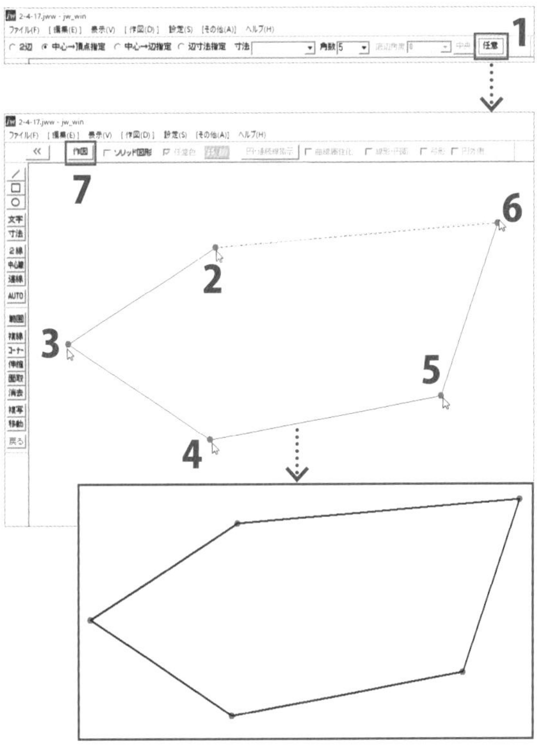

1　「多角形」コマンドのコントロールバー「任意」ボタンを⊖。

2　始点を⊖(または⊖)。

3　中間点を⊖(または⊖)。

4　次の点を⊖(または⊖)。

5　次の点を⊖(または⊖)。

6　終点を⊖(または⊖)。

7　コントロールバー「作図」ボタンを⊖。

➡ **2**、**3**、**4**、**5**、**6**を頂点とする多角形が作図される。

> **POINT**　**7**の代わりに⊖↑AM0時 作図実行 でも同じ。また、**7**の前に⊖↗AM1時 切り替え で、コントロールバー「ソリッド図形」のチェックの有無を切り替えできる。

▶基本操作3　指定点に囲まれた内部を塗りつぶす

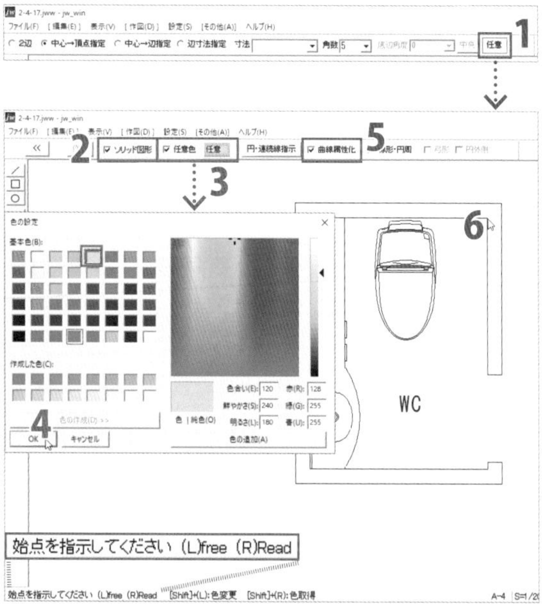

1　「多角形」コマンドのコントロールバー「任意」ボタンを⊖。

2　コントロールバー「ソリッド図形」にチェックを付ける。

3　塗りつぶし色を指定するため、コントロールバー「任意色」にチェックを付け、「任意■」ボタンを⊖。

4　「色の設定」パレットで、ソリッド色を選択し、「OK」ボタンを⊖。

5　コントロールバー「曲線属性化」にチェックを付ける。

6　始点を⊖。

➡ 始点が確定し、マウスポインタまで赤の点線が仮表示される。

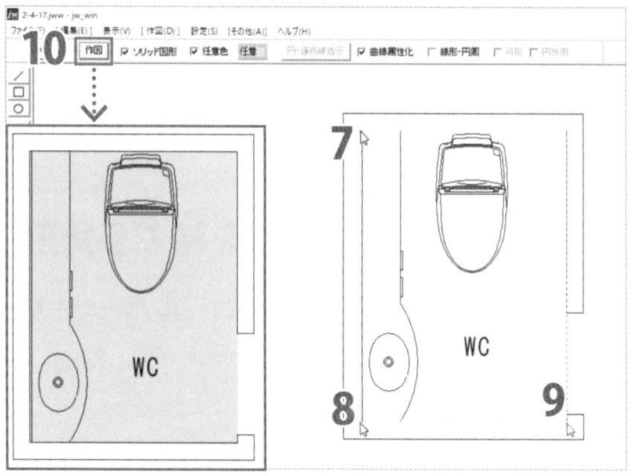

7　中間点を⊖。

8　次の点を⊖。

9　終点を⊖。

10 コントロールバー「作図」ボタンを⊖。

➡ 点**6**～**9**に囲まれた範囲が**4**で指定した色で塗りつぶされる。塗りつぶし部を「ソリッド」と呼ぶ。

> **POINT**　ソリッドに重なる線・文字要素が隠れる場合は、基本設定の「一般(1)」タブ(▶p.207)の**35**にチェックを付ける。

できる👍 ソリッドの色変更と色取得

[Shift]+(L):色変更

Shiftキーを押したまま図面上のソリッドを⊖(色変更)すると、画面左上に属性変更が表示され、⊖したソリッドがコントロールバー「任意■」の色に変更される。

[Shift]+(R):色取得

Shiftキーを押したまま図面上のソリッドを⊖(色取得)すると、画面左上に色取得　番号が表示され、⊖したソリッドの色がコントロールバー「任意■」に取得される。

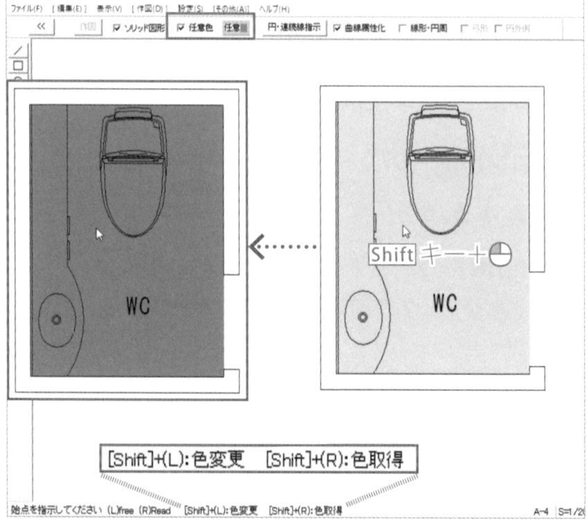

基本操作4　円・閉鎖連続線内部を塗りつぶす

1　前ページ「基本操作3」の1〜5を行う。

2　コントロールバー「円・連続線指示」ボタンを⊖。

➡ 操作メッセージが「ソリッド図形にする円・連続線を指示してください」に変わる。

3　塗りつぶす範囲の外形線を⊖（元図形を残す）。

➡ ⊖した線と、それに連続する線に囲まれた内部が、指定色で塗りつぶされる

> **POINT**　塗りつぶす範囲の外形線を⊖（消去）した場合、内部を塗りつぶし、外形線を消去する。

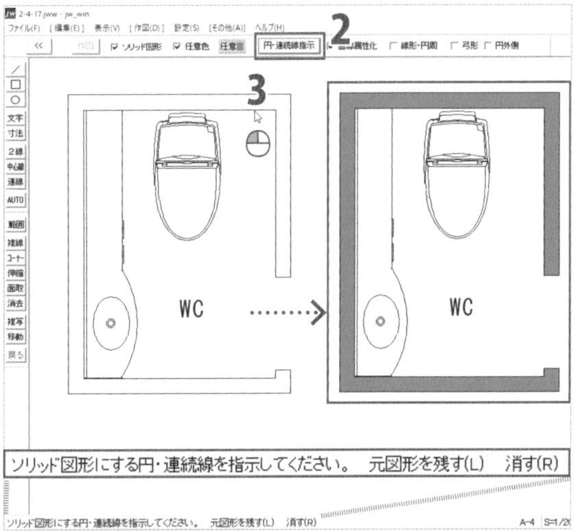

できる ドーナツ状に塗りつぶす円環ソリッド

中抜きでの塗りつぶしはできないが、円・弧に限り、以下の手順でドーナツ状に塗りつぶすことができる。

1　「基本操作4」の2で、コントロールバー「円・連続線指示」ボタンを⊖。

➡ 画面左上に円環ソリッドと表示される。

2　対象とする円・弧を⊖。

➡ ⊖した円の半径寸法を色反転して、「数値入力」ダイアログが開く。

3　「内側円半径入力」ボックスに中抜きする円の半径寸法を入力し、「OK」ボタンを⊖。

➡ 3の半径の円で中を抜き、ドーナツ状に塗りつぶされる。

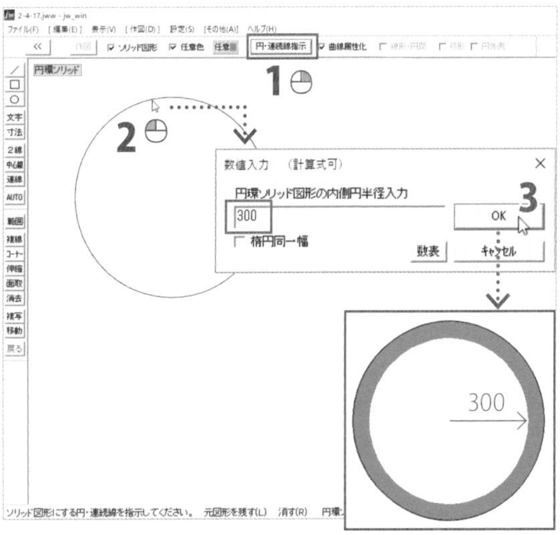

> **POINT**　2で弧を指示した場合、扇形に塗りつぶされる。楕円を指示した場合は、3で中抜きする楕円の長軸半径を入力する。このとき、「楕円同一幅」にチェックを付けると、中抜きの長軸半径を指定半径にし、すべてのソリッド幅を長軸での幅と同一にする。

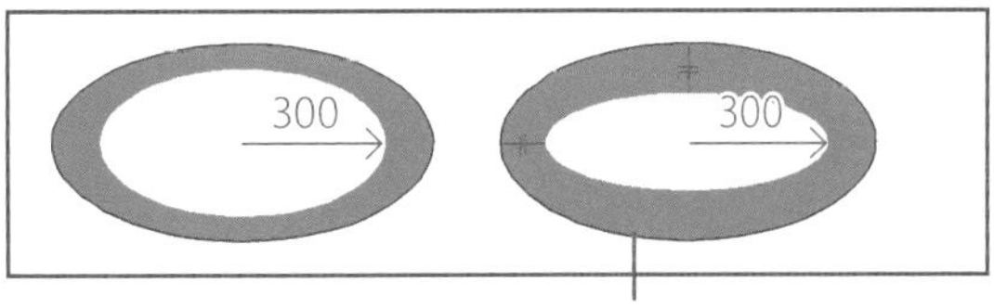

「楕円同一幅」にチェック

> **POINT**　中抜きする円が作図されている場合、2の前に中抜きする円を⊖↓PM6時【全】属性取得することで、3の「内側円半径入力」ボックスに⊖↓した円の半径が取得される。

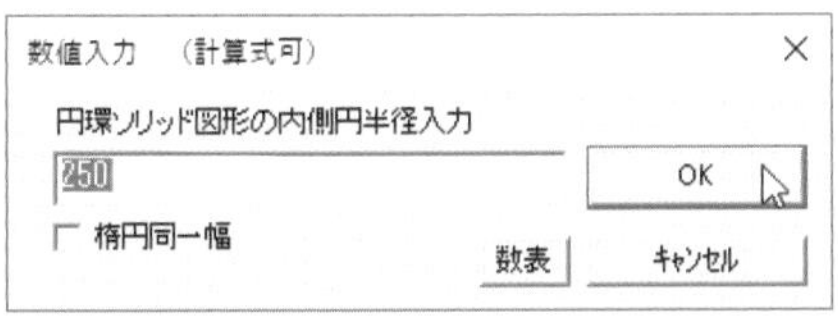

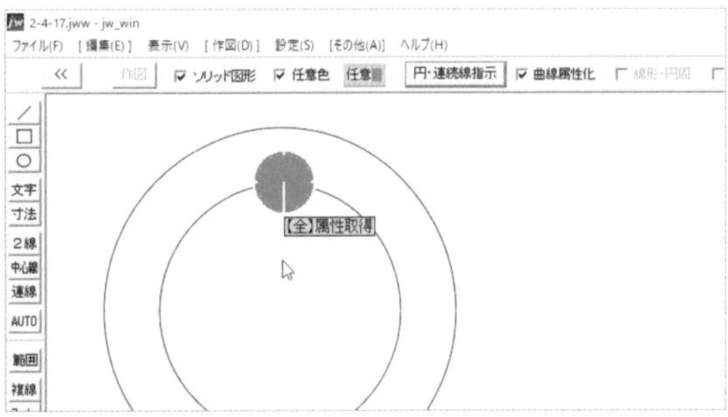

「多角形」コマンドのコントロールバー

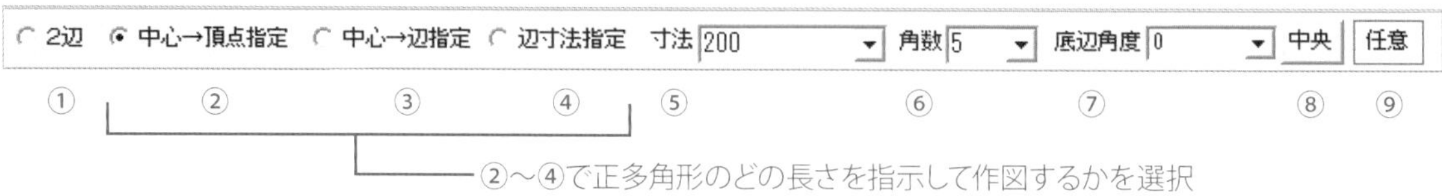

① 「2辺」ラジオボタン
長さを指定して2辺を作図する。

1 「多角形」コマンドのコントロールバー「2辺」を選択する。

2 コントロールバー「寸法」ボックスに、次に指示する「始点からの距離, 終点からの距離」を入力する。

3 始点を⊖。

4 終点を⊖。

➡ **3**、**4**の点からマウスポインタの方向に、コントロールバー「寸法」ボックスに指定した長さの2辺が仮表示される。

5 仮表示の2辺を作図する側に表示した状態で、作図方向を決める⊖。

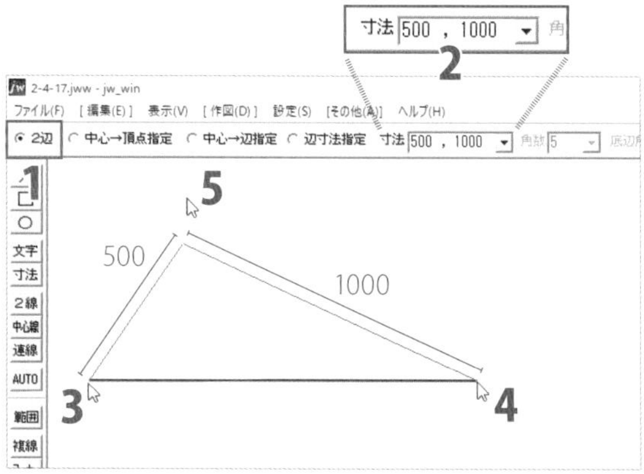

POINT コントロールバー「寸法」を「(無指定)」にして、**3**始点と**4**終点を指示すると、**5**の位置を頂点とする2辺を作図する。

② 「中心→頂点指定」ラジオボタン
正多角形の中心→頂点までの長さをクリック指示(▶p.197の「基本操作1」)、またはコントロールバー「寸法」ボックスの数値指定で作図する。
円の中心と円周上を指示した場合は、円に内接する正多角形になる。

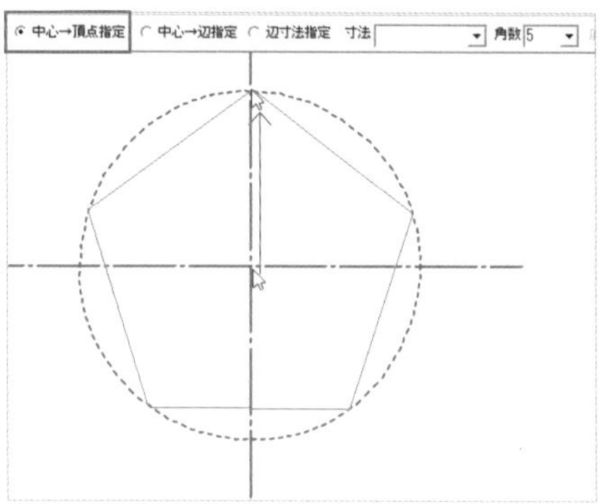

③ 「中心→辺指定」ラジオボタン
正多角形の中心→辺までの長さをクリック指示、またはコントロールバー「寸法」ボックスで指定して作図する。
円の中心と円周上を指示した場合は、円に外接する正多角形になる。

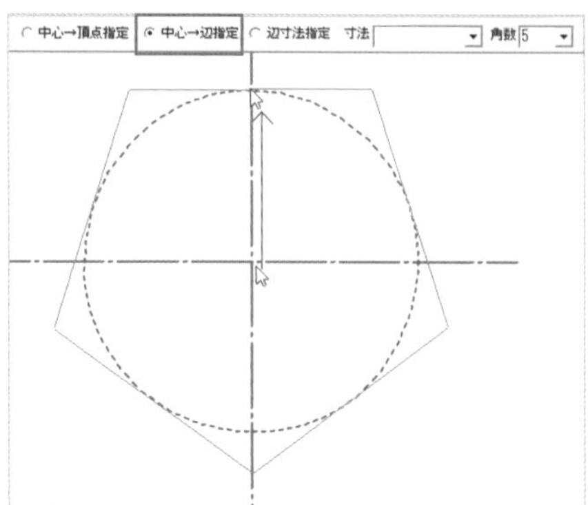

④「辺寸法指定」ラジオボタン
正多角形の1辺の長さをクリック指示、またはコントロールバー「寸法」ボックスで指定して作図する。
円の中心と円周上を指示した場合は、円の半径を1辺の長さとする正多角形になる。

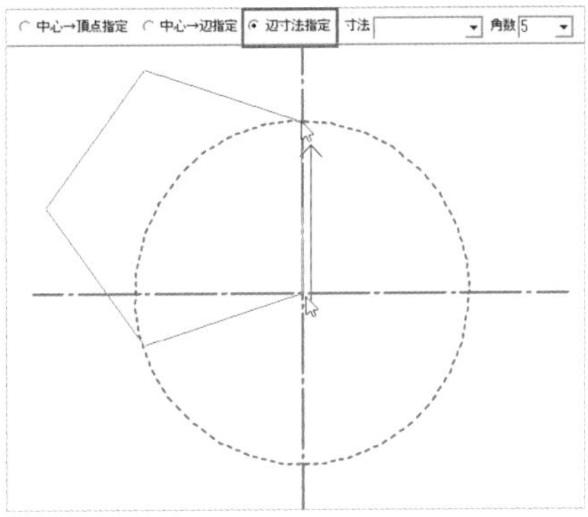

⑤「寸法」入力ボックス
2辺または正多角形の寸法を指定する。
①選択時は「始点からの距離, 終点からの距離」を、②選択時は「中心→頂点の長さ」を、③選択時は「中心→辺の長さ」を、④選択時は「1辺の長さ」を入力する。

⑥「角数」入力ボックス　※②〜④選択時に指定可能。
正多角形の角数を指定する。

⑦「底辺角度」入力ボックス　※②〜④選択時、⑤「寸法」を入力したときに指定可能。
正多角形の底辺の角度を指定する。

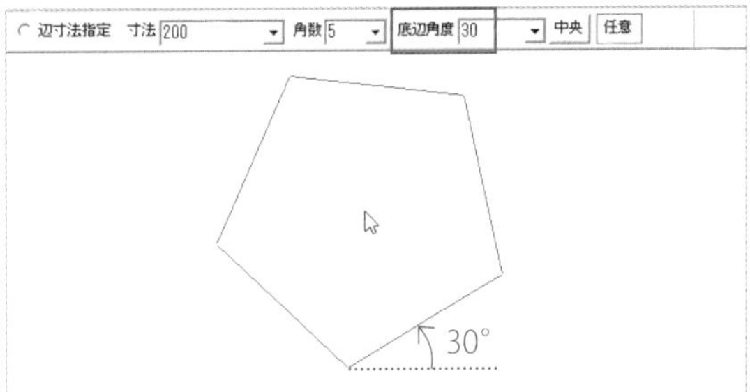

⑧「中央」ボタン　※②〜④選択時、⑤「寸法」を入力したときに指定可能。
正多角形作図時の基準点(仮表示の正多角形に対するマウスポインタの位置)を切り替える。
㊀すると、「頂点」⇒「辺」に切り替わる。

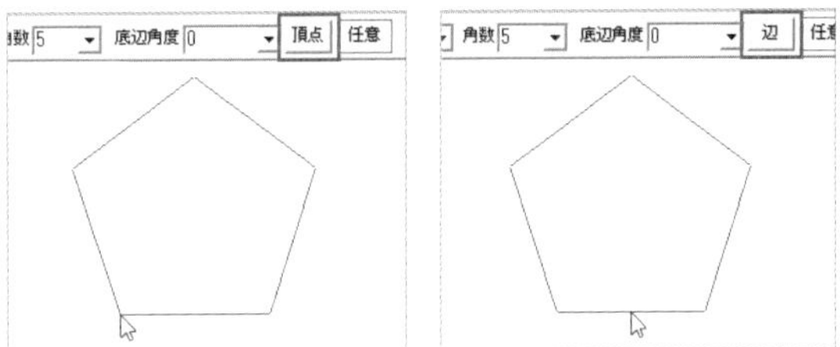

⑨「任意」ボタン
指定点を結ぶ多角形を作図する(▶p.197の「基本操作2」)。また、ソリッド(塗りつぶし)を作成する(▶p.198の「基本操作3」)。
「任意」ボタンを選択すると、下図のコントロールバーに切り替わる。

⑨−1　⑨−2　⑨−3

⑨−1　「<<」ボタン
「多角形」コマンド選択時のコントロールバーに戻る。
⑨−2　「作図」ボタン　※終点指示後に指定可能。
指示点を結んだ多角形を作図する。
⑨−3　「ソリッド図形」チェックボックス
ソリッドの作図やソリッド色の変更をする「ソリッド図形」になる(▶次ページ)。

「任意」ボタン選択後、「ソリッド図形」にチェックを付けると、下図のコントロールバーに切り替わる。

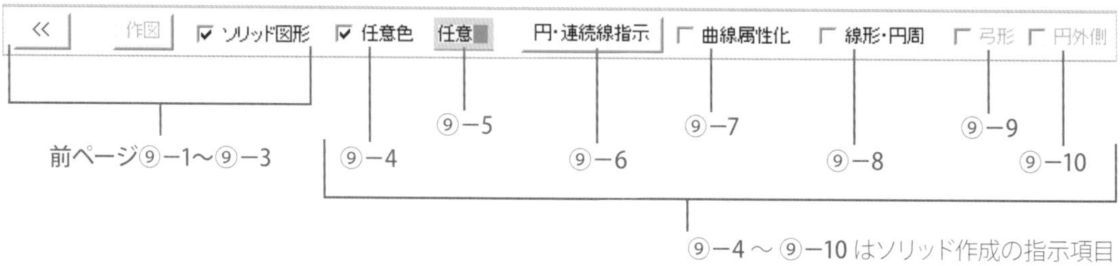

⑨－4 「任意色」チェックボックス

ソリッド色として任意の色を指定する。

チェックがない場合、ソリッド色は書込線色になる。

「カラー印刷」指定なしで印刷した場合、任意色ソリッドはその色で印刷されるが、書込線色のソリッドは黒で印刷される。

⑨－5 「任意■」ボタン ／「2■」ボタン

ソリッド色を指定する。

⑨－4のチェックが付いている場合は、ソリッド色を表す「任意■」ボタンを⊖で、ソリッド色を指定するための「色の設定」パレットが開く。色を選択または作成し、「OK」ボタンを⊖。ここで作成した色は、Jw_cadを終了するまで、「色の設定」パレットの「作成した色」に残る。

⑨－4のチェックがない場合は、書込線色を表す「2■」（番号は線色番号）ボタンを⊖で、書込線を指定するための「線属性」ダイアログ（▶p.240）が開く。書込線色を指定して、「OK」ボタンを⊖。

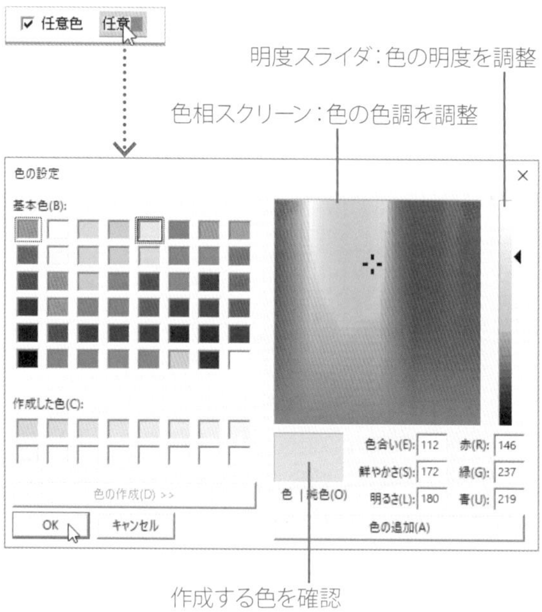

⑨－6 「円・連続線指示」ボタン

円や閉鎖連続線を⊖（元図形を残す）または⊖（元図形を消す）することで、その内部にソリッドを作成する（▶p.199の「基本操作4」）。

円・弧は右図のように塗りつぶされる。

外形線に円・弧を含むソリッドを「円ソリッド」と呼ぶ。

「円・連続線指示」ボタンを⊖すると、円・弧をドーナツ状に塗りつぶす円環ソリッド機能になる（▶p.199 できる）。

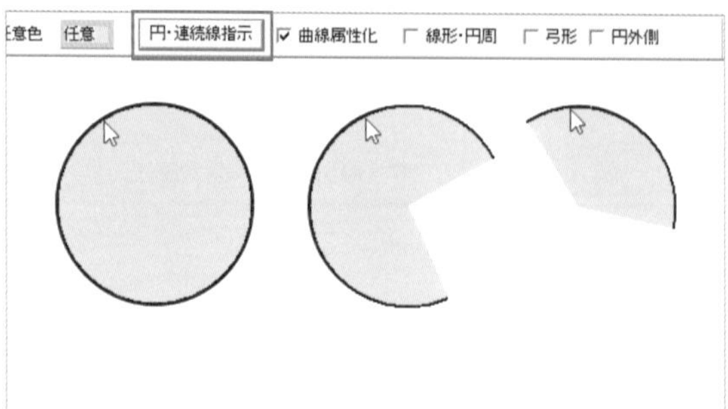

⑨−7「曲線属性化」チェックボックス

指定したソリッド範囲は複数の三角形や四角形のソリッドに分割されて塗りつぶされる。
「曲線属性化」にチェックを付けることで、1回の操作で作成したソリッドに、それらをひとまとまりで扱う曲線属性を付加する。

⑨−8 「線形・円周」チェックボックス

チェックを付けて塗りつぶし操作をすることで、線（または円・弧）状のソリッドを作成する。
これを「線形・円周ソリッド」と呼ぶ。線形・円周ソリッドは、図面上の見た目は他の線・円・弧と同じだが、編集することはできない。
また、「2.5D」コマンドで高さ定義を行った場合、その側面をソリッドとして表示する（▶p.291）。
印刷時の太さは、書込線色の線形・円周ソリッドではその線色で指定の印刷線幅（作成時、書込線の個別線幅が指定されていた場合はその個別線幅）に、任意色では最細線になる。

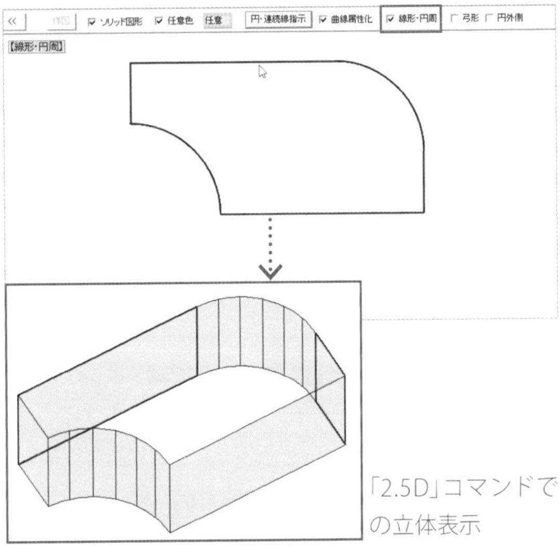

「2.5D」コマンドでの立体表示

⑨−9 「弓形」チェックボックス

※「円・連続線指示」ボタンを⊖して円・連続線指示にした場合に指定可能。
弧を⊖（元図形を残す）、または⊖（元図形を消す）することで、弧とその両端点を結ぶ線を外形線とし、内部を塗りつぶす。

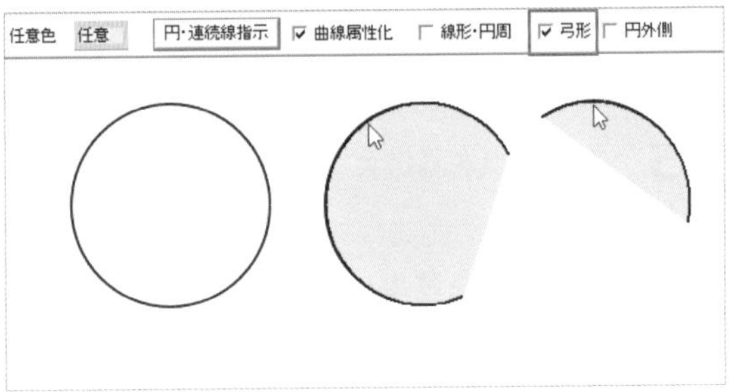

⑨−10 「円外側」チェックボックス

※「円・連続線指示」ボタンを⊖して円・連続線指示にした場合に指定可能。
円・弧を⊖（元図形を残す）、または⊖（元図形を消す）することで、円・弧の外側（外接線と円・弧に囲まれた範囲）を塗りつぶす。

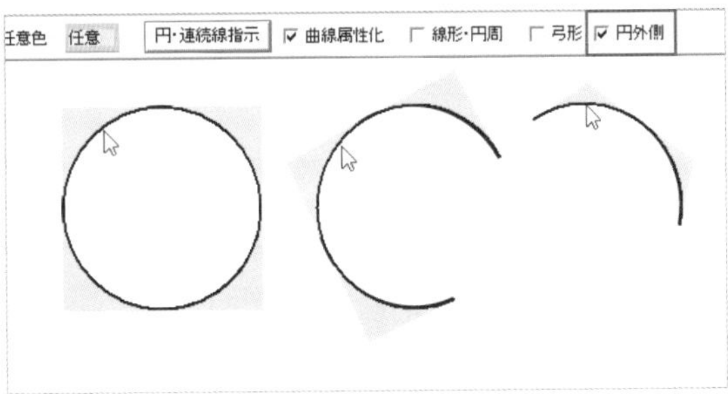

曲線 曲線

⊖↗PM2時 曲線

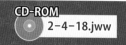

CD-ROM 2-4-18.jww

サイン曲線、2次曲線、スプライン曲線、ベジェ曲線を作図する

「曲線」コマンドのコントロールバー

作図する曲線の種類を①～④から選択する

① 「サイン曲線」ラジオボタン

指定した基準線を軸とするサイン曲線を作図する。

1 メニューバー[作図] –「曲線」(「曲線」コマンド)を選択し、コントロールバー「サイン曲線」を選択する。

2 コントロールバー「分割数」ボックスに1/2サイクルの分割数を入力する。

3 基準線を⊖。

4 座標原点を⊖(または⊖)。

5 座標原点を基準に、振幅の頂点を⊖(または⊖)。

6 座標原点を基準に、1サイクルの長さを示す点を⊖(または⊖)。

7 作図範囲の始点を⊖(または⊖)。

8 作図範囲の終点を⊖(または⊖)。

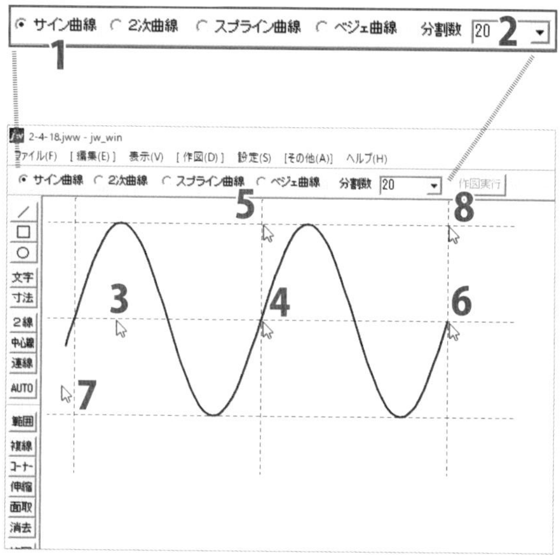

② 「2次曲線」ラジオボタン

指定した基準線を軸とする2次曲線を作図する。

1 「曲線」コマンドのコントロールバー「2次曲線」を選択し、「分割数」ボックスに始点－終点間の分割数を入力する。

2 基準線(X軸にする線)を⊖。

3 座標原点を⊖(または⊖)。

4 2次曲線の通過点を⊖(または⊖)。

5 作図範囲の始点を⊖(または⊖)。

6 作図範囲の終点を⊖(または⊖)。

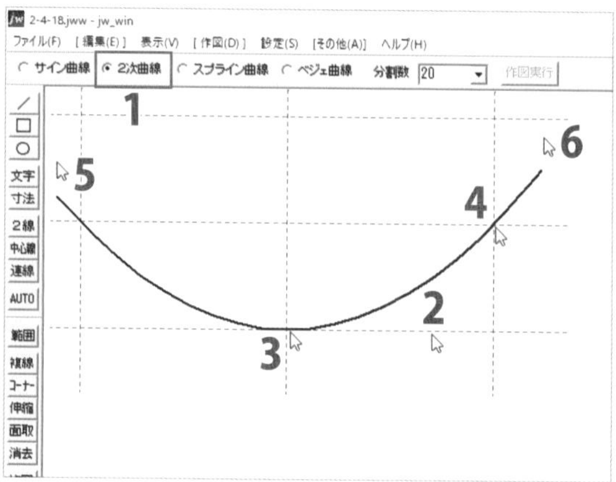

③「スプライン曲線」ラジオボタン
指示点を通る滑らかな曲線（スプライン）を作図する。

1 「曲線」コマンドのコントロールバー「スプライン曲線」を選択し、「分割数」ボックスに点間の分割数を入力する。

2 始点を[左クリック]（または[右クリック]）。

3 中間点を[左クリック]（または[右クリック]）。

4 終点を[左クリック]（または[右クリック]）。

5 順次、終点を[左クリック]（または[右クリック]）。

6 コントロールバー「作図実行」ボタンを[左クリック]。

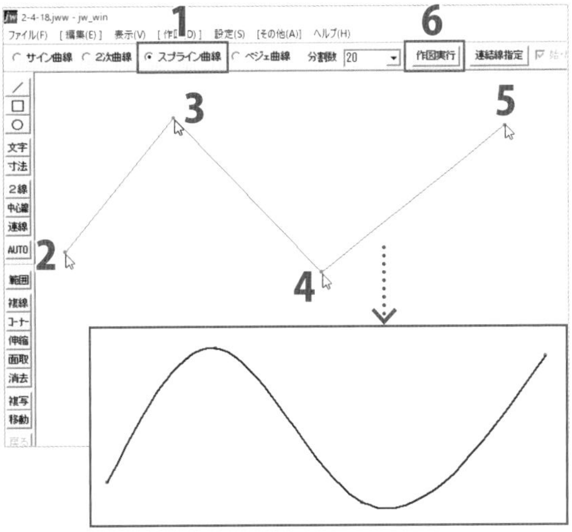

④「ベジェ曲線」ラジオボタン
指示した始点と終点を滑らかに結ぶベジェ曲線を作図する（始点・終点以外の指示点は通らない）。

1 「曲線」コマンドのコントロールバー「ベジェ曲線」を選択し、「分割数」ボックスに点間の分割数を入力する。

2 始点を[左クリック]（または[右クリック]）。

3 中間点を[左クリック]（または[右クリック]）。

4 終点を[左クリック]（または[右クリック]）。

5 順次、終点を[左クリック]（または[右クリック]）。

6 コントロールバー「作図実行」ボタンを[左クリック]。

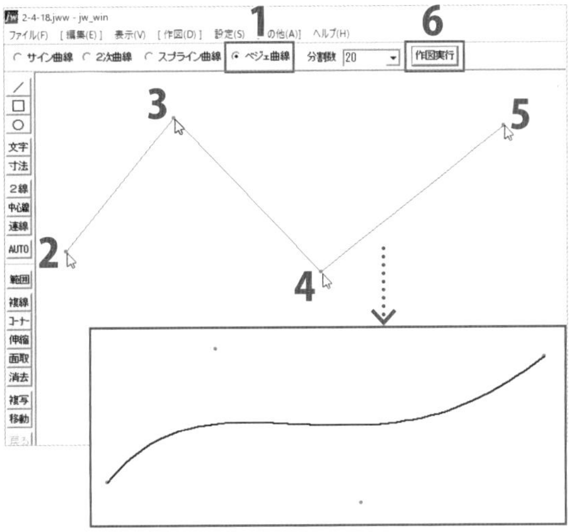

⑤「分割数」入力ボックス
曲線をいくつの線分に分割して作図するかを指定する。
Jw_cadの曲線は、実際には細かい線要素の連続線に、ひとまとまりで扱うための曲線属性が付加されたものである。大きい数値を指定するほど滑らかな曲線が表現できる。

⑥「作図実行」ボタン　※③「スプライン曲線」または④「ベジェ曲線」の終点指示後に指定可能。
点指示を確定し、曲線を作図する。Enterキーを押すか、[左クリック]↑ AM0時作図実行でも行える。

⑦「連結線指定」ボタン　※③「スプライン曲線」選択時に指定可能。
始点・中間点・終点指示時に線や弧を[両クリック]することで、その線・弧に連結したスプライン曲線を作図する。

⑧「始・終点連続処理」チェックボックス
※③「スプライン曲線」選択時、始点と終点で同じ点を指示したときに指定可能。
チェックを付けて「作図実行」を指示することで、始点・終点で滑らかに連続した曲線になる。

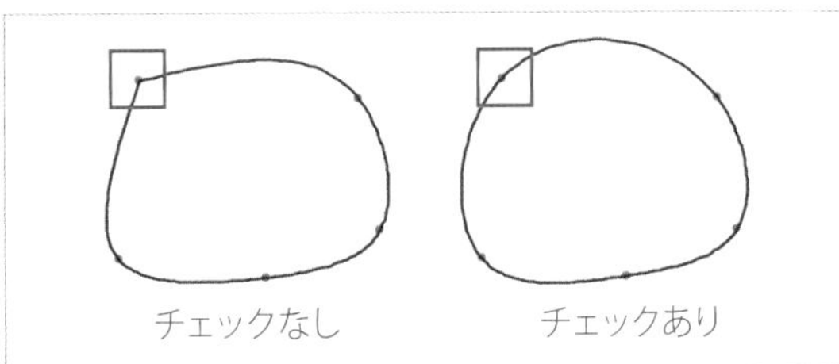

5 [設定] メニュー

[設定] メニューのコマンドの機能と使い方

「軸角・目盛・オフセット 設定」ダイアログの「基準点設定」と同じ（▶p.228 できる）

基本設定 基設

Jw_cadの各種設定を行う

基本操作

1 メニューバー［設定］－「基本設定」（「基設」コマンド）を⊖。

➡「jw_win」ダイアログが開く。

2 各タブで必要な設定を行い、「OK」ボタンを⊖。

➡ 設定が確定し、ダイアログが閉じる。

> **POINT** 設定した内容は、再起動時も有効である。設定内容の一部は、JWWファイルに保存され、そのJWWファイルを開くことで、図面保存時の設定に変更される。

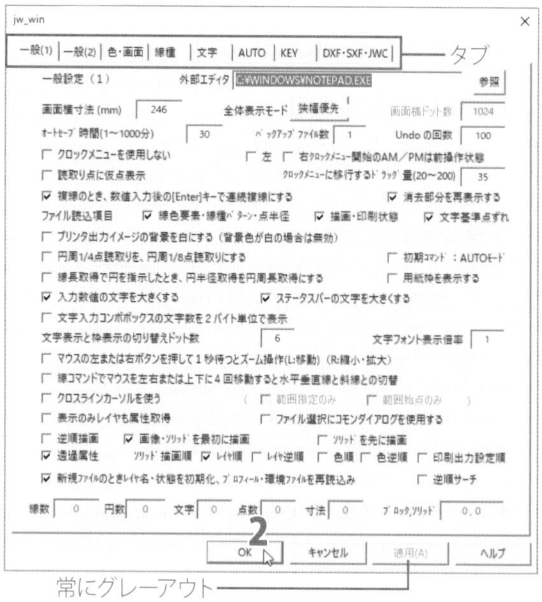

「jw_win」ダイアログ「一般（1）」タブでの指定

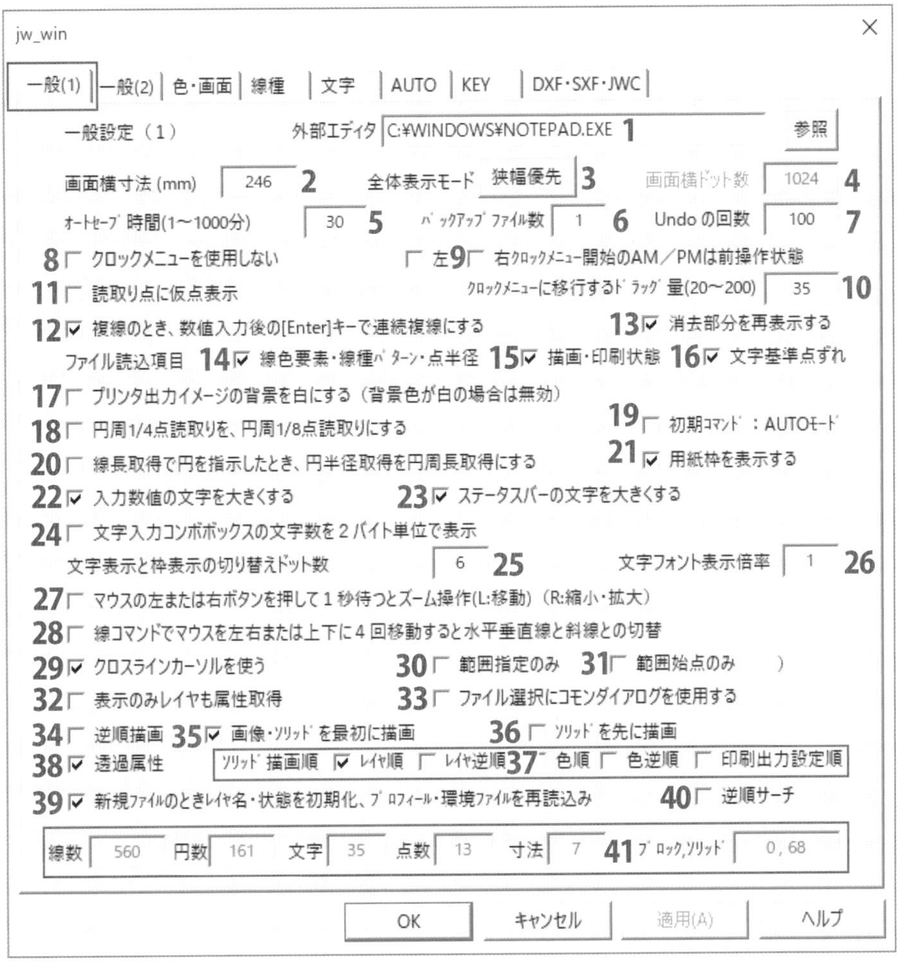

1　外部エディタ・参照

「文字」「座標ファイル」コマンドなどで使用するテキストエディタを指定する。初期値はNOTEPAD（メモ帳）。

2　画面横寸法（mm）

ディスプレイ画面の横寸法（mm）を入力する。
ステータスバーの「画面倍率」（▶p.244）が正確になる。

3　全体表示モード

「狭幅優先」ボタンを⊖することで、「広幅優先」⇒「横幅優先」⇒「縦幅優先」に切り替わる。
ワイド画面で「横幅優先」にすると、用紙全体表示（▶p.24）時に用紙の上下が切れるため、「狭幅優先」や「縦幅優先」に設定する。

4　画面横ドット数

自動認識した数値がグレーアウトして表示される。

5　オートセーブ時間（1〜1000分）

編集中の図面を自動保存ファイル（▶p.329）として自動的に保存する間隔を分単位で指定する。

6　バックアップファイル数

初期値「1」は、上書き保存時、同じフォルダーにファイルの拡張子が「bak」のバックアップファイル（▶p.329）を作成する。「0」は作成しない。「2」〜「9」は1ファイルにつき指定数のバックアップファイルを「ファイル名.bak」「ファイル名.bk2」「ファイル名.bk3」…と作成する。

7　Undoの回数

「戻る」コマンド（▶p.74）で戻せる最大回数を指定する。

8　クロックメニューを使用しない

⊖ドラッグAM0時、3時、6時、9時以外のクロックメニューを使用しない。チェックを付けると、**9**がグレーアウトされ、**10**の表記も「中心点読取等に移行する右ボタンドラッグ量」に変わる（次ページ**10**）。

9　左・右クロックメニュー開始のAM/PMは前操作状態

クロックメニューは最初にAMメニューが表示されるが、チェックを付けると、⊖ドラッグ／⊖ドラッグ別に前回選択したほうのメニューを最初に表示する。

10 クロックメニューに移行するドラッグ量
どのぐらいドラッグしたらクロックメニュー（▶p.40）を表示するか、そのドラッグ距離をドット数で指定する。
意図しないクロックメニューが表示される場合は、現在より大きい数値を入力する。（−）マイナス値を入力すると、クロックメニュー表示時にもう一方のボタンを押すことでズーム操作になる。**8**にチェックを付けると、以下の表記に変わり、◓ドラッグAM0時、3時、6時、9時のクロックメニューを表示するドラッグ距離をドット数で指定する。

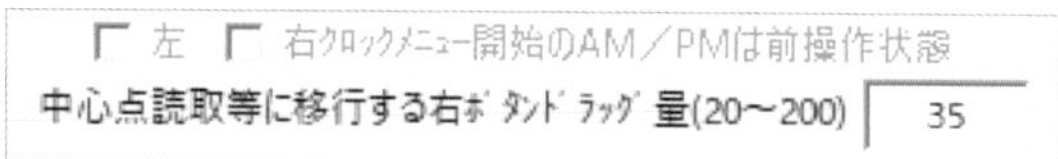

11 読取り点に仮点表示
◓などで図面上の点を読み取ったときに、画面上に一時的に赤の○を仮表示する。

12 複線のとき、数値入力後の[Enter]キーで連続複線にする
「複線」コマンドで連続数値入力による複線作図が可能になる（▶p.85）。

13 消去部分を再表示する
消去要素に重なる部分が途切れて表示されるのを防ぐため、消去後に画面を再描画する。

※「ファイル読込項目」**14**〜**16**は、JWWファイルに保存されている以下の設定が読み込まれる。

14 線色要素・線種パターン・点半径
「色・画面」タブの線色ごとの表示色・線幅・印刷色（下図枠囲み）や「線種」タブの線種ごとのパターン、ピッチ（▶p.214の**1**〜**3**）の設定。

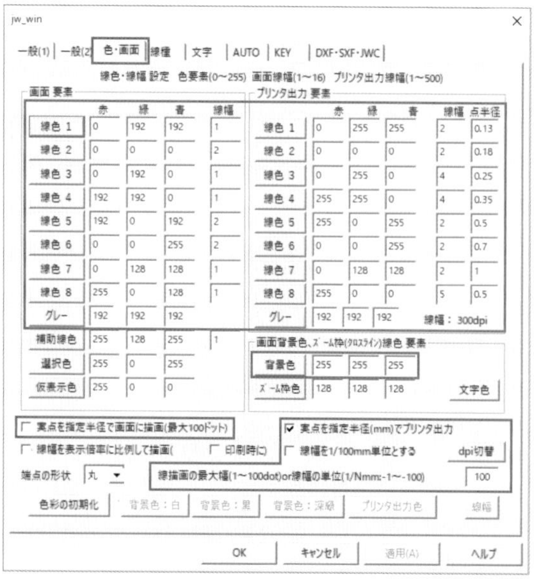

15 描画・印刷状態
「一般（1）」タブの描画順指定（▶p.207の**34**〜**38**、**40**）と「印刷」コマンドでの指定（用紙、印刷範囲、印刷倍率、回転角度、カラー印刷、出力方法設定の一部）。

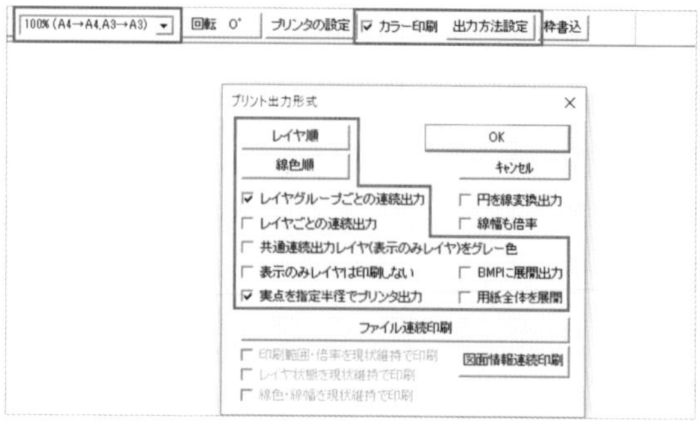

16 文字基準点ずれ
「文字基点設定」ダイアログの「ずれ使用」（▶p.149）の設定。

17 プリンタ出力イメージの背景を白にする
画面の背景色を白以外に設定している場合に指定する。「印刷」コマンドでの画面表示のみが白背景になり、印刷状態を確認しやすい。

18 円周1/4点読取りを、円周1/8点読取りにする
クロックメニュー◓↑AM0時の円周1/4点を円周1/8点にする（▶p.239 **POINT**）。

19 初期コマンド：AUTOモード
起動時およびファイルを開いた直後、「AUTO（AUTOモード）」コマンドが選択される。

20 線長取得で円を指示したとき、円半径取得を円周長取得にする
「線長取得」での円・弧指示で円周の長さを取得する（▶p.234）。

21 用紙枠を表示する
作図ウィンドウに用紙範囲を示す用紙枠を表示する（▶p.10）。

22 入力数値の文字を大きくする
数値入力ボックス内の文字を大きくする。

23 ステータスバーの文字を大きくする
ステータスバーの操作メッセージなどの文字を大きくする。

24 文字入力コンボボックスの文字数を2バイト単位で表示
「文字入力」ボックスのタイトルバーに表示される「文字位置/文字数」が2バイト単位（全角文字換算）になる。

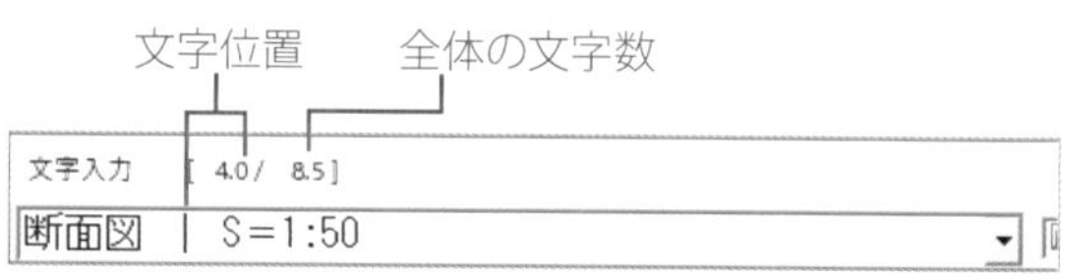

25 文字表示と枠表示の切り替えドット数

文字列を枠表示に切り替える表示文字の高さをドット数で指定する。

26 文字フォント表示倍率

1文字ずつに指定倍率を掛けた大きさで文字を表示・印刷する。

27 マウスの左または右ボタンを押して1秒待つとズーム操作（L：移動）（R：縮小・拡大）

作図ウィンドウでマウスの左または右ボタンを1秒以上押し続けると、マウスポインタの位置が画面中心になるよう移動（）または縮小（）、拡大（↑）される。

28 線コマンドでマウスを左右または上下に4回移動すると水平垂直線と斜線との切替

「／」コマンドの終点指示前に作図ウィンドウでマウスポインタを左右または上下に4回移動することで、コントロールバー「水平・垂直」チェックボックスのチェックの有無を切り替えできる。

29 クロスラインカーソルを使う

マウスポインタ形状がクロスラインカーソル（▶p.330）になる。

※**29**にチェックを付けると**30**、**31**が指定可能になる。

30 範囲指定のみ

範囲選択時（終点指示まで）に、マウスポインタがクロスラインカーソルに変わる。

31 範囲始点のみ

範囲選択の始点指示時のみ、マウスポインタがクロスラインカーソルに変わる。

32 表示のみレイヤも属性取得

表示のみレイヤ（▶p.34）の要素が属性取得できる。

33 ファイル選択にコモンダイアログを使用する

Jw_cad特有の「ファイル選択」ダイアログ（▶p.30）の代わりにWindows標準のコモンダイアログを使用する（▶p.31 できる）。

※**34**～**38**、**40**の指定はJWWファイルに保存され、**15**のチェックを付けた設定でJWWファイルを開くことで読み込まれる。

34 逆順描画

画面の要素を作図順の逆の順序で描画する。

35 画像・ソリッドを最初に描画

画像・ソリッドが最初に描画される（それに重なる線・文字要素は隠れず前面に表示）。

※**35**にチェックを付けると**36**と**37**が指定可能になる。

36 ソリッドを先に描画

画像より先にソリッドを描画する。ソリッドよりも前面に画像を表示する場合にチェックを付ける。

37 ソリッド描画順

重ねて作図したソリッドの表示順を指定する。番号の大きいレイヤのソリッドを手前に表示する「レイヤ順」とその逆の「レイヤ逆順」に加え、「色順」（線色番号順）と「色逆順」を指定できる。「印刷出力設定順」は、「印刷」コマンドの「プリント出力形式」ダイアログでの設定（▶p.65）順である。

38 透過属性

挿入画像の指定色（初期値：白）部分を透過して表示する（▶p.108）。

39 新規ファイルのときレイヤ名・状態を初期化、プロフィール・環境ファイルを再読込み

「新規作成」コマンドで新規図面ファイルを開いたとき、用紙サイズ、縮尺、レイヤ名、レイヤ状態などを起動時と同じ状態にする（チェックを付けない場合は「新規作成」コマンド選択前の設定のまま）。

40 逆順サーチ

重複した線の指示は通常作図順でサーチ（読取）されるが、チェックを付けることで逆の順序でサーチされる。

41 要素数

編集中の図面に作図されている各要素の数を表示（常にグレーアウト）。

ブロック内部の各要素はカウントされない。

「線数」は、線要素の数で曲線を構成する線も含む。

「円数」は円・弧要素の数、「文字」は文字列の数、「点数」は実点と仮点を合わせた数、「寸法」は寸法図形（▶p.18）の数である。寸法図形化されていない寸法は「線数」（寸法線）と「文字数」（寸法値）にカウントされる。

「ブロック，ソリッド」の「，」（半角カンマ）の前がブロックの数。多重ブロック内のブロック数はカウントされない。「，」（半角カンマ）の後がソリッドの数。曲線属性化されていても分割ソリッドの数でカウントされる。

「jw_win」ダイアログ「一般(2)」タブでの指定

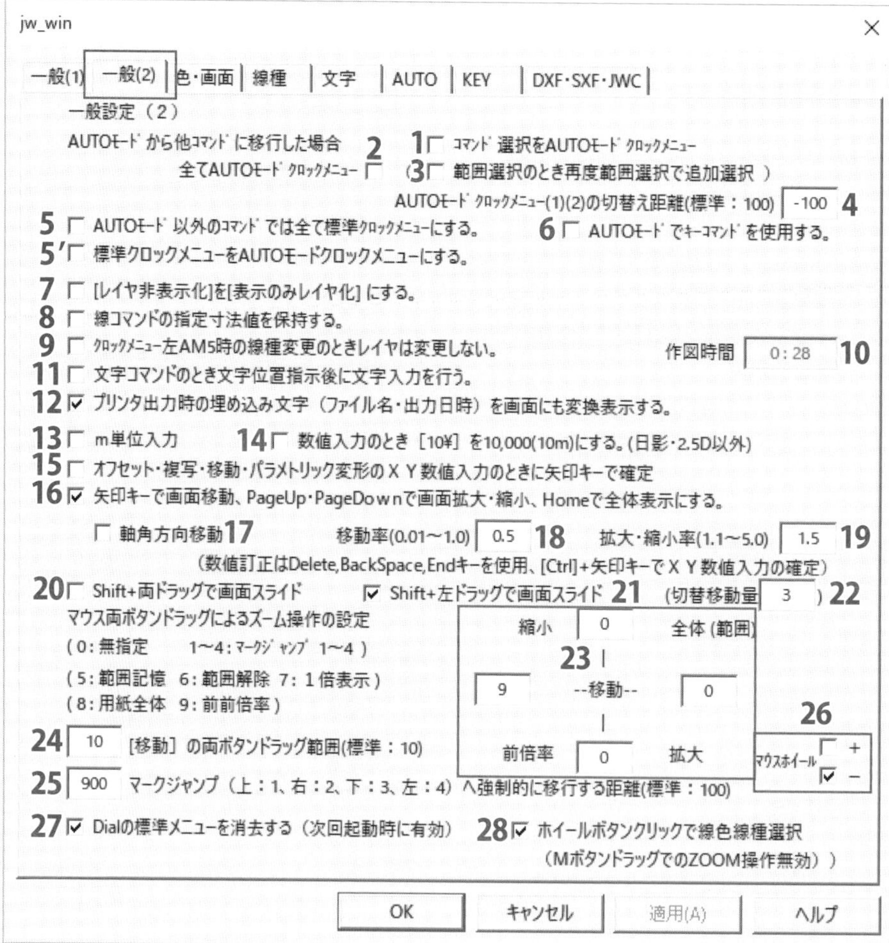

※**1**〜**3**はAUTOモードクロックメニュー(p.217の「AUTO」タブで指定)で選択したコマンド使用時の設定で、**1**と**2**は同時にチェックを付けられない。

1〜**3**と**5**は「一般(1)」タブの「クロックメニューを使用しない」(▶p.207の**8**)にチェックを付けるとグレーアウトになり指定できない。

1　コマンド選択をAUTOモードクロックメニュー

コマンド選択がAUTOモードクロックメニューになるが、「範囲」コマンドでの⊖↘AM5時追加範囲などのコマンド特有のクロックメニュー(▶p.42)は有効。

2　全てAUTOモードクロックメニュー

すべてAUTOモードクロックメニューになり、コマンド特有のクロックメニューも使用できない。

3　(範囲選択のとき再度範囲選択で追加選択)　※**2**のチェックを付けると指定可能。

2の指示時の範囲選択後、再度⊖↘AM4時で追加範囲になる。

4　AUTOモードクロックメニュー(1)(2)の切替え距離

指定距離以上ドラッグすると、AUTOモードのクロックメニュー(1)と(2)を切り替える(▶p.178)。−(マイナス)数値を入力すると、その距離以上ドラッグしたときにクロックメニューで書込線色・線種等を変更する(▶p.42)。

5　AUTOモード以外のコマンドでは全て標準クロックメニューにする

AUTOモード以外のコマンドはすべて標準クロックメニュー(▶p.330)になり、コマンド特有のクロックメニュー(▶p.42)は使用できない。

5′　標準クロックメニューをAUTOモードクロックメニューにする　※この項目の表示指定(AC_COM▶JWWトリセツ付録.pdf p.66)をした環境設定ファイルを読み込むことで追加される。

AUTOモード以外のコマンドの標準クロックメニューがAUTOモードクロックメニューになる。

6　AUTOモードでキーコマンドを使用する
AUTOモード使用時、キーボードからの指示でコマンド選択をした場合、そのコマンドで操作1回を完了後、AUTOモードに戻る。

7　[レイヤ非表示化]を[表示のみレイヤ化]にする
レイヤ非表示化（▶p.231）で指示した要素のレイヤが表示のみレイヤになる。

8　線コマンドの指定寸法値を保持する
「／」コマンドのコントロールバー「寸法」ボックスの数値は他コマンド選択時にクリアされるが、チェックを付けるとクリアされず保持される。

9　クロックメニュー左AM5時の線種変更のときレイヤは変更しない
↘AM5時線種変更で、線色・線種のみを変更し、レイヤは変更しない。

10 作図時間
編集中の図面の作図時間をグレーアウトして表示する。環境設定ファイル（S_COMM_6▶JWWトリセツ付録.pdf p.42）で、変更可能になる。

11 文字コマンドのとき文字位置指示後に文字入力を行う
文字の記入位置指示後に文字入力を行う。

12 プリンタ出力時の埋め込み文字（ファイル名・出力日時）を画面にも変換表示する
埋め込み文字（▶p.71）を画面上も変換して表示する。

13 m単位入力
数値入力をm単位で行う。「尺」など他の単位の環境設定ファイルを読み込んだ際（▶p.220）は「尺単位入力」のように表記が変わる。チェックを外すとmm単位入力になる。

14 数値入力のとき[10¥]を10,000（10m）にする
数値入力時、「¥」を「×1000」として使用できる（チェックなしでは「¥」は目盛のX値）。

15 オフセット・複写・移動・パラメトリック変形のXY数値入力のときに矢印キーで確定
「オフセット値」や「複写」「移動」「パラメトリック変形」コマンドで、「数値位置」入力ボックスに入力するXまたはYの値が0の場合に、数値と方向を示す矢印キーを押すことで、代用できる。

↓キーを押すと「0,−500」になる
→キーを押すと「500,0」になる

16 矢印キーで画面移動、PageUp・PageDownで画面拡大・縮小、Homeで全体表示にする
矢印キーでの画面移動やPageUp、PageDownキーでの画面拡大・縮小などが可能になる（▶p.27）。
※**15**、**16**の両方にチェックを付けることはできない。**16**のチェックを付けた場合、**15**の機能はCtrlキーを押したまま矢印キーを押すことで実現する。
※**16**にチェックを付けると**17**〜**19**が指定可能になる。

17 軸角方向移動
矢印キーでの画面移動方向が軸角の方向になる。

18 移動率（0.01〜1.0）
矢印キーでの画面移動の割合を指定する。
初期値の「0.5」では、矢印キーを押すごとに画面の1/2指定方向に移動する。

19 拡大・縮小率（1.1〜5.0）
PageUp、PageDownキーでの拡大・縮小率を指定する。
初期値の「1.5」では、PageUpキーを押すごとに1.5倍に拡大表示、PageDownキーを押すごとに1/1.5（0.66…）倍に縮小表示される。

20 Shift＋両ドラッグで画面スライド
Shiftキーを押したまま両ボタンドラッグで画面をスライドする（▶p.25）

21 Shift＋左ドラッグで画面スライド
Shiftキーを押したまま左ボタンドラッグでも画面をスライドする（▶p.25）（Shiftキーを押したまま両ドラッグでの画面スライドも可能）。

22（切替移動量）※**21**にチェックを付けると指定可能
画面スライド操作に入るマウスの移動距離を指定。

23 マウス両ボタンドラッグによるズーム操作の設定
上下左右の数値ボックスにズーム機能の番号（0〜9）を入力することで、上下左右方向への両ボタンドラッグにズーム機能を割り当てる（▶p.26 できる）。

24 [移動]の両ボタンドラッグ範囲
移動とドラッグを区別するためのマウスの移動量をドットで指定する。

25 マークジャンプ（上：1、右：2、下：3、左：4）へ強制的に移行する距離
上記**23**の上下左右の数値ボックスに0以外の番号を指定（ズーム機能を割り当て）している場合に限り、ここで指定した距離（ドット）以上をドラッグすると、マークジャンプ1〜4に切り替わる（マークジャンプ▶p.245）。

26 マウスホイール
マウスホイールで画面拡大・縮小表示が可能になる（▶p.27）。

27 Dialの標準メニューを消去する（次回起動時に有効）
マイクロソフト社のツール「SurafaceDial」を使用するときにチェックを付ける。

28 ホイールボタンクリックで線色線種選択
ホイールボタンをクリックすると「線属性」ダイアログが開く指定（▶p.240）。このチェックを付けた場合は、ホイールボタンを押したままのドラッグによるズーム操作は無効。

「jw_win」ダイアログ「色・画面」タブでの指定

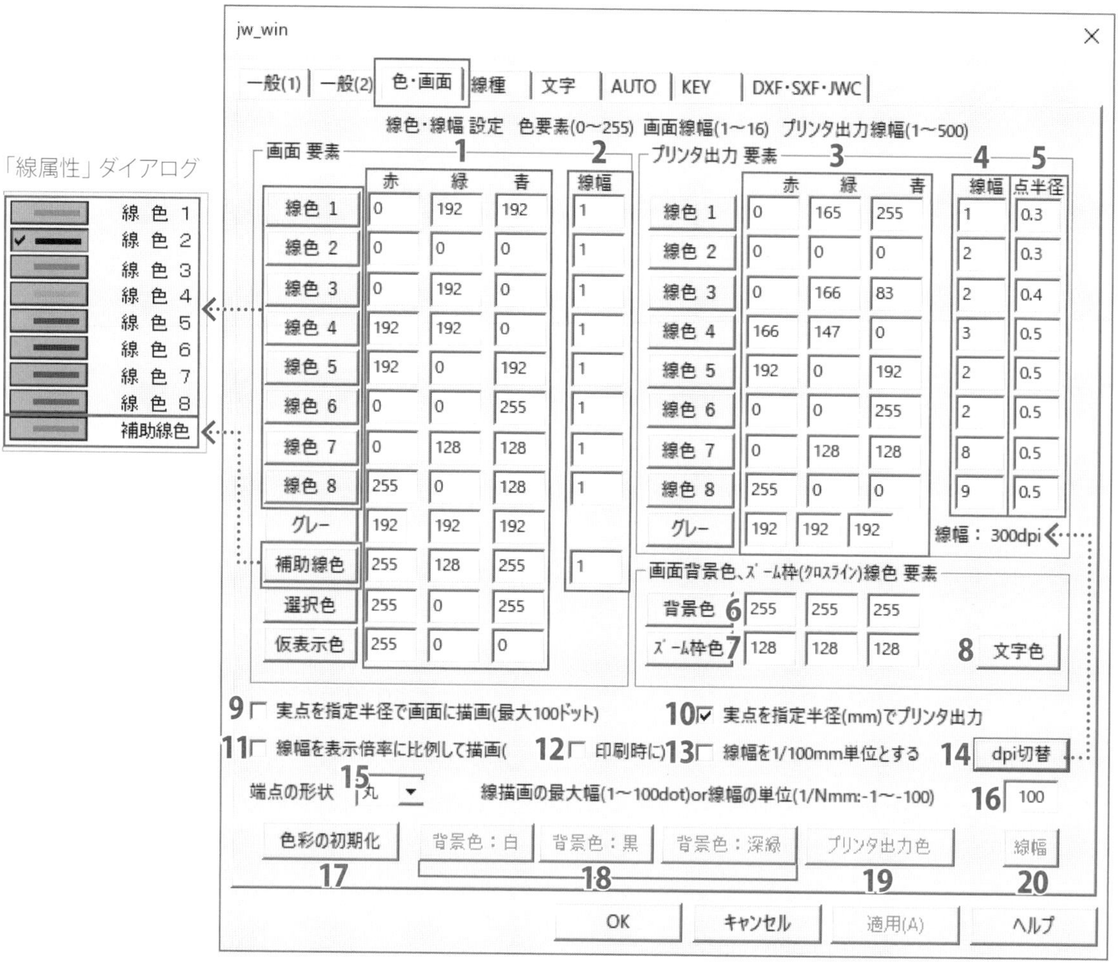

1　画面表示色

線色ごとの画面表示色を指定する。「グレー」は表示のみレイヤの要素を表示する色、「選択色」は選択要素を示す色、「仮表示色」は仮表示の要素を示す色。

各線色の「赤」「緑」「青」ボックスの数値が画面表示色を示す。この数値を変更するか、「線色」ボタンを⊕で開く「色の設定」パレットで色を指定する。

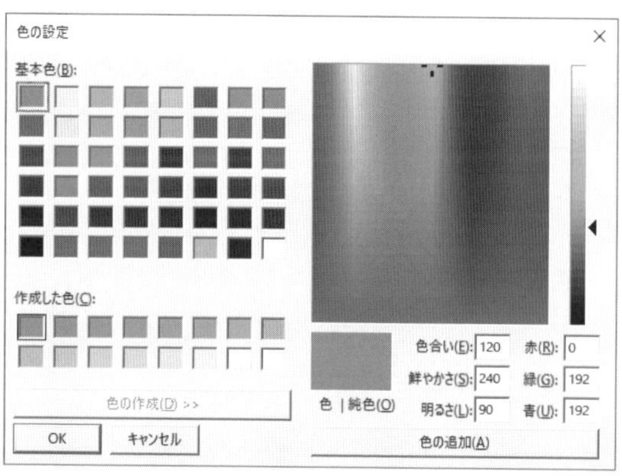

2　画面線幅

線色ごとの画面表示線幅をドット単位（1～16）で指定する。

3　カラー印刷色

線色ごとのカラー印刷時の印刷色を指定する。「グレー」はカラー印刷時の表示のみレイヤの要素の印刷色である。左記**1**と同様、「赤」「緑」「青」ボックスの数値を変更するか、「線色」ボタンを⊕で開く「色の設定」パレットで色を指定する。

4　印刷線幅

印刷線幅を線色ごとにドット単位（1～500）またはmm単位で指定する。mm単位指定は、**13**にチェックを付けるか、**16**に「－100」を指定して線幅ボックスに「印刷時の線幅×100」の数値を入力する（0.1mmは「10」）。

5　点半径　※**10**にチェックを付けると指定可能になる。
線色ごとの点半径をmm単位で指定する。
「点半径×2＋線幅」のサイズで実点が印刷される。

6　背景色
画面の背景色を指定する。
「赤」「緑」「青」ボックスの数値を変更するか、「背景色」ボタンを㊀で開く「色の設定」パレットで色を指定する。
背景が黒の場合、ズーム枠は**7**で指定した色とは逆の色（白を指定すると黒）で表示されるので注意する。

7　ズーム枠色
ズーム操作時の枠およびクロスラインカーソルの色を指定する。
「赤」「緑」「青」ボックスの数値を変更するか、「ズーム枠色」ボタンを㊀で開く「色の設定」パレットで色を指定する。

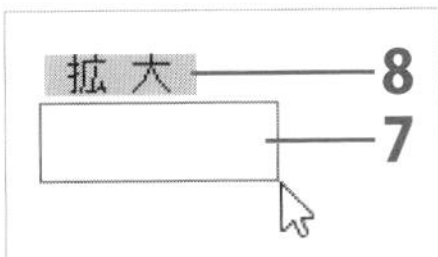

8　文字色
㊀で開く「色の設定」パレットで、ズーム時に表示される拡大などの文字の背景色を指定する。

9　実点を指定半径で画面に描画（最大100ドット）
実点を**5**「点半径」ボックスで指定のサイズに準じた大きさで画面表示する。

10　実点を指定半径（mm）でプリンタ出力
上記**5**「点半径」ボックスの数値が指定可能になり、**5**の指定サイズで実点を印刷する。

11　線幅を表示倍率に比例して描画
画面上の線を前ページ**4**の印刷線幅を反映した画面表示倍率に準ずる太さで表示する（拡大するほど太くなる）。

12　（印刷時に）
拡大・縮小印刷時、印刷倍率に比例した線幅で印刷する。

13　線幅を1/100mm単位とする
前ページ**4**「印刷線幅」の指定が1/100mm単位になる。
また、「線属性」ダイアログに「線幅」ボックスが追加され、線色1～8の線幅の個別指定が可能になる。
個別の線幅に対し、**4**の「線幅」ボックスで指定した線幅を「基本幅」と呼ぶ。

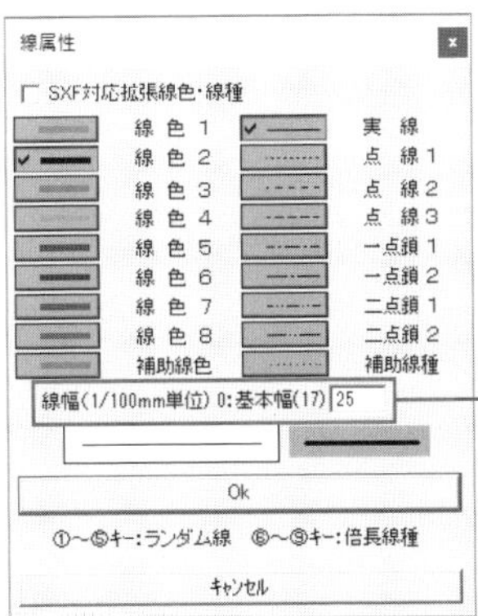

14　dpi切替
300dpi（1ドット＝0.085mm）⇔600dpi（1ドット＝0.0423mm）を切り替える。
前ページ**4**「印刷線幅」の指定がドット単位の場合（**13**のチェックなし、**16**が－（マイナス）値でない）に有効である。

15　端点の形状
太線の端点の表示・印刷形状を指定する。
「四角」「平」では、突出していない線が突出して表示されたり、再描画に時間を要することがある。

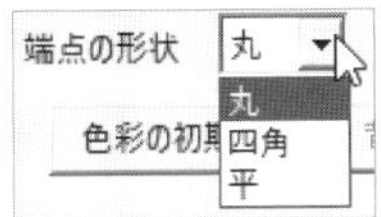

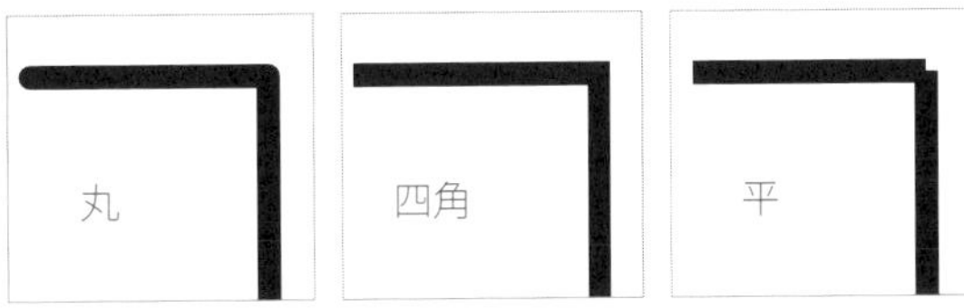

16　線描画の最大幅（1～100dot）or線幅の単位（1/N mm：－1～－100）
左記**11**にチェックを付けた場合の線の最大描画幅をドットで指定する。
－（マイナス）値は、「プリンタ出力要素」欄の「線幅」の単位を指定する。「－10」では、1/10mm単位に、「－100」では1/100mm単位になる。**13**にチェックを付けた場合は「－100」になり、グレーアウト（指定不可）する。

17　色彩の初期化
㊀することで、**18～20**のボタンが選択可能になる。

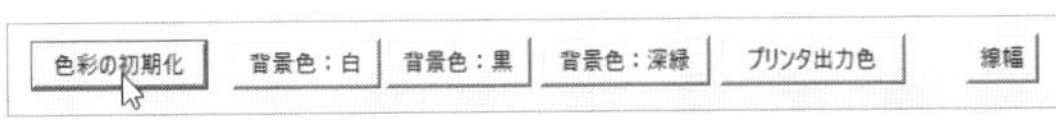

18　背景色：白 ／ 背景色：黒 ／ 背景色：深緑
前ページ**1**の画面表示色を背景を白とした初期値の設定、または背景を黒、深緑（線色2は白）とした設定に一括変更する。

19　プリンタ出力色
前ページ**3**のカラー印刷色を初期値の設定（初期値の画面表示色に準じた色）にする。

20　線幅
前ページ**2**の表示線幅、**4**の印刷線幅、**5**の点半径を初期値の設定にする。
左記**13**のチェックが付いている場合、**4**、**5**は0.13mmから始まるJIS製図基準に定められた線幅と点半径になる。

※**1**の「線色1」～「グレー」の設定、**2**、**3～5**、**6**、**9**、**10**、**13**、**16**の設定は、いずれもJWWファイルに保存され、「一般（1）」タブ（▶p.207）の**14**にチェックを付けた設定でファイルを開くことで、読み込まれる。

「jw_win」ダイアログ「線種」タブでの指定

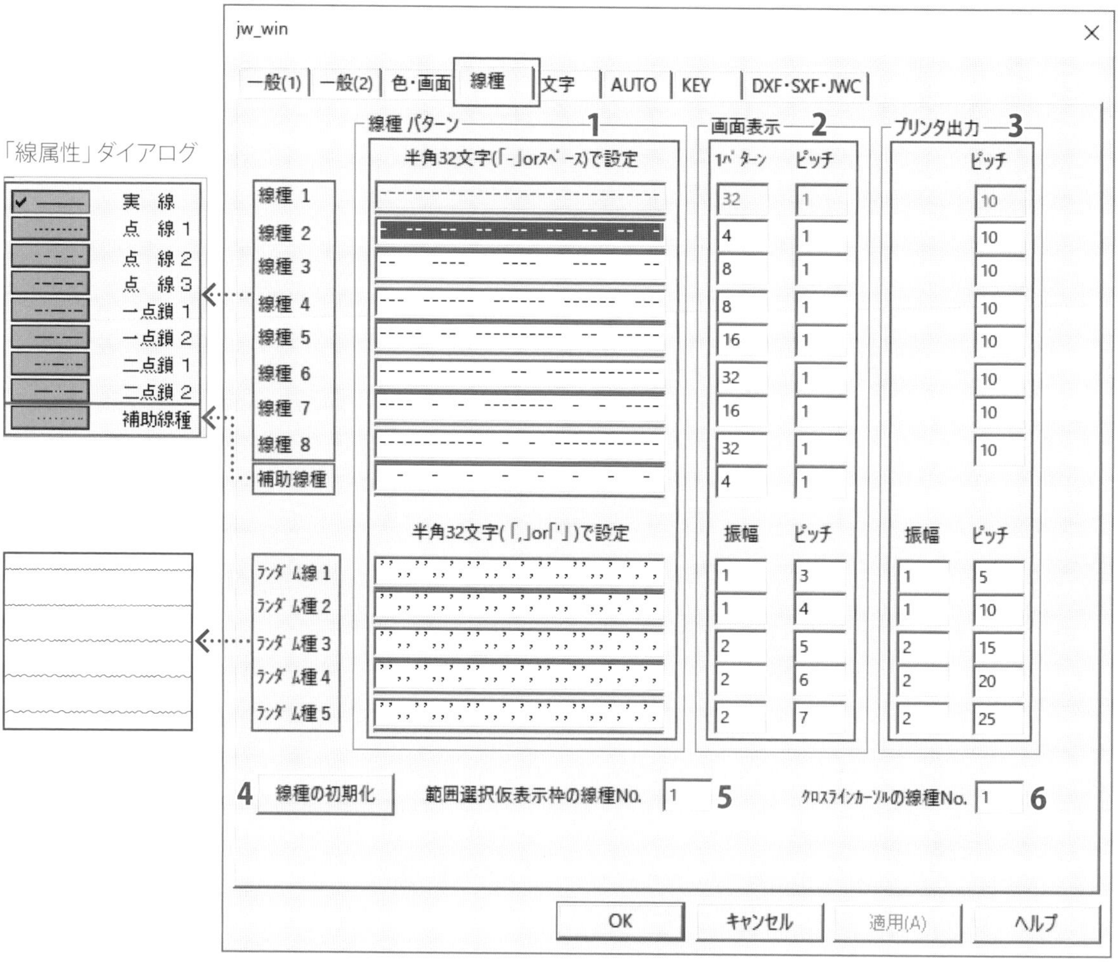

1　線種パターン

点線、鎖線などのパターンを指定する。

「線種2」～「線種8」「補助線種」は「ー」（描画するドット）と「空白」（描画しないドット）で、「ランダム線1」～「ランダム線5」は「，」（下方向の振れ）と「＇」（上方向の振れ）で構成する。

いずれも半角文字で32文字分を入力する。

2　画面表示

「1パターン」は**1**で32文字で表した「線種パターン」の最小パターンのドット数、「ピッチ」は「線種パターン」の1文字に対する描画時のドット数（数値が大きいほど画面表示のピッチが粗くなる）。

ランダム線の「振幅」と「ピッチ」は右図の通り。

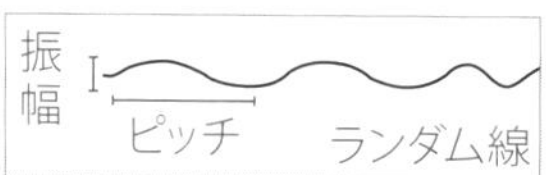

3　プリンタ出力

各線種の印刷時のピッチ（**1**「線種パターン」の1文字に対するドット数）を指定する。

数値が小さいほどピッチも細かくなる。

4　線種の初期化

1、**2**、**3**、**5**、**6**の設定をすべて初期設定に戻す。

5　範囲選択仮表示枠の線種No.

範囲選択時に表示される選択範囲枠の線種を指定する。

以下の線種1～20の番号を入力する。

6　クロスラインカーソルの線種No.

クロスラインカーソルの線種を指定する。

以下の線種1～20の番号を入力する。

> 1実線　2点線1　3点線2　4点線3　5一点鎖1
> 6一点鎖2　7二点鎖1　8二点鎖2　9補助線種
> 10点線　11ランダム線1　12ランダム線2
> 13ランダム線3　14ランダム線4　15ランダム線5
> 16倍長線種（一点鎖線）　17倍長線種（二点鎖線）
> 18倍長線種（破線）　19倍長線種（破線）
> 20ジグザグ線

※「線種」タブの内容はJWWファイルに保存され、「一般（1）」タブ（▶p.207）の**14**のチェックを付けた設定でJWWファイルを開くことで読み込まれる。

「jw_win」ダイアログ「文字」タブでの指定

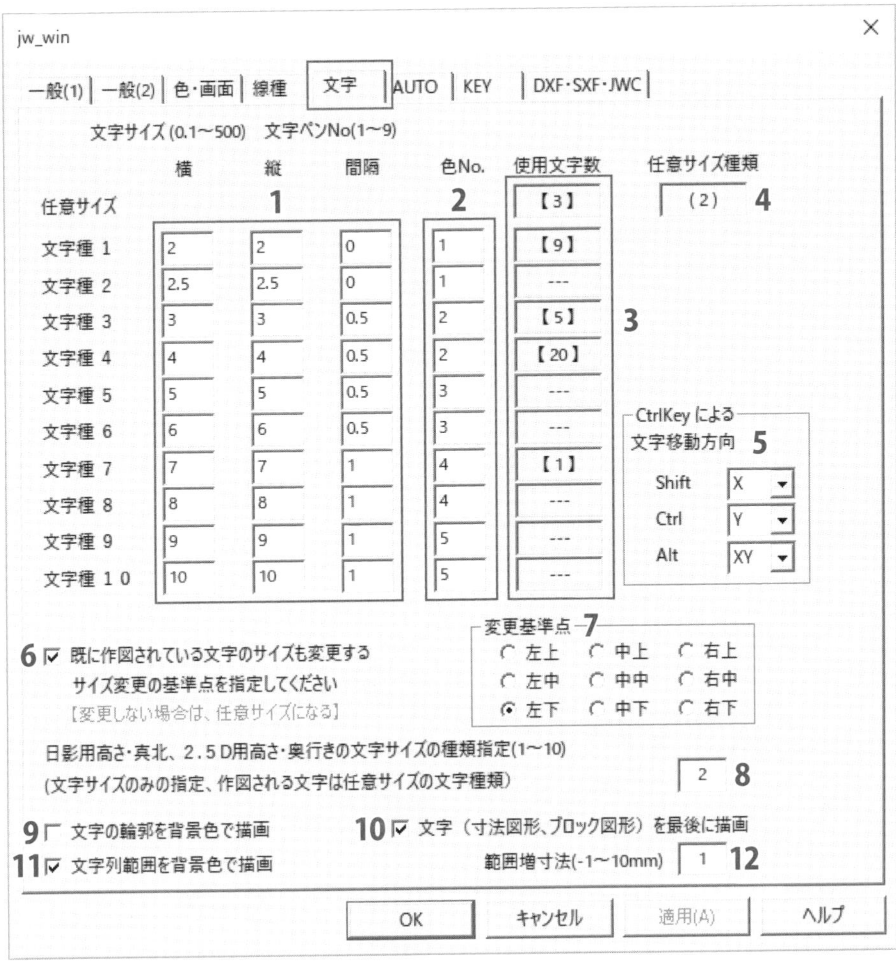

1　文字サイズ・間隔

文字種1～10の横、縦、間隔を図寸mm単位で指定する（0.1～500）。

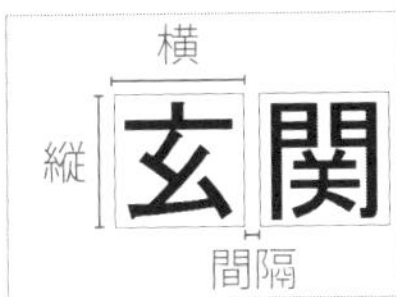

2　色No.

文字種1～10の色No.を線色1～9で指定する。色No.は画面表示色とカラー印刷色の区別で、文字の太さには関係ない。色No.9（補助線色）の文字は印刷されない。

できる プロポーショナルフォントの間隔

フォント名に「P」が付くプロポーショナルフォント（文字ごとの幅が個別に設定されている）を使用すると、図Aのようにアルファベットなどが重なって表示される。この文字種の「間隔」に「0.01」を指定することで、図Bのように重ならずに表示できる。ただし、「間隔」に「0.01」を指定した文字種では、均等割付、均等縮小の指示（▶p.154 できる）は無効になり、文字に枠（▶p.149の**5**～**7**）を付けて記入すると文字列が枠に収まらない。

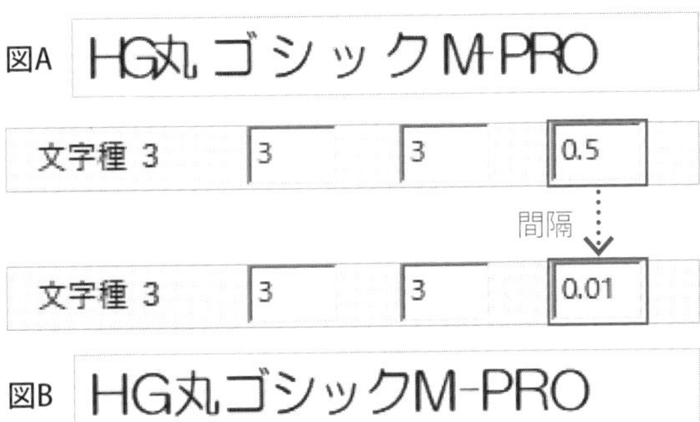

3 使用文字数
図面に記入されている文字列数を文字種ごとに表示。

4 任意サイズ種類
図面に記入されている任意サイズの文字列の種類の数を表示(**1**と**2**の設定が同じものを1種類とする)。

5 CtrlKeyによる文字移動方向
Shiftキー、Ctrlキー、Altキーそれぞれへの「文字」コマンドでの文字列の移動・複写時の移動方向「X方向」「Y方向」「XY方向」の割り当て(▶p.147 できる)を指定する。
「文字」コマンドでの計算結果の記入(▶p.155)を利用する場合は、「Ctrl」ボックスの▼を⊖し、リストからブランクを⊖して無指定にする。

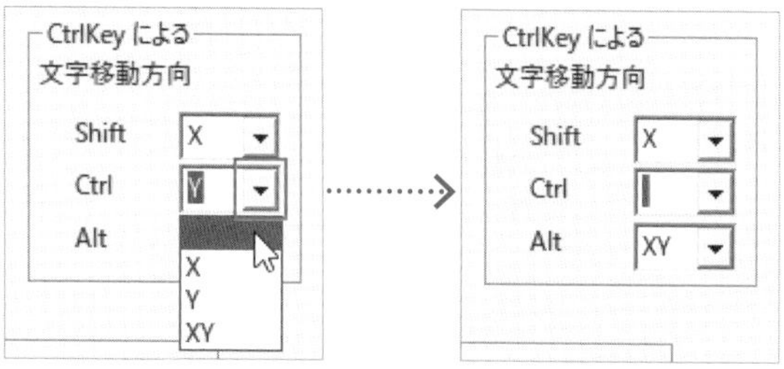

6 既に作図されている文字のサイズも変更する
「文字」タブの文字サイズ(**1**)、色No.(**2**)を変更したとき、図面に記入されている文字種1〜10のサイズ、色No.も変更する。
チェックがない場合は、記入済の文字のサイズや色は変更されず、記入済みの文字列の文字種が任意サイズに変更される。

7 変更基準点
※**6**にチェックを付けると指定可能になる。
記入済み文字のサイズ変更時の基点を指示する。

8 日影用高さ・真北、2.5D用高さ・奥行きの文字サイズの種類指定(1〜10)
「日影図」「天空図」「2.5D」コマンドでの高さ・奥行きを示す文字の大きさを、文字種1〜10の大きさから選択する。

9 文字の輪郭を背景色で描画
文字の輪郭を背景色(印刷時は白)で描画、印刷する。

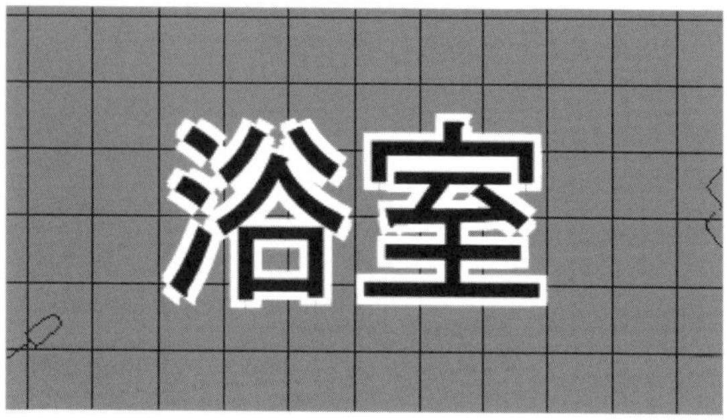

10 文字(寸法図形、ブロック図形)を最後に描画
ソリッドや画像と重なった文字、寸法図形、ブロックがそれらに隠れることなく、前面に表示される。

11 文字列範囲を背景色で描画
文字列の範囲を背景色(印刷時は白)で描画、印刷する。

12 範囲増寸法(−1〜10mm)
※**11**にチェックを付けると指定可能になる。
11の範囲の大きさを指定する。

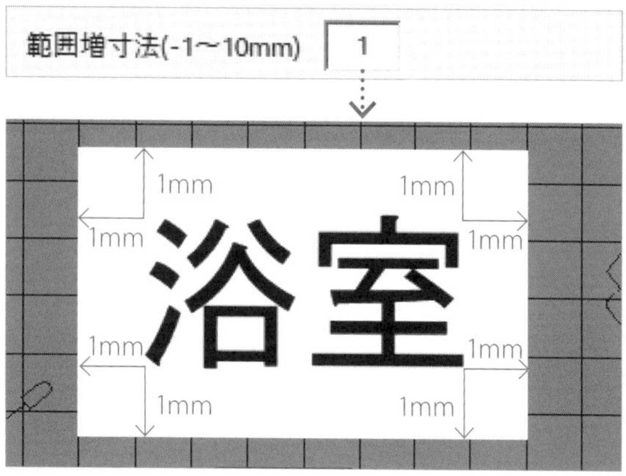

※「文字」タブの指定内容はJWWファイルに保存される。

「jw_win」ダイアログ「AUTO」タブでの指定

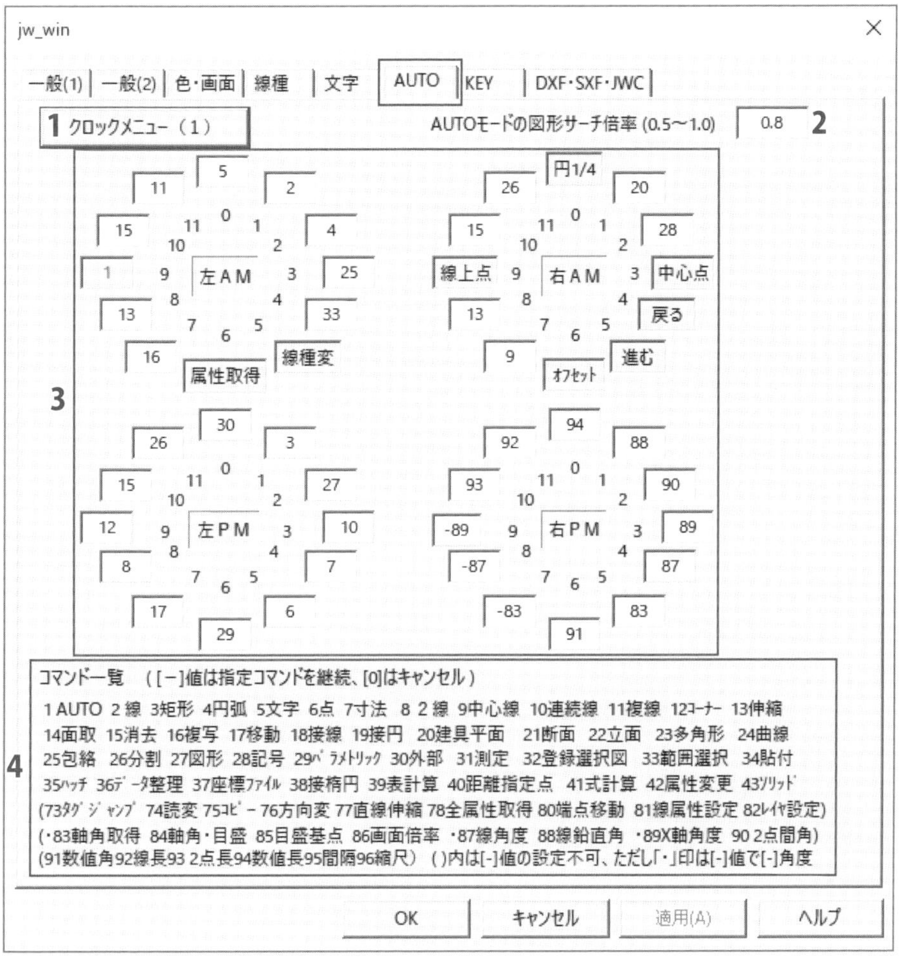

1 クロックメニュー(1)

㊀すると「クロックメニュー(2)」になり、「クロックメニュー(1)」と「クロックメニュー(2)」の割り当て指定画面の切り替えを行う。

AUTOモードのクロックメニューには、左右ともに(1)と(2)があり、AUTOモードのコントロールバー「クロックメニュー(1)」ボタンを㊀で切り替えて使用する。(▶p.178 できる)

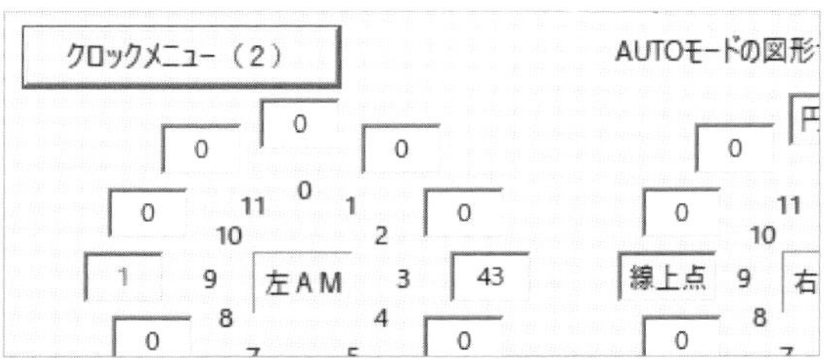

2 AUTOモードの図形サーチ倍率

AUTOモード時に要素をサーチする範囲を、他のコマンドのサーチ範囲を「1」として、0.5〜1.0で指定する。

3 クロックメニューの割り当て

各時間帯のボックスに割り当てるコマンド番号を入力する。

コマンド番号を−(マイナス)値にした場合、そのコマンドは割り込み使用ではなく、継続使用になる(コマンド一覧で( )内に記入されているコマンドは除く)。

※AUTOモードでは、クロックメニューで選択したコマンドの1回の操作が完了すると自動的にAUTOモード選択時の状態に戻る。このことを「割り込み使用」と呼ぶ。

外部変形コマンドの割り当て

環境設定ファイルGCOM_100で外部変形番号(100〜199)に外部変形用BATファイル名を設定している場合、その番号を入力することで、本来メニューバー[その他]−「外部変形」で選択する外部変形を、クロックメニューから直接選択できる。(JWWトリセツ付録.pdf ▶p.64)

4 コマンド一覧

上記**3**に入力するコマンド番号の一覧。

「jw_win」ダイアログ「KEY」タブでの指定

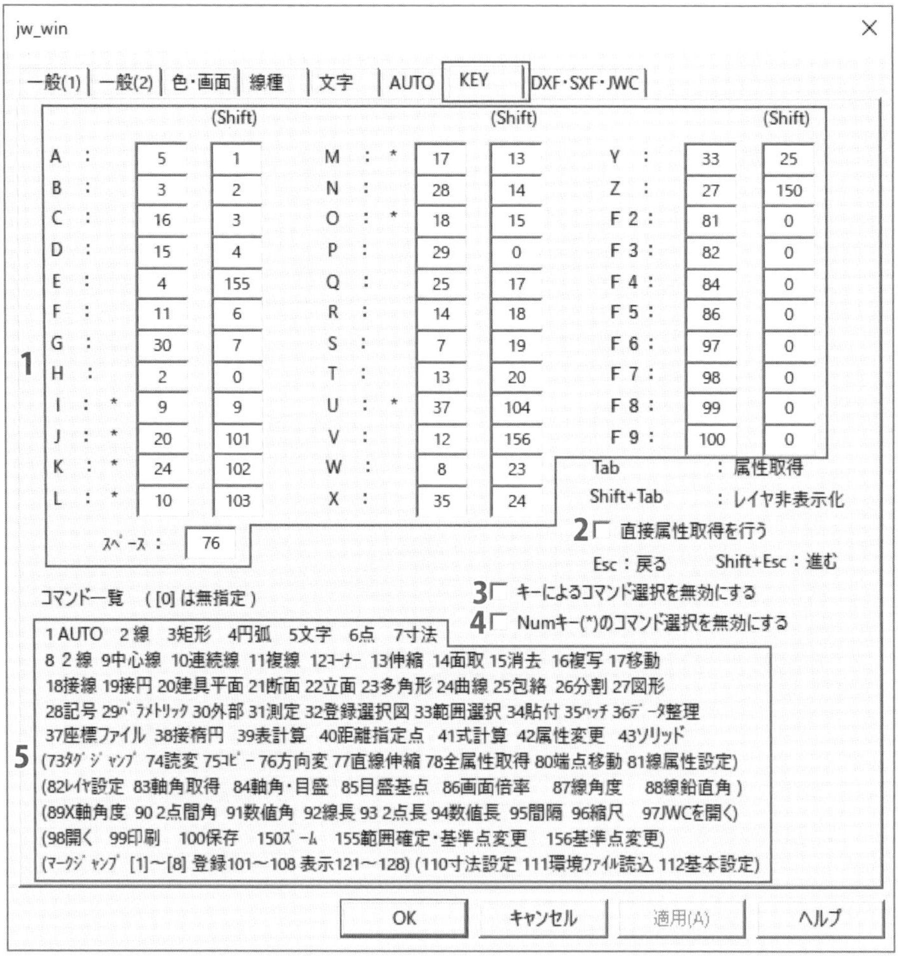

1　キーに対するコマンド割り当て

各キーに割り当てるコマンドの数字を入力する。

「0」はコマンドを割り当てない。「(Shift)」の列のボックスは、Shiftキーを押したまま設定キーを押したときに選択されるコマンドを指定する。

以下のキーに割り当てられたコマンドは固定である。

Tabキー：属性取得

Shiftキーを押したままTabキー：レイヤ非表示化

Escキー：戻る

Shiftキーを押したままEscキー：進む

2　直接属性取得を行う

通常は、Tabキー（またはShiftキーを押したままTabキー）を押した後に要素を⊖して属性取得（またはレイヤ非表示化）を行うが、ここにチェックを付けると、属性取得の対象にマウスポインタを合わせてTabキー（またはをShiftキーを押したままTabキー）を押すことで、属性取得（またはレイヤ非表示化）になる。

3　キーによるコマンド選択を無効にする

キーボードからのコマンド選択を行わない。

4　Numキー（*）のコマンド選択を無効にする

チェックを付けると、上図**1**のキー名称の右に「*」マークの付いたキーでのコマンド選択を行わない。

5　コマンド一覧

上図**1**の入力ボックスに入力するコマンド番号の一覧。

※キーによるコマンド選択は、文字入力状態のときと、外部変形プログラムのオプション入力のときには使用できない。

「jw_win」ダイアログ「DXF・SXF・JWC」タブでの指定

1 図面範囲を読取る
DXFファイルの図面範囲を読み取り、読込時の用紙サイズに収まるよう、縮尺を自動調整して読み込む。

2 色を初期化する
独自の画面表示色を設定している場合、線色を初期値に戻したうえで、JWC、DXFファイルを読み込む。

3 点を円で出力する
実点を円に変換してDXF保存する。

4 レイヤ名に番号を付加する
レイヤ名の前に「レイヤグループ番号－レイヤ番号」を付けてDXF保存する。この番号を付加したDXFファイルをJw_cadで開くと、元のレイヤグループ－レイヤに付加した番号を外したレイヤ名で読み込まれる。

※バージョン7にあった「3DSデータを同時出力する」は廃止。

5 背景色と同じ色を反転する
背景色と同じ色のSXF対応拡張線色を反転して表示・印刷（カラー印刷時）する。

6 ±□%の線幅は同一視する
差が指定数値（%）以内の線幅は、同じ線幅としてSXF（SFC/P21）保存する。

7 ±□ポイントのRGB値は同一視する
RGB値それぞれの差の合計が指定数値以内の線色は、同じ線色としてSXF（SFC/P21）保存する。

8 ±□%の線種要素長は同一視する
パターン要素の差が指定数値（%）以内の線種は、同じ線種としてSXF（SFC/P21）保存する。

9 補助線を出力しない
補助線をSXF（SFC/P21）保存しない。
チェックを付けない場合、補助線は「補助線」という名前のレイヤに保存される。

10 既定線種変換設定
SXF保存時、Jw_cadの標準線種をSXF対応拡張線種（▶p.242）のどの線種に変換するかを指定する。

11 SXF線種変換設定の初期化
上記**6**、**7**、**8**、**10**の設定を初期設定に戻す。

環境設定ファイル

CD-ROM 2-5-02.jww／2-5-02.jwl

環境設定ファイルを扱う

環境設定ファイルは、基本設定（▶p.206）、用紙サイズ、レイヤグループの縮尺、レイヤ名のほか、環境設定ファイルだけで指定可能な動作設定など、多岐にわたる内容を記入したテキストファイル（拡張子は「jwf」）である。Windowsのテキストエディタ「メモ帳」などを使って独自に編集・作成できる。
環境設定ファイルを読み込むことで、現在動作中のJw_cadの各種設定が環境設定ファイルに記入された内容に一括設定される。

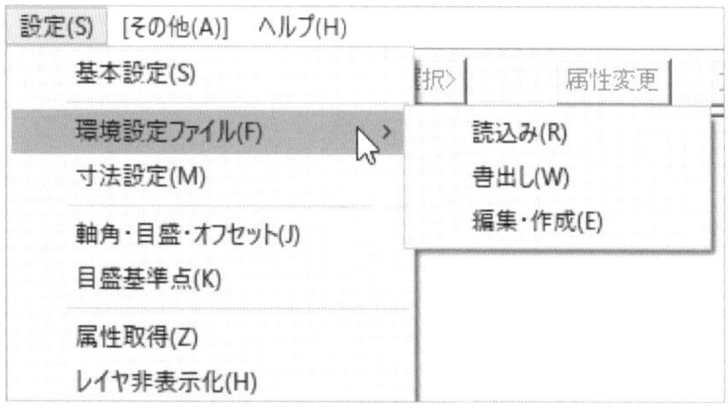

環境設定ファイル ➡ 読込み

動作中のJw_cadの各種設定を、読み込んだ環境設定ファイルの内容に一括設定する

基本操作

例）作図単位を尺に設定する環境設定ファイル「尺単位.jwf」を読み込む。

1 メニューバー［設定］－「環境設定ファイル」－「読込み」を㊀。

2 「開く」ダイアログで、「JWW」フォルダー内の環境設定ファイル「尺単位（.jwf）」を㊀で選択し、「開く」ボタンを㊀。

➡ 画面の変化はないが、読み込まれた環境設定ファイルで指定された設定（作図単位：尺）に変更される。

> **POINT** 読み込んだ「尺単位.jwf」の設定は、Jw_cadを終了するか、他の単位を指定した環境設定ファイル「m単位.jwf」などを再度読み込むまで有効である。「基本設定」の「一般（2）」タブの「尺単位入力」（▶p.210の**13**）のチェックを外すことでmm単位と切替できる。「JWW」フォルダーには「m単位.jwf」「Sample.jwf」「尺単位.jwf」の3つの環境設定ファイルがあらかじめ用意されている。ただし、「Sample.jwf」は、環境設定ファイルのすべての内容を解説するもので、そのまま読み込んでも何も変更されない。

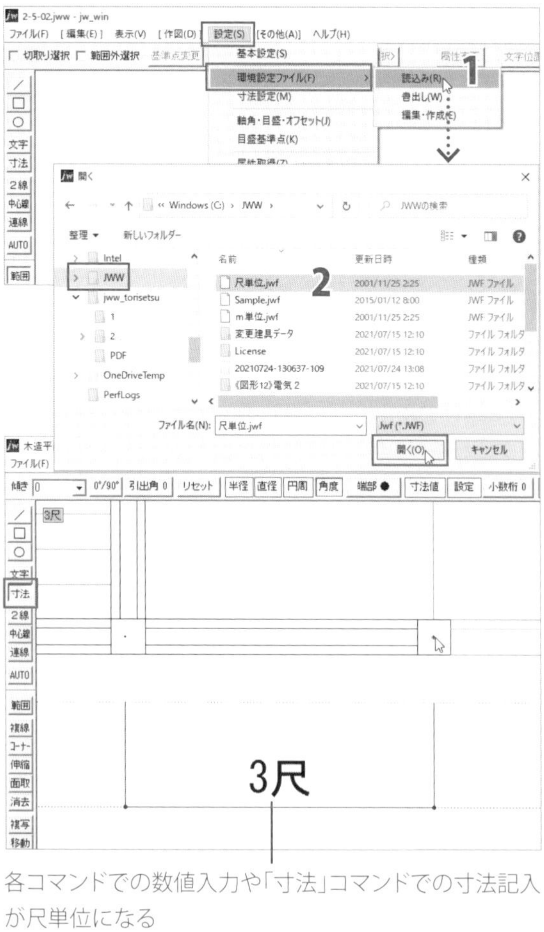

各コマンドでの数値入力や「寸法」コマンドでの寸法記入が尺単位になる

できる レイヤ分け・レイヤ状態を一括変更するレイヤ整理ファイル

前ページ**2**で、「開く」ダイアログの「ファイルの種類」ボックスの⌄を⊕し、リストから「JwL（＊.JWL）」を⊕で選択することで、レイヤ整理ファイルを読み込める。レイヤ整理ファイル「＊.jwl」は、各レイヤグループのレイヤ名、レイヤごとに集める要素の線色・線種・属性、レイヤごとの表示状態を記入したテキストファイル（拡張子「jwl」）であり、「メモ帳」などを使って独自に編集・作成できる。レイヤ整理ファイルを読み込むことで、レイヤ整理ファイルの指定に従い編集中の図面の要素を一括でレイヤ変更できる。
図は「2-5-02.jww」を開いて、「jww_torisetsu」－「2」フォルダー収録のレイヤ整理ファイル「2-5-02.jwl」を読み込んだ前後のレイヤ一覧ウィンドウである。

▼「2-5-02.jww」のレイヤ一覧

すべて0レイヤに作図されている

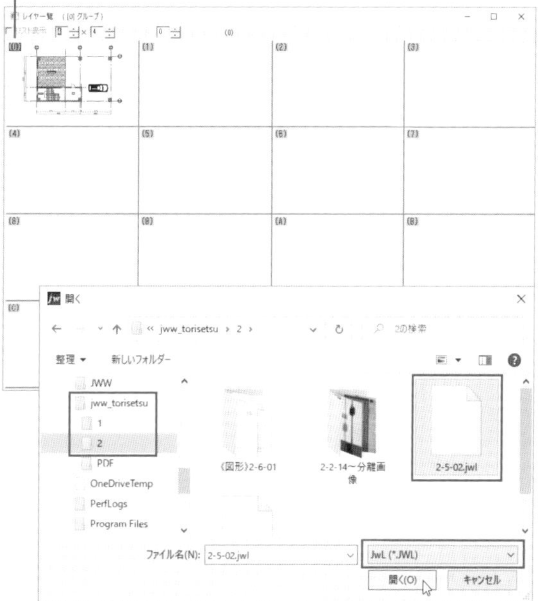

▲レイヤ整理ファイル「2-5-02.jwl」を読み込む

▼レイヤ整理ファイル「2-5-02.jwl」を読み込んだ後のレイヤ一覧

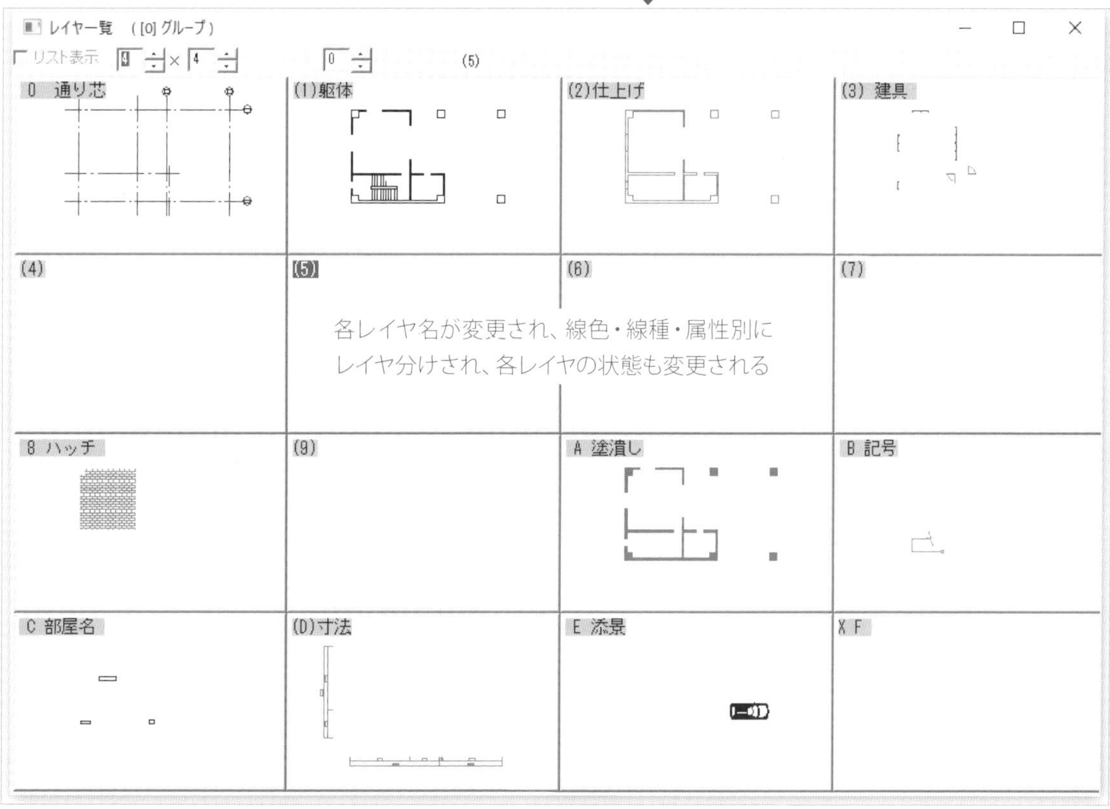

参考 レイヤ整理ファイルの記述内容 ▶ JWWトリセツ付録.pdf p.28

環境設定ファイル ➡ 書出し

現在の設定を環境設定ファイルに書き出す

基本操作

1 メニューバー[設定]－「環境設定ファイル」－「書出し」を㊀。

2 「名前を付けて保存」ダイアログで、「保存する場所」を確認のうえ、「ファイル名」ボックスに保存する環境設定ファイル名（図では「01」）を入力し、「保存」ボタンを㊀。

➡ 現在の設定で保存可能なすべての内容が環境設定ファイル「01.jwf」に保存される。保存した環境設定ファイルを他のパソコンのJw_cadで読み込む（▶前ページ）ことで、Jw_cadを同じ内容に一括で設定できる。

> **POINT** 既存の環境設定ファイルに上書きする場合は、**2**で上書き対象の環境設定ファイルを㊀で選択し、「保存」ボタンを㊀。ただし、環境設定ファイルの指定項目には書き出しされない内容（JWWトリセツ付録.pdf p.34～の環境設定ファイル内容一覧で「※書出不可」の記入があるもの）がある。そのため、既存の環境設定ファイルにそれらの指定が記入されていた場合、上書きすることでその記入が消えるので注意する。

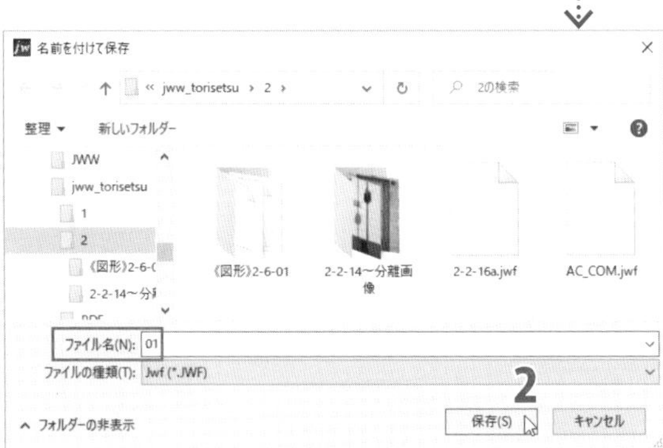

できる レイヤ整理ファイルに書き出し

「ファイルの種類」を「JwL（＊.JWL）」にして**2**を行うことで、現在のレイヤ状態（書込／編集可能／表示のみ／非表示／プロテクトレイヤ）と書込レイヤグループの各レイヤ名がレイヤ整理ファイルに書き出しされる。

環境設定ファイル ➡ 編集・作成

既存の環境設定ファイルを編集したり、新しく環境設定ファイルを作成したりする

基本操作

1 メニューバー［設定］－「環境設定ファイル」－「編集・作成」を㊀。

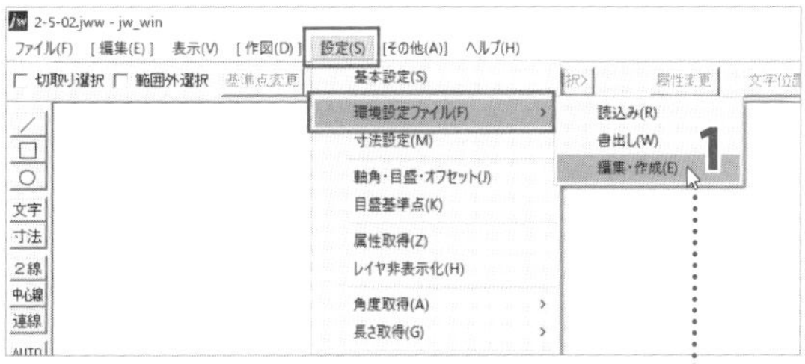

2 「編集または作成する環境設定ファイル…」ダイアログで「ファイルの場所」を確認のうえ、追加、修正する環境設定ファイルを㊀で選択（新しく作成する場合は「ファイル名」ボックスに作成する環境設定ファイル名を入力）し、「開く」ボタンを㊀。

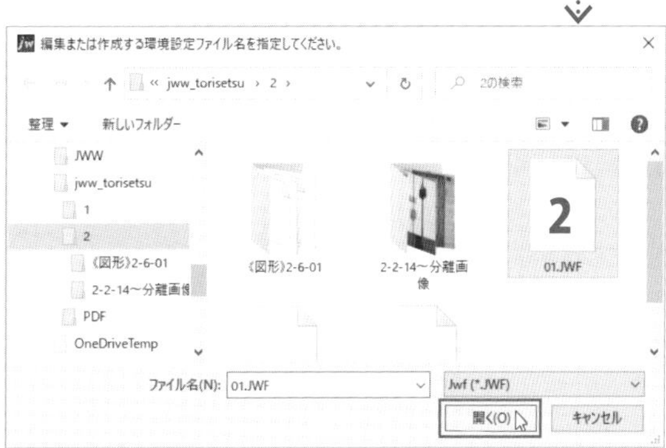

できる レイヤ整理ファイルの編集・作成

「ファイルの種類」を「JwL（＊.JWL）」にして**2**を行うことで、レイヤ整理ファイルの編集・作成になる。

➡ 選択した環境設定ファイル（新しく作成する場合は**2**で名前を付けた白紙のファイル）を開いてメモ帳が起動する。

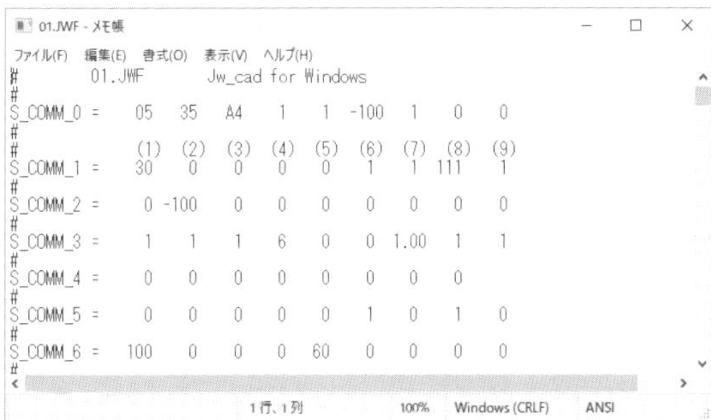

3 必要な修正または追加記入などを行う。

参考 環境設定ファイル／レイヤ整理ファイルの記載内容

▶JWWトリセツ付録.pdf p.28/34

4 メニューバー［ファイル］－「上書き保存」を㊀。

5 メニューバー［ファイル］－「メモ帳の終了」を㊀。

➡「メモ帳」が閉じる。

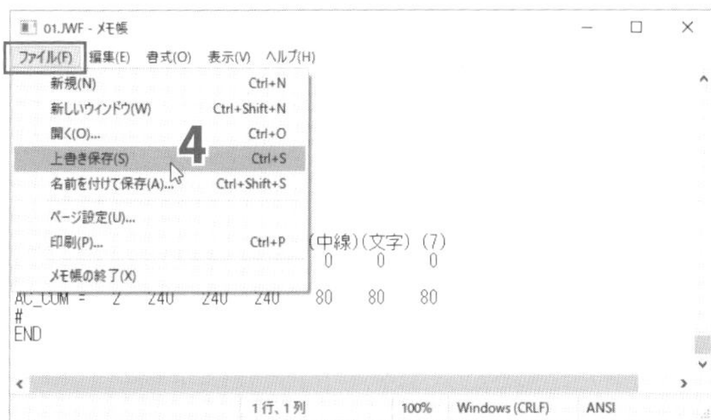

POINT 「JWW」フォルダー（「jw_win.exe」と同じフォルダー）に「jw_win.jwf」という名前で作成した環境設定ファイルは「起動環境設定ファイル」と呼び、Jw_cad起動時に自動的に読み込まれる。

寸法設定

これから記入する寸法の各種設定を行う（記入済み寸法の設定を変更するものではない）

基本操作と「寸法設定」ダイアログの指定

1 メニューバー［設定］－「寸法設定」を⊕。

2 「寸法設定」ダイアログで、設定変更を行い、「OK」ボタンを⊕。

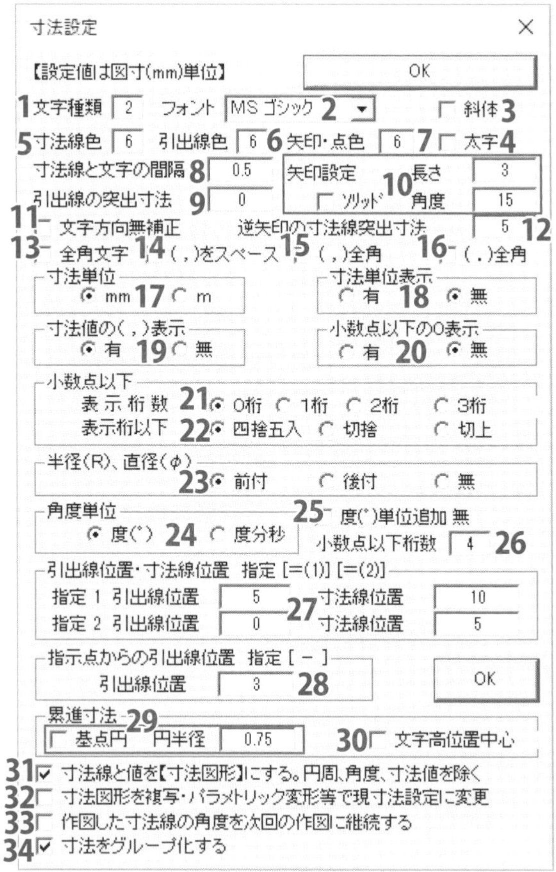

1　文字種類

寸法値の文字種類（「1」～「10」）を指定。

－（マイナス）値は累進寸法値を引出線上に記入する。

2　フォント

寸法値のフォントを指定。

3　斜体 ／ 4　太字

寸法値に斜体、太字を指定。

5　寸法線色

寸法線の線色（「1」～「8」）を指定。

6　引出線色

引出線（寸法補助線）の線色（「1」～「8」）を指定。

7　矢印・点色

端部の矢印・点の線色（「1」～「8」）を指定。

※**5**～**7**は、数値を2桁にし、十の位に線種番号（1～9）を入力することで、線種も指定できる。

8　寸法線と文字の間隔

寸法線と寸法値の離れを図寸（mm）で指定。

9　引出線の突出寸法

引出線の寸法線からの突出寸法を図寸（mm）で指定。

10 矢印設定　長さ／角度／ソリッド

端部矢印の長さを図寸（mm）で、角度を度単位で指定。「ソリッド」にチェックを付けると矢印が三角形のソリッドになる。

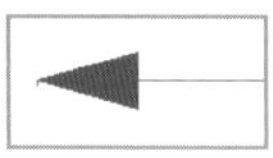

11　文字方向無補正

寸法の**1**始点⇒**2**終点に対し、常に左側に寸法値を記入する。

チェックなし

チェックあり

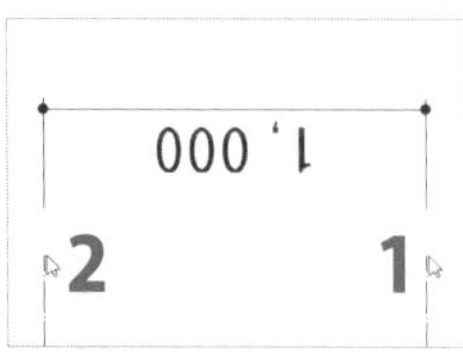

12 逆矢印の寸法線突出寸法

寸法端部「－＜」で逆矢印を記入した時の寸法線の引出線からの突出寸法を図寸（mm）で指定。

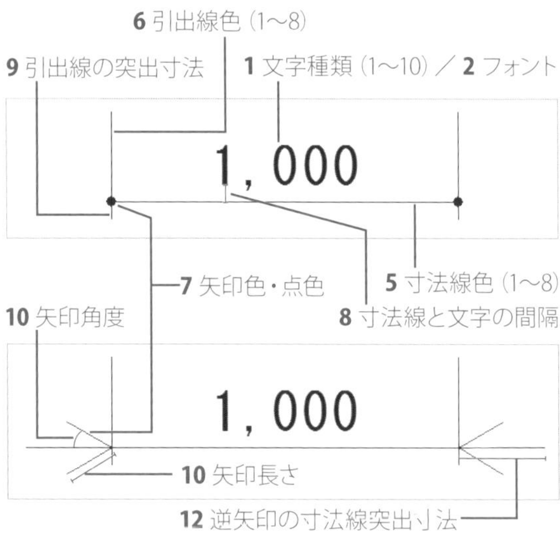

※**13**〜**16**は通常半角文字で記入される寸法値の指定。

13 全角文字
寸法値を全角文字で記入する。

14 (,)をスペース
桁区切りの「,」の代わりに半角スペースを記入する。

15 (,)全角
桁区切りの「,」を全角文字で記入する。

16 (.)全角
小数点の「.」を全角文字で記入する。

17 寸法単位
記入寸法値の単位を「mm」と「m」から選択。環境設定ファイルで尺、インチなどの単位を設定した場合、「m」の代わりに「尺」「インチ」などの設定単位が表示される。

18 寸法単位表示
寸法値の単位の記入の有無を選択。

19 寸法値の(,)表示
桁区切りの「,」記入の有無を選択。

20 小数点以下の0表示
小数点以下の記入桁(**21**で指定)の数値が「0」の場合、0の記入の有無を選択。

21 表示桁数
小数点以下の記入桁数を0〜3桁から選択。

22 表示桁以下
小数点以下の記入桁(**21**で指定)以下の処理を四捨五入/切捨/切上 から選択。

23 半径(R)、直径(φ)
半径・直径寸法の「R」「φ」を前付/後付/無から選択。

24 角度単位
角度寸法の記入単位を度(°)/度分秒 から選択。
※**24**で「度(°)」を選択すると**25**と**26**が指定可能になる。

25 度(°)単位追加無
角度の単位「°」を記入しない。

26 小数点以下桁数
「°」単位記入時の小数点以下の記入桁数(0〜6)を指定。

27 引出線位置・寸法線位置　指定[=(1)][=(2)]
引出線タイプ「=(1)」「=(2)」選択時の、基準点からの引出線開始位置と寸法線記入位置を図寸(mm)で指定。

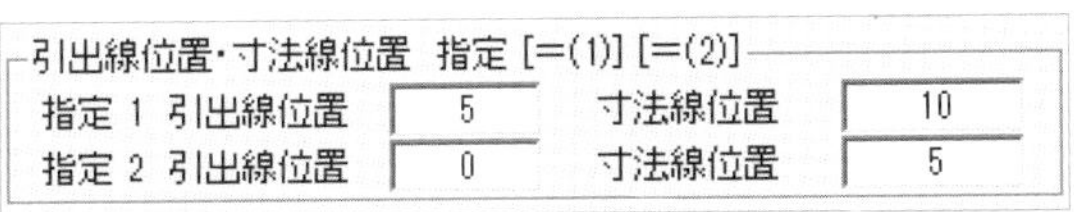

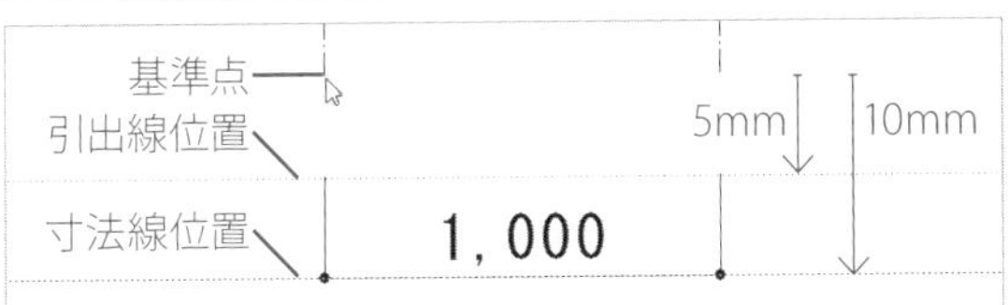

指定1の場合

28 指示点からの引出線位置　指定[−]
引出線タイプ「−」選択時の、寸法始点・終点から引出線開始位置までの距離を図寸(mm)で指定。

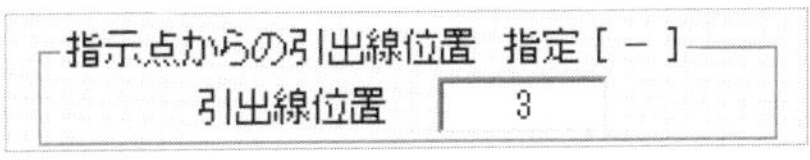

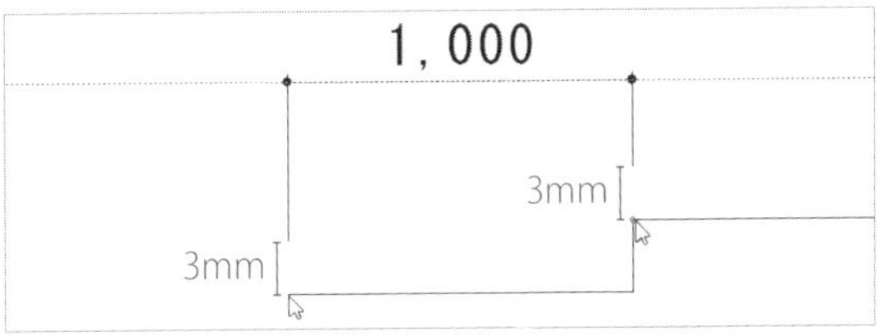

※**29**〜**30**は、累進寸法記入の設定。標準では図1だが、**29**〜**30**の指定で図2のように記入できる。

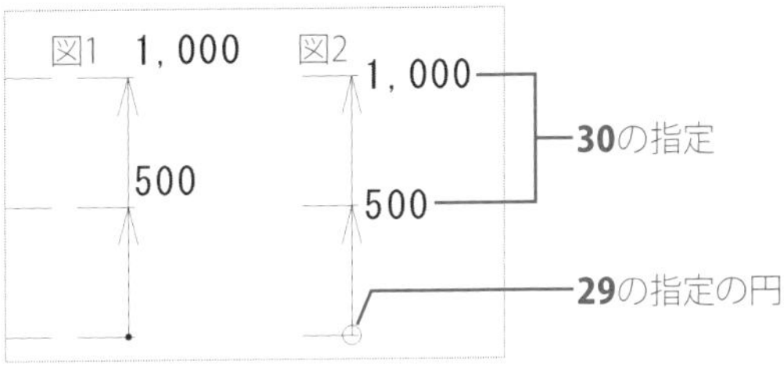

29 基点円/円半径
始点に円を作図する指定と、その円の半径を図寸(mm)で指定。

30 文字高位置中心
引出線位置に寸法値の高さの中心が位置するように記入する。

31 寸法線と値を【寸法図形】にする。円周、角度、寸法値を除く
「寸法」コマンドの「円周」「角度」「寸法値」以外で記入した寸法線と寸法値を1セットの寸法図形(▶p.18)にする。

32 寸法図形を複写・パラメトリック変形等で現寸法設定に変更
寸法図形の複写、パラメトリック変形時に、現在の「寸法設定」ダイアログでの**13**「全角文字」〜**23**「半径(R)、直径(φ)」の指定内容で寸法値を記入し直す。

33 作図した寸法線の角度を次回の作図に継続する
「寸法」コマンドのコントロールバー「傾き」ボックスの数値を他コマンド選択後も保持する。

34 寸法をグループ化する
寸法部(寸法線、寸法値、引出線、端部実点または矢印)に曲線属性(▶p.16)が付加される。

軸角・目盛・オフセット ∠0

CD-ROM 2-5-04.jww／2-5-04a.jws

軸角、目盛、オフセットの設定を行う

軸角とは

軸角とは、画面（作図ウィンドウ）の水平右方向に対する傾きのことである。通常は、作図ウィンドウの水平右方向を0°としているが、軸角設定では、指定角度を一時的に作図上の0°とすることができる。

用紙の水平方向に対し、傾いた図を作図する場合や、既存の斜線からの角度を指定して線を作図する場合などに利用する。

軸角設定時、角度指定（コントロールバー「角度」ボックスの角度）は軸角を基準としたものになり、範囲選択枠、包絡範囲枠、クロスラインカーソルも軸角に平行に表示される。

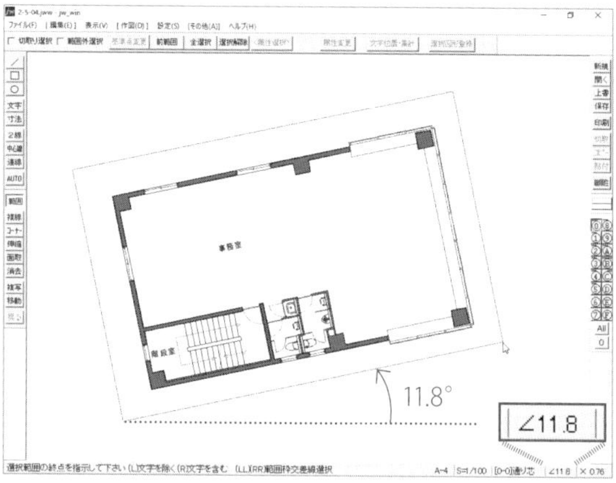

参考 関連設定▶p.210の**17**

目盛とは

目盛とは、作図の目安として、◒で読み取りできて印刷されない点を指定間隔で表示する機能である。

目盛は、図寸（mm）指定が基本だが、実寸（mm）での指定もできる。ただし、途中で縮尺変更した場合、目盛の実寸法が保たれないため、設定し直す必要がある。

目盛が表示されているときには、線端点や交点よりも目盛の点のほうを優先して読み取る。

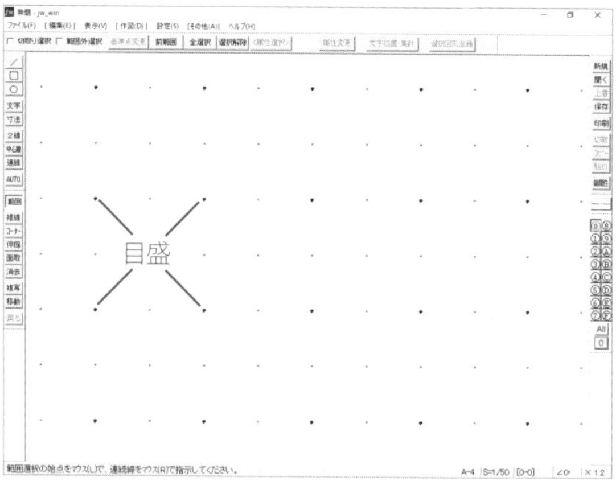

オフセットとは

オフセットとは、既存点からの相対座標（X,Y）を指定することで、読み取りできる点の存在しない位置を点指示する機能である。

オフセットは、特定のコマンドに限らず、点指示時に共通して利用できる。オフセット機能を1回のみ使用する場合は「オフセット1回指定」を、点指示時に常にオフセット機能を使用する場合は「オフセット常駐」を指定する。

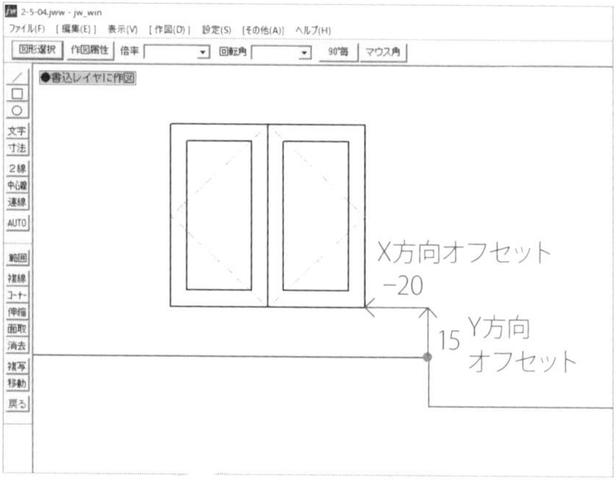

「軸角・目盛・オフセット　設定」ダイアログ

※**1**〜**2**の「軸角」欄は、軸角の設定と解除を行う。

1　軸角設定
軸角の有効／無効を切り替える。

2　軸角
軸角の角度を指定。

※**3**〜**13**の「目盛」欄は、目盛の設定と表示の切り替えを行う（詳細▶次ページ）。

3　目盛間隔（図寸mm）
目盛の間隔「横，縦」を図寸（mm）で指定。

4　実寸
上記**3**の指定間隔が実寸指定になる。

5　基準点設定
目盛の基準点を指定。
メニューバー［設定］－「目盛基準点」と同じ機能である（▶次ページ できる）。

6　表示最小間隔（5〜100ドット）
画面表示する目盛の最小間隔（ドット）を指定。
指定間隔未満のときは目盛は画面に表示されない。

7　OFF
目盛を非表示にする。

8　読取【無】
目盛点を読み取らない。

9　1/1
「目盛間隔」ボックスの間隔で目盛を表示する。

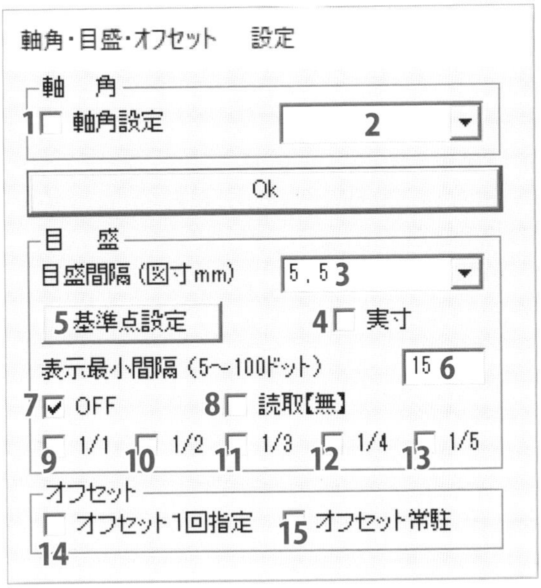

10〜13
「目盛間隔」ボックスで指定した目盛に加え、それを2等分「1/2」〜5等分「1/5」する線色1の目盛点を表示する。

※**14**〜**15**の「オフセット」欄は、オフセットの指定と解除を行う（詳細▶p.229）。

14 オフセット1回指定
オフセットを1回使用する。

15 オフセット常駐
オフセットを常に使用する。指定を解除するにはチェックを外す。

基本操作1　軸角設定

1　**メニューバー［設定］－「軸角・目盛・オフセット」（またはステータスバー「軸角」ボタン）を㊀。**

2　**「軸角・目盛・オフセット　設定」ダイアログの「軸角」ボックスに角度を入力し、「Ok」ボタンを㊀。**

➡ ダイアログが閉じ、軸角が**2**で指定した角度に設定され、ステータスバー「軸角」ボタンに表示される。

POINT　メニューバー［設定］－「角度取得」－「軸角」（▶p.233）で、図面上の線の角度を軸角に設定できる。

軸角を解除するには
「軸角・目盛・オフセット設定」ダイアログを開き、チェックの付いた「軸角設定」を㊀する。

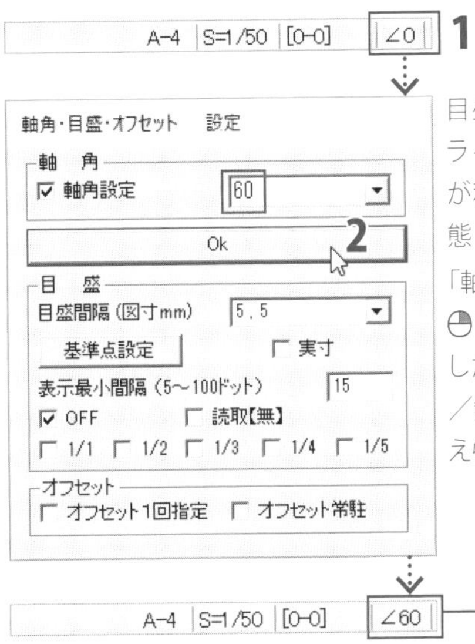

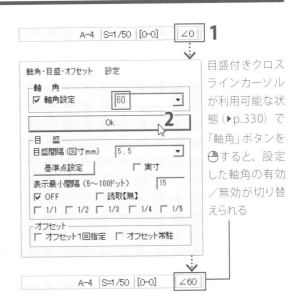

目盛付きクロスラインカーソルが利用可能な状態（▶p.330）で「軸角」ボタンを㊀すると、設定した軸角の有効／無効が切り替えられる

2 メニューバーのコマンド

基本操作2　目盛設定

例）実寸1820mmと、それを2等分する目盛を表示する。

1　メニューバー[設定]－「軸角・目盛・オフセット」（またはステータスバー「軸角」ボタン）を㊀。

2　「軸角・目盛・オフセット　設定」ダイアログの「目盛」欄の「実寸」にチェックを付け、「目盛間隔」ボックスに「1820」を入力する。

> **POINT**　「実寸」にチェックを付けない場合は、目盛間隔は図寸（mm）で指定する。「目盛間隔」は「横方向，縦方向」を入力するが、縦横同間隔の場合はその数値を1つ入力すればよい。

3　「1/2」を㊀。

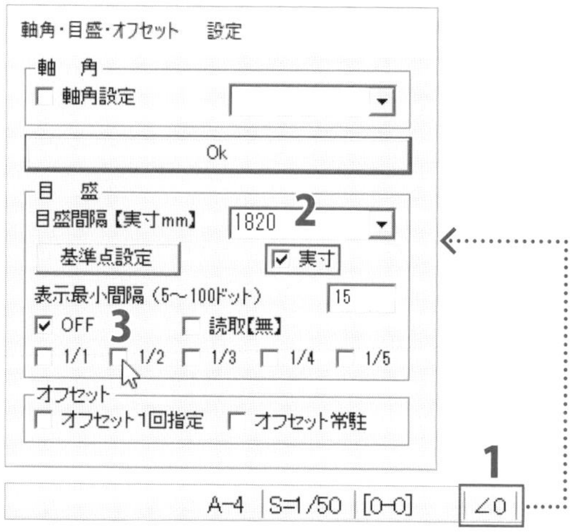

➡ ダイアログが閉じ、作図ウィンドウに1820mm間隔の黒い目盛点とその間を2等分する水色（線色1）の1/2目盛点が表示される。

> **POINT**　目盛の設定間隔と画面拡大倍率によっては目盛が表示されない。その場合は、画面を拡大表示するか、「画面倍率・文字設定」ダイアログ（▶p.244）で「目盛表示最小倍率」ボタンを㊀する。

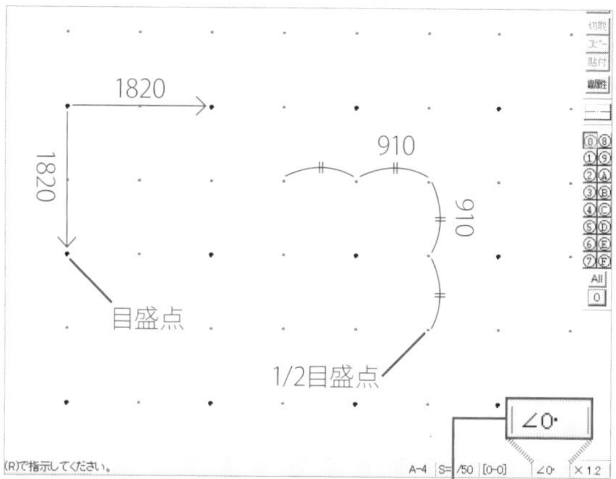

目盛が有効の場合「軸角」ボタンに「・」が表示される

目盛を無効にするには
「軸角・目盛・オフセット　設定」ダイアログを開き、「OFF」チェックボックスを㊀。目盛付きクロスラインカーソルが利用可能な状態（▶p.330）では、Shiftキーを押したまま「軸角」ボタンを㊀することでも、目盛表示の有効／無効が切り替えられる。

できる👍 図面上の点と目盛の点を合わせる

1　「軸角・目盛・オフセット　設定」ダイアログの「基準点設定」ボタン（またはメニューバー[設定]－「目盛基準点」）を㊀。

2　図面上の目盛を合わせる点を㊀。

➡ ㊀した点に目盛点が合うように、目盛の表示位置が調整される。

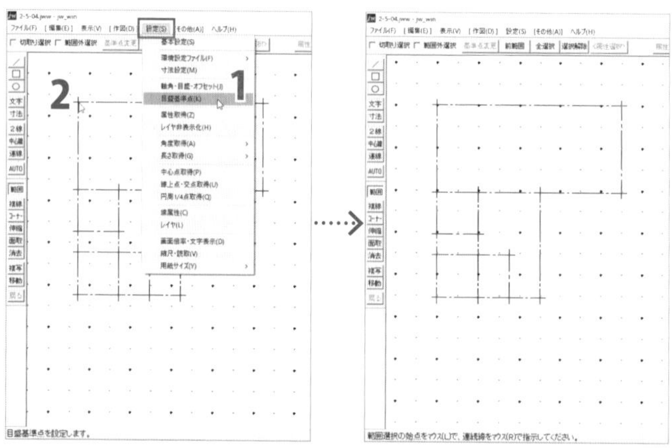

基本操作3　オフセット操作

例）図面上の点から左に200mm、上に150mmの位置に基準点を合わせて図形を配置する。

1 「図形」コマンドで、配置する図形を選択する。

2 メニューバー[設定]－「軸角・目盛・オフセット」(またはステータスバー「軸角」ボタン)を⊖。

3 「軸角・目盛・オフセット　設定」ダイアログの「オフセット1回指定」を⊖。

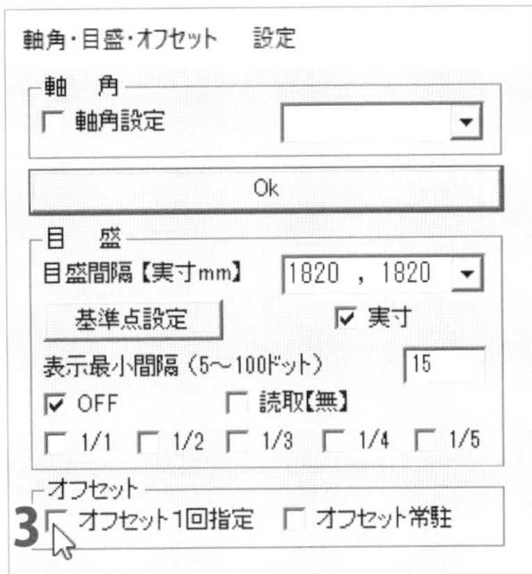

➡ ダイアログが閉じる。操作メッセージは「【図形】の複写位置を指示してください」になる。

4 相対座標の原点とする点を⊖。

> **POINT**　2～3を行わずに4の交点を⊖↓AM6時 オフセット しても、同じ結果が得られる。

➡「オフセット」ダイアログが開く。

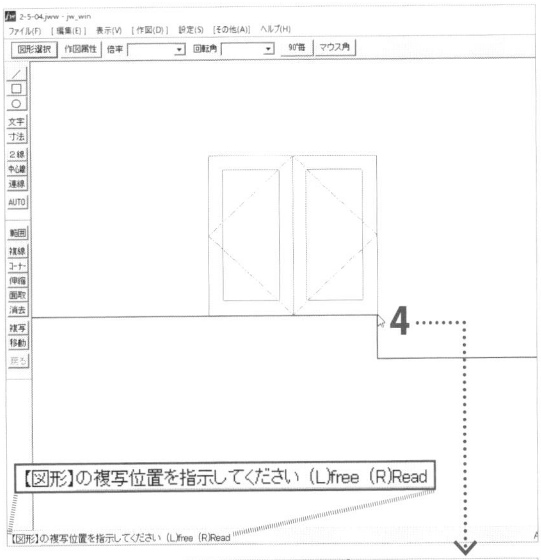

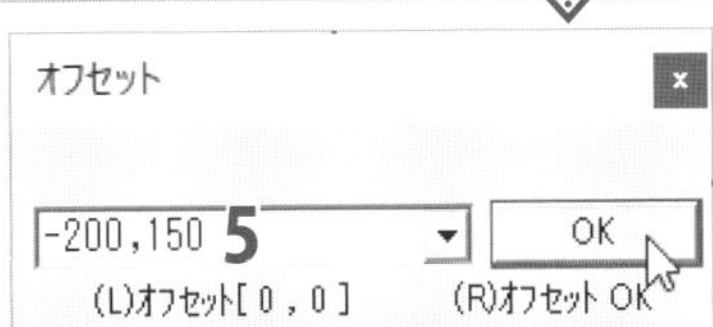

5 「オフセット」ダイアログの「数値入力」ボックスに「－200, 150」を入力し、「OK」ボタンを⊖。

> **POINT**　「数値入力」ボックスに、4の点を原点としたX,Y座標を「,」(半角カンマ)で区切って入力することで、その位置を指定できる。X,Y座標は、原点から右と上は＋(プラス)、左と下は－(マイナス)数値で指定する。ここでは、左に200mmなのでXは「－200」、上に150mmなのでYは「150」を入力する。

➡ 4の点から左へ200mm、上に150mmの位置に基準点を合わせ、図形が配置される。

> **POINT**　3で「オフセット常駐」を指定した場合は、「軸角・目盛・オフセット　設定」ダイアログを開いて「オフセット常駐」のチェックを外すまで、点指示時には常に「オフセット」ダイアログが開く。

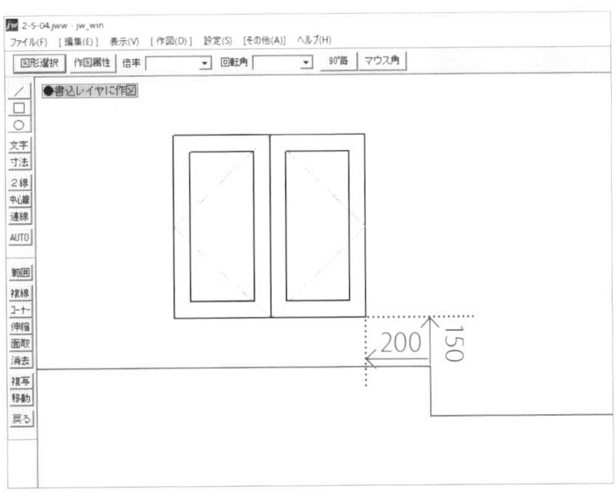

属性取得

属取　Tabキー　⊖↓ AM6時属性取得

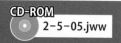

CD-ROM 2-5-05.jww

書込線色、書込線種、書込レイヤを、指示した要素と同じ線色・線種・レイヤに変更する

基本操作

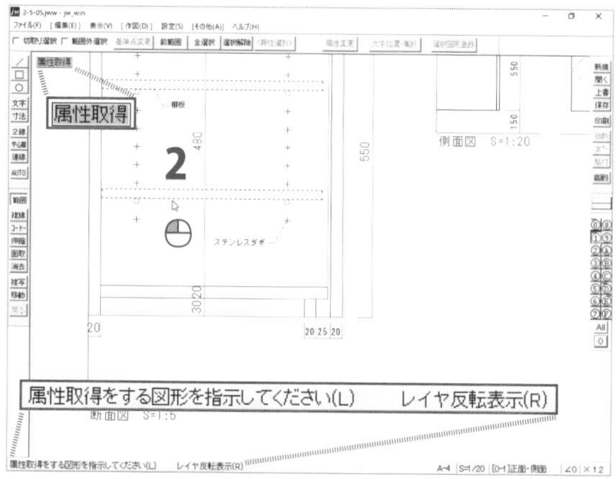

1　メニューバー［設定］－「属性取得」（「属取」コマンド）を⊖（またはTabキーを押す）。

➡ 画面左上に属性取得と表示され、操作メッセージは「属性取得をする図形を指示してください」になる。

> **POINT**　作図ウィンドウで⊖すると、一時的に、書込レイヤと編集可能レイヤの要素が非表示になり、非表示レイヤと表示のみレイヤの要素が表示される「レイヤ反転表示」状態になる。

2　属性取得の対象要素を⊖。

➡ **2**で⊖した要素の作図レイヤが書込レイヤになり、⊖した要素と同じ線色（および個別線幅）・線種が書込線色、書込線種になる。

> **POINT**　**2**で文字要素を⊖した場合、文字種（サイズ）・フォント・斜体・太字指定、作図レイヤを属性取得する。　参考 関連設定▶p.207の**32**

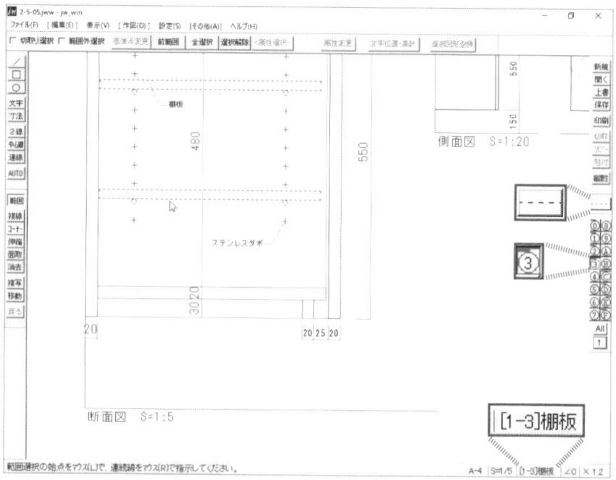

できる👍 クロックメニューでの属性取得

1、**2**の操作の代わりに、**2**の要素から⊖↓AM6時 属性取得 で同じ結果が得られる。

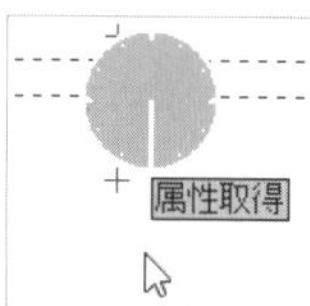

できる👍 ⊖↓PM6時【全】属性取得で属性取得＋線長、角度、円・弧半径、文字角度などを取得

⊖↓PM6時【全】属性取得では、線色・線種（文字種）、レイヤのほかに、線の長さ、角度、円・弧の半径、文字角度などを、選択しているコマンドのコントロールバー「長さ」「角度」ボックスに取得する。

1　「○」コマンドで楕円を⊖↓ PM6時【全】属性取得。

参考 PMメニュー▶p.40

➡ ⊖↓した楕円と同じレイヤが書込レイヤになり、同じ線色・線種が書込線になる。さらに、「○」コマンドのコントロールバー「半径」ボックスに楕円の長軸半径、「扁平率」ボックスに楕円の扁平率、「傾き」ボックスに楕円の傾き角度が取得され、同じ楕円がマウスポインタに仮表示される。

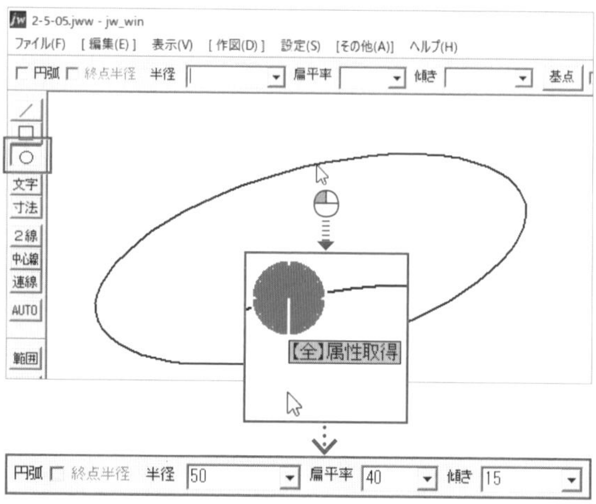

レイヤ非表示化 Tabキー×2回 ⊖↓AM6時レイヤ非表示化

CD-ROM 2-5-06.jww

指示した要素が作図されているレイヤを非表示レイヤにする

基本操作

1 メニューバー［設定］－「レイヤ非表示化」を⊖（またはTabキーを2回押す）。

➡ 画面左上にレイヤ非表示化と表示され、操作メッセージは「非表示にするレイヤの図形を指示してください」になる。

2 非表示にする要素を⊖。

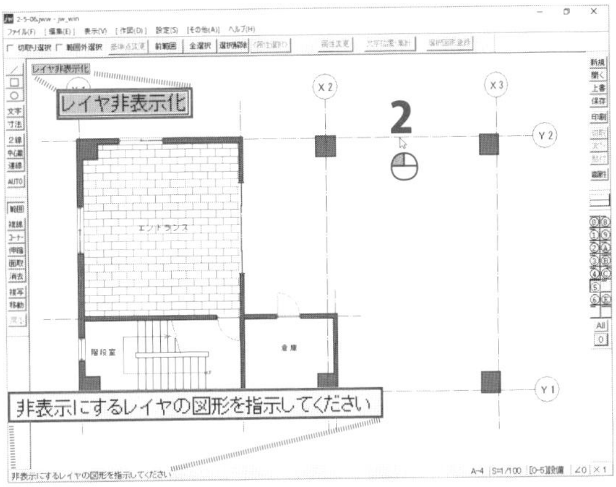

➡ ⊖した要素を作図したレイヤが非表示レイヤになる（p.210の**7**を指定した場合は表示のみレイヤになる）。**2**で⊖した要素が書込レイヤに作図されている場合、画面左上に書込レイヤですと表示され、非表示レイヤにならない（書込レイヤを非表示にすることはできない）。

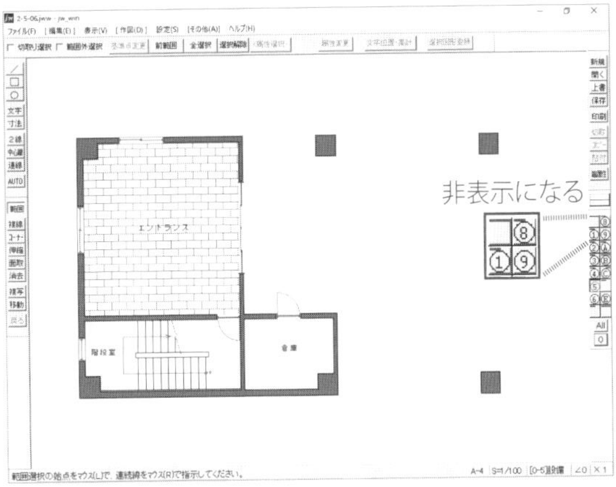

できる クロックメニューでのレイヤ非表示化

1、**2**の操作の代わりに、**2**の要素から⊖↓し、クロックメニュー属性取得でマウスポインタを上下に移動し、AM6時レイヤ非表示化に切り替わったらマウスボタンをはなす。

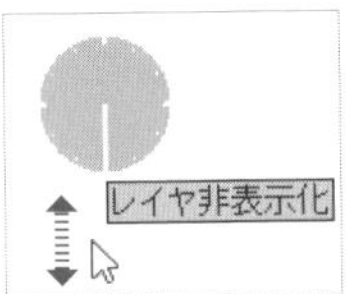

できる Tabキー×3回で、属性取得＋線の長さ・角度や円・弧の半径、文字種などを確認

Tabキーを3回押して属性取得操作を行うと、書込線色、書込線種、書込レイヤを属性取得し、さらに対象要素の情報を画面左上に表示する。

1 Tabキーを3回押す。

2 属性取得の対象要素（ここでは弧）を⊖。

➡ ⊖した弧のレイヤが書込レイヤに、同じ線色・線種が書込線色・線種になる。画面左上には⊖した弧の半径、傾き、開始角度⇒終了角度、扁平率が表示される。

> **POINT** **2**で線を⊖すると線の長さと角度が、文字を⊖すると文字の内容、角度、文字種、サイズ（高さ・幅・間隔）、色番号が表示される。

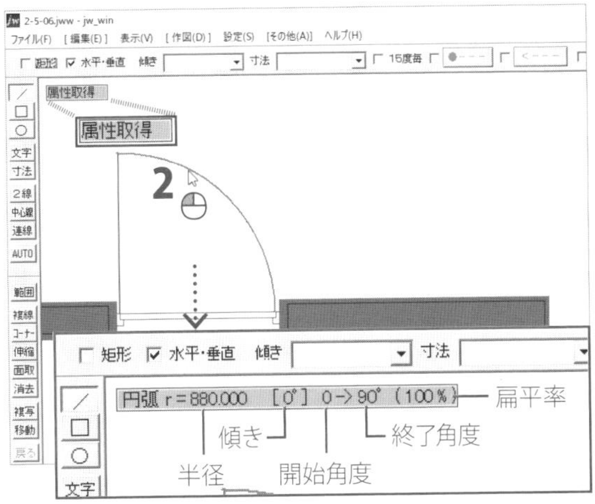

角度取得 線角 鉛直 X軸 2点角

CD-ROM 2-5-07.jww

画面上の角度をコントロールバー「傾き」入力ボックスに取得する

ここでは「／」コマンド選択時の例で説明するが、他のコマンドでもコントロールバーの傾きや角度を入力するボックスに同様に取得される。

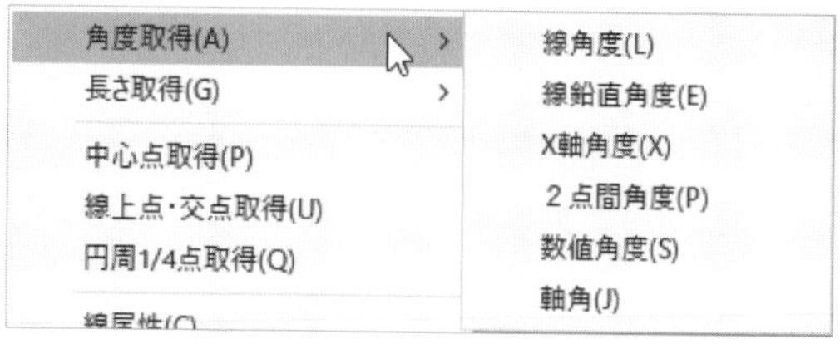

角度取得 ➡ 線角度（既存線の角度を取得）

1 メニューバー[設定]－「角度取得」－「線角度」（「線角」コマンド）を選択し、角度取得の対象線を⊖。

➡ コントロールバー「傾き」ボックスに**1**の線の角度が取得される。

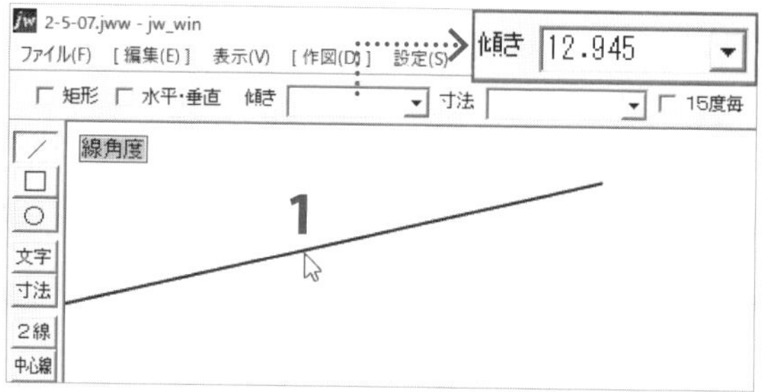

できる クロックメニュー

1の操作の代わりに対象線を⊖↘PM 4時線角度しても同じ結果が得られる。

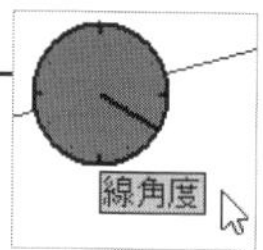

角度取得 ➡ 線鉛直角度（既存線に鉛直な角度を取得）

1 メニューバー[設定]－「角度取得」－「線鉛直角度」（「鉛直」コマンド）を選択し、角度取得の対象線を⊖。

➡ コントロールバー「傾き」ボックスに**1**の線に対して鉛直な角度が取得される。

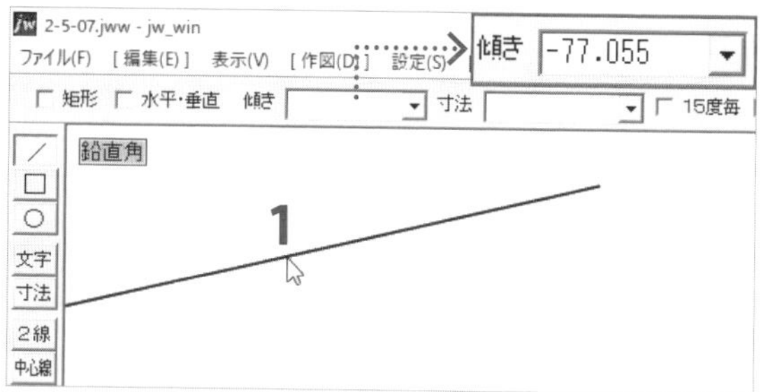

できる クロックメニュー

1の操作の代わりに対象線を⊖↗PM 1時鉛直角しても同じ結果が得られる。

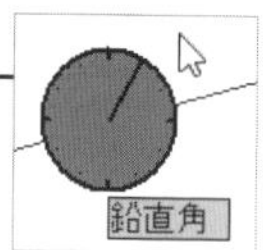

角度取得 ➡ X軸角度（2点を結ぶ線の角度を取得）

1 メニューバー[設定]－「角度取得」－「X軸角度」（「X軸」コマンド）を選択し、基準点を⊖。

2 角度点を⊖。

➡ コントロールバー「傾き」ボックスに**1**－**2**の点を結ぶ線の角度が取得される。

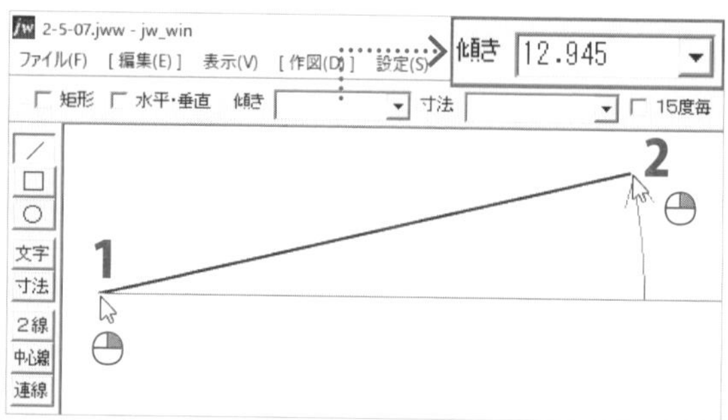

できる クロックメニュー

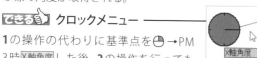

1の操作の代わりに基準点を⊖→PM 3時X軸角度した後、**2**の操作を行っても同じ結果が得られる。

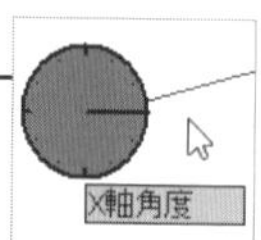

角度取得 ➡ 2点間角度（既存点を原点とした2点間の角度を取得）

1 メニューバー［設定］－「角度取得」－「2点間角度」（「2点角」コマンド）を選択し、原点を⊖。

2 基準点を⊖。

3 角度点を⊖。

➡ コントロールバー「傾き」ボックスに**1**を原点とした**2**－**3**間の角度が取得される。

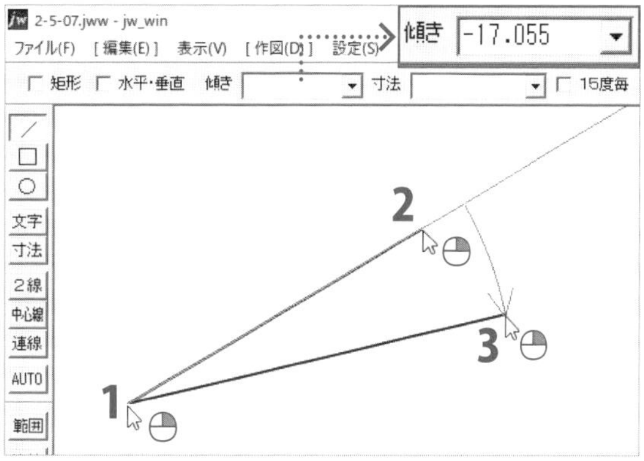

できる クロックメニュー

1の操作の代わりに**1**の原点を⊖↗PM2時 2点間角 した後、**2**～**3**の操作を行っても同じ結果が得られる。

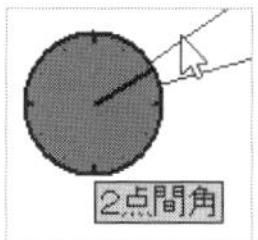

角度取得 ➡ 数値角度（記入済みの数値を角度として取得）

1 メニューバー［設定］－「角度取得」－「数値角度」を選択し、図面上の数値（文字要素）を⊖。

➡ コントロールバー「傾き」ボックスに**1**の数値が角度（度単位）として取得される。

できる クロックメニュー

1の操作の代わりに図面上の数値を⊖↓PM6時 数値角度 しても同じ結果が得られる。

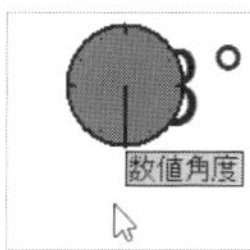

角度取得 ➡ 軸角（既存線の角度を軸角に設定）

1 メニューバー［設定］－「角度取得」－「軸角」を選択し、軸角取得対象の斜線を⊖。

➡ ⊖した線の角度が軸角に設定され、ステータスバー「軸角」ボタンの表記がその線の角度に切り替わる。

参考 軸角▶p.226

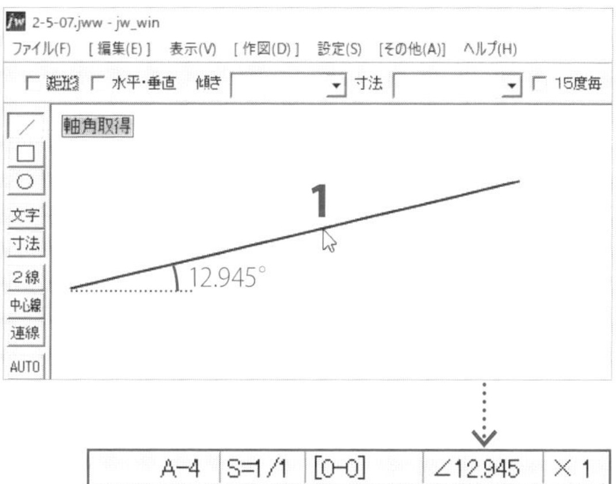

ステータスバー「軸角」ボタンの表記が取得した角度になる

できる クロックメニュー

1の操作の代わりに対象線を⊖↘PM5時 軸角取得 しても同じ結果が得られる。

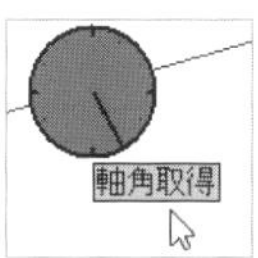

長さ取得 線長 2点長 間隔

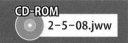

CD-ROM 2-5-08.jww

図面上の長さ（距離）をコントロールバー「寸法」入力ボックスに取得する

ここでは「／」「○」コマンド選択時の例で説明するが、他のコマンドでもコントロールバーの寸法や長さを入力するボックスに同様に取得される。

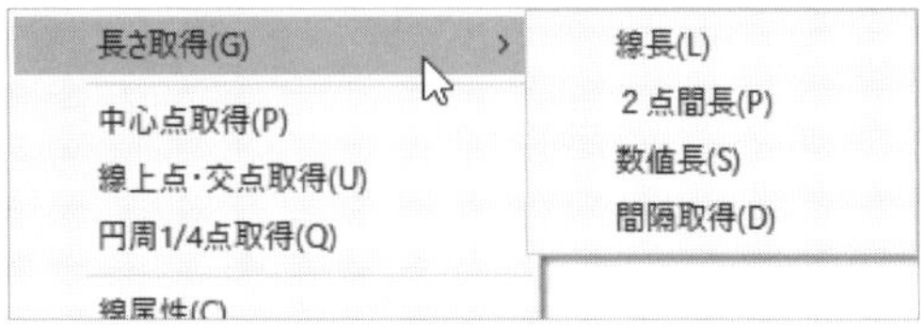

長さ取得 ➡ 線長（既存線の長さや円・弧の半径または円周を取得）

1 メニューバー［設定］－「長さ取得」－「線長」（「線長」コマンド）を選択し、対象線（または円・弧）を⊖。

➡ コントロールバー「寸法」ボックスに**1**の線の長さが取得される。

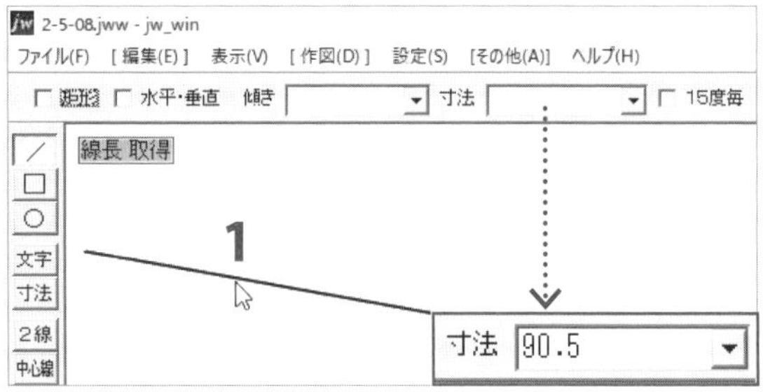

できる クロックメニュー

1の操作の代わりに対象線を⊖↖PM11時線長 取得しても同じ結果が得られる。

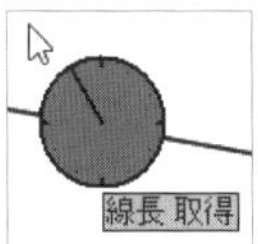

POINT 対象線として円・弧を⊖した場合、円・弧の半径寸法をコントロールバー「寸法」（「○」コマンド選択時は「半径」）ボックスに取得する。基本設定の「一般(1)」タブの指定（▶p.207の**20**）で、半径の代わりに円周長を取得できる。

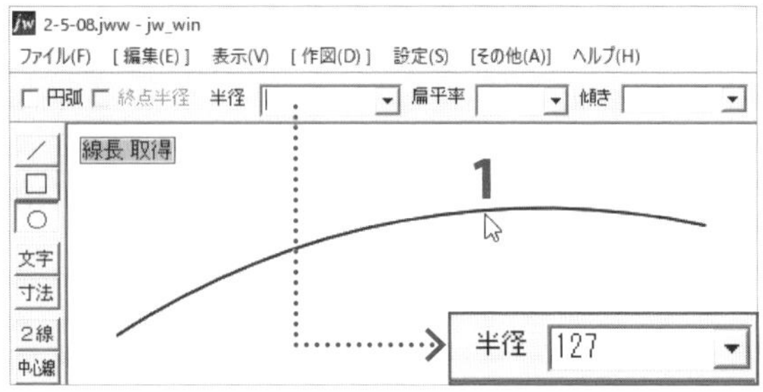

長さ取得 ➡ 2点間長（2点間の距離を取得）

1 メニューバー［設定］－「長さ取得」－「2点間長」（「2点長」コマンド）を選択し、基準点を⊖。

2 終点を⊖。

➡ コントロールバー「寸法」入力ボックスに**1**－**2**間の距離が取得される。

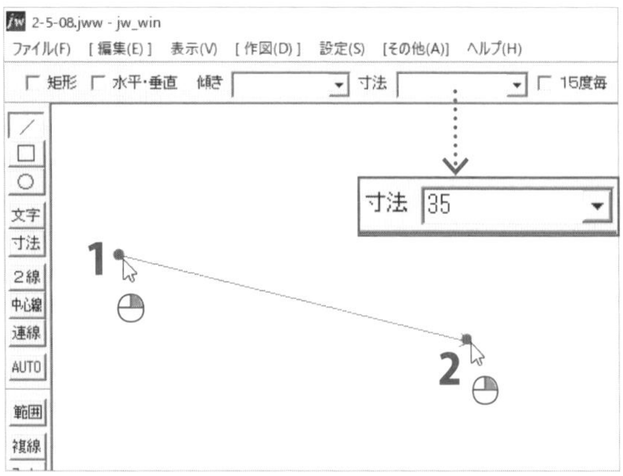

できる クロックメニュー

1の操作の代わりに**1**の基準点を⊖↖PM10時2点間 長した後、**2**の操作を行っても同じ結果が得られる。

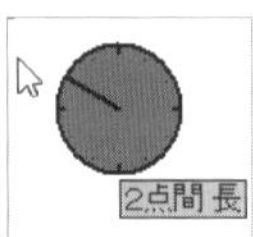

■ 長さ取得 ➡ 数値長(記入済みの数値を長さとして取得)

1　メニューバー[設定]-「長さ取得」-「数値長」を選択し、図面上の数値(文字要素)を⊖。

➡ コントロールバー「寸法」ボックスに数値が取得される。

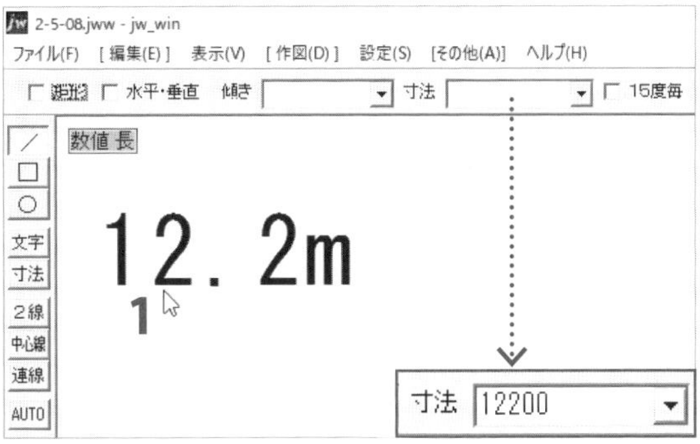

できる クロックメニュー

1の操作の代わりに**1**の数値を⊖↑PM0時 数値長 しても同じ結果が得られる。

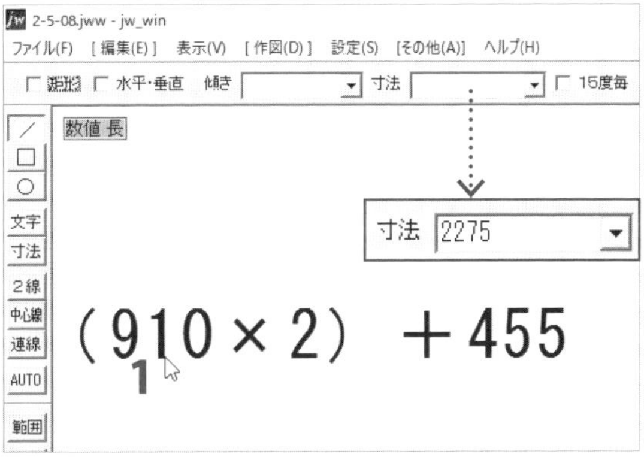

POINT　計算式を数値長取得すると、その計算結果が「寸法」入力ボックスに取得される。mやmmの単位を含んだ数値も取得できるが、「長さ12.2m」のように、数字、数式、mやmm以外の文字を含む文字列は数値として見なされないため、長さ取得できない。また、寸法図形の寸法値は 寸法図形です と表示され、数値長取得できない。寸法図形の場合は、[設定]-「長さ取得」-「線長」を選択し、寸法値ではなく寸法線を⊖することで取得する。

■ 長さ取得 ➡ 間隔取得(2線または線と点の間隔を取得)

1　メニューバー[設定]-「長さ取得」-「間隔取得」(「間隔」コマンド)を選択し、基準線を⊖。

2　もう一方の線を⊖(または点を⊖)。

➡ コントロールバー「寸法」ボックスに**1**－**2**間の間隔が取得される。

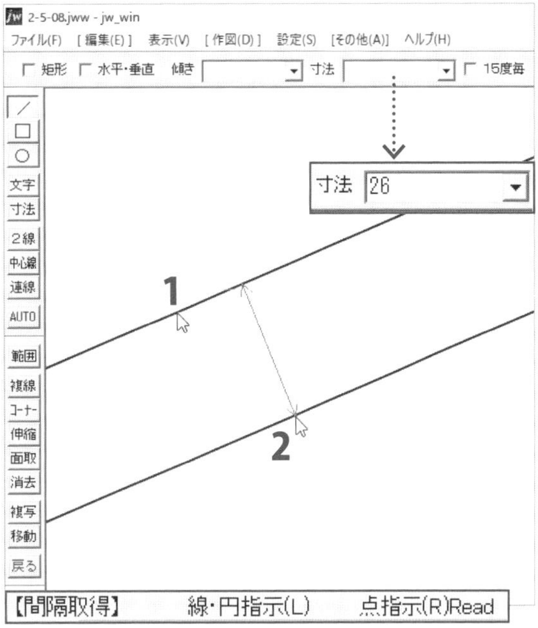

できる クロックメニュー

「複線」コマンド選択時に限り、**1**の代わりに基準線を⊖↗PM1時 間隔取得 した後、**2**の操作を行うことで、コントロールバー「複線間隔」ボックスに**1**－**2**の間隔を取得する。

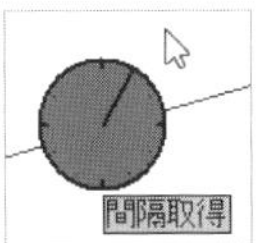

中心点取得　⊖→AM3時 中心点・A点

CD-ROM 2-5-09.jww

読取点のない線の中点・円・弧の中心点や2点間の中心点を点指示する

基本操作1　線の中点や円・弧の中心点を点指示

例）指定半径の円を、線の中点や円・弧の中心点に作図する。

1　「○」コマンドで、「半径」を指定する。

2　メニューバー［設定］－「中心点取得」を⊖。

➡ 画面左上に 中心点 と表示され、操作メッセージは「線・円指示で線・円の中心点　読取点指示で2点間中心」になる。

3　線を⊖。

➡ ⊖した線の中点に基点を合わせて、**1**で指定した円が作図される。

> **POINT**　「中心点取得」は、選択しているコマンドに関わらず点指示時に共通して利用できる。

4　メニューバー［設定］－「中心点取得」を⊖。

5　円・弧を⊖。

➡ ⊖した円・弧の中心点に基準点を合わせて、**1**で指定した円が作図される。

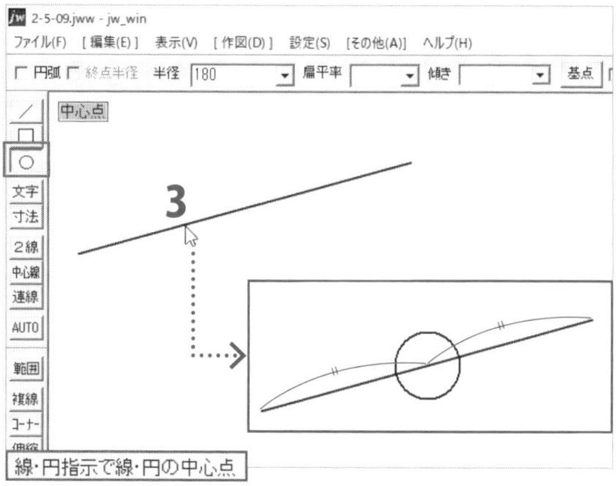

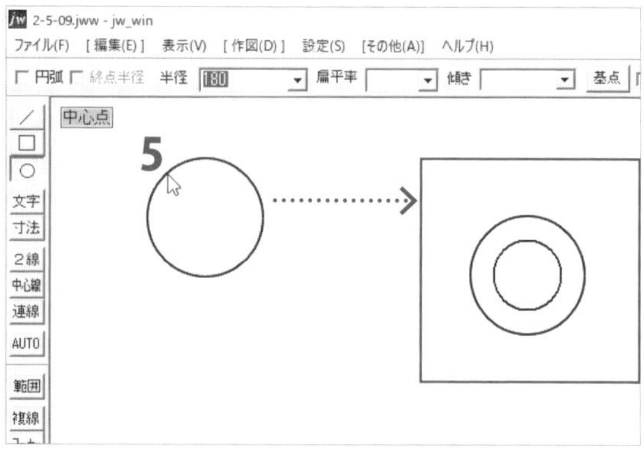

できる　クロックメニューで線の中点、円・弧の中心点を読み取る

2～**3**や**4**～**5**の操作の代わりに、**3**や**5**の要素を⊖→AM3時 中心点・A点 しても、同じ結果が得られる。

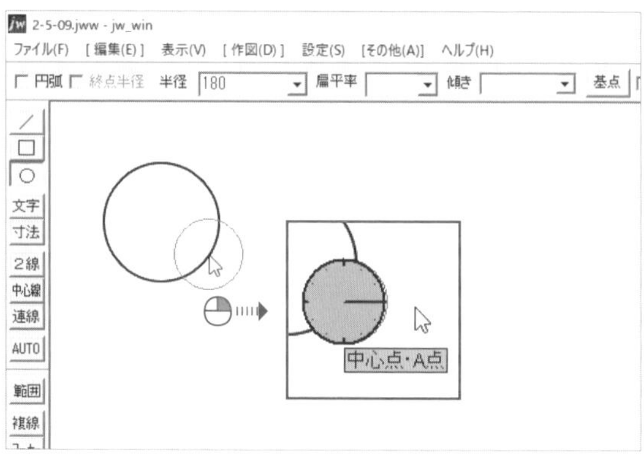

■ 基本操作2　2点の中心点を点指示

例）長方形の中央に中心を合わせて指定半径の円を作図する。

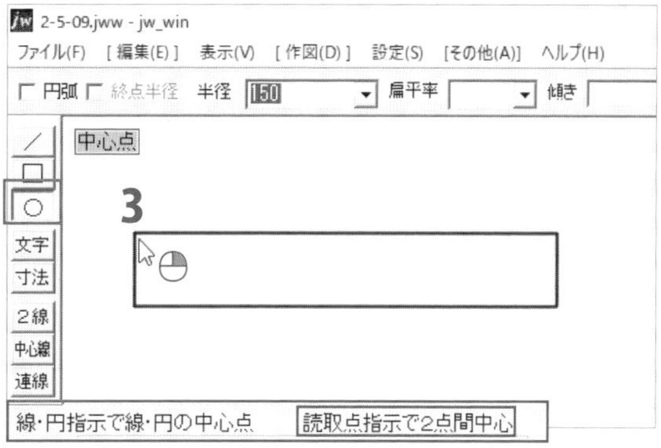

1　「○」コマンドで、「半径」を指定する。

2　メニューバー［設定］－「中心点取得」を（左クリック）。

➡ 画面左上に 中心点 と表示され、操作メッセージは「線・円指示で線・円の中心点　読取点指示で2点間中心」になる。

3　長方形の左上角を（左クリック）。

> **POINT**　長方形の対角2点の中心点を点指示するため、1点目として左上の角を（左クリック）する。

➡ 操作メッセージが「2点間中心◆◆B点指示◆◆（L）free　(R) Read」になる。

4　B点としてもう一方の対角を（左クリック）。

➡ **3**と**4**の中心点に基点を合わせて円が作図される。

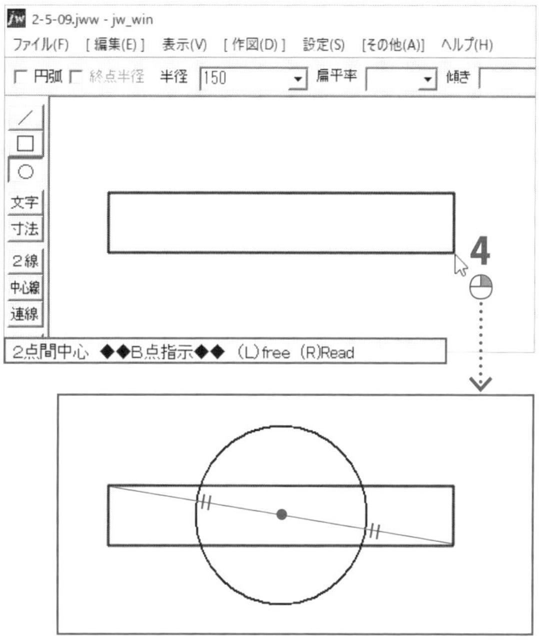

できる クロックメニューで2点の中心点を読み取る

2～**3**の操作の代わりに**3**の角を（左クリック）→AM3時 中心点・A点 した後、**4**の操作をすることでも、2点間の中心点を点指示できる。

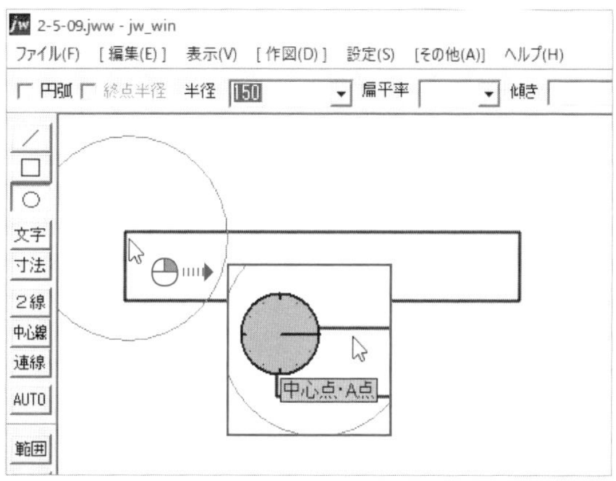

線上点・交点取得

⊖←AM9時線上点・交点

CD-ROM 2-5-10.jww

読取点のない線・円・弧上や2つの線・円・弧の仮想交点を点指示する

基本操作

例）指定半径の円を、線上に作図する。

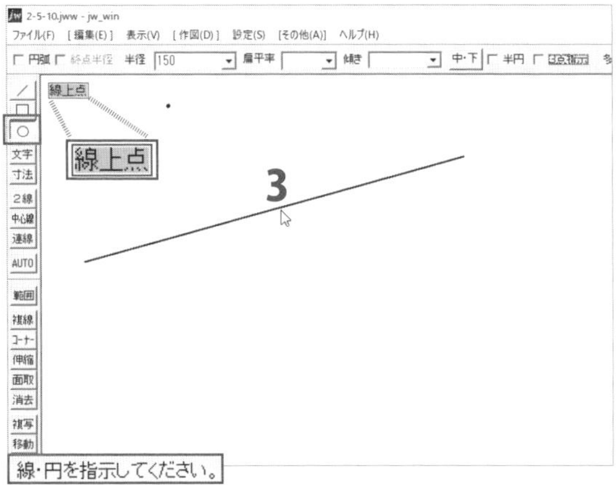

1 「○」コマンドで、「半径」と基点「中・下」を指定する。

2 メニューバー［設定］－「線上点・交点取得」を⊖。

➡ 画面左上に線上点と表示され、操作メッセージは「線・円を指示してください」に変わる。

3 線を⊖。

➡ **3**の線上が確定し、操作メッセージはその位置指示を促す「■■線上点指示■■ (L) free (R) Read 《交点》(L) 他の線・円」に変わる。

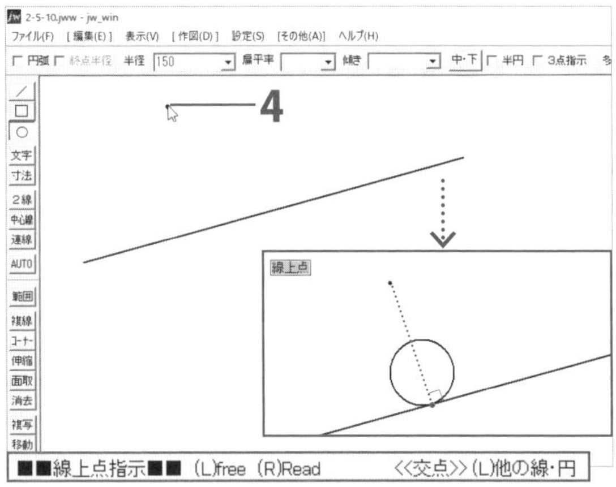

4 線上の位置として点を⊖（または任意位置を⊖）。

➡ **4**の点から、**3**の線に垂線を下ろした位置に基点を合わせて円が作図される。

> **POINT**「線上点・交点取得」は選択しているコマンドに関わらず点指示時に共通して利用できる。

できる クロックメニュー

2～**3**の操作の代わりに**3**の要素から⊖←AM9時線上点・交点した後、**4**の操作を行っても同じ結果が得られる。

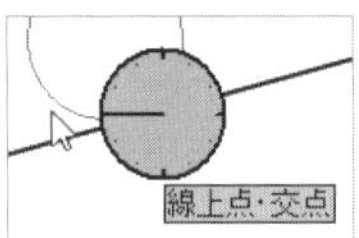

できる 2つの線・円・弧の仮想交点を点指示

上記の**4**で、**3**とは別の線や円・弧を⊖することで、**3**の線（または円・弧）と**4**の線・円・弧の仮想交点（画面上で交差していなくても、両方を延長することで交差する点）を点指示できる。

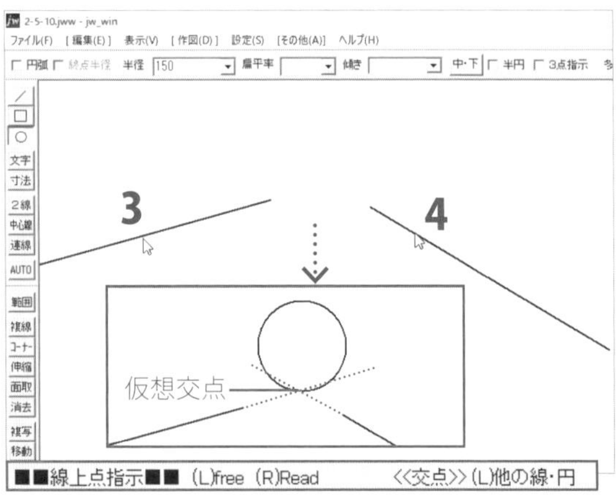

円周1/4点取得 ⊖↑ AM0時 円周1/4点

CD-ROM 2-5-11.jww

読取点のない円周上の1/4点を点指示する

基本操作

例）指定半径の円を、円周1/4の位置に作図する。

1 「○」コマンドで、「半径」を指定する。

2 メニューバー［設定］－「円周1/4点取得」を⊖。

➡ 画面左上に 円周1/4点 と表示され、操作メッセージは「円を指示してください」になる。

3 円（または弧）を⊖。

➡ **3**の⊖位置に近い1/4点（中心点から見て0°/90°/180°/270°の位置）に基点を合わせて円が作図される。

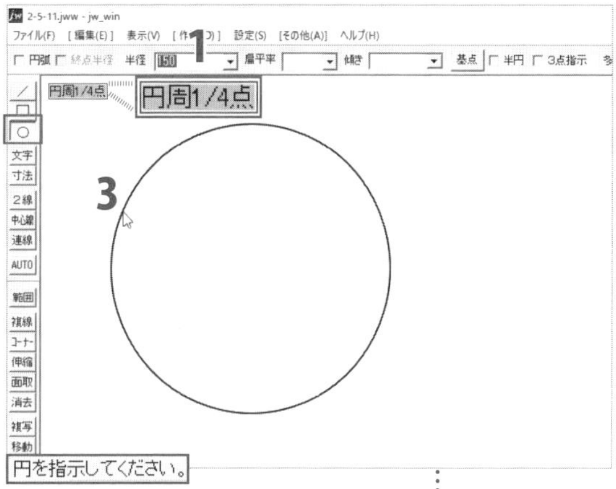

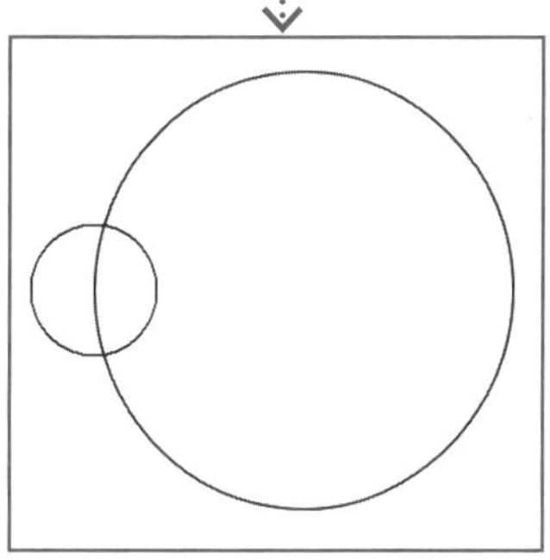

できる クロックメニュー

2～**3**の操作の代わりに**3**の要素から⊖↑AM0時 円周1/4点 しても同じ結果が得られる。また、⊖↑のクロックメニューで表示されるAM0時の 円周1/4点 は、選択しているコマンドにより表示や機能が異なる場合がある（▶付録JWWトリセツ.pdf p.12）。

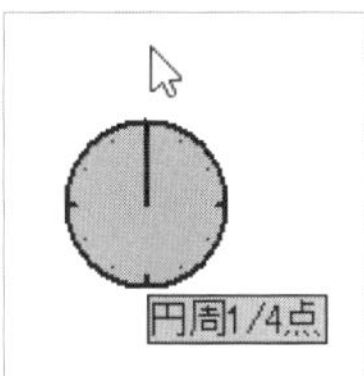

POINT 円周1/8点の点指示

基本設定の「一般（1）」タブの指定（▶p.207の**18**）をすることで、**2**～**3**の操作で⊖した位置に近い1/8点（1/4点に加え、45°/135°/225°/315°の点）を点指示する。クロックメニューも⊖↑AM0時 円周1/8点 になる。

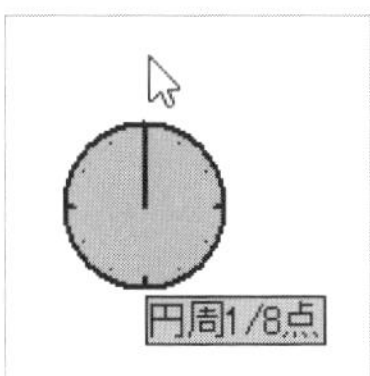

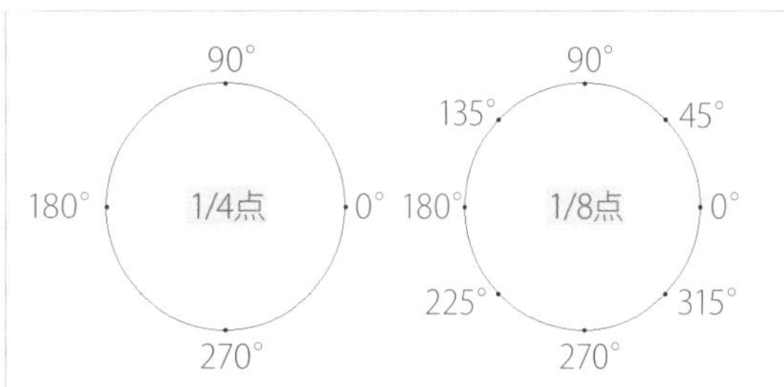

2 メニューバーのコマンド

線属性 線属性

書込線（これから作図する線）の線属性（線色・線種）を指定する

基本操作

1 メニューバー［設定］－「線属性」（「線属性」コマンドまたは「線属性」バー）を⊖。

POINT 「線属性」バーを⊖すると、書込線が「線色2・実線」と直前の線色・線種の切り替えになる。

➡「線属性」ダイアログが開く。

2 書込線色にする「線色」ボタンを⊖。

3 書込線種にする「線種」ボタンを⊖。

4 「Ok」ボタンを⊖。

➡「線属性」ダイアログが閉じ、書込線が**2**、**3**で選択した線色・線種になる。

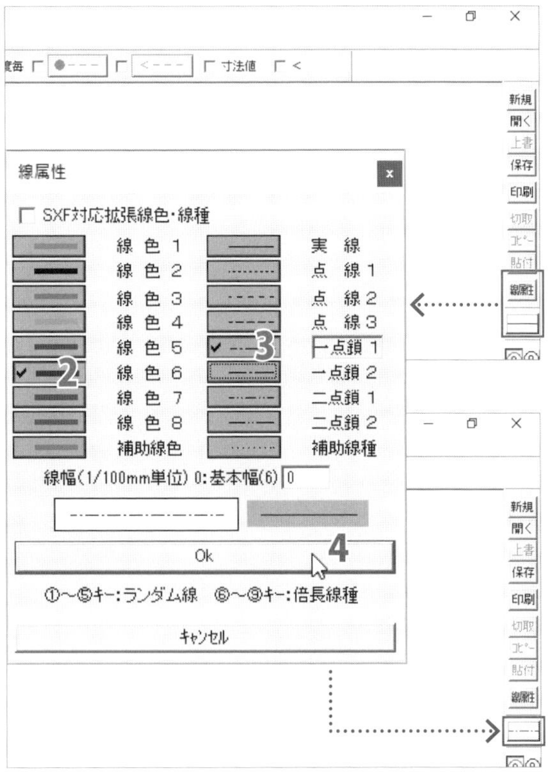

できる

基本設定で「ホイールボタンで線色線種選択」を指定（▶p.210の**28**）した場合、作図ウィンドウでホイールボタンをクリックすると右図の「線属性」ダイアログが開き、書込線を指定できる。

この「線属性」ダイアログでは、マウスのホイールボタンを回転することでも、各線色、線種名が選択状態（凹表示）になり、ホイールボタンをクリックして選択確定できる。「Ok」ボタンを⊖するか、下の「このエリアにマウス移動→［キャンセル］」にマウスポインタを移動すると「線属性」ダイアログが閉じる。

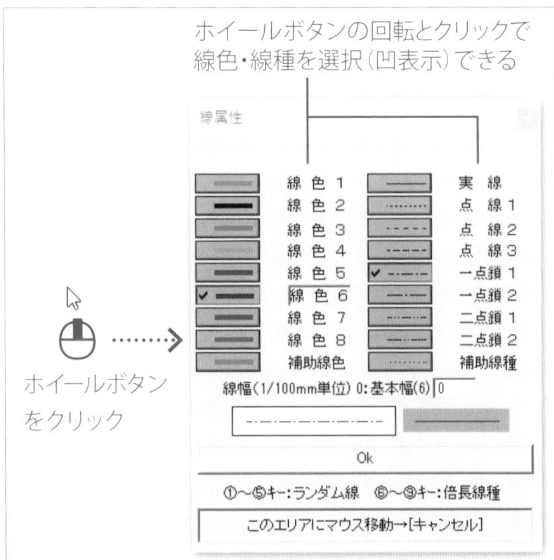

「線属性」ダイアログでの指定内容

1　SXF対応拡張線色・線種
SXF対応拡張線色・線種を指定する画面に切り替える（▶次ページ）。

2　線色
ボタンを⊖して書込線色を選択。
「線色1」～「線色8」は印刷時の線幅の区別で、「補助線色」は画面表示されるが印刷されない色（線）である。ボタンを⊖すると、画面表示色・印刷線幅などを設定する基本設定のダイアログの「色・画面」タブ（▶p.212）が開く。ボタンを⊖⊖すると選択が確定し、ダイアログが閉じる。

3　線種
ボタンを⊖して書込線種を選択。
「補助線種」は画面表示されるが、印刷されない線種である。ボタンを⊖すると、線種ピッチなどを設定する基本設定のダイアログの「線種」タブ（▶p.214）が開く。ボタンを⊖⊖すると選択が確定し、ダイアログが閉じる。

4　線幅　※p.212の**13**の指定時に表示される。
線幅を1/100mm単位で入力することで、線色ごとに設定されている線幅（基本幅）とは関係なく、線ごとに個別に線幅を指定できる。「0」は線色ごとに設定されている基本幅を示す。

5　書込線種をプレビュー
書込線の線種を画面表示色で表示。

6　書込線の印刷色・線幅をプレビュー
書込線の印刷色と線幅イメージを表示。

7　ランダム線①～⑤
キーボードの1～5キーを押すことで、書込線としてランダム線1～5を選択。ランダム線とはフリーハンドでかいたような波線で、ピッチの違いにより5種類が用意されている。

8　倍長線種⑥～⑨
キーボードの6～9キーを押すことで、書込線として倍長線種（鎖線、点線のピッチを大きくしたもの）6～9を選択。

9　「Ok」ボタン ／ 10 「キャンセル」ボタン
いずれのボタンも、「線属性」ダイアログでの線色・線種の選択を確定し、ダイアログを閉じる

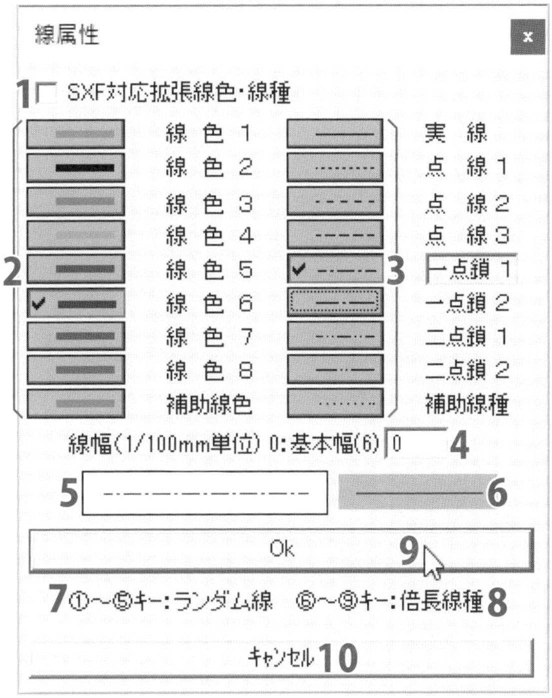

ランダム線

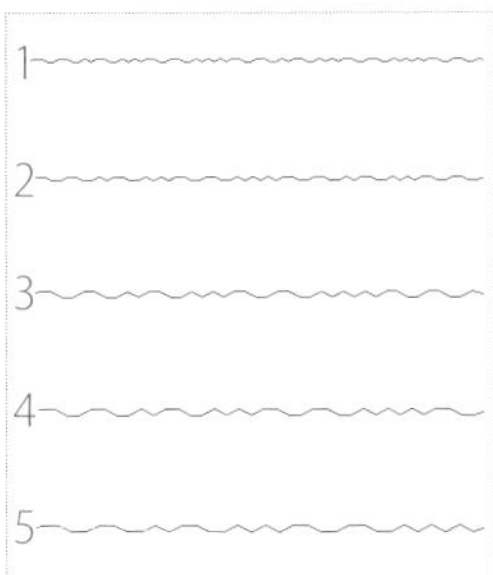

倍長線種

前ページに示した「線属性」ダイアログで、**1**「SXF対応拡張線色・線種」にチェックを付けると、ダイアログが下図のSXF対応拡張線色・線種のものになる。
SXF対応拡張線色・線種とは、SXF形式（▶p.52）で定義されている線色・線種に対応した線色・線種である。
ここでの「線色」は、カラー印刷時の色であり、線幅の区別ではない。

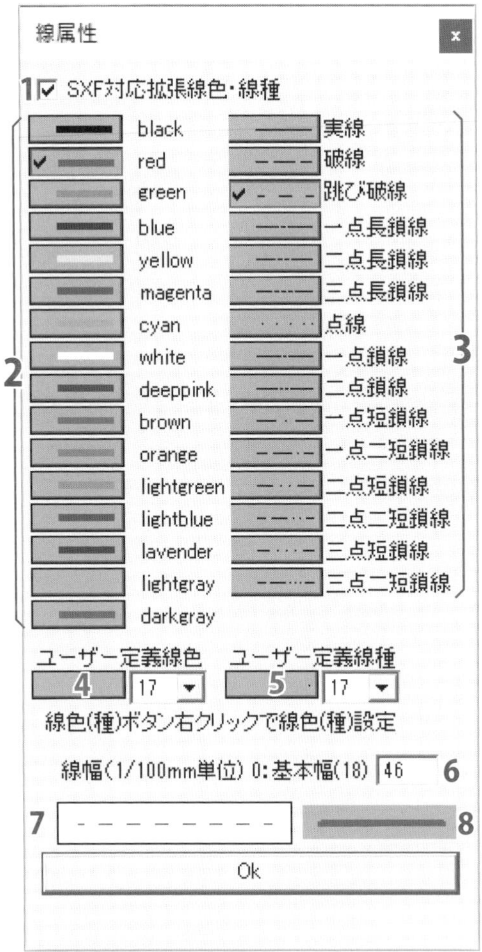

1　SXF対応拡張線色・線種
標準線色・線種を指定する画面に切り替える。

2　線色
ボタンを⊖して書込線色を選択。
カラー印刷時はこのダイアログ上の色で印刷される（SXF線色は印刷色を示し、線幅を区別するものではない）。線幅は**6**「線幅」ボックスで書込線ごとに指定する。ボタンを⊖⊖すると選択が確定し、ダイアログが閉じる。

3　線種
ボタンを⊖して書込線種を選択。ボタンを⊖⊖すると選択が確定し、ダイアログが閉じる。

4　ユーザー定義線色
線色に番号を定義することで240色までの線色を利用できる。「ユーザー定義線色」ボタンを⊖（設定済み線色の変更は⊖）で開く「色の設定」パレットで色の指定を、続けて開く「線色名設定」ウィンドウで番号を定義する。

5　ユーザー定義線種
独自に線種を作成し、番号を定義することで16種類までの線種を利用できる。「ユーザー定義線種」ボタンを⊖（設定済み線種の変更は⊖）で表示される「ユーザー定義線種設定」ダイアログで指定する。

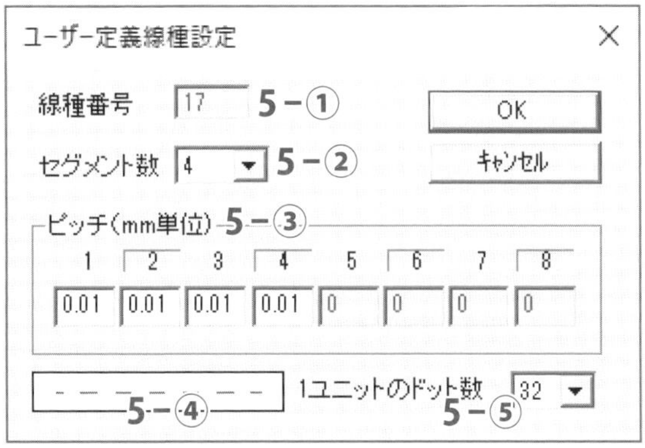

5－①　線種番号
線種の番号を表示。

5－②　セグメント数
「ピッチ」欄で使用するセグメントの数を選択（2、4、6、8）。

5－③　ピッチ（mm単位）
線（奇数番号）と空白（偶数番号）の長さをmm単位で指定する。

5－④　線種をプレビュー
現在指定している線種を表示。

5－⑤　1ユニットのドット数
設定パターンを何ドットに展開するかを選択（32、16、8）。長い鎖線は「32」、短い点線は「8」を選択する。

6　線幅
「線幅（mm）×100」の数値を入力し、書込線ごとに線幅を指定する。「0」を入力した場合、線幅は左側に表示されている基本幅の（　）内の数値÷100になる。

7　書込線種をプレビュー
書込線の線種を画面表示色で表示。

8　書込線の印刷色・線幅をプレビュー
書込線の印刷色と線幅イメージを表示。
※ここで設定したユーザー定義線色とユーザー定義線種はJWWファイルに保存される。

レイヤ [0-0]

レイヤ・レイヤグループ ▶p.32、36

「レイヤ設定」ダイアログではレイヤの設定を行う

「レイヤ設定」ダイアログでの指定内容

1 メニューバー［設定］－「レイヤ」（またはステータスバー「書込レイヤ」ボタン）を⊖。

2 「レイヤ設定」ダイアログで、各種設定を行い、「OK」ボタンを⊖。

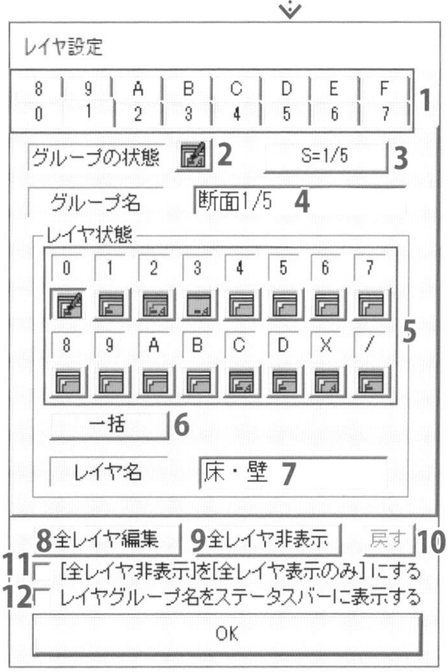

1 レイヤグループタブ
⊖でレイヤグループを切り替える。

2 レイヤグループの状態
ボタンを⊖で書込レイヤグループになり、書込レイヤグループ以外のボタンを⊖で表示状態を変更する。

3 レイヤグループの縮尺
⊖で「縮尺・読取 設定」ダイアログ（▶p.246）が開く。

4 レイヤグループ名
ボックスを⊖でレイヤグループ名を設定、変更できる。

5 レイヤグループ内の各レイヤの状態
ボタンを⊖で書込レイヤになり、書込レイヤ以外のボタンを⊖で表示状態を変更する。

6 一括
⊖で書込レイヤ以外を「非表示」⇒「表示のみ」⇒「編集可能」に、⊖で「編集可能」に一括変更する。

7 書込レイヤ名
ボックスを⊖で書込レイヤのレイヤ名を設定、変更できる。

8 全レイヤ編集
書込レイヤ以外の全レイヤグループの全レイヤを編集可能にする（×の付いたプロテクトレイヤは除く）。

9 全レイヤ非表示
書込レイヤ以外の全レイヤグループの全レイヤを非表示にする（×の付いたプロテクトレイヤは除く）。

10 戻す ※上記**8**または**9**の指示後に指定可能になる。
⊖で**8**または**9**の指示前のレイヤ状態に戻す（書込レイヤは戻さない）。

11 ［全レイヤ非表示］を［全レイヤ表示のみ］にする
上記**9**を⊖した場合に、書込レイヤ以外の全レイヤグループの全レイヤを表示のみにする。

12 レイヤグループ名をステータスバーに表示する
ステータスバー「書込レイヤ」ボタンにレイヤグループ名も表示する。

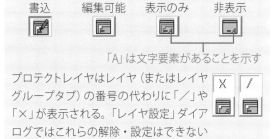

レイヤ・レイヤグループの状態を示すアイコン

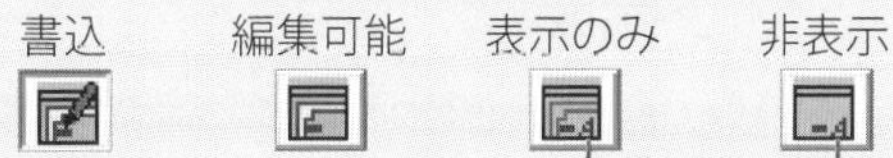

「A」は文字要素があることを示す

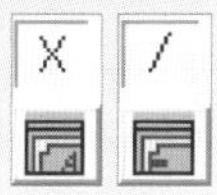

プロテクトレイヤはレイヤ（またはレイヤグループタブ）の番号の代わりに「／」や「×」が表示される。「レイヤ設定」ダイアログではこれらの解除・設定はできないため、レイヤバーで行う（▶p.34）。

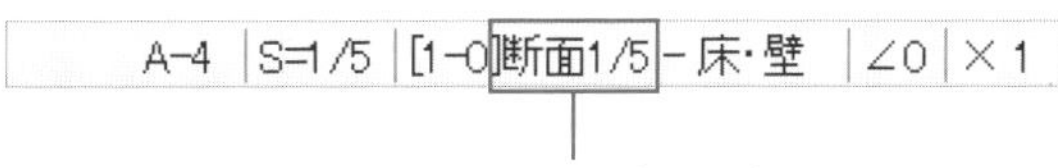

書込レイヤグループ名

画面倍率・文字表示 × 0.35

CD-ROM 2-5-14.jww

画面表示倍率や、表示範囲の記憶、文字列表示方法などを設定する

「画面倍率・文字表示 設定」ダイアログでの指定内容

1 メニューバー [設定] –「画面倍率・文字表示」(またはステータスバー「画面倍率」ボタン) を⊖。

2 「画面倍率・文字表示 設定」ダイアログで、各種設定を行い、「設定OK」ボタンを⊖。

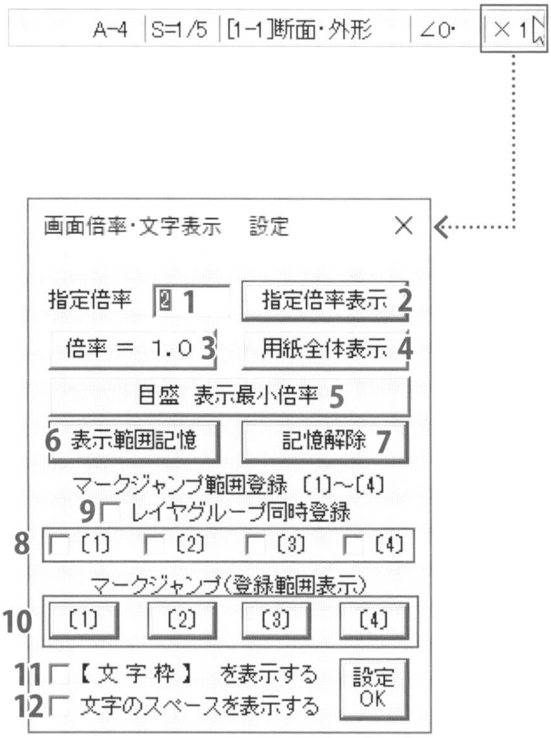

1 指定倍率 ／ 2 指定倍率表示
「指定倍率表示」ボタンを⊖すると、作図ウィンドウの中心を原点にして、**1**で指定した倍率で図面を表示する。

3 倍率＝1.0
作図ウィンドウの中心を原点にして、1倍 (図面を等倍印刷した大きさ) で図面を表示する。

参考 関連設定 ▶ p.207の**2**

4 用紙全体表示
用紙全体を表示する。

5 目盛表示最小倍率 ※目盛の表示 (▶p.228) を有効にすると指定可能になる。
目盛が画面に表示される最小の倍率にする。

6 表示範囲記憶
作図ウィンドウに表示されている範囲を範囲記憶する。これにより、⊖↗の[全体]が[(範囲)]になり、記憶した範囲が表示される。表示範囲記憶の情報はJWWファイルに保存される。

7 記憶解除
上記**6**での範囲記憶を解除する。

8 マークジャンプ範囲登録 [1] ～ [4]

9 レイヤグループ同時登録
[1] ～ [4] を⊖ (または[Shift]キーを押したまま⊖) してチェックを付けることで、表示範囲を最大8カ所まで登録できる (▶次ページ)。このとき、**9**にもチェックを付けていると、登録時の書込レイヤグループも登録される。
登録したマークジャンプ範囲の情報はJWWファイルに保存される。

10 マークジャンプ (登録範囲表示) [1] ～ [4]
[1] ～ [4] ボタンを⊖ (または[Shift]キーを押したまま⊖) で**8**で登録した範囲を表示する。
なお、**9**のチェックを付けて登録した範囲は、書込レイヤグループも登録時の書込レイヤグループに変更される (▶次ページ)。

11【文字枠】を表示する
文字列の範囲を確認できる文字枠を画面に表示する。この文字枠は印刷されない。

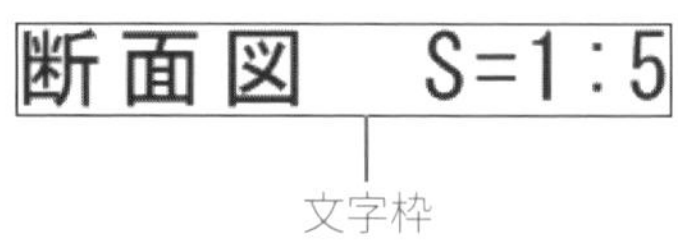

12 文字のスペースを表示する
文字列内のスペースを、印刷されない記号 ⊸ で表示する。

できる 表示範囲を複数登録できるマークジャンプ

マークジャンプを利用することで、複数の表示範囲を登録し、切り替えて使用することができる。

マークジャンプ登録手順

1 登録する範囲を作図ウィンドウに表示したうえで、ステータスバー「画面倍率」ボタンを⊖。

2 マークジャンプ範囲登録の番号ボックス（右図では〔2〕）のチェックボックスを⊖し、チェックを付ける。

> **POINT** 「レイヤグループ同時登録」にチェックを付けると、表示範囲とともに、現在の書込レイヤグループも登録される。

3 「設定OK」ボタンを⊖。

➡ 現在の画面表示範囲が、マークジャンプ〔2〕に登録される。

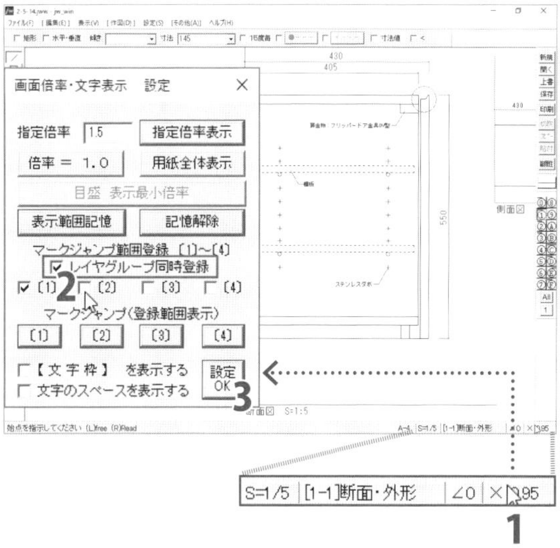

登録した範囲を表示

1 他の範囲を表示した状態で、ステータスバー「画面倍率」ボタンを⊖。

2 「画面倍率・文字表示　設定」ダイアログで表示するマークジャンプ番号ボタン（右図は「〔2〕」）を⊖。

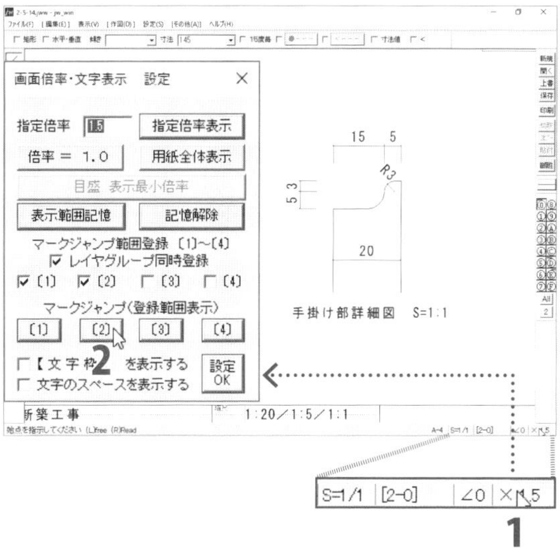

➡ マークジャンプ登録した範囲が、作図ウィンドウに表示される。「レイヤグループ同時登録」のチェックを付けて登録した場合は、その書込レイヤグループもマークジャンプ登録時のレイヤグループになる。

> **POINT** マークジャンプの登録範囲表示を両ボタンドラッグの上下左右方向に割り当てて利用できる（▶p.26、p.211の**23**の**25**）。

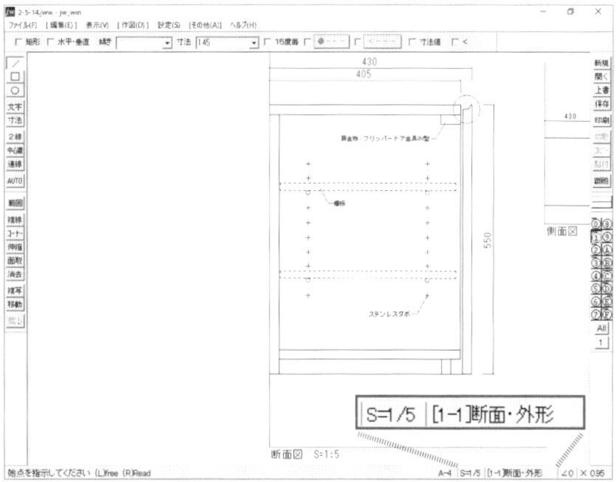

縮尺・読取 S=1/1

縮尺の設定・変更、表示のみレイヤ読取の設定を行う

「縮尺・読取 設定」ダイアログでの指定内容

1 メニューバー[設定]－「縮尺・読取」(またはステータスバー「縮尺」ボタン)を㊀。

2 「縮尺・読取 設定」ダイアログで、各種設定を行い、「OK」ボタンを㊀。

POINT 既存図面の縮尺を変更した場合、用紙中央を原点にして縮尺が変更される。

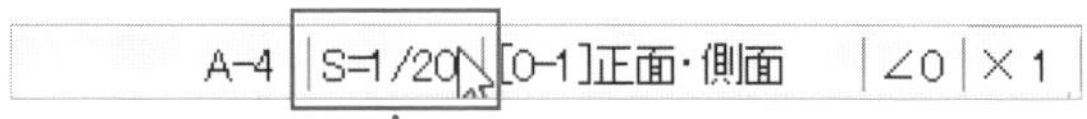

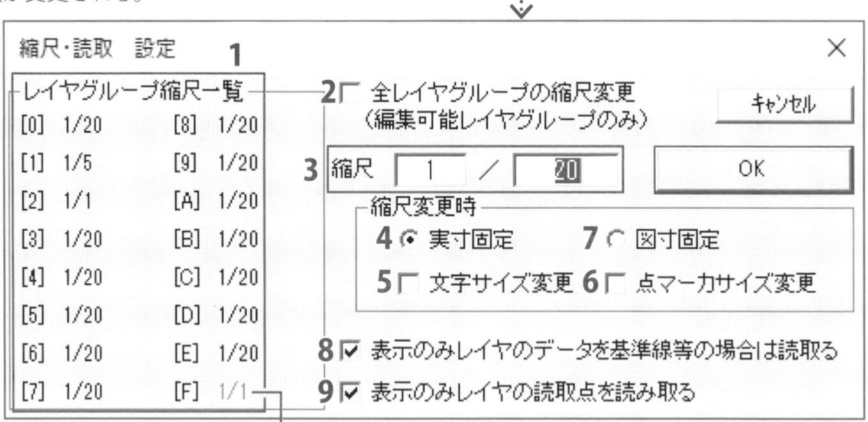

縮尺変更できないレイヤグループの縮尺はグレーアウト

1 各レイヤグループの縮尺一覧
縮尺変更できないレイヤグループ(表示のみ、非表示、プロテクトレイヤグループ)の縮尺はグレーアウトされる。

2 全レイヤグループの縮尺変更
縮尺変更可能なすべてのレイヤグループの縮尺を一括変更する。

3 縮尺
縮尺を指定する。
分子に倍率(1～1000)または分母に縮尺値(1～3000000)を入力する。分子、分母とも、1.5、2.5、3.5、4.5のいずれかに限り、小数値を入力できる。

※**4**～**7**は、縮尺変更時に指定する項目である。**4**「実寸固定」選択時に**5**～**6**が指定可能になる。

4 実寸固定
既存要素の実寸法を保ち、用紙中央を原点として、**3**の縮尺に変更する。

5 文字サイズ変更 ／ 6 点マーカサイズ変更
通常では既存要素の文字と点マーカのサイズは変更されないが、ここにチェックを付けると、縮尺変更時にそれらの大きさも同じ割合で変更される。

7 図寸固定
既存要素の用紙に対する大きさ(図寸)はそのままに、縮尺のみを変更する(既存要素の実寸法は変更される)。

8 表示のみレイヤのデータを基準線等の場合は読取る
「複線」「2線」「伸縮」コマンドなどの基準線として、表示のみレイヤの要素を読み取る。

9 表示のみレイヤの読取点を読み取る
点指示時に表示のみレイヤの点を読み取る。
※基本設定の「KEY」「AUTO」タブで、「74：読変」を割り当て、それらを有効にする環境設定ファイル(S_COMM_8 ▶JWWトリセツ付録.pdf p.44)を読み込むことで、キーやAUTOモードクロックメニューから**8**、**9**の設定が切り替えできる。

用紙サイズ A-2

CD-ROM 2-1-02.jww

用紙サイズの設定・変更を行う

基本操作

1 メニューバー［設定］－「用紙サイズ」（またはステータスバー「用紙サイズ」ボタン）を⊖。

2 表示されるリストから、用紙サイズを⊖で選択する。

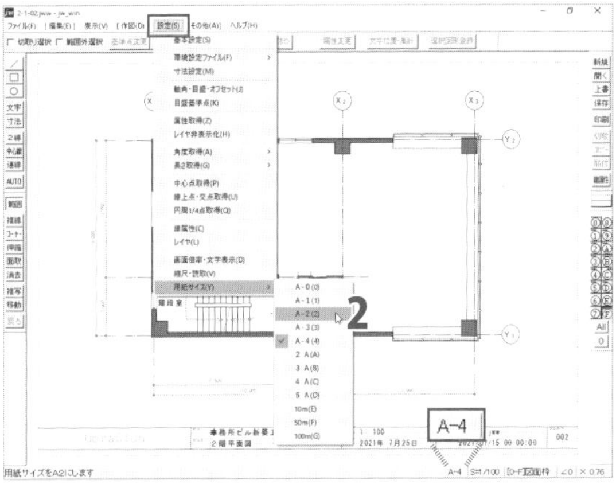

POINT 設定できる用紙サイズはリストの12種類の横向き。

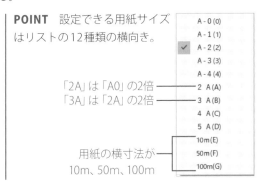

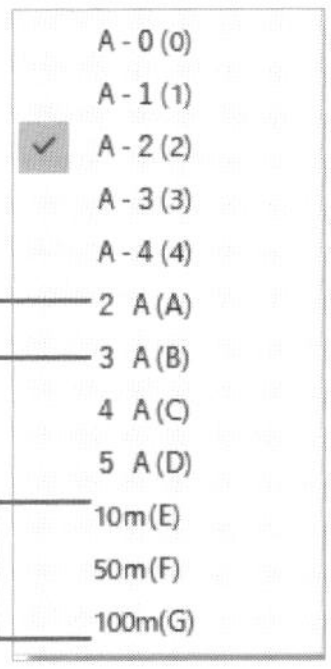

➡ 用紙の中心を原点として用紙サイズが変更される。

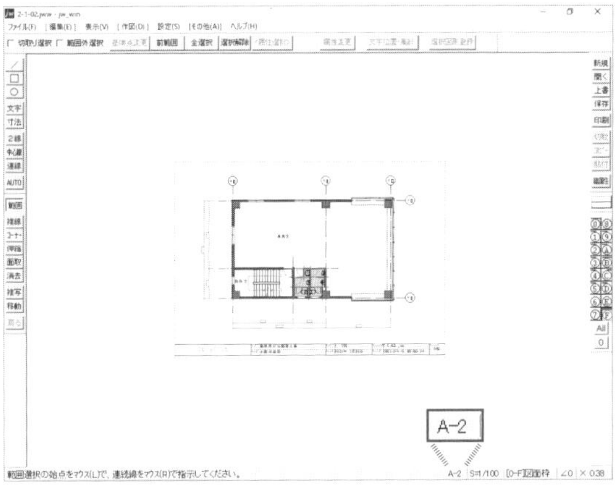

できる リストにないサイズの用紙に作図・印刷するには

A3サイズ縦置き、Bサイズ、ハガキなどに図面を作図・印刷するには、以下のように印刷枠を設定する。

1 使う用紙よりも大きい「用紙サイズ」を設定する。

2 書込線を補助線種にする（▶p.240）。

3 「印刷」コマンドを選択し、「プリンターの設定」ダイアログで印刷する用紙とその向きを指定する。

4 3で指定した用紙の印刷枠が表示されるので、コントロールバー「枠書込」ボタンを⊖。

指定した用紙の印刷枠が補助線（印刷されない線）で作図されるので、この枠内に図を作図する。

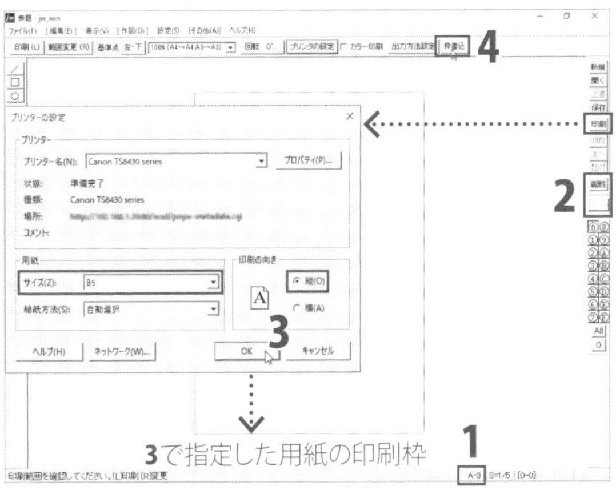

6 [その他] メニュー

[その他] メニューのコマンドの機能と使い方

図面に登録選択図形の要素がない場合はグレーアウトされて選択できない

図形 図形

CD-ROM 2-6-01.jww／2-6-01a.jws／2-6-01b.jws

あらかじめ用意された図形データを図面に配置する

多くの図面で共通して利用する建具、インテリアなどの部品を図形ファイル（*.jws）として登録しておくことで、いつでも図面に配置できる。図形は、登録時の線色・線種・レイヤ、基準点情報を持ち、実寸法で管理される。Jw_cadのJWS図形ファイル形式とDOS版JW_CADのJWK図形ファイル形式がある。

JWSファイル 17s.jws

JWS図形ファイル形式は、Jw_cad（Windows版）の図面と同じく倍精度である。また、ソリッド（塗りつぶし）、ブロック、寸法図形、文字のフォント情報などを持つ。配置する図面の縮尺に応じて図形の大きさが変化するとき、「作図属性設定」ダイアログ（▶p.250）で**1**「文字も倍率」を指定することで、文字の大きさも自動的に変更される。

JWKファイル 17kt.jwk

JWK図形ファイル形式は、DOS版JW_CADの図面と同じく単精度である。JWKには、塗りつぶし、ブロック、寸法図形、文字のフォント情報などはない。文字はMSゴシックになる。また、配置する図面の縮尺に応じて図形の大きさが変化しても、文字の大きさは変更されない。

基本操作

1 メニューバー[その他]－「図形」(「図形」コマンド)を⊖。

2 「ファイル選択」ダイアログのフォルダーツリーで、図形が収録されているフォルダーを⊖で選択する。

参考 「ファイル選択」ダイアログでの基本操作▶p.30

3 目的の図形の枠内にマウスポインタをおき、⊖⊖。

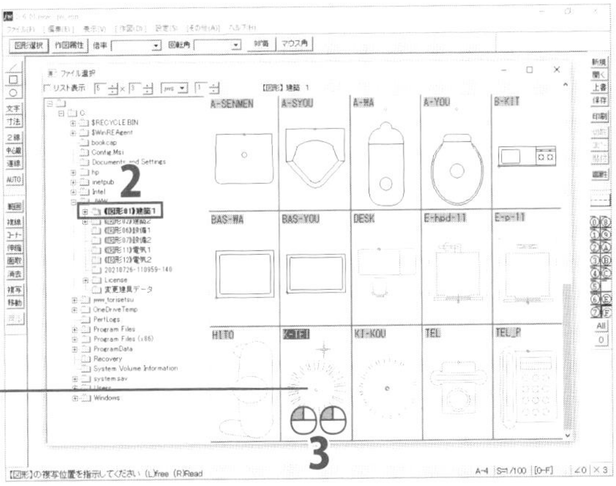

赤の○は基準点
(実際の図形に赤の○はない)

➡ マウスポインタに基準点を合わせ、図形が仮表示される。

> **POINT** 図形は、通常、配置時の書込レイヤに、登録時の線色・線種で作図される。画面左上の●書込レイヤに作図の表示は、図形が書込レイヤに作図されることを示す。

4 図形の配置位置を⊖(または⊖)。

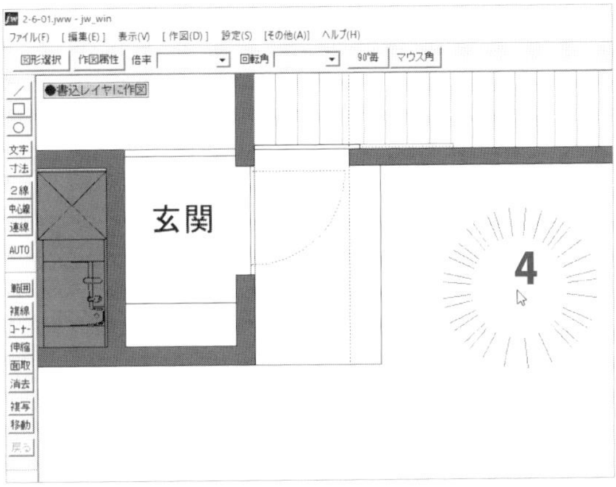

➡ **4**の位置に図形の基準点が位置するように配置(作図)される。コントロールバー「図形選択」ボタンを⊖して他の図形を選択するか、他のコマンドを選択するまで、マウスポインタに同じ図形が仮表示され、位置をクリックすることで、続けて同じ図形を配置できる。

できる JWK図形の配置

上記**2**で、「ファイル選択」ダイアログの「ファイルの種類」ボックスの▾を⊖し、表示されるリストから「.jwk」を選択することで、JWK図形ファイルの一覧表示になり、上記**3**～**4**と同様に選択して配置できる(右図)。

表示ファイルの種類の固定指示を記載した「ZU_NAME.DAT」が収録されているフォルダーを選択すると、「ファイルの種類」が自動的に指示された種類になる。この場合、「ファイルの種類」を変更することはできない。

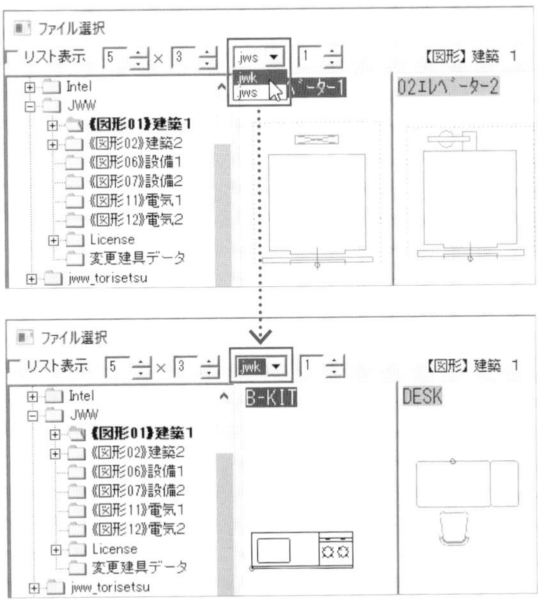

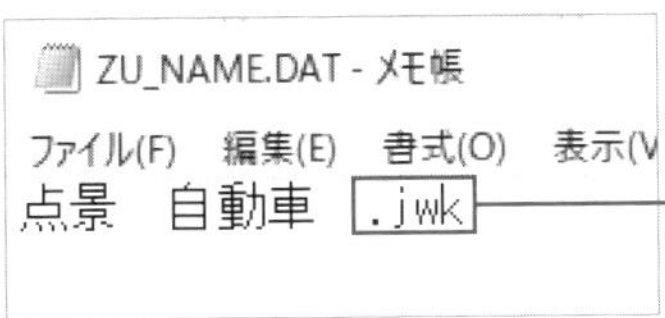

JWK図形ファイルに固定

「図形」コマンドのコントロールバー

① 「図形選択」ボタン

図形選択のための「ファイル選択」ダイアログが開く。

② 「作図属性」ボタン

「作図属性設定」ダイアログが開く。

1　文字も倍率 ／ 2　点マーカも倍率

文字要素やSXF寸法図形の要素「点マーカ」（▶p.330）は、Jw_cadでは図寸で扱うため、線・円・弧要素と同じ倍率で大きさ変更されない。チェックを付けることで、図形登録時とは異なる縮尺の図面に配置する際や図形の大きさ変更時に、図形登録時のバランスを保つように文字や点マーカーの大きさも変更する。ただし、JWK図形では指定できない。

3　◆元グループに作図

登録時に図形が作図されていたレイヤグループに配置する。

4　◆元レイヤに作図

登録時に図形が作図されていたレイヤ（レイヤグループは現在の書込レイヤグループ）に配置する。

5　◆書込レイヤ、元線色、元線種

書込レイヤに図形登録時の線色・線種で（**3**、**4**、**6**、**7**のチェックを外した状態）配置する。

6　●書込み【線色】で作図

図形を書込線色にして配置する。
（図形内のブロックには無効）

7　●書込み 線種 で作図

図形を書込線種にして配置する。
（図形内のブロックには無効）

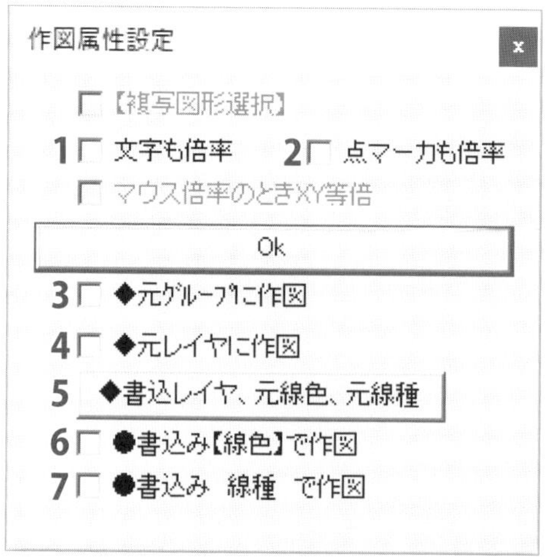

②－**1**「文字も倍率」のチェックの有無の違い

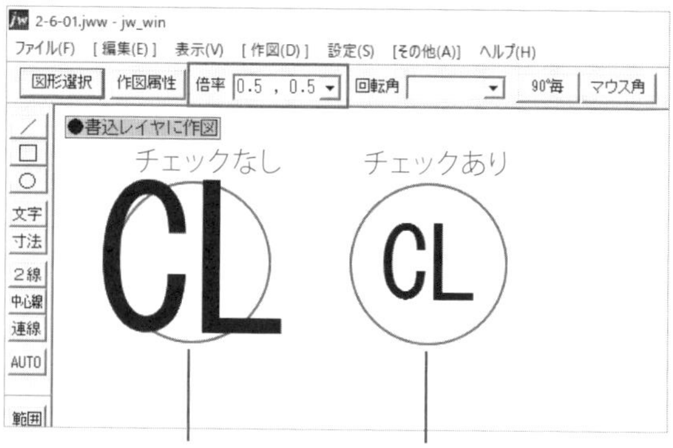

図形の大きさが変更されても文字の大きさは変わらない

図形の大きさが変更されると文字の大きさも変わる

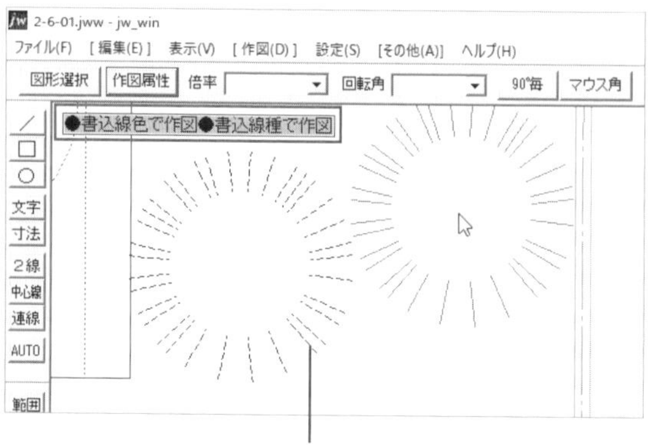

6、**7**の指定で書込線と同じ線色・線種で作図される

③「倍率」入力ボックス

図形登録時の大きさを1とし、「X（横），Y（縦）」の倍率を指定することで、図形の大きさを変更して配置する。

倍率に「−1,1」を指定すると左右反転、「1，−1」を指定すると上下反転して配置する。

文字を含む図形を倍率指定した場合は、「作図属性設定」ダイアログ（▶前ページ）の**1**「文字も倍率」にチェックを付けることで、図形の大きさ変更に追従して文字の大きさも変更される。

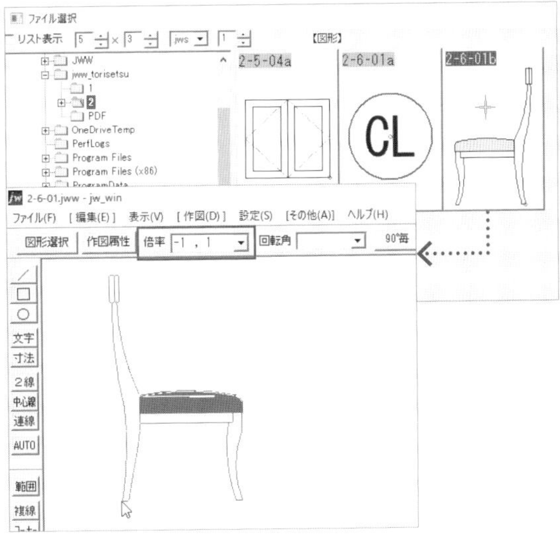

④「回転角」入力ボックス

図形登録時の角度（「ファイル選択」ダイアログでのサムネイル）を0°として角度を指定することで、図形を指定角度傾けて配置する。角度は数値入力する以外に、「線角度取得」コマンド（▶p.232）で既存線の角度を「回転角」ボックスに取得することもできる。

参考 角度入力共通操作▶p.39

⑤「90°毎」ボタン

⊖で④「回転角」入力ボックスの数値を90°⇒180°⇒270°⇒空白（0°）に切り替える（⊖では逆回り）。

⑥「マウス角」ボタン

マウス指示で回転角度を指示する。

1 **「図形」コマンドの「ファイル選択」ダイアログで図形を⊖⊖で選択し、コントロールバー「マウス角」ボタンを⊖。**

> **POINT** 画面左上のマウス角■X方向の表示は、登録図形のX（横）方向を、この後指示する**2**−**3**の角度に合わせることを示す。「マウス角」ボタンを再度⊖するとマウス角■Y方向になり、登録図形のY（縦）方向を、この後指示する**2**−**3**の角度に合わせる指定になる。**1**で「マウス角」ボタンを⊖する代わりに、⊖↘PM5時マウス角でも同じ。

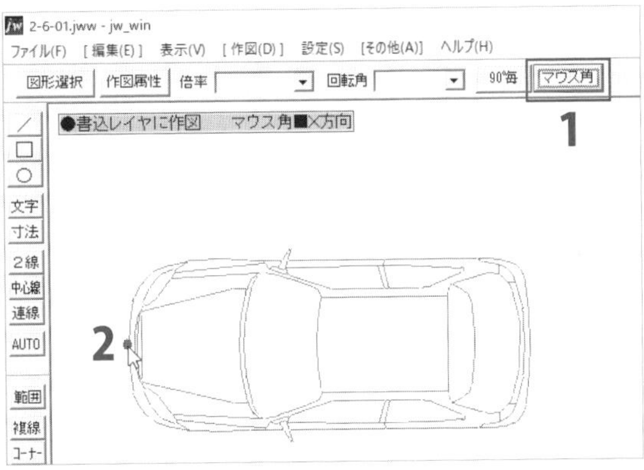

2 **作図位置を⊖（または⊖）。**

➡ **2**の位置を基準とし、マウスポインタに従い、図形が回転して仮表示される。

3 **角度点を⊖（または⊖）。**

➡ **2**−**3**の角度で図形が作図される。コントロールバー「回転角」には**2**−**3**の角度が取得される。

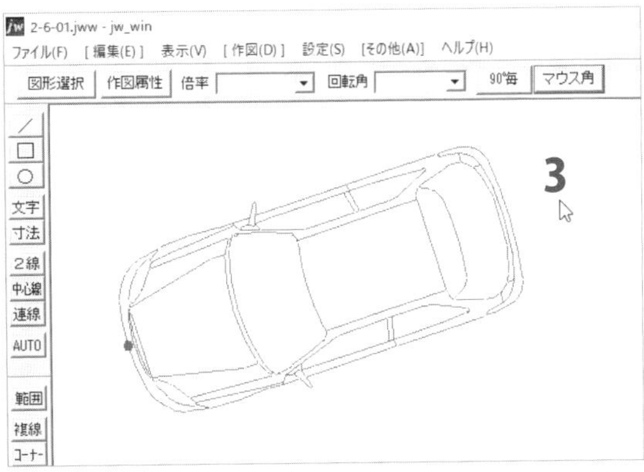

線記号変形 記変

CD-ROM 2-6-02.jww

図面上で指示した線を、あらかじめ用意された線記号の形状に変形する

基本操作1　変形対象線と位置を指示

例）切断記号を作図する。

1　メニューバー［その他］－「線記号変形」（「記変」コマンド）を選択して開く「ファイル選択」ダイアログのフォルダーツリーで、「JWW」フォルダー下の「【線記号変形A】建築1」を㊧。

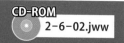

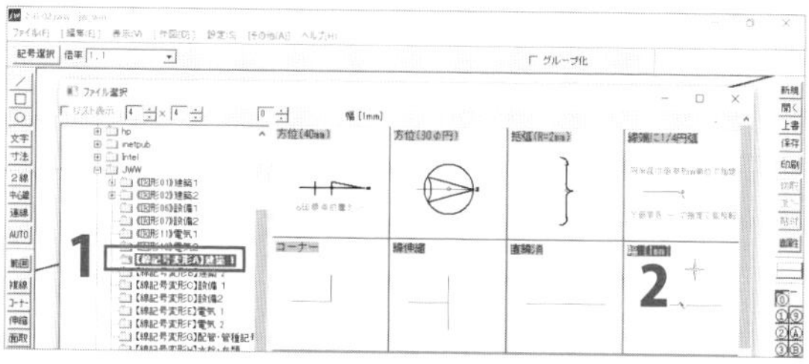

2　一覧表示で、「幅〔1mm〕」を㊧㊧。

3　コントロールバー「グループ化」にチェックを付ける。

> **POINT**　これにより次に指示する線と変形作図した記号に曲線属性が付加され、ひとまとまりになる。

4　既存の線を㊧。

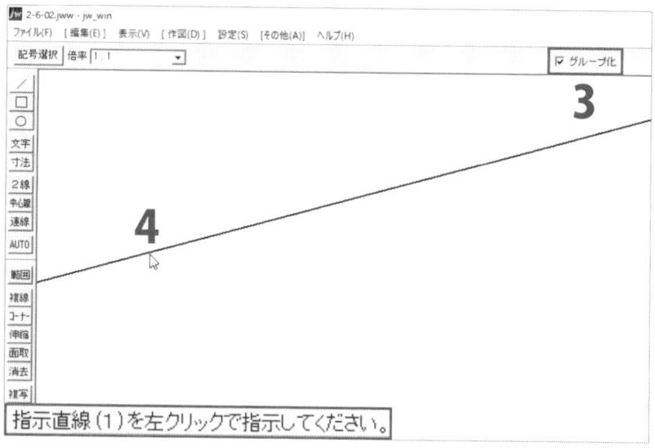

> **POINT**　4で 曲線です ブロック図形です と表示される線は指定できない。

➡ 4の線が仮表示色になり、記号がマウスポインタ位置に仮表示される。

> **POINT**　上下の別のある記号では4の㊧位置を境に記号の向きが逆転する。そのため、4よりも右側で5の指示をすること。

5　記号の作図位置を㊧（または㊨）。

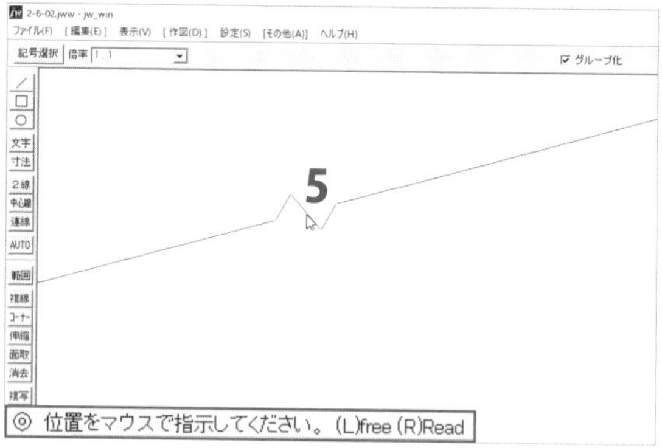

➡ 4の線が2で選択した線記号に変形される。次の線を㊧すると、続けて同じ線記号に変形できる。他の線記号を選択するには、コントロールバー「記号選択」ボタンを㊧。

POINT　グループ化した線記号

コントロールバー「グループ化」にチェックを付けて作図した指示線と線記号は、曲線属性が付加される。そのため、「消去」コマンドでその一部を㊨すると、指示線と線記号全体が消去される。
ただし、曲線属性が付加されても、「線記号変形」「コーナー」「面取」コマンドや節間消しの対象線にすることは可能。

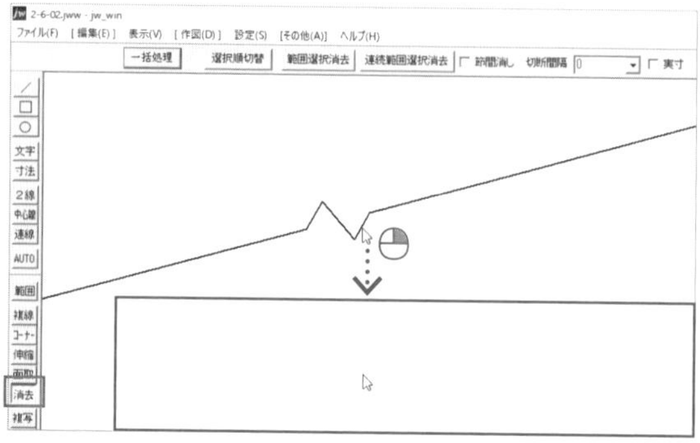

基本操作2　変形対象の2本の線を指示

例) 2本の線の交点に立上り記号を作図する。

1　「線記号変形」コマンドの「ファイル選択」ダイアログのフォルダーツリーで、「JWW」フォルダー下の「【線記号変形C】設備1」を⊖。

2　一覧表示で、「[T] 立上り」を⊖⊖。

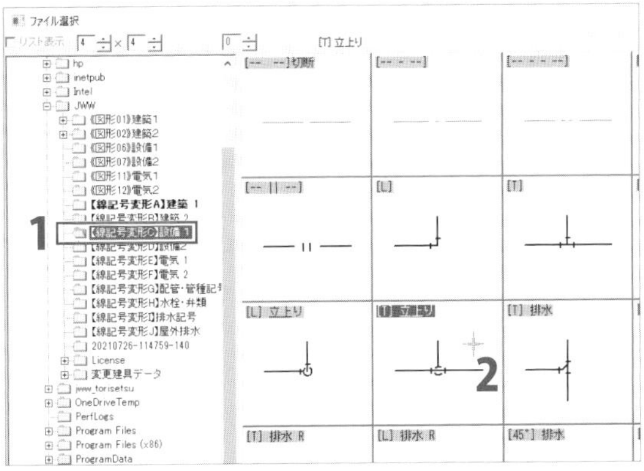

3　指示線 (1) として、一覧表示での水平線に相当する線を⊖。

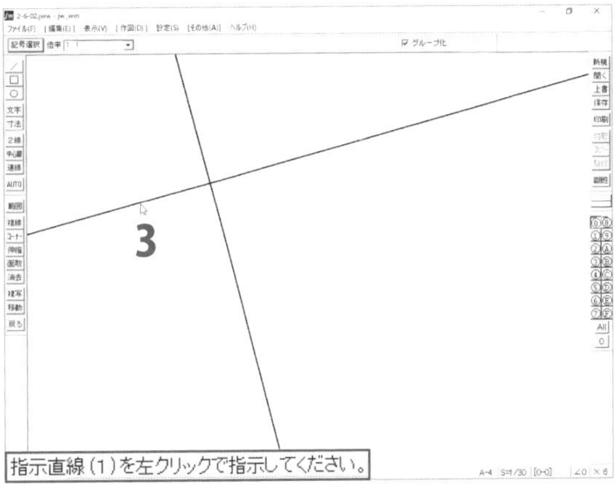

➡ **3**の線が仮表示色になり、マウスポインタに従い、線記号が仮表示される。

> **POINT**　線記号は、基本的に図寸管理のため、その大きさは図面の縮尺に関わらず一定である。作図する記号の大きさを変更するには、コントロールバー「倍率」ボックスで倍率を指定する。

4　指示線 (2) に相当する線を⊖。

➡ **3**、**4**で指示した線が「[T] 立上り」の線記号に変形される。

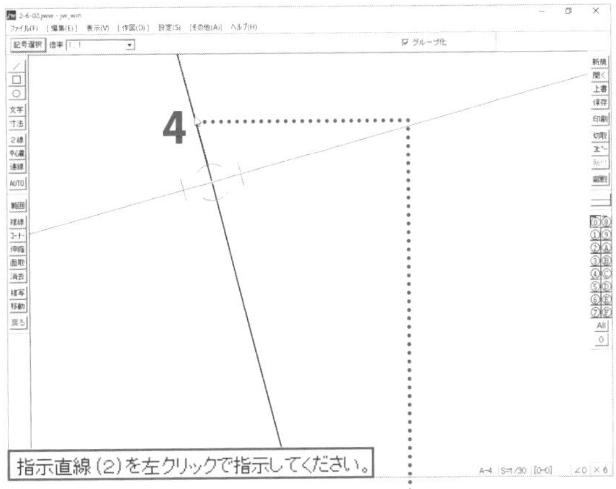

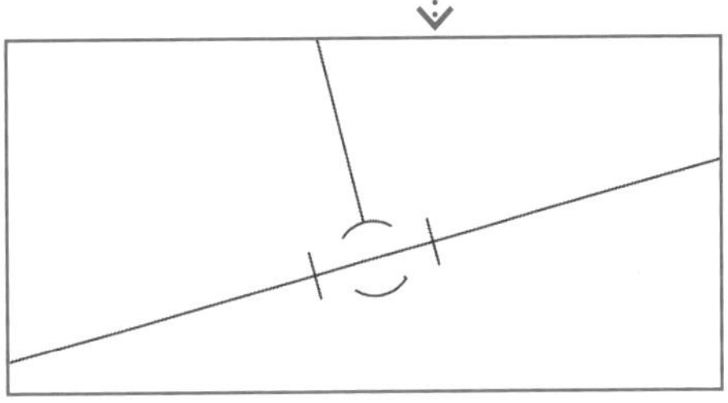

基本操作3　作図位置を指示

例）任意の番号を入力して建具記号を作図する。

1　「線記号変形」コマンドの「ファイル選択」ダイアログのフォルダーツリーで、「JWW」フォルダー下の「【線記号変形A】建築1」を⊖。

2　一覧表示で、「建具記号（AW）」を⊖⊖。

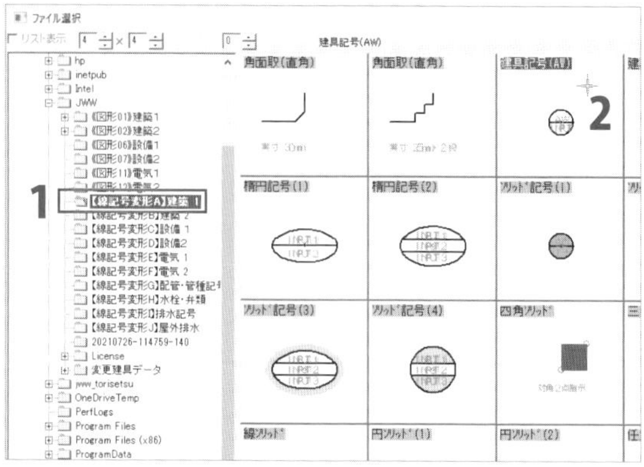

3　作図位置を⊖。

> **POINT**　線記号には、既存線を変形するのではなく、配置位置を指示することで作図するタイプのものもある。3の前の段階で、コントロールバー「倍率」ボックスに倍率を入力することで、「建具記号（AW）」の円・線の大きさを変更できるが、文字の大きさは変更できないので注意する。

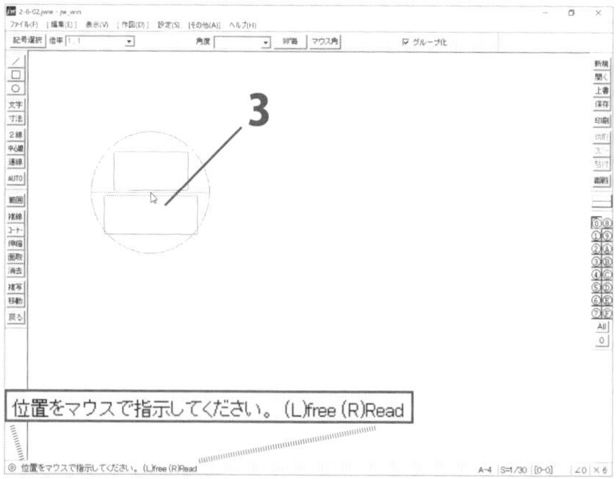

➡ ⊖位置に線記号が作図され、「文字入力」ボックスが表示される。操作メッセージは「文字を入力または変更してください」になる。

> **POINT**　図面上の文字を⊖すると、その文字が「文字入力」ボックスに貼り付けられる。また、作図ウィンドウで⊖すると、文字入力が確定する。

4　文字「1」を入力し、Enterキーを押して確定する。

➡ 入力した文字が「建具記号（AW）」の下段に記入される。

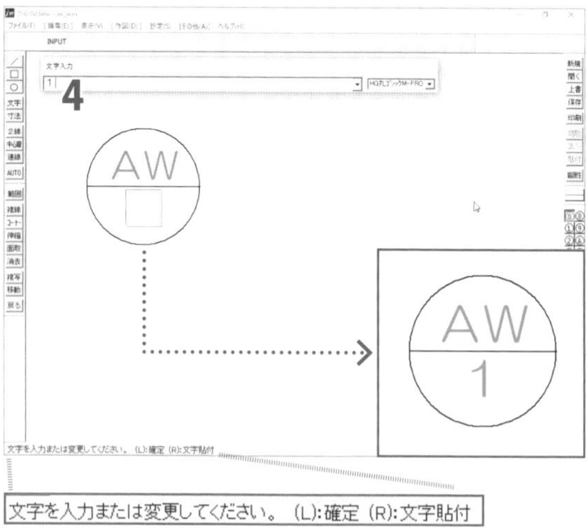

「線記号変形」コマンドのコントロールバー

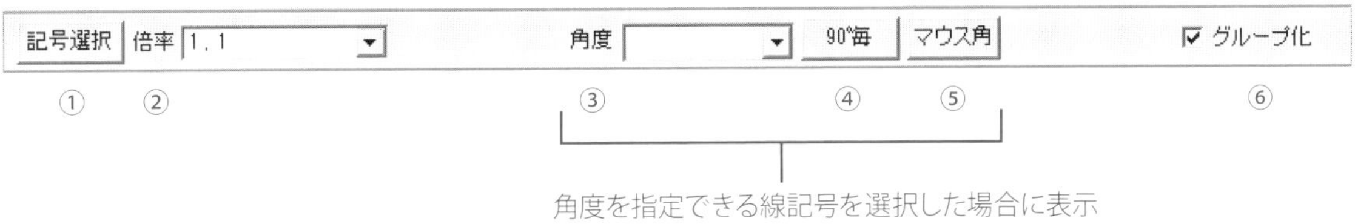

① 「記号選択」ボタン
　他の線記号を選択するための「ファイル選択」ダイアログが開く。

② 「倍率」入力ボックス
　「X（横），Y（縦）」の倍率を指定することで、線記号の大きさを変更する。
　「－1,1」を指定すると左右反転、「1，－1」を指定すると上下反転する。

※③～⑤は、角度指定を行える線記号を選択した場合に限り表示される。

③ 「角度」入力ボックス
　線記号を指定角度傾けて作図する。
　角度は数値入力する以外に、「線角度取得」コマンド（▶p.232）で、既存線の角度を「角度」ボックスに取得することもできる。

参考 角度入力共通操作▶p.39

④ 「90°毎」ボタン
　(L)で③「角度」入力ボックスの数値を90°⇒180°⇒270°⇒空白（0°）に切り替える（(R)では逆回り）。

⑤ 「マウス角」ボタン
　マウス指示で角度を指示する。
　「図形」コマンドのコントロールバー「マウス角」ボタン（▶p.251）と同じ。

⑥ 「グループ化」チェックボックス
　指示線を含む変形作図した記号に曲線属性を付加する（▶p.252）。

POINT　線記号変形データについて

線記号変形データは、基本的に図寸で管理されている。線記号の線色・線種には以下の3通りがあり、一覧表示時の色で区別できる。

・仮表示色
　指示する既存線と同じ線色・線種で作図
・書込線と同じ線色・線種
　書込線色・線種で作図
・常に同じ線色・線種
　固定の線色・線種で作図

線記号変形データファイル（JW_OPT4＊.DAT）を変更・作成することで、独自に線記号を変更・作成できる（▶JWWトリセツ付録.pdf p.16）。

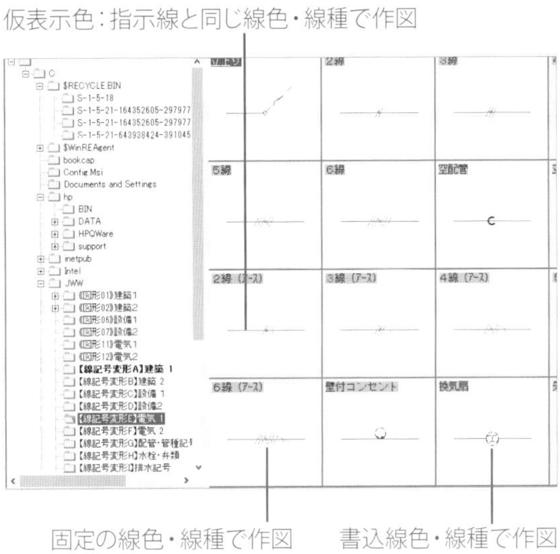

座標ファイル 座標

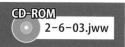

CD-ROM 2-6-03.jww

座標ファイルを読み込み、図面を作図または図面を座標ファイルとして保存する

基本操作1　座標ファイルの作成

図面要素をXYの座標値で表したものが座標ファイルである。測量座標を元に敷地図を作図する場合は、「座標ファイル」コマンドの「新規ファイル」で座標ファイルを作成し、それを読み込む。

例）右表の測量座標値を元に座標ファイルを作成する。

	X (m)	Y (m)
P1	98.800	108.200
P2	98.800	144.713
P3	125.853	127.800
P4	125.853	114.940
P5	115.914	108.201

1　メニューバー［その他］－「座標ファイル」（「座標」コマンド）を選択し、コントロールバー「新規ファイル」ボタンを㊀。

➡ メモ帳（基本設定の「一般（1）」タブの「外部エディタ」（▶p.207の**1**）で指定しているエディタ）が開く。

2　メモ帳の1行目にP1の座標値（X座標とY座標の間は半角スペース（空白）を空ける）を記入する。

3　同様に、メモ帳の2行目以降にP2〜P5の座標を記入する。

> **POINT**　読込時に単位m⇔mmの切り替えができるためm単位で記入する。小数点以下の0は省略できる。また、測量座標におけるX,Y（Xが垂直方向、Yが水平方向）とJw_cad画面上でのX,Y（Xが水平方向、Yが垂直方向）は逆だが、読込時に指定ができるため、測量座標におけるX,Yの順で記入してよい（座標ファイルの記入規則▶次ページ）。

4　メモ帳のメニューバー［ファイル］－「名前を付けて保存」を㊀。

5　「名前を付けて保存」ダイアログで「保存する場所」を指定し、ファイル名を入力する。

6　「保存」ボタンを㊀。

7　メニューバー［ファイル］－「メモ帳の終了」を㊀し、メモ帳を終了する。

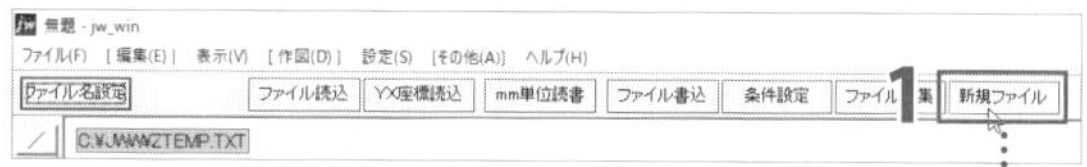

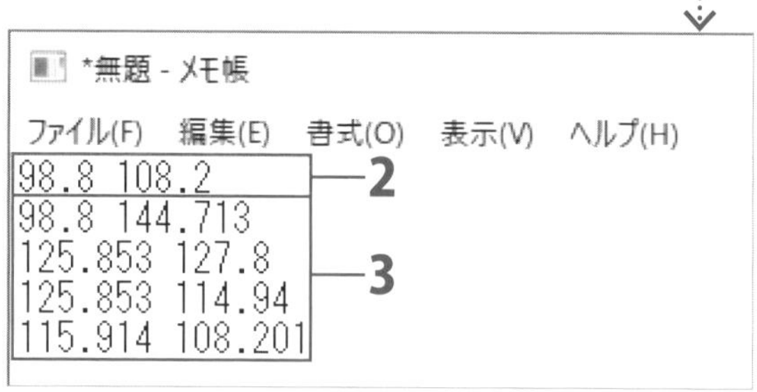

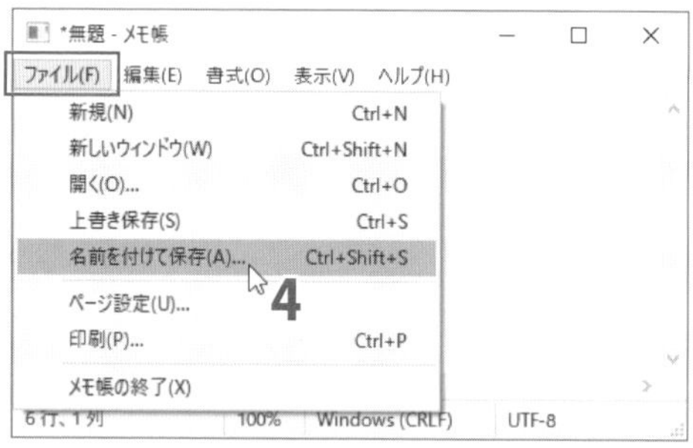

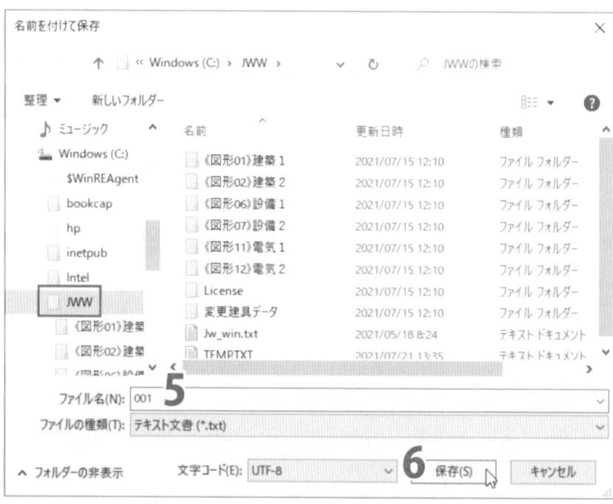

座標ファイルの記入規則

XY座標での記入

X座標とY座標の間に半角スペースを空け、1行に1座標を記入する。行を続けて記入した座標が結ばれ、連続線になる。
線を連続しない場合は、間に空白行を入れる。
座標値（X,Y）の後に半角スペースを空け、「 ″」（ダブルクォーテーション）を記入すると、その座標点に書込線色の実点を作図する。
さらに「 ″ 」に続けて文字を記入すると、その座標点に実点と「″」後に記入した文字を書込文字種で作図する。
また、座標値の後に半角スペースを空け、「″数字″」に続けて「＋数字」を記入することで、記入した座標以降の座標点に「＋数字」での指定数値を順次加算した数値を作図する。

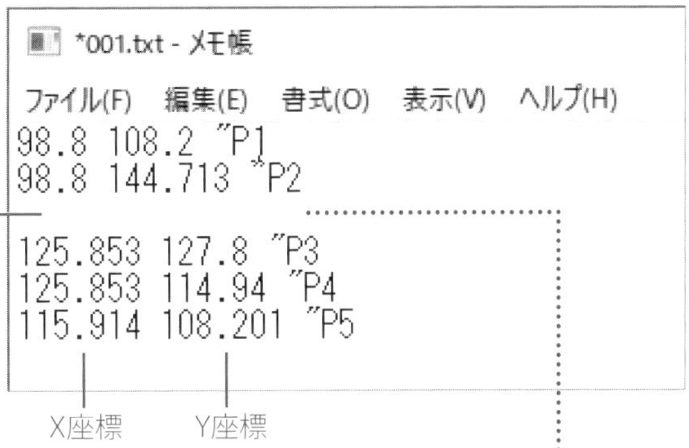

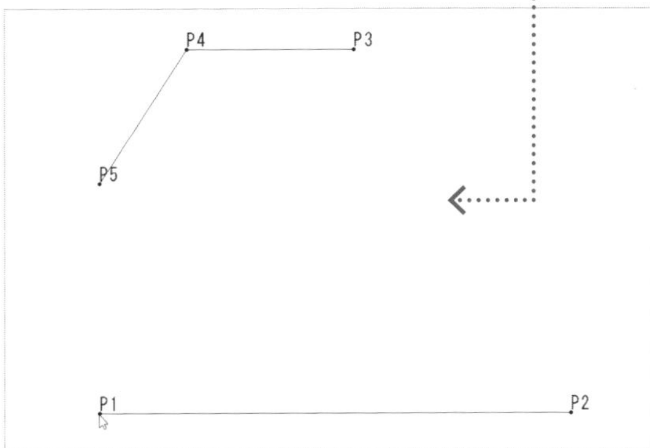

相対極座標での記入

例）右表を座標ファイルとして記入する。
1行目に次行からの角度記入方法（以下4通り）を指定する。

k1（k－1）：角度を度単位で記入する。
k2（k－2）：角度を度分秒単位で記入する。「－32° 16'18"」は「－32.1618」と記入（小数点以下の4桁で分秒を記入するため、小数点以下は0でも省略できない）。
k11（k－11）：角度を前線の始点から終点方向に対しての角度で記入する。
k21（k－12）：前線の終点から始点方向に対しての角度で記入する。
※（）内は右回りで角度を指定する場合の記述。

方位角	長さ（m）
－32° 16'18"	31.676
－88° 47'50"	12.863
－145° 51'41"	12.0008
－179° 59'48"	17.114
90° 00'00"	36.513

方位角：北を0° とし、時計回りを正（＋）とする角度

> **POINT** この例では、右回りで指定した座標ファイルの北（上）を0°として読み込むため、「ファイル読込」のとき、「軸角」を90°に設定すること。

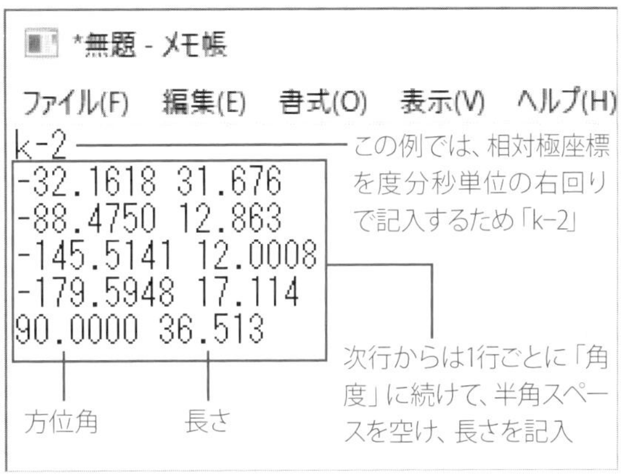

2 メニューバーのコマンド

基本操作2　座標ファイルの読み込み

例）p.256で作成した座標ファイルを読み込む。

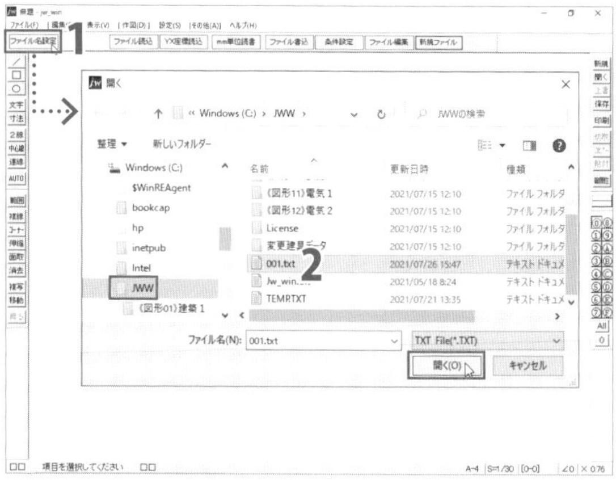

1　「座標ファイル」コマンドのコントロールバー「ファイル名設定」ボタンを⊖。

2　「開く」ダイアログの「ファイルの場所」を前項で座標ファイルを保存した場所に指定し、前項で保存したファイルを選択して「開く」ボタンを⊖。

➡ 画面左上に選択したファイル名が表示される。

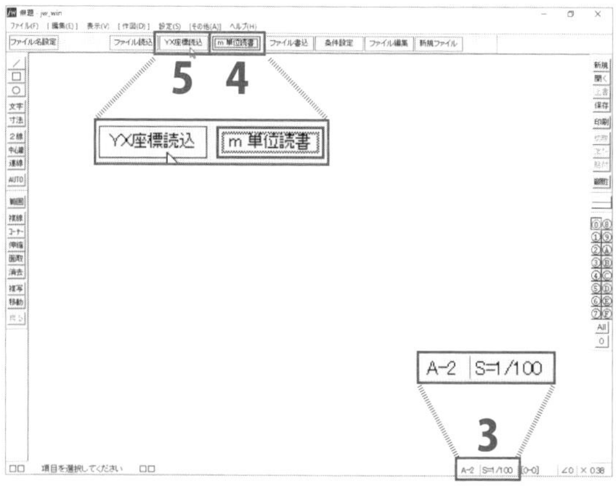

3　敷地の大きさに合わせた用紙サイズ、縮尺を設定する。

4　m単位の座標ファイルを読み込むため、コントロールバー「mm単位読書」ボタンを⊖し、「m単位読書」にする。

5　コントロールバー「YX座標読込」ボタンを⊖。

> **POINT**　座標ファイルのXとYの数値を入れ替えて読み込むため、「YX座標読込」を選択する。座標ファイルのXとYの数値をそのままに読み込む場合は、「ファイル読込」を選択する。

➡ 座標原点（0,0）を基準点（マウスポインタの位置）として読み込むため、各座標が原点と離れている場合は、画面上に何も表示されない。

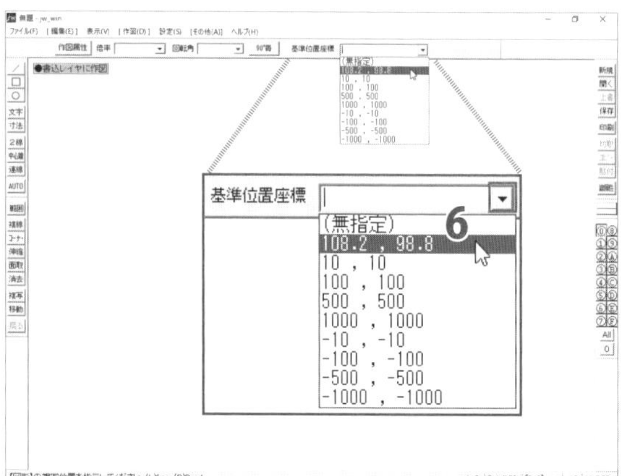

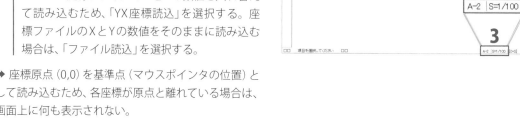

6　コントロールバー「基準位置座標」ボックスの ▼ を⊖し、表示されるリストの「（無指定）」下の「108.2, 98.8」（座標ファイルの先頭の数値）を⊖で選択する。

> **POINT**　**6**の操作で基準点を座標原点（0,0）から**6**の座標点に変更する。「座標ファイル条件設定」ダイアログの指定（▶p.261の**7**）で、上記**6**の操作を行わなくても自動的に「基準位置座標」ボックスに座標ファイルの先頭の数値が入力されるように設定できる。

➡ P1を基準点としてマウスポインタに仮表示される。

7 作図位置を⊖。

➡ 書込レイヤの⊖位置に、書込線で敷地図が作図される。

8 「／」コマンドを選択し、P1とP5の点を結ぶ線を作図する。

> **POINT** 座標ファイルの作成時、メモ帳で最終行に1行目（P1の座標）と同じ座標を記入をすることで、**8**の操作を省略することができる。

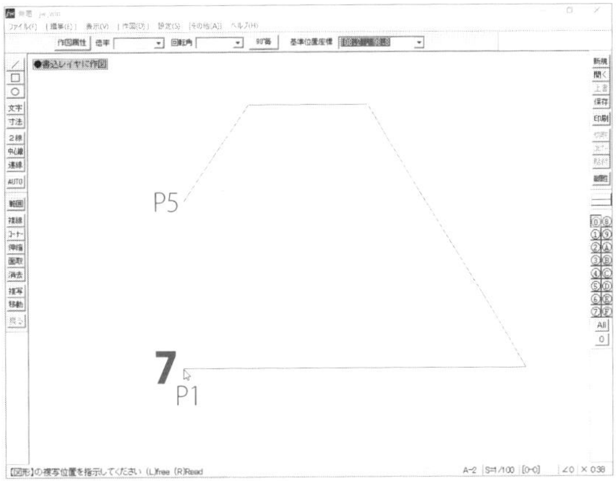

基本操作3 図面を座標ファイルとして保存

1 座標ファイルとして保存する図面を開き、メニューバー［その他］－「座標ファイル」（「座標」コマンド）を⊖。

2 コントロールバー「ファイル名設定」ボタンを⊖。

3 「開く」ダイアログで、ファイルの保存場所を指定し、「ファイル名」ボックスに保存する座標ファイル名を入力して「開く」ボタンを⊖。

➡ 画面左上に**3**で入力したファイルの保存場所と名称が表示される。

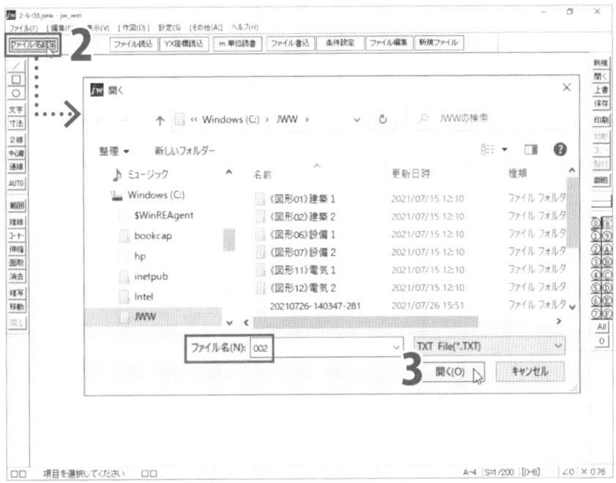

4 コントロールバー「m単位読書」ボタンで書込の単位を確認し、「ファイル書込」ボタンを⊖。

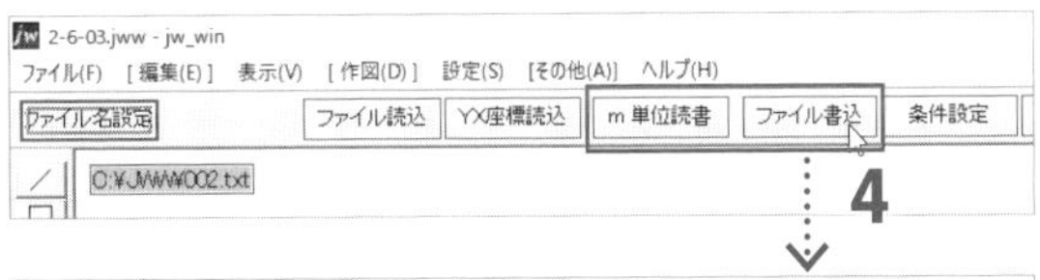

5 座標ファイルとして保存する対象の左上で⊖。

6 表示される選択範囲枠で保存対象を囲み、終点を⊖（文字を含む）。

7 コントロールバー「基準点変更」ボタンを⊖。

8 基準点（座標ファイルの原点）を⊖。

9 コントロールバー「選択確定」ボタンを⊖。

➡ **6**で選択した図が、**8**の点を原点として、**3**で指定した名前のテキストファイルに保存される。

> **POINT** コントロールバー「条件設定」ボタンを⊖して表示される「座標ファイル条件設定」ダイアログ（▶p.261）で、書込時の桁数、単位などの指定ができる。

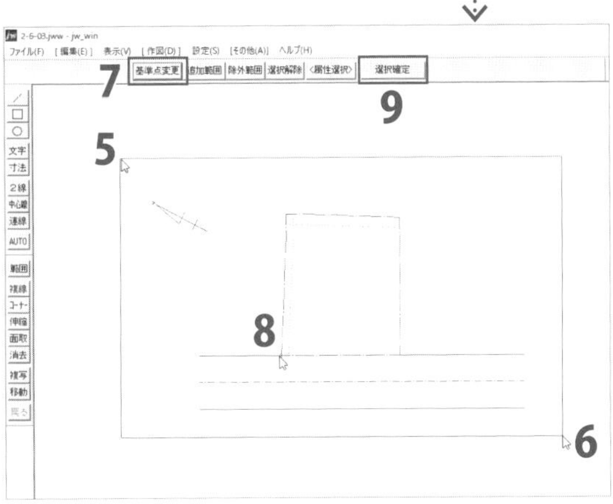

「座標ファイル」コマンドのコントロールバー

①　②　③　④　⑤　⑥　⑦　⑧

① 「ファイル名設定」ボタン
②ファイル読込、③YX座標読込、⑤ファイル書込、⑦ファイル編集の対象とするテキストファイルを指定する。

② 「ファイル読込」ボタン
①で指定した座標ファイルを読み込む。

③ 「YX座標読込」ボタン
①で指定した座標ファイルのXとYの数値を入れ替えて読み込む。測量座標ファイルを読み込むときに利用する。
②「ファイル読込」または③「YX座標読込」ボタンを選択すると、下図のコントロールバーに切り替わる。

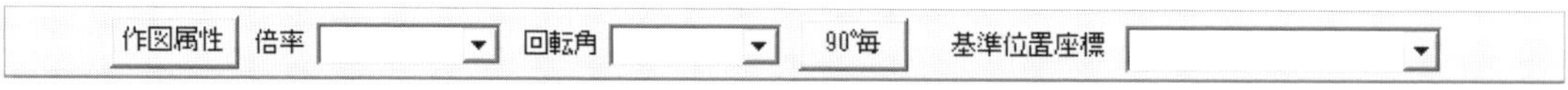

③−1　③−2　③−3　③−4　③−5

③−1　「作図属性」ボタン
「作図属性設定」ダイアログを開く。

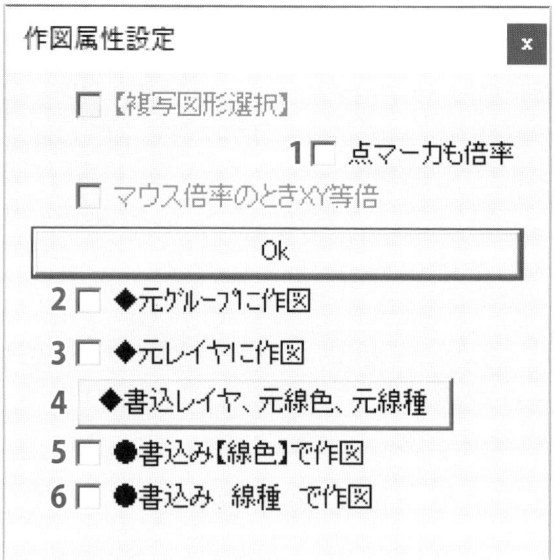

1　点マーカも倍率
点マーカも、③−2「倍率」入力ボックスの倍率で大きさを変更する。

2　◆元グループに作図
座標ファイルに記述されているレイヤグループに作図する。

3　◆元レイヤに作図
座標ファイルに記述されているレイヤに作図する。

4　◆書込レイヤ、元線色、元線種
書込レイヤに座標ファイルに記述されている線色・線種で（**2**、**3**、**5**、**6**のチェックを外した状態）作図する。

5　●書込み【線色】で作図
書込線色で作図する。

6　●書込み　線種　で作図
書込線種で作図する。

③−2　「倍率」入力ボックス
「X（横），Y（縦）」の倍率を指定することで、大きさを変更して作図する。
「−1,1」を指定すると左右反転、「1，−1」を指定すると上下反転する。

③−3　「回転角」入力ボックス
座標ファイルを、指定した角度だけ傾けて作図する。

③−4　「90°毎」ボタン
㊀で③−3「回転角」入力ボックスの数値を90°⇒180°⇒270°⇒空白（0°）に切り替える（㊀では逆回り）。

③−5　「基準位置座標」入力ボックス
仮表示に対するマウスポインタの位置（基準位置）の座標を指定する（▶p.258）。
「座標ファイル条件設定」ダイアログ（▶次ページ）の**7**にチェックを付けることで、自動的に読込ファイルの先頭の座標値になる。

④「mm単位読書」ボタン
②ファイル読込、③YX座標読込、⑤ファイル書込のときの単位を指定する。
で「m単位読書」に切り替わる。

⑤「ファイル書込」ボタン
図面要素を①で指定した名前の座標ファイル（*.txt）として保存する（▶p.259）。

⑥「条件設定」ボタン
「座標ファイル条件設定」ダイアログを開く。

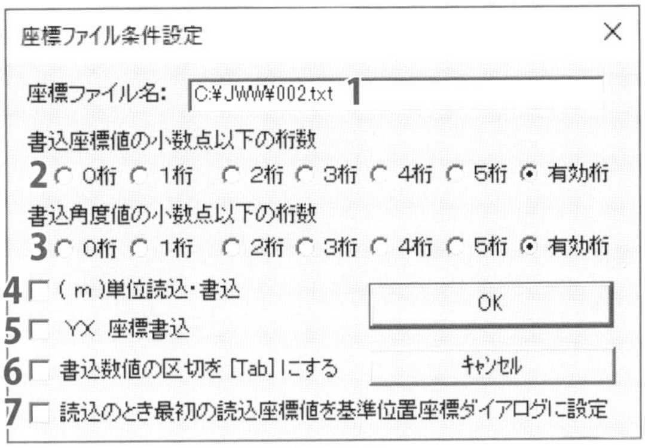

1　座標ファイル名
①「ファイル名設定」で指定したファイル名をフルパスで表示する。

2　書込座標値の小数点以下の桁数

3　書込角度値の小数点以下の桁数
⑤「ファイル書込」時の座標値および角度値の小数点以下の桁数を選択する。

4　(m) 単位読込・書込
②、③、⑤のときの単位をm単位に指定する。
コントロールバー④「m単位読書」の設定と同じ。

5　YX座標書込
⑤「ファイル書込」時に、X値とY値を入れ替えて保存する。

6　書込数値の区切を[Tab] にする
⑤「ファイル書込」で保存する座標ファイルの区切りをTabにする（標準は半角スペース）。

7　読込のとき最初の読込座標値を基準位置座標ダイアログに設定
チェックを付けることで、p.258の**6**の操作を省略することができる。

⑦「ファイル編集」ボタン
①で指定した座標ファイルをテキストエディタで編集する。

⑧「新規ファイル」ボタン
テキストエディタを起動して、新規に座標ファイルを作成する（▶p.256）。

外部変形 外変

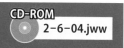

CD-ROM 2-6-04.jww

Jw_cadの規則に準じて作成された別のプログラムを使って、図面の作成や編集などを行う

基本操作

例）三斜面積計算の外部変形を使用する。

1 内部を三角形に区切った敷地図を作図し、メニューバー［その他］－「外部変形」（「外変」コマンド）を⊖。

2 「ファイル選択」ダイアログのフォルダーツリーで「JWW」フォルダーを選択し、「JWW_SMPL.BAT」（三斜面積計算）を⊖⊖。

> **POINT** 2で使用する外部変形プログラムを選択し、コントロールバーに表示されるメッセージに従い操作する。

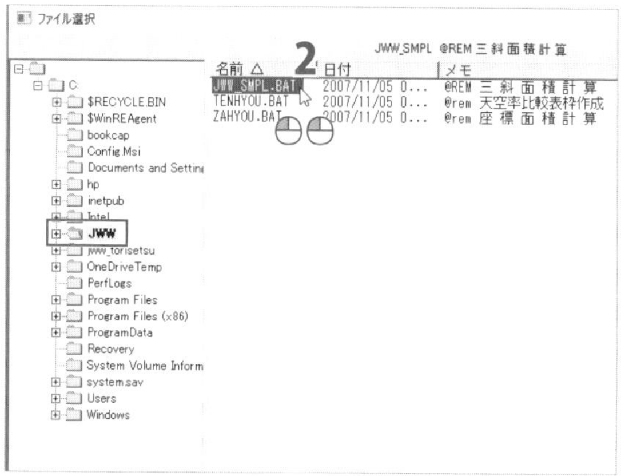

3 範囲選択の始点を⊖。

4 表示される選択範囲枠で敷地図を囲み、終点を⊖。

> **POINT** 一度に扱うことのできる要素は、三角形の辺の数で200までである。範囲選択時、三角形を構成する線以外の要素を選択しないように注意する。

参考 範囲選択共通操作▶p.20

5 コントロールバー「選択確定」ボタンを⊖。

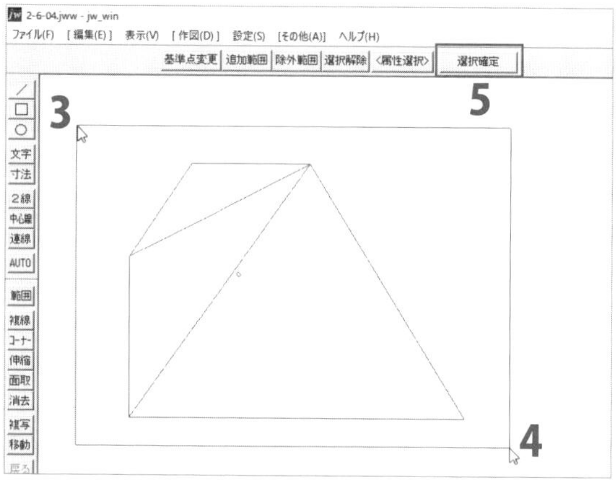

6 面積表の記入位置（面積表左上角）を⊖（または⊖）。

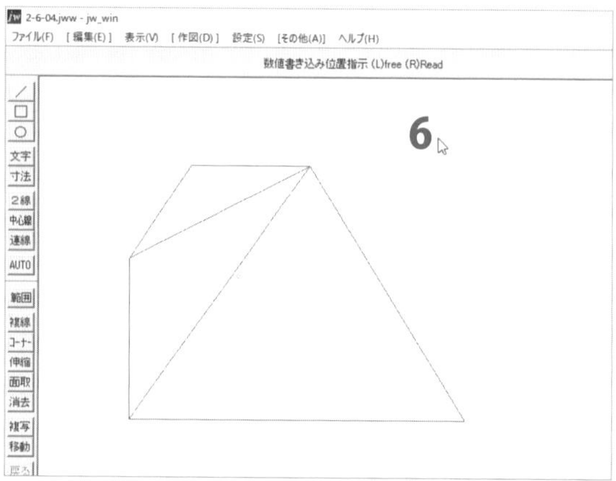

7 コントロールバー「初期番号指定」ボックスに、三角形に記入する最初の番号を入力し、Enterキーを押す。「①」から番号を記入する場合は、何も入力しないでEnterキーを押すか、作図ウィンドウで⊖。

8 コントロールバー「レイヤ指定」ボックスに、寸法値、記号、面積表の作図レイヤを入力し、Enterキーを押す。書込レイヤに作図する場合は、何も入力しないでEnterキーを押すか、作図ウィンドウで⊖。

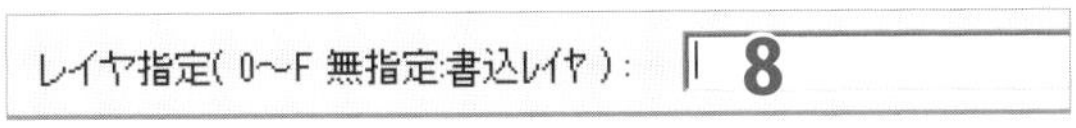

9 コントロールバー「小数点以下有効桁数」ボックスに、記入寸法の小数点以下有効桁数(0～3)を入力し、Enterキーを押す。入力しないでEnterキーを押すか作図ウィンドウで⊖した場合は、2桁になる。

➡ コントロールバー「コマンド入力」ボックスに、**7**～**9**で入力したオプション指定が表示される（何も入力しなかった場合、ボックスは空白になる）。

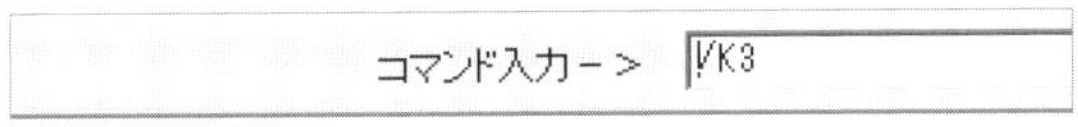

10 適宜、必要なオプションを追加入力し、Enterキーで確定するか、作図ウィンドウで⊖。

敷地図への寸法、記号、面積表を文字種4で記入するように指定するため「/m4」を入力

POINT 「コマンド入力」ボックスに表示されている文字列に続けてオプション指定を入力することで、次の指定が行える。

- 文字種の指定　/m＊
  ＊に文字種番号1～10を入力する。
- 頂点に点作図　/t＊
  ＊に点の線色番号を入力する。
- 頂点に円作図　/e＊
  ＊に円半径（図寸）を入力する。
- 三角形の辺を新たに作図　/H＊
  ＊に線色番号を入力する。
- 敷地面積の小数点以下3桁を切り捨てて作図　/s

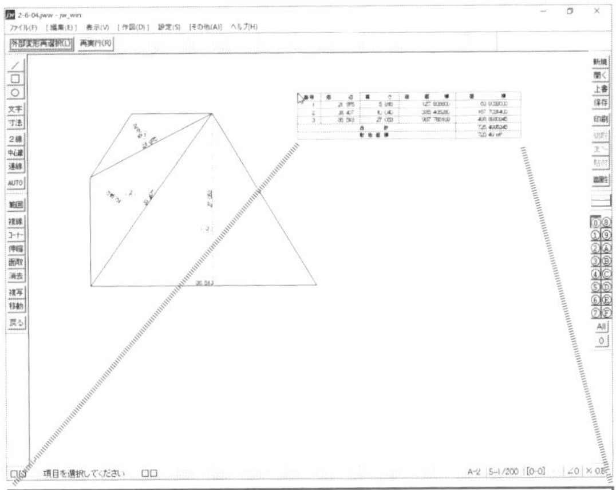

番号	底辺	高さ	倍面積	面積
1	21.975	5.816	127.806600	63.9033000
2	33.407	10.040	335.406280	167.7031400
3	35.513	27.058	987.786189	493.8930945
合計				725.4995345
敷地面積				725.49 ㎡

➡ 外部変形プログラムが実行され、敷地図の記号・寸法、面積表が作図される。

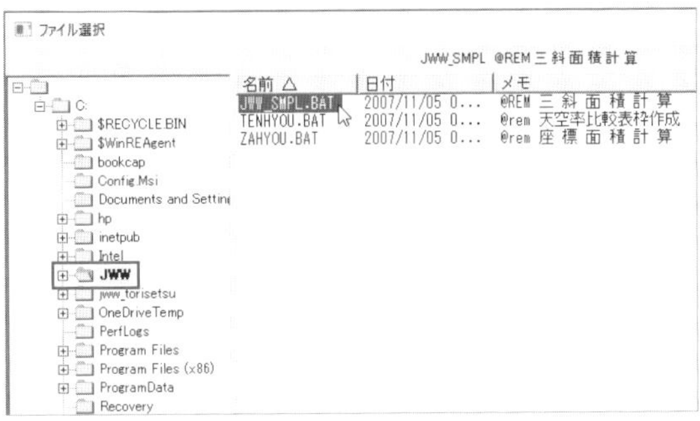

POINT Jw_cadには「座標面積計算」「天空率比較表枠作成」「三斜面積計算」の3つの外部変形プログラムが収録されている。外部変形プログラムが違うと、**3**以降の操作手順も異なる。Jw_cad用の外部変形プログラムはインターネットのさまざまなサイトでも公開されていて、それらを組み込んでも利用できる。ただし、外部変形プログラムが違うと動作環境（Windows、Jw_cadのバージョン）や操作手順も異なるので注意する。

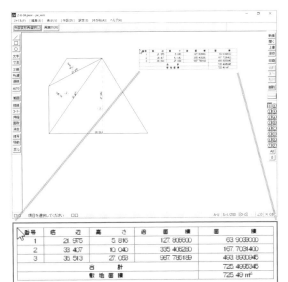

測定 測定

CD-ROM 2-6-05.jww

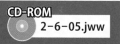

図面上の距離、面積、座標、角度などを測定する

「測定」コマンドの測定結果は書込レイヤグループの縮尺で換算されるため、ステータスバーの「縮尺」ボタンの縮尺と測定対象図の縮尺が異なると正しい結果が得られない。
測定前に測定対象を属性取得 (▶p.230) し、測定対象の作図されているレイヤ (レイヤグループ) を書込レイヤにしたうえで測定すること。

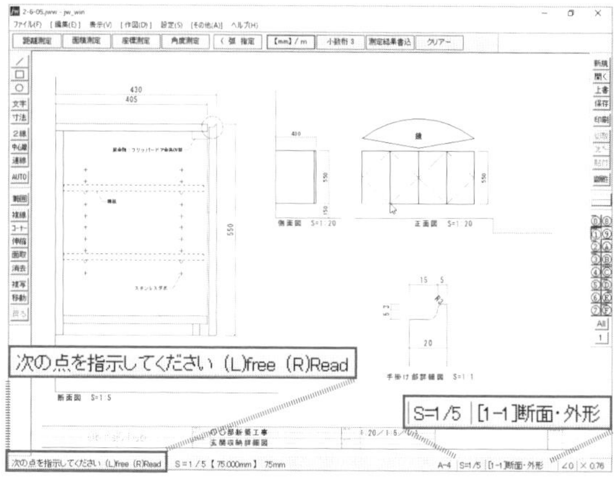

基本操作1 直線距離の測定

1 メニューバー [その他] – 「測定」(「測定」コマンド) を⊖。

➡「測定」コマンドのコントロールバー「距離測定」ボタンが選択された状態になる。

2 コントロールバー「mm/【m】」ボタンを⊖し、「【mm】/m」(測定単位mm) にする。

3 距離測定の始点を⊖。

4 次点を⊖。

➡ ステータスバーに**3**–**4**間の距離が表示される。

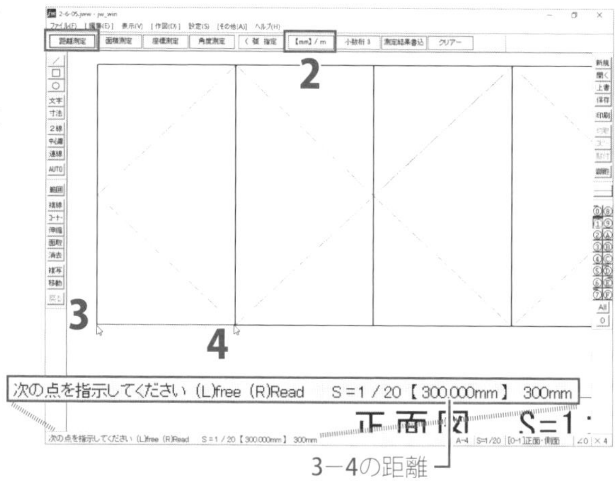

5 次点を⊖。

➡ ステータスバーに**3**–**4**–**5**の累計距離(【 】内)と、**4**–**5**の距離が表示される。

6 距離の測定を終了するには、コントロールバー「クリアー」ボタンを⊖。

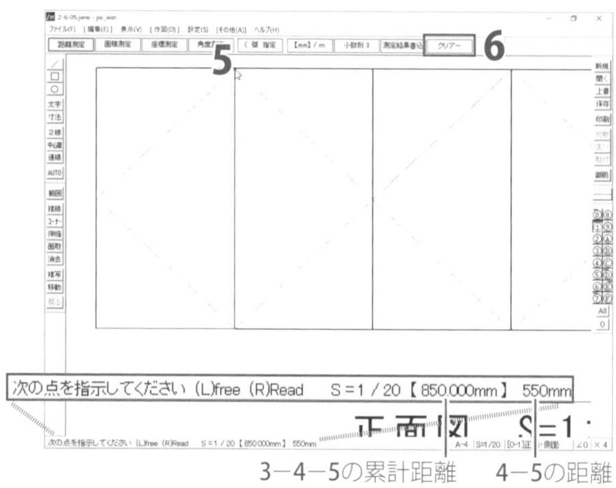

基本操作2　円周距離の測定

1　「測定」コマンドのコントロールバー「距離測定」が選択された状態で、弧測定の始点を⊖。

➡ コントロールバー「○単独円指定」ボタンが「(弧指定」ボタンに切り替わる。

2　コントロールバー「(弧指定」ボタンを⊖。

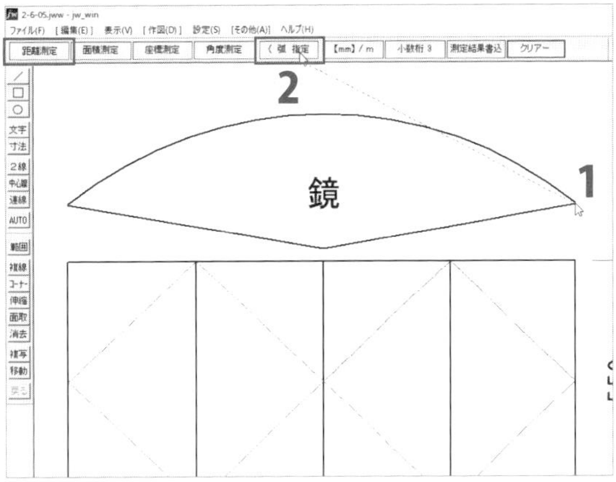

3　測定対象の弧を⊖。

4　弧測定の終点を⊖。

➡ **3**の弧上の**1**－**4**間の距離がステータスバーに表示される。

> **POINT**　円の円周を測定する場合は、**1**でコントロールバー「○単独円指定」ボタンを⊖後、測定対象の円を⊖する。

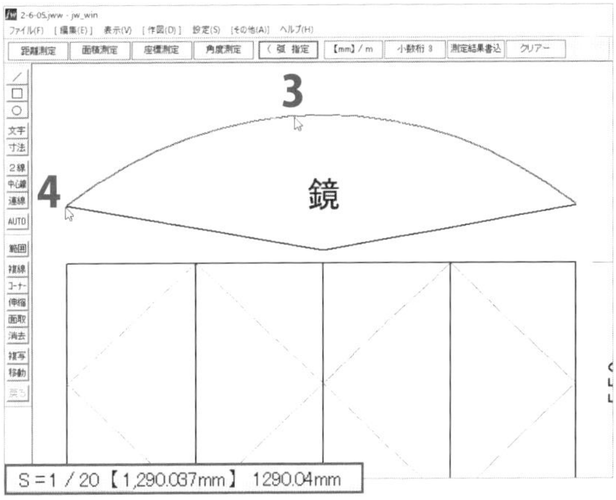

できる👍 曲線・連続線などの累計長を測定

測定対象を範囲選択することで、曲線や連続線などの累計の距離（長さ）を測定できる。

1　「測定」コマンドのコントロールバー「距離測定」ボタンをCtrlキーとShiftキーを押したまま⊖。

2　範囲選択状態になるので、測定対象の曲線・連続線を⊖で選択するか、あるいは選択範囲枠で囲んで選択する。

3　コントロールバー「選択確定」ボタンを⊖。

➡ ステータスバーに**2**で選択した要素の累計距離が表示される。

> **POINT**　**3**の後、作図ウィンドウの任意の位置を⊖（⊖）すると、そこに**2**で選択した要素の累計距離が記入される。

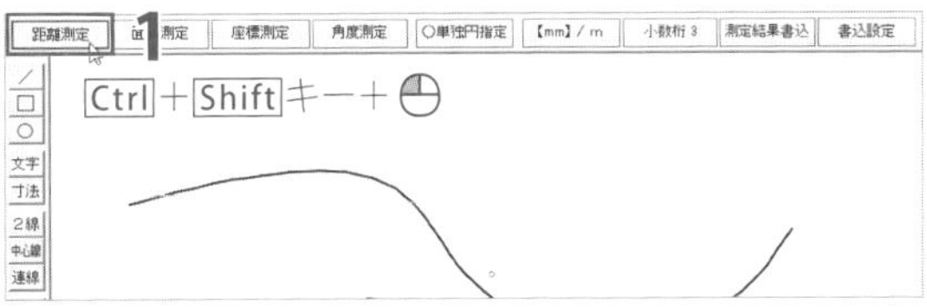

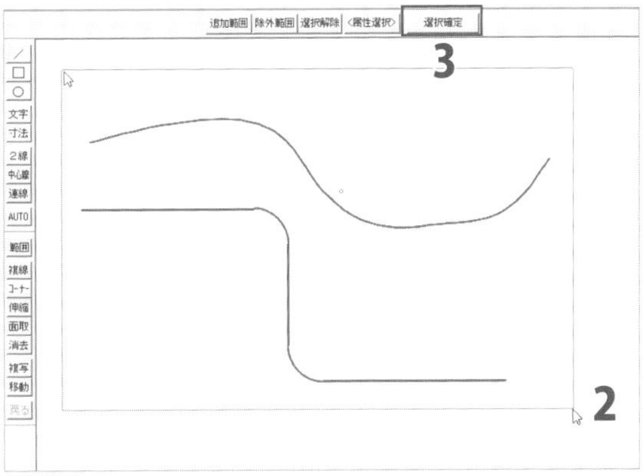

基本操作3　面積の測定と結果書き込み

1　「測定」コマンドのコントロールバー「面積測定」ボタンを⊖。

2　面積測定の始点を⊖。

3　次の点を⊖。

> **POINT**　ここでは3の点からつながる外形線が弧のため、コントロールバー「(弧指定」ボタンを⊖して弧を指示する。

4　コントロールバー「(弧指定」ボタンを⊖。

5　外周の弧を⊖。

6　円上点（弧の終点）を⊖。

➡ ステータスバーに**2**－**3**－**6**内の面積（【　】）が表示される。

> **POINT**　円の面積測定は、**2**でコントロールバー「○単独円指定」ボタンを⊖し、円を⊖。

7　測定結果を図面に記入するため、コントロールバー「測定結果書込」ボタンを⊖。

8　記入位置を⊖。

➡ ⊖位置に測定結果が記入される。

> **POINT**　測定結果の記入文字種などの指定は、コントロールバー「書込設定」ボタンを⊖して指定する（▶p.268）。

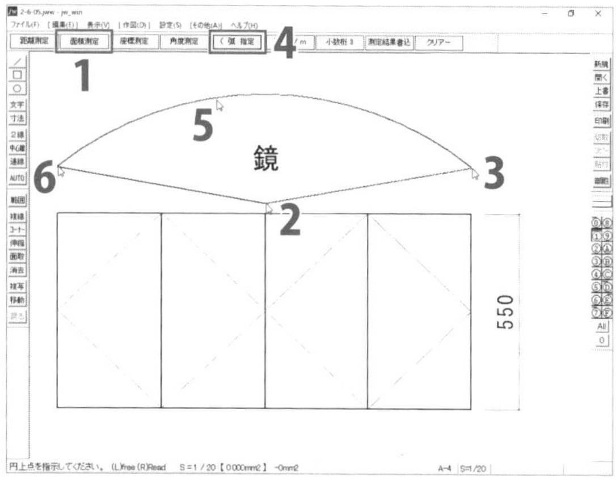

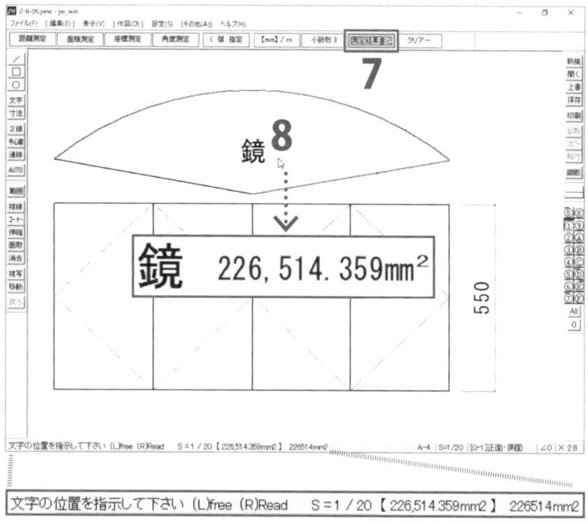

できる　面積と距離を同時に測定

上記**1**でShiftキーを押したまま「面積測定」ボタンを⊖したうえ**2**〜**6**の操作を行うと、面積測定と同時に、距離の測定も行える。

上記**2**〜**6**の操作で、**2**－**3**－**5**の弧-**6**で囲まれた内部の面積と**2**－**3**－**5**の弧-**6**の累計距離が測定される（**6**－**2**間の距離は含まれない）。**6**－**2**間の距離も含めた外周の累計距離を測定するには、**6**の後に**2**の始点を⊖する。

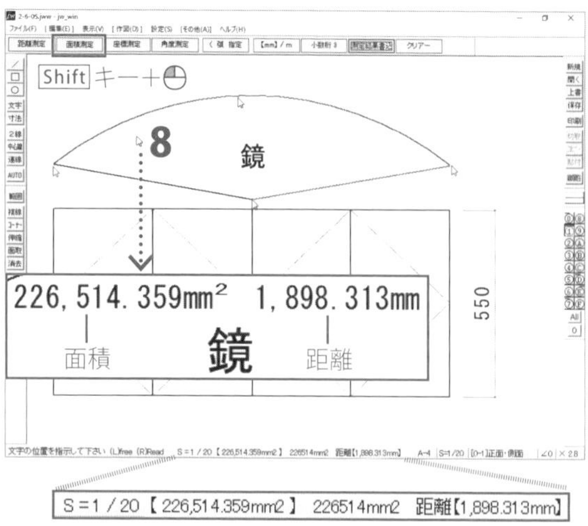

基本操作4　座標の測定

1　「測定」コマンドのコントロールバー「座標測定」ボタンを㊀。

2　原点を㊀。

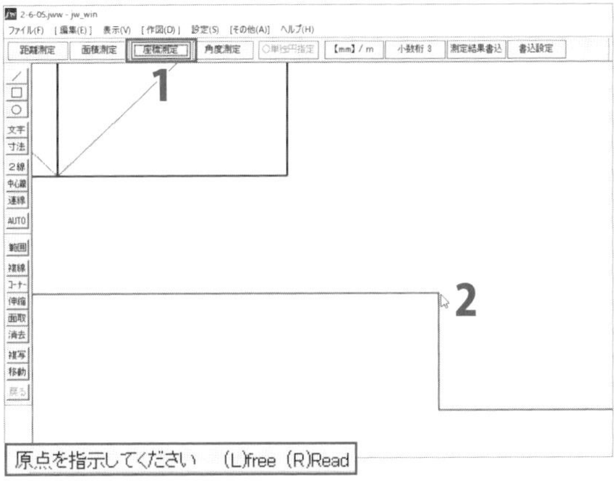

3　測定する座標点を㊀。

➡ステータスバーに、点**2**を原点とした点**3**のX,Y座標値【－200.000mm, 150.000mm】(横200mm、縦150mm) が表示される。

> **POINT**　座標値は、原点を (0,0) として、X軸右方向とY軸上方向を＋ (プラス) 値、X軸左方向とY軸下方向を－ (マイナス) 値で表す。原点指示 (**2**) はコントロールバー「クリアー」ボタンを㊀するまで有効で、次の座標点を㊀することで、**2**を原点とした座標を続けて測定できる。

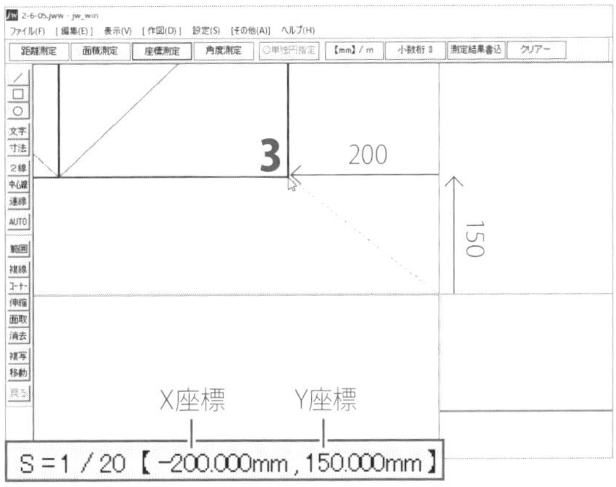

基本操作5　角度の測定

1　「測定」コマンドのコントロールバー「角度測定」ボタンを㊀。

2　コントロールバーで、角度単位「【 ° 】 ／ °‘ "」と小数点以下桁数を確認 (または変更)。

> **POINT**　「【 ° 】 ／ ° ' " 」ボタンを㊀すると、単位「度」と「°／【° ' " 】」(単位：度分秒) を切り替えられる。

3　原点を㊀。

4　2点間角度基準点 (測定開始点) を㊀。

5　角度点 (測定終了点) を㊀。

➡ステータスバーに、**3**を原点とした**4**－**5**間の角度 (【　】) が表示される。

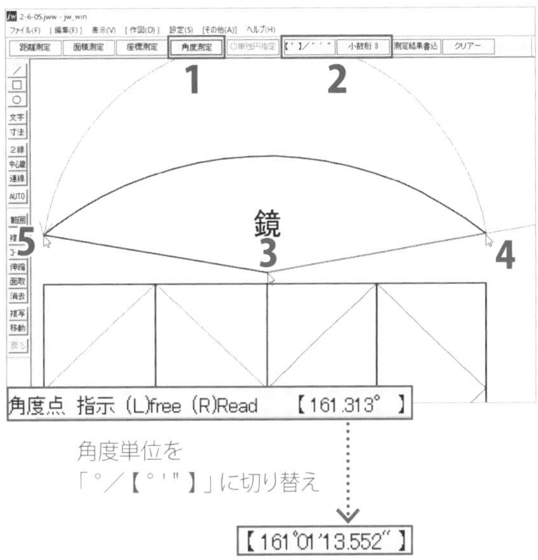

「測定」コマンドのコントロールバー

① ② ③ ④ ⑤ ⑥ ⑦ ⑧ ⑨

① 「**距離測定**」**ボタン**
2点間の距離、円周長や弧の長さ、およびそれらの累計距離を測定する（▶p.264/265）。

② 「**面積測定**」**ボタン**
図形の外周点および図形を構成する円・弧を指示することで、その内部の面積を測定する（▶p.266）。
Shiftキーを押したままボタンを㊧すると、距離の測定も同時に行う。

③ 「**座標測定**」**ボタン**
指定した原点に対する指示点のX, Y座標を測定する（▶p.267）。

④ 「**角度測定**」**ボタン**
指定した原点に対する2点の角度を測定する（▶p.267）。

⑤ 「**○単独円指定**」**ボタン**
単独円の外周長、面積を測定するときに選択する（▶p.265/266）。
距離や面積の測定中は「（弧指定」に切り替わる。

⑥ 「**mm／【m】**」**ボタン**
ステータスバーに表示する測定結果の表示単位をmm⇔mで切り替える。
角度の測定時は「【°】／°' "」になり、「°」（度）⇔「°' "」（度分秒）を切り替える。スペースキーを押しても切り替えられる。

⑦ 「**小数桁**」**ボタン**
ステータスバーに表示する測定結果の小数点以下表示桁数を指定する。
㊧で小数桁3⇒小数桁4⇒小数桁F（有効桁数）⇒小数桁0⇒小数桁1⇒小数桁2に切り替わる。Shiftキーを押したままスペースキーを押しても切り替えられる。

⑧ 「**測定結果書込**」**ボタン**
測定結果を図面に記入する（▶p.266）。

⑨ 「**書込設定**」**ボタン**
測定結果を書き込むときの文字種、小数点以下桁数、単位などを設定する。
「書込設定」ボタンを選択すると、下図のコントロールバーに切り替わる。

⑨−1 ⑨−2 ⑨−3 ⑨−4 ⑨−5 ⑨−6

⑨－1 「**文字種**」**ボタン**
㊧で文字種類1～10に切り替える。

⑨－2 「**小数桁0有／無**」**ボタン**
コントロールバーの⑦で指定した小数点以下の桁が「0」の場合の「0」記入の有⇔無を切り替える。

⑨－3 「**カンマ有／無**」**ボタン**
3桁区切りの「,」の有⇔無を切り替える。

⑨－4 「**四捨五入**」**ボタン**
記入小数桁以下の処理を、「四捨五入」⇒「切り捨て」⇒「切り上げ」に切り替える。

⑨－5 「**単位表示　有／無**」**ボタン**
数値の単位記入の有⇔無を切り替える。

⑨－6 「**OK**」**ボタン**
設定を確定し、「測定」コマンドのコントロールバーに戻る。

表計算 表計

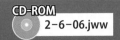

CD-ROM 2-6-06.jww

図面上の複数の数値の四則演算を一括して行う

基本操作1　範囲内の数値を合計

1　メニューバー［その他］－「表計算」（「表計」コマンド）を⊖。

2　コントロールバー「範囲内合計」ボタンを⊖。

3　合計する数値の左上で⊖。

4　表示される選択範囲枠で数値を囲み、終点を⊖。

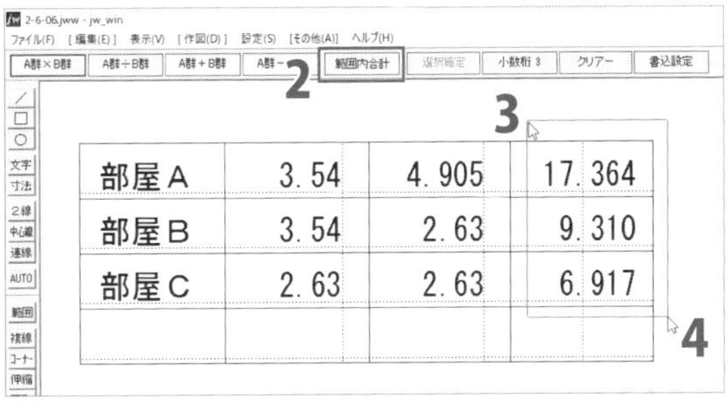

➡ 選択範囲枠内の数値が選択色になる。

> **POINT**　この段階で数値を⊖することで、対象に追加または除外できる。コントロールバー「追加範囲」「除外範囲」ボタンを⊖で、追加または除外対象を選択範囲枠で囲んで指示できる。

参考 範囲選択共通操作▶p.20

5　コントロールバー「選択確定」ボタンを⊖。

> **POINT**　**5**の操作の代わりに作図ウィンドウで⊖しても選択確定できる。

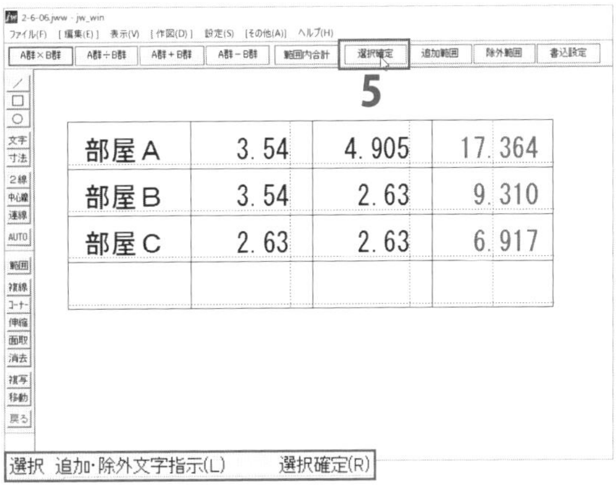

➡ 計算結果がステータスバーに表示され、記入位置の指示を促す操作メッセージが表示される。

6　**コントロールバー「小数桁」ボタンを確認（または変更）し、計算結果の記入位置（小数点位置）を⊖（または⊖）。**

➡ **6**の記入位置に小数点が位置するように、計算結果が記入される。

> **POINT**　計算結果の記入数値の文字種はコントロールバー「書込設定」（▶p.271）で指定する。記入数値のフォントは、標準ではMSゴシックだが、環境設定ファイル「CU_SET」の指定」（▶JWWトリセツ付録.pdf　p.60）で「寸法設定」ダイアログで指定のフォント（▶p.224の**2**）に変更できる。

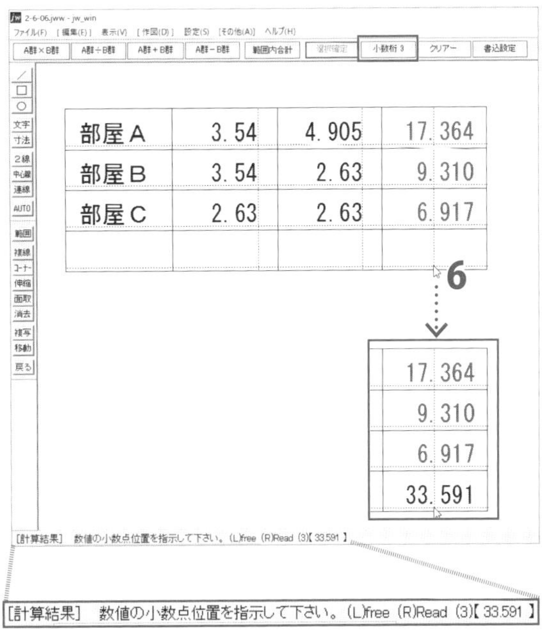

基本操作2　A群とB群の四則演算

1　「表計算」コマンドのコントロールバー「A群×B群」ボタンを⊖。

2　A群の数値の左上で⊖。

3　表示される選択範囲枠で数値を囲み、終点を⊖。

> **POINT**　終点を⊖（選択確定）すると、囲んだ数値が選択対象として確定される（コントロールバー「選択確定」ボタンの⊖操作が省略できる）。

➡ 選択範囲枠内の数値が選択色になり、B群の始点指示を促す操作メッセージが表示される。

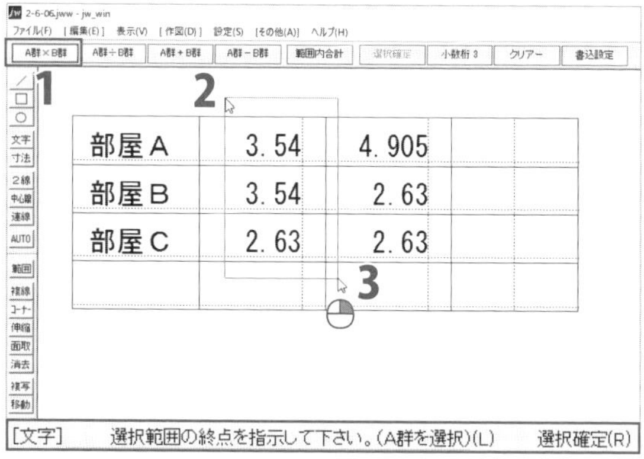

4　B群の数値の左上で⊖。

5　表示される選択範囲枠で数値を囲み、終点を⊖（選択確定）。

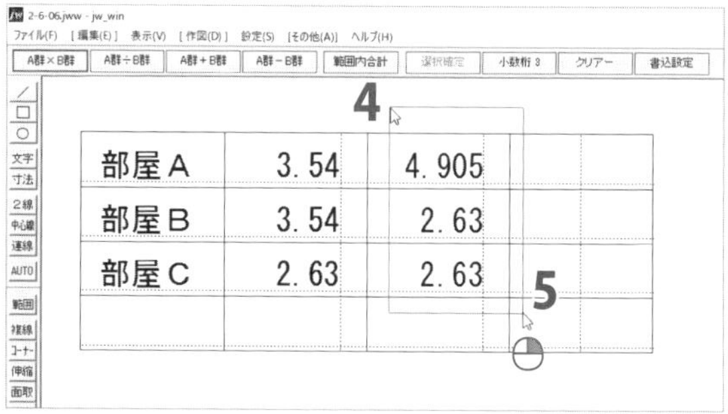

➡ 選択範囲枠内の数値が選択色になり、計算結果の記入位置を促す操作メッセージが表示される。

6　計算結果の記入位置（小数点位置）を⊖。

➡ **6**に小数点が位置するよう、B群と同じ縦位置に計算結果が記入される。

> **POINT**　計算結果の記入数値の文字種はコントロールバー「書込設定」（▶次ページ）で指定する。記入数値のフォントは、標準ではMSゴシックだが、環境設定ファイル「CU_SET」の指定（▶JWWトリセツ付録.pdf p.60）で「寸法設定」ダイアログ（▶p.224の**2**）で指定したフォントに変更できる。

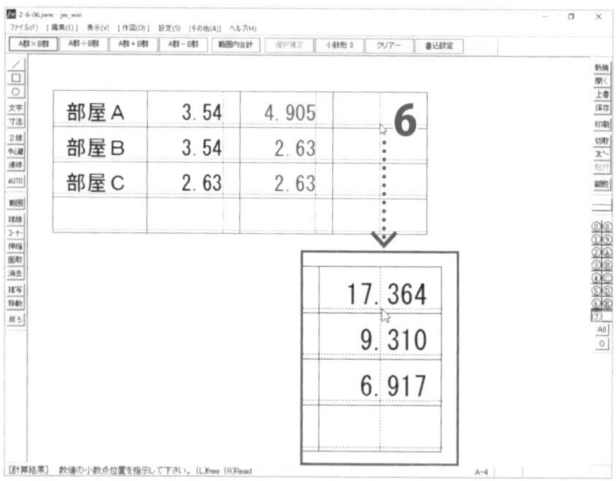

POINT　A群とB群で選択した数値の個数が異なる場合、多いほうの残りの数値は、少ないほうの最後の数値に対して計算が行われる。

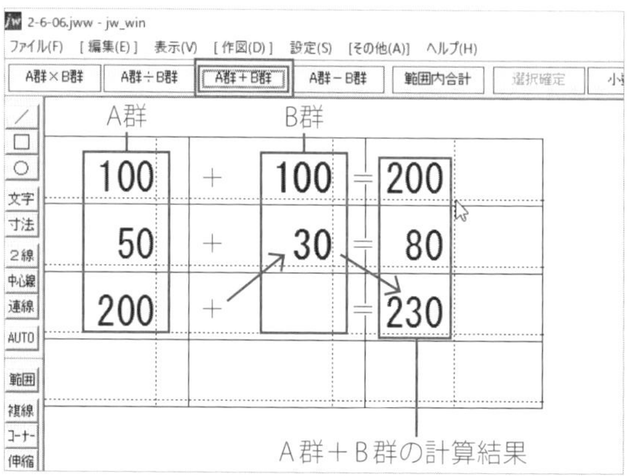

「表計算」コマンドのコントロールバー

① **「A群×B群」ボタン**
A群の数値×B群の数値の計算結果を指定位置に記入する（▶前ページ）。

② **「A群÷B群」ボタン**
A群の数値÷B群の数値の計算結果を指定位置に記入する。

③ **「A群＋B群」ボタン**
A群の数値＋B群の数値の計算結果を指定位置に記入する。

④ **「A群－B群」ボタン**
A群の数値－B群の数値の計算結果を指定位置に記入する。

⑤ **「範囲内合計」ボタン**
範囲選択した数値の合計値を指定位置に記入する（▶p.269）。

⑥ **「選択確定」ボタン**　※範囲選択後に指定可能になる。
範囲選択を確定する。

⑦ **「小数桁」ボタン**
計算結果の小数数点以下の桁数を指定。
で小数桁3⇒小数桁4⇒小数桁F（有効桁）⇒小数桁0⇒小数桁1⇒小数桁2に切り替える。
スペースキーを押しても切り替えできる。

⑧ **「クリアー」ボタン**
選択確定後、選択した数値を解除する。

⑨ **「書込設定」ボタン**
計算結果を書き込むときの文字種や単位などを設定する。
「書込設定」ボタンを選択すると、下図のコントロールバーに切り替わる。

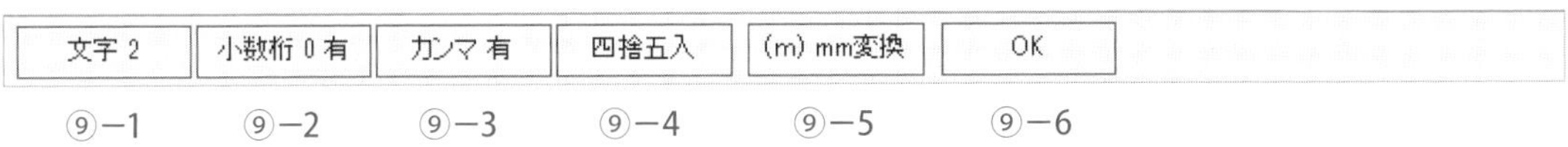

⑨－1 「文字種」ボタン
で文字種類1～10に切り替える。

⑨－2 「小数桁0有／無」ボタン
コントロールバーの⑦で指定した小数点以下の桁が「0」の場合の記入の有⇔無を切り替える。

⑨－3 「カンマ有／無」ボタン
3桁区切りの「,」の有⇔無を切り替える。

⑨－4 「四捨五入」ボタン
記入小数桁以下の処理を「四捨五入」⇒「切り捨て」⇒「切り上げ」に切り替える。

⑨－5 「(m) mm変換」ボタン
「(m) mm変換」⇔「(m) 無変換」を切り替える。
「(m) mm変換」では、数値の後に「m」の付いた数値をmmに変換して計算する（例えば5.2 mは5200に変換）。

⑨－6 「OK」ボタン
設定を確定し、「表計算」コマンド選択時のコントロールバーに戻る。

距離指定点 距離

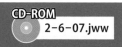

CD-ROM 2-6-07.jww

始点から指定距離の位置に点を作図する

▶ 基本操作1 線上・円周上の指定距離位置に点を作図

例）円弧の端点から円周上の800mmの位置に点（実点）を作図する。

1 メニューバー［その他］ー「距離指定点」（「距離」コマンド）を⊖。

2 コントロールバー「距離」ボックスに指定距離（「800」）を入力する。

3 始点を⊖。

4 円・弧を⊖。

POINT 4で線や円・弧を⊖することで、始点から指定距離の線上または円周上に点を作図する。

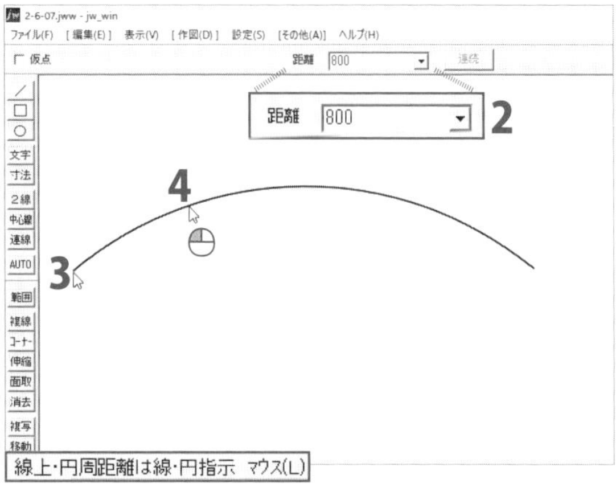

➡ 4の円周上に3から指定距離の位置に、書込線色の点が作図される。

POINT コントロールバー「連続」ボタンを⊖すると、作図した点から円周上の指定距離の位置に、⊖した回数分の点を作図する。

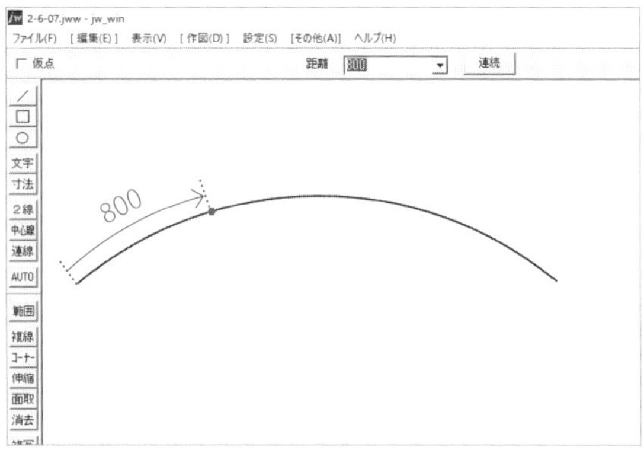

POINT 3の始点が4の円周上または線上にない場合、始点を3で⊖した位置から鉛直に円周上または線上に下ろした位置に補正し、そこから指定距離の位置に点を作図する。この場合、補正した始点にも点を作図する。

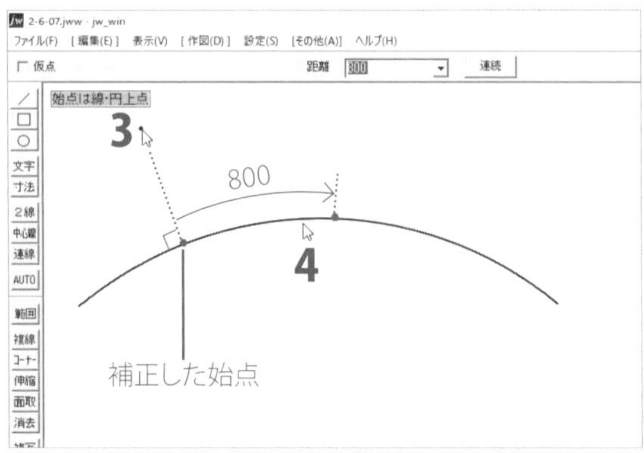

基本操作2　指定距離位置に点を作図

例）弧の端点からもう一方の端点へ800mmの位置に点（実点）を作図する。

1　「距離指定点」コマンドのコントロールバー「距離」ボックスに、指定距離として「800」を入力する。

2　始点を⊕。

3　距離の方向を示す点を⊕。

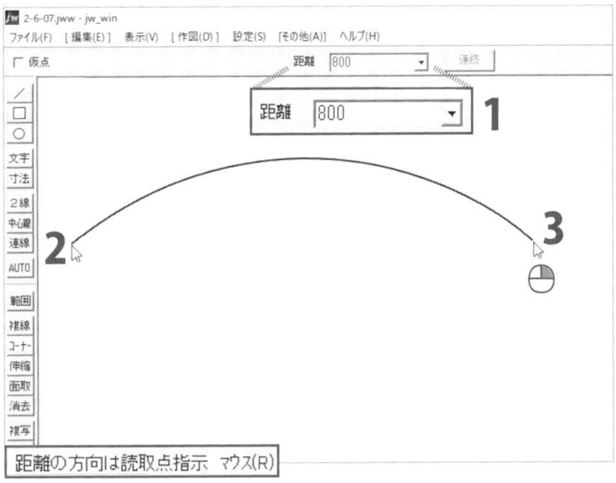

➡ **2**から**3**の方向への指定距離の位置に、書込線色の点が作図される。

> **POINT**　コントロールバー「連続」ボタンを⊕すると、作図した点から同方向の指定距離の位置に、⊕した回数分の点を作図する。

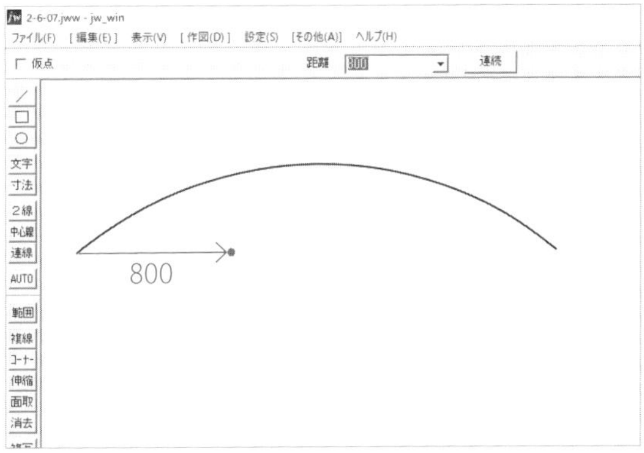

「距離指定点」コマンドのコントロールバー

①　②　③

①「仮点」チェックボックス
距離指定点として、書込線色の仮点（編集・印刷できない点）を作図する。
チェックがない状態では、書込線色の実点を作図する（仮点と実点▶p.15）。

②「距離」入力ボックス
始点からの距離を指定する。

③「連続」ボタン　※距離指定点作図後に指定可能になる。
同じ方向（または線・円周上）の「距離」ボックスで指定の位置に、⊕した回数分の点を作図する。

式計算 式計

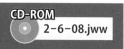

CD-ROM 2-6-08.jww

あらかじめ用意された計算式と必要な数値を指定することで、その計算結果を記入する

基本操作

例）ヘロン公式で面積の計算結果を記入する。

1 メニューバー[その他]－「式計算」（「式計」コマンド）を⊖。

2 コントロールバー「ヘロン公式」ボタンを⊖。

3 コントロールバー「3数値選択」ボタンを⊖。

> **POINT** 「3数値入力」ボタンを選択した場合は、「数値入力」ダイアログに、三角形の3辺の長さを順に入力する。

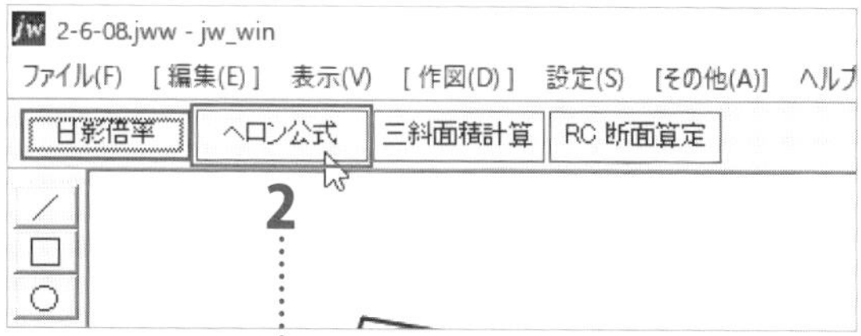

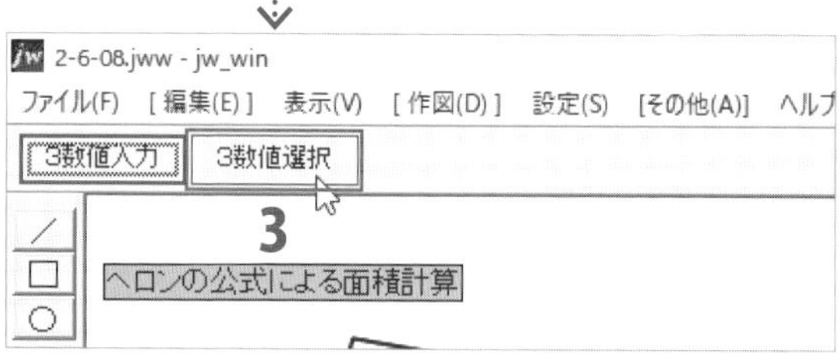

4 範囲選択の始点を⊖。

5 表示される選択範囲枠で、三角形の3辺の数値を囲み、終点を⊖。

➡ 選択範囲枠内の数値が選択色になる。

> **POINT** この段階で数値を⊖することで、追加・除外ができる。数値が寸法図形の場合は選択できない（寸法図形は解除してから行う）。選択数値の数が3以外の場合は、選択確定後に画面左上に入力データ数が違いますと表示され、計算されない。

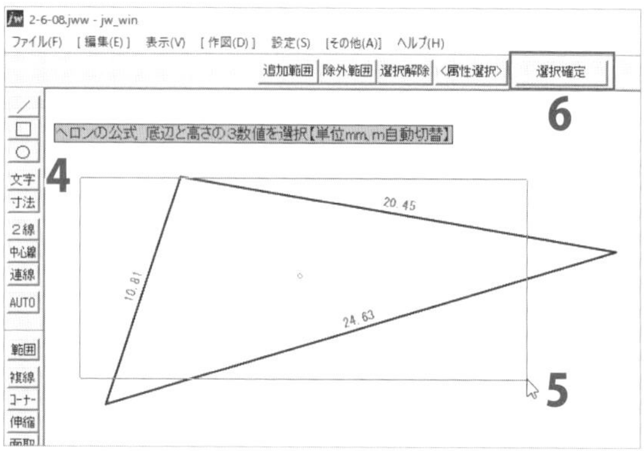

6 三角形の3辺の数値のみが選択色になっていることを確認し、コントロールバー「選択確定」ボタンを⊖。

7 計算結果の記入位置を⊖（または⊖）。

➡ **7**の位置に計算結果が記入される。

> **POINT** 計算結果の記入文字は、「表計算」コマンドの「書込設定」（▶p.271）で指定した文字種になる。記入数値のフォントは、標準ではMSゴシックだが、環境設定ファイル「CU_SET」の指定（▶JWWトリセツ付録.pdf p.60）で「寸法設定」ダイアログのフォント（▶p.224の**2**）に変更できる。

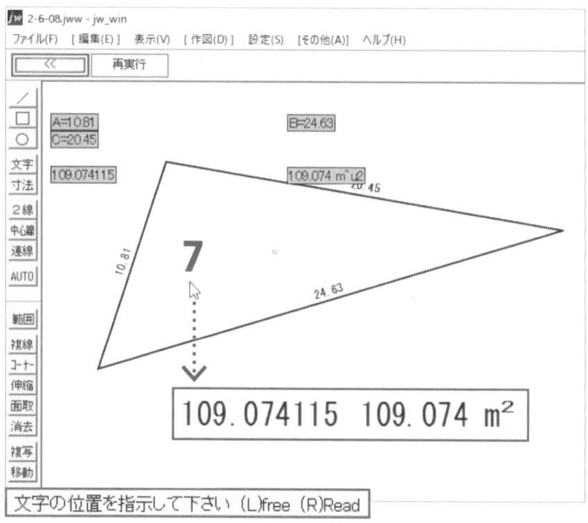

できる 「式計算」コマンドと式計算ファイル

「式計算」コマンドのコントロールバーに表示される計算式のボタンは、式計算ファイルを編集、新規作成することで、追加、変更できる。
Jw_cadをインストールすると、「JWW」フォルダーに5つの式計算ファイル「KEISAN.JWM」「KEISAN1.JWM」「KEISAN2.JWM」「KEISAN3.JWM」「KEISAN4.JWM」がインストールされる。
「式計算」コマンドのコントロールバーには、「KEISAN.JWM」で指定されたボタンが表示される。

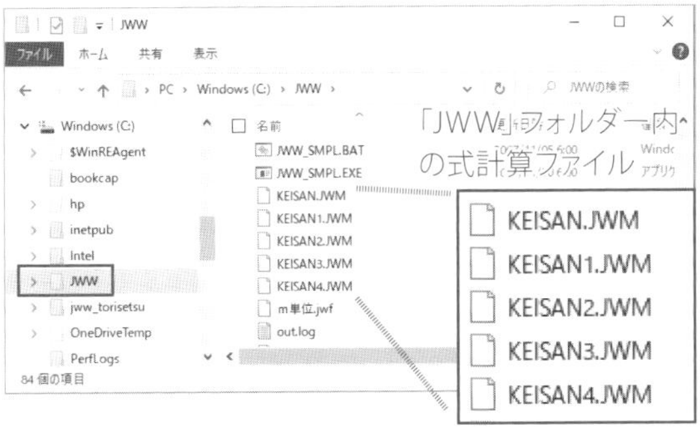

KEISAN.JWM ：「式計算」コマンドのコントロールバーに表示するボタンを指定

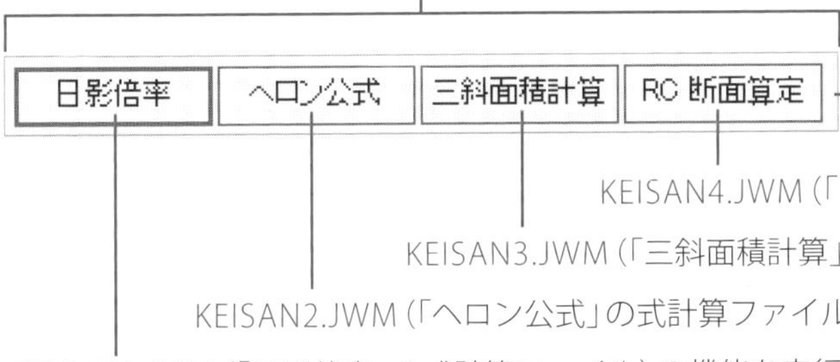

「式計算」コマンドのコントロールバー（初期値）

KEISAN4.JWM（「RC断面算定」の式計算ファイル）の機能を実行

KEISAN3.JWM（「三斜面積計算」の式計算ファイル）の機能を実行

KEISAN2.JWM（「ヘロン公式」の式計算ファイル）の機能を実行

KEISAN1.JWM（「日影倍率」の式計算ファイル）の機能を実行

上記の式計算ファイルとは別に、独自の計算式を記入した「KEISAN5.JWM」～「KEISAN9.JWM」を新たに作成し、「KEISAN.JWM」にそれらの式計算名を追加記入することで、独自の式計算ファイル（コントロールバーの機能ボタン）を追加できる（▶JWWトリセツ付録.pdf p.23）。ただし、1つのフォルダー（初期値は「JWW」）で管理できる式計算ファイルは、コントロールバーの表示項目を指定する「KEISAN.JWM」と「KEISAN1.JWM」～「KEISAN9.JWM」の9つまでである。それを超える場合は、任意の別フォルダーに「KEISAN.JWM」「KEISAN1.JWM」～「KEISAN9.JWM」を収録し、以下の手順で式計算フォルダーを切り替えて利用する。

1 「式計算」コマンドのコントロールバー「0」ボタンを㊀。

2 「式計算」ダイアログで、式計算ファイルを収録している別のフォルダー（切り替えるフォルダー）を選択する。

3 選択したフォルダー内の「KEISAN.JWM」を㊀で選択し、「開く」ボタンを㊀。

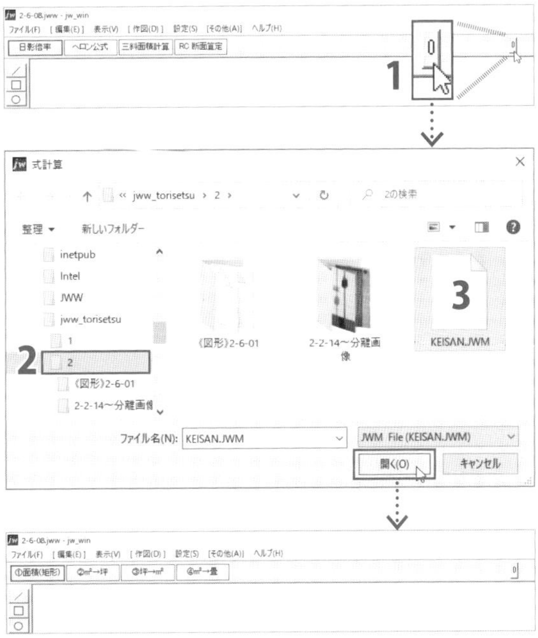

➡ コントロールバーに表示される式計算の機能ボタンが、3で選択した式計算ファイルの内容になる。

2 メニューバーのコマンド

パラメトリック変形 ﾊﾟﾗﾒ

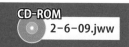

CD-ROM 2-6-09.jww

作図済みの図の一部を伸縮することで、図全体の幅や高さを変更する

基本操作

1 メニューバー[その他]－「パラメトリック変形」(「パラメ」コマンド)を(左クリック)。

2 変形部分の片端点が選択範囲枠に入るように範囲の始点を(左クリック)。

3 表示される選択範囲枠で対象を囲み、終点を(左クリック)(文字を含める場合は(右クリック))。

➡ 選択範囲枠に片方の端点が入る線は選択色の点線、全体が入る要素は選択色でそれぞれ表示され、自動的に決められた基準点位置に赤の○が表示される。

> **POINT** 以降の指示で選択色点線部分が伸縮し、それに伴い選択色の要素が移動する。伸縮するのは直線(寸法図形の線、曲線属性が付加された線を含む)とソリッド(円形ソリッドは除く)のみで、円・弧、ブロックなどは伸縮の対象(選択色点線)にならない。**4**の指示前に要素を(左クリック)するか、コントロールバー「追加範囲」「除外範囲」で範囲選択することで対象へ追加・除外できる。追加できるのは移動要素のみで、伸縮要素は追加できない。

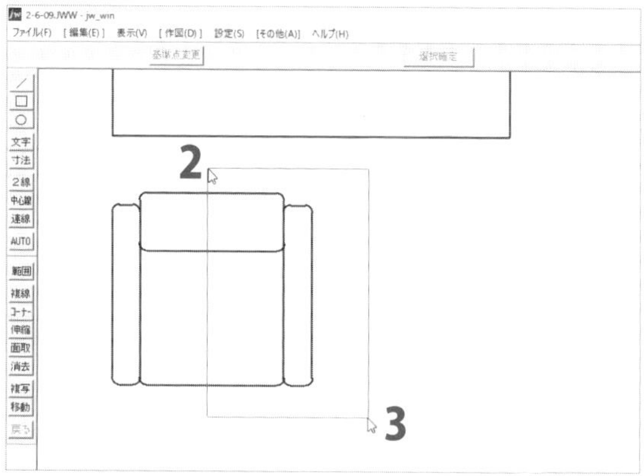

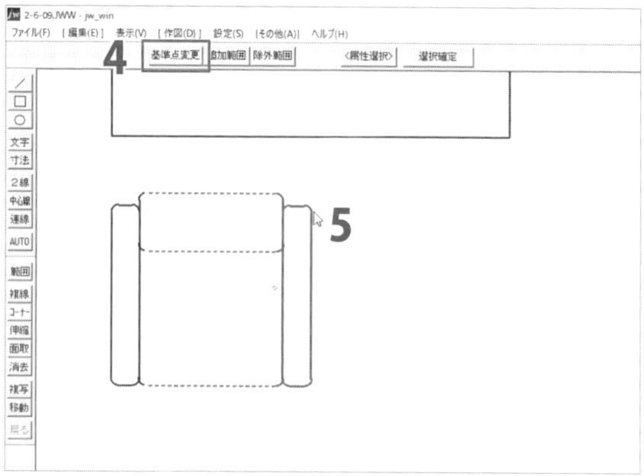

4 コントロールバー「基準点変更」ボタンを(左クリック)。

5 基準点を(左クリック)。

➡ **5**の点を基準点として、選択した要素がマウスポインタに変形表示される。

6 コントロールバー「XY方向」ボタンを確認(または変更)する。

7 移動先を(左クリック)。

➡ パラメトリック変形され、画面左上にその旨のメッセージが表示される。

8 コントロールバー「再選択」ボタンを(左クリック)し、選択を解除する。

> **POINT** **4**でコントロールバー「選択確定」ボタンを(左クリック)し、コントロールバー「数値位置」ボックスに「X(横)の距離, Y(縦)の距離」を指定することでもパラメトリック変形できる。

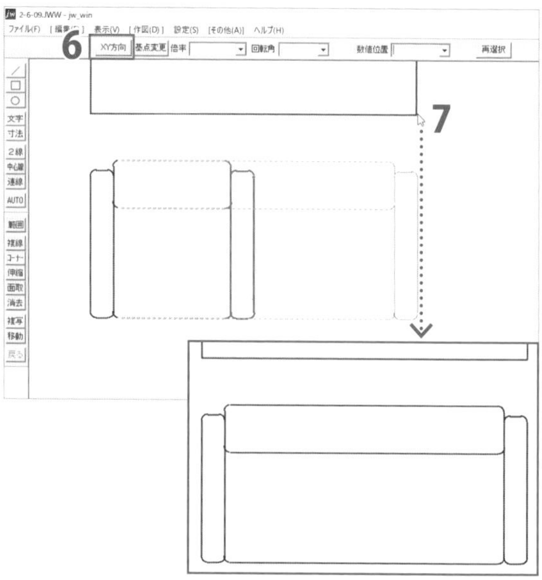

「パラメトリック変形」コマンド　変形対象確定後のコントロールバー

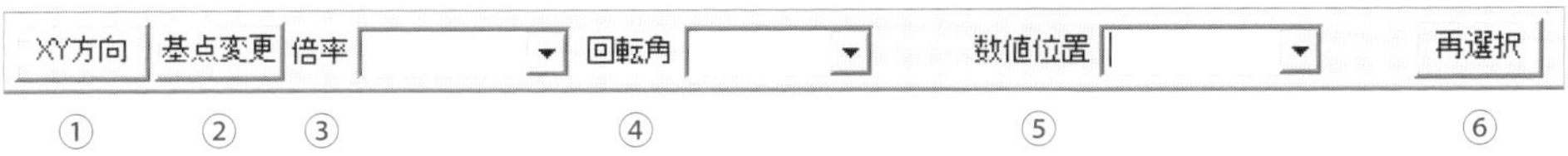

①「XY方向」ボタン

マウスで移動先を指示するときの伸縮方向を固定する。「XY方向」では、横または縦（移動距離の長いほう）に固定される。

㊀で「任意方向」（固定しない）⇒「X方向」（横方向固定）⇒「Y方向」（縦方向固定）に切り替わる（㊀では逆回り）。

[スペース]キーを押すか、㊀↑PM0～3時[方向変更]でも変更できる。

②「基点変更」ボタン

基準点を変更する。

③「倍率」入力ボックス

移動要素の変形倍率を「X（横），Y（縦）」で指定。

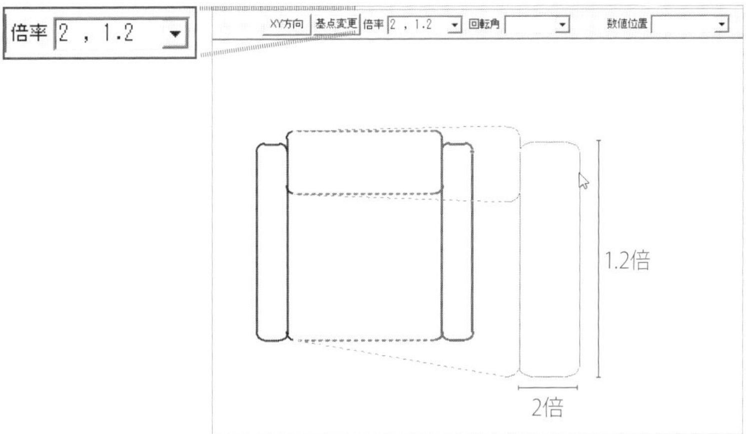

④「回転角」入力ボックス

移動要素の回転角度を指定。

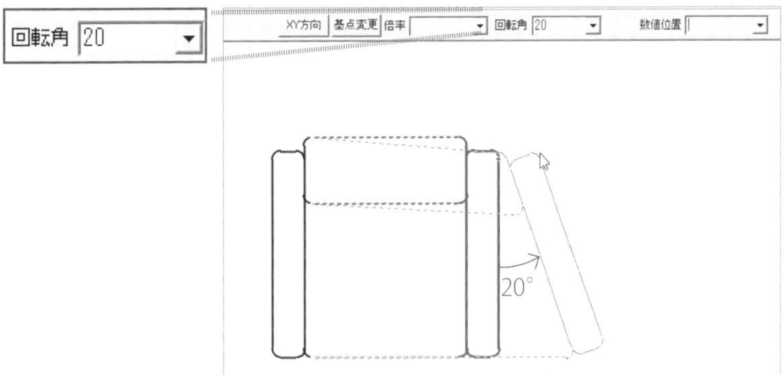

⑤「数値位置」入力ボックス

移動要素の移動距離を指定。

「X（横）の距離，Y（縦）の距離」を入力し、[Enter]キーを押して確定することで変形する。

左に移動するにはXを－（マイナス値）で、下に移動するにはYを－（マイナス値）で、それぞれ入力する。

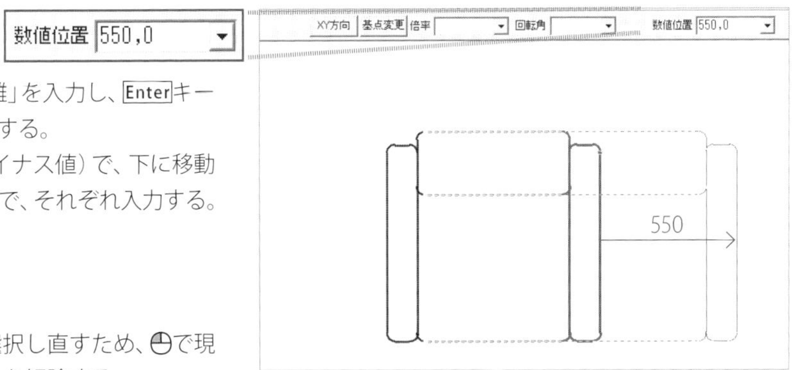

⑥「再選択」ボタン

パラメトリック変形対象を選択し直すため、㊀で現在のパラメトリック変形対象を解除する。

図形登録 図登

CD-ROM 2-6-10.jww

選択した要素を図形ファイルとして登録する

基本操作

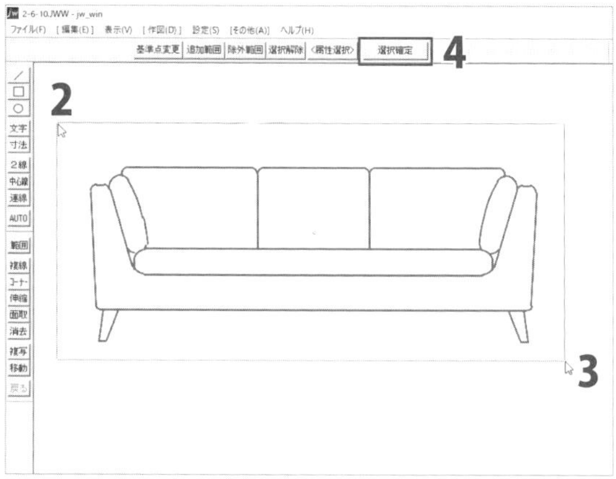

1 メニューバー [その他] ー「図形登録」(「図登」コマンド) を(L)。

2 図形登録範囲の始点を(L)。

3 表示される選択範囲枠で登録対象を囲み、終点を(L) (文字を含める場合は(R))。

➡ 選択範囲枠内の要素が登録対象として選択色になり、自動的に決められた基準点位置に赤の○が表示される。

参考 範囲選択共通操作 ▶ p.20

4 コントロールバー「選択確定」ボタンを(L)。

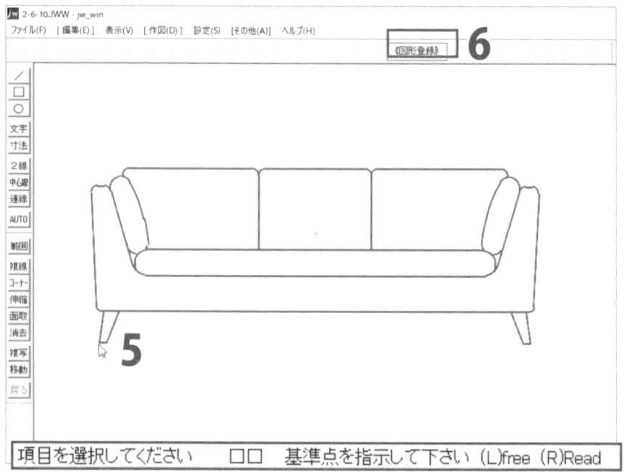

➡ 図形登録の対象が確定し、基準点指示を促す操作メッセージが表示される。自動的に決められた基準点で登録する場合は**6**へ進む。

5 登録図形の基準点を(L)。

➡ 基準点として(L)した位置に赤の○が表示される。

6 コントロールバー「《図形登録》」ボタンを(L)。

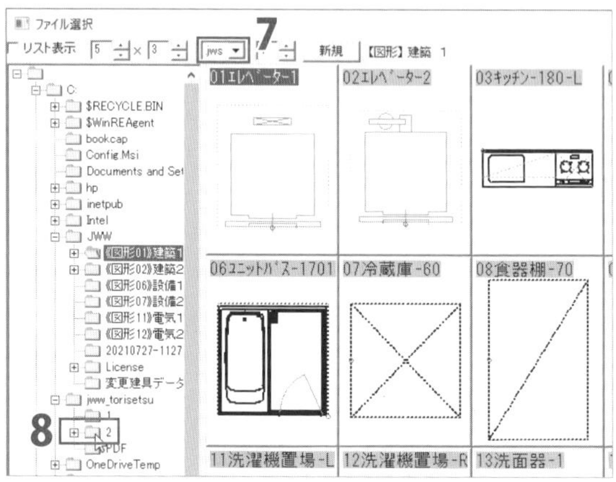

➡「ファイル選択」ダイアログが開く。

7 「ファイルの種類」ボックスが「.jws」になっていることを確認する。

> **POINT** 登録時の「ファイルの種類」ボックスの形式で図形登録される。DOS版JW_CADの図形ファイル形式JWKは、JWC形式での保存 (▶p.49) と同じで、DOS版JW_CADにない線色7、8やソリッドなどの要素は正しく登録されないので注意。

8 フォルダーツリーで、図形の登録先フォルダーを選択する。

9 「新規」ボタンを⊖。

> **POINT** 図形を上書き登録する場合は、**9**で上書き対象の図形を⊖⊖で選択し、表示される上書き確認のメッセージボックスの「OK」ボタンを⊖。

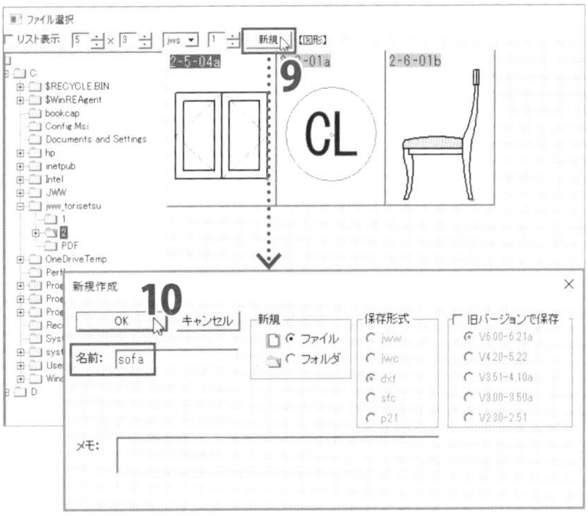

10 「新規作成」ダイアログの「名前」ボックスに図形名を入力し、「OK」ボタンを⊖。

➡ 図形登録が完了する。

できる フォルダー作成

図形フォルダーは、図形登録操作の途中（基本操作の**6**の操作後）、「ファイル選択」ダイアログで以下のように操作して作成できる。なお、図面を収録するフォルダーも、「名前を付けて保存」の途中（▶p.47の**3**の後）、「新規作成」ダイアログで同様にして作成できる。また、フォルダーはWindowsのエクスプローラーで作成してもよい。

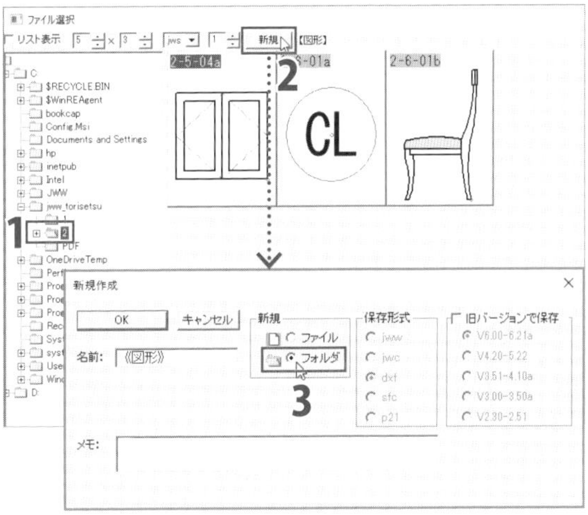

1 「ファイル選択」ダイアログのフォルダーツリーで新しいフォルダーを作成する場所を⊖で選択する。

2 「新規」ボタンを⊖。

3 「新規作成」ダイアログで、「新規」欄の「フォルダ」を⊖で選択する。

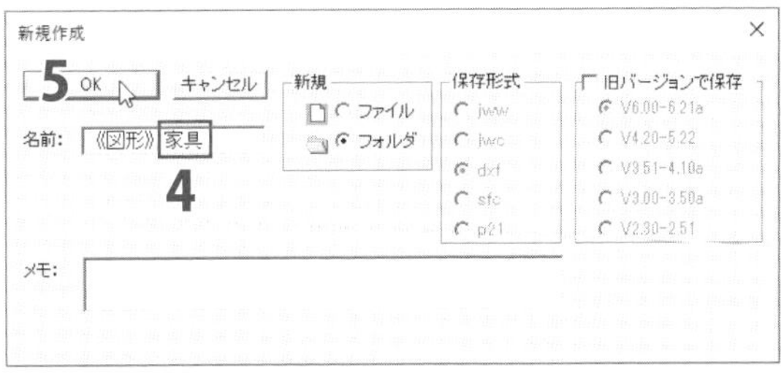

4 「名前」ボックスに表示された「《図形》」の後を⊖し、フォルダー名を入力する。

> **POINT** 日本語で入力するには、半角／全角キーを押して日本語入力を有効にする。図形フォルダー名の先頭に、必ずしも《図形》を付ける必要はない。また、「名前を付けて保存」（▶p.47）の「新規作成」ダイアログで**3**の操作を行った場合は、「名前」ボックスに「《図形》」は表示されない。

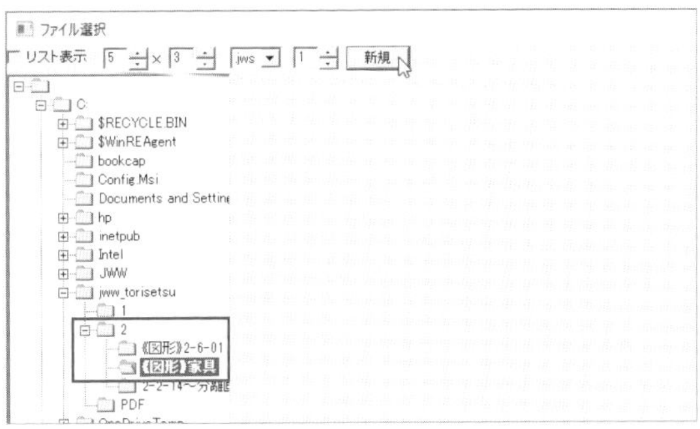

5 「OK」ボタンを⊖。

➡ **1**で選択したフォルダー下に新しく図形フォルダーが作成され、フォルダーが開いた状態となる。続けて、基本操作の**9**～**10**を行うことで、図形を新しく作成したフォルダーに登録する。

寸法図形化 寸化

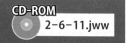

CD-ROM 2-6-11.jww

図面に記入されている寸法線と寸法値を1セットの寸法図形にする

基本操作　個別に寸法図形化

1　メニューバー［その他］－「寸法図形化」（「寸化」コマンド）を⊖。

2　「寸法図形にする［寸法線］を指示してください」という操作メッセージに従い、寸法線を⊖。

➡ ⊖した寸法線が選択色になり、寸法値指示を促す操作メッセージが表示される。

3　1セットにする寸法値を⊖。

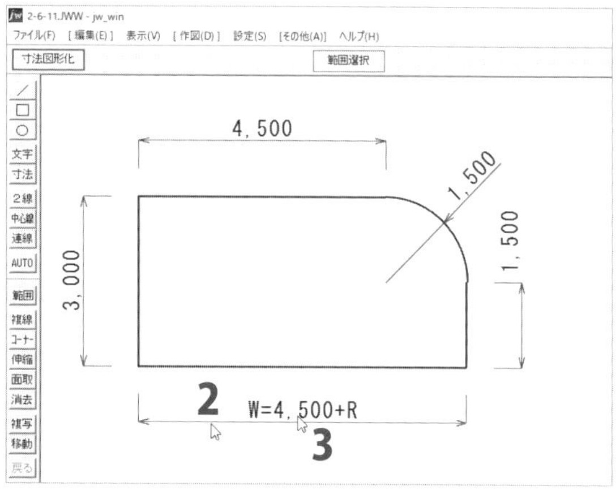

➡ **3**の寸法値と**2**の寸法線の実寸法が同じ場合は、画面左上に寸法図形化と表示され、**3**の寸法値と**2**の寸法線が寸法図形になる。寸法値が**2**の線の実寸法と異なる場合は右図のダイアログが開く。

4　「はい」ボタンを⊖。

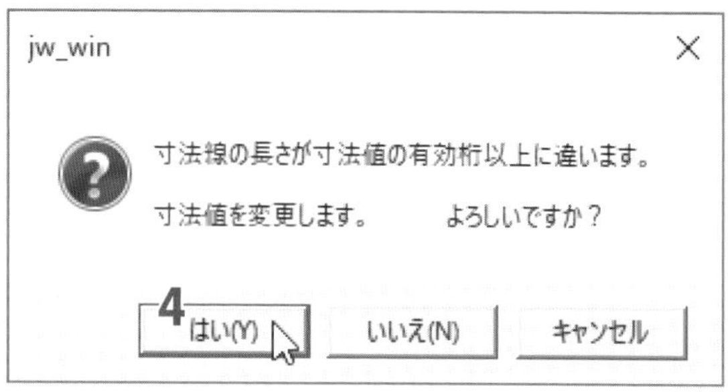

➡ 画面左上に寸法図形化と表示され、**2**の寸法線と**3**の寸法値が寸法図形化される。**3**の寸法値は、**2**の実寸法に変更される。

> **POINT**　寸法値の横方向のずれがセットにする寸法線の中央から1/6以下の距離の場合は、寸法図形化することで、寸法値もその中央に移動する。それ以上の距離の場合は移動しない。

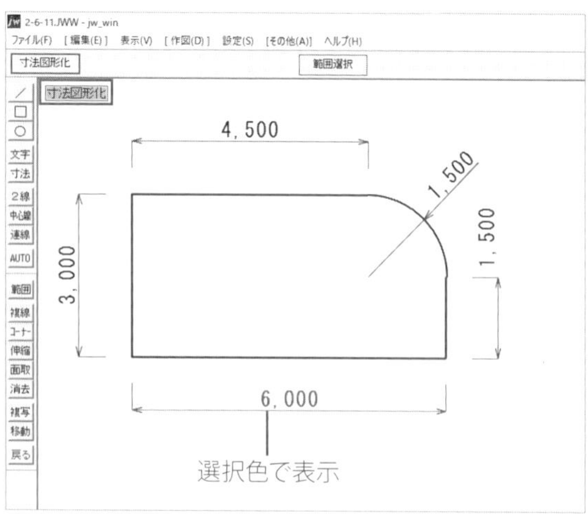

「寸法図形化」コマンドのコントロールバー

① 「寸法図形化」ボタン
「寸法図形化」⇔「寸法図形解除」(▶p.282)を切り替える。

② 「範囲選択」ボタン
複数の要素を範囲選択し、一括して寸法図形化する。

1 「寸法図形化」コマンドのコントロールバー「範囲選択」ボタンを㊀。

2 寸法図形化対象を範囲選択するための始点を㊀。

3 表示される選択範囲枠で対象を囲み、終点を㊀(文字を含む)。

参考 範囲選択共通操作▶p.20

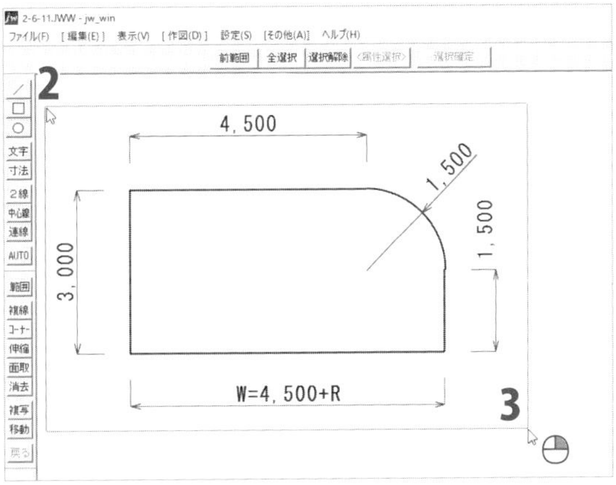

➡ 選択範囲枠に全体が入る要素が選択色になる。このとき、寸法線と寸法値以外の要素が選択されていても問題ない。

4 コントロールバー「選択確定」ボタンを㊀。

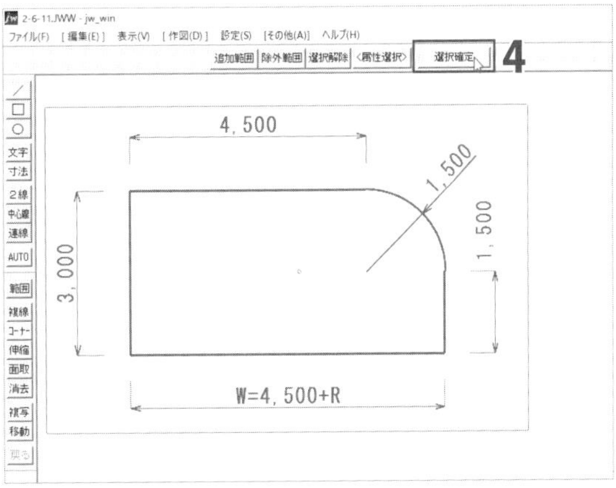

➡ 画面左上に、寸法図形化 [3]と寸法図形化された数が表示され、寸法図形化された寸法線と寸法値が選択色で表示される。

> **POINT** 寸法線と寸法値の位置が一定距離以上離れている場合や、寸法線の長さと寸法値の値が異なる場合には、寸法図形化されない。寸法図形化されない要素は、個別に寸法図形化する(▶前ページ)。

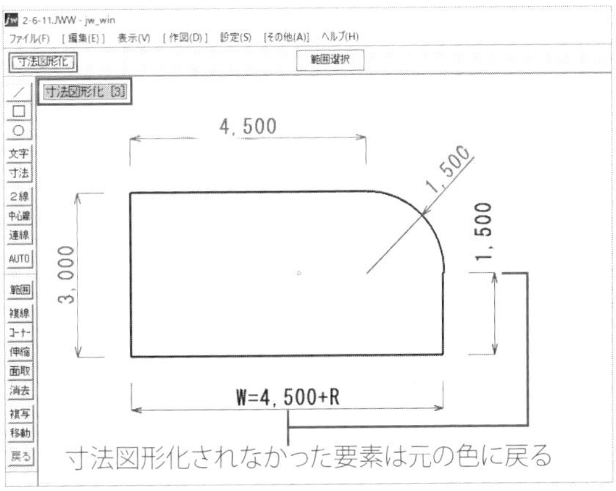

寸法図形解除 寸解

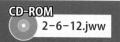

CD-ROM 2-6-12.jww

寸法図形を解除する

基本操作

1 メニューバー[その他]–「寸法図形解除」(「寸解」コマンド)を⊖。

2 解除対象の寸法線(または寸法値)を⊖。

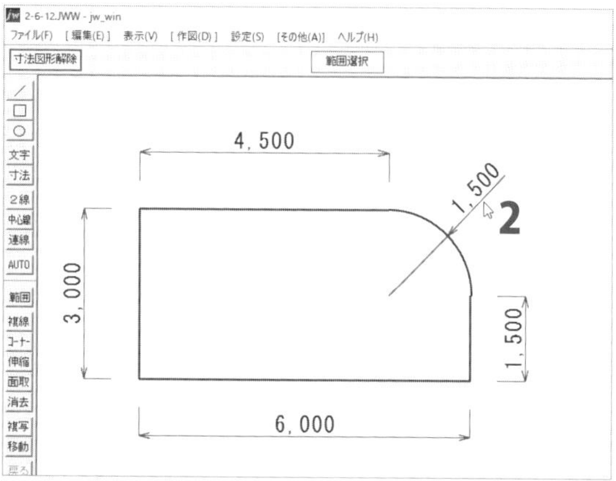

➡ 画面左上に寸法図形解除と表示され、寸法図形が解除され、線要素(寸法線)と文字要素(寸法値)に分解される。

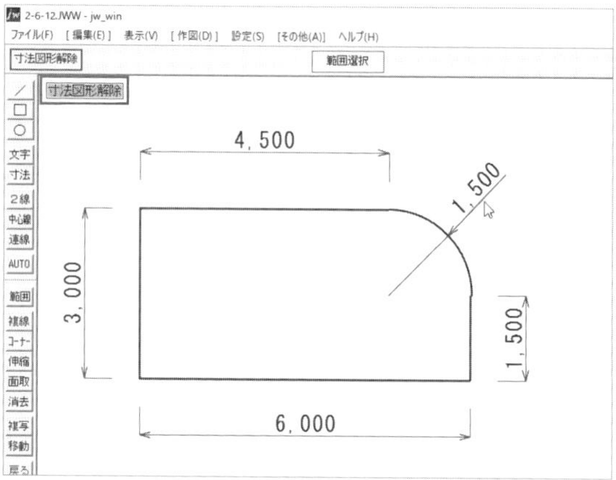

POINT 寸法線と寸法値が1セットになった寸法図形(▶p.18)の寸法線(または寸法値)だけを消去することや「属性変形」コマンド(▶p.120)での書込線色・線種への変更はできない。また、寸法値を文字要素として扱うこともできない。それらを行うには、寸法図形を解除し、線要素(寸法線)と文字要素(寸法値)に分解する。

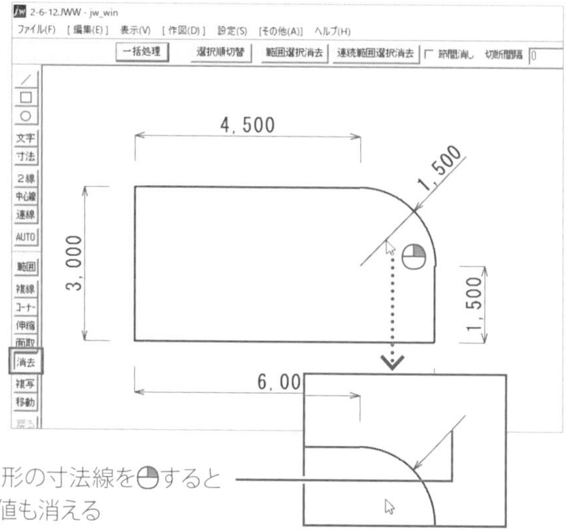

「消去」コマンドで寸法図形の寸法線を⊖すると1セットになっている寸法値も消える

「寸法図形解除」コマンドのコントロールバー

①　②

① 「寸法図形解除」ボタン
「寸法図形解除」⇔「寸法図形化」(▶p.280) を切り替える。

② 「範囲選択」ボタン
複数の要素を範囲選択し、一括して寸法図形を解除する。

1 「寸法図形解除」コマンドのコントロールバー「範囲選択」ボタンを㊀。

2 寸法図形解除対象を範囲選択するための始点を㊀。

3 表示される選択範囲枠で対象を囲み、終点を㊀。

参考 範囲選択共通操作▶p.20

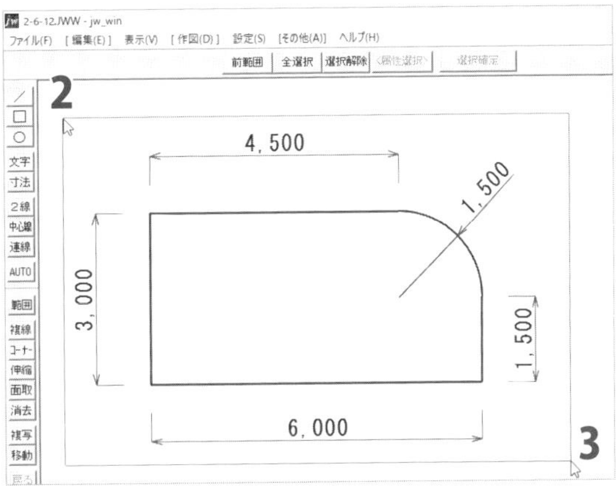

➡ 選択範囲枠に全体が入る文字以外の要素が選択色になる。寸法図形以外の要素も選択されているが、問題ない。

4 コントロールバー「選択確定」ボタンを㊀。

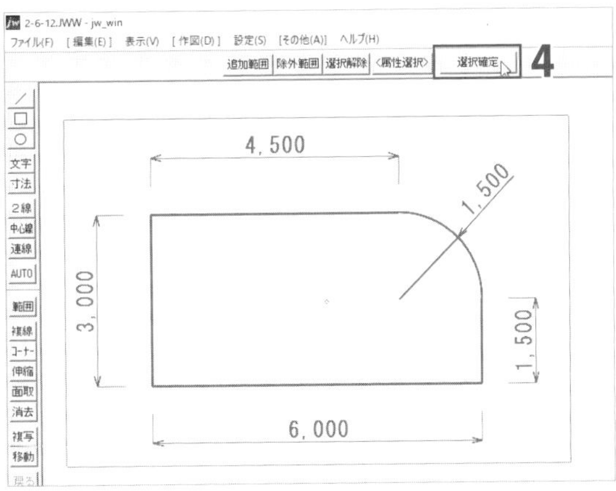

➡ 選択した寸法図形が解除されて、画面左上には 寸法図形解除 [5] と、解除した寸法図形の数が表示される。

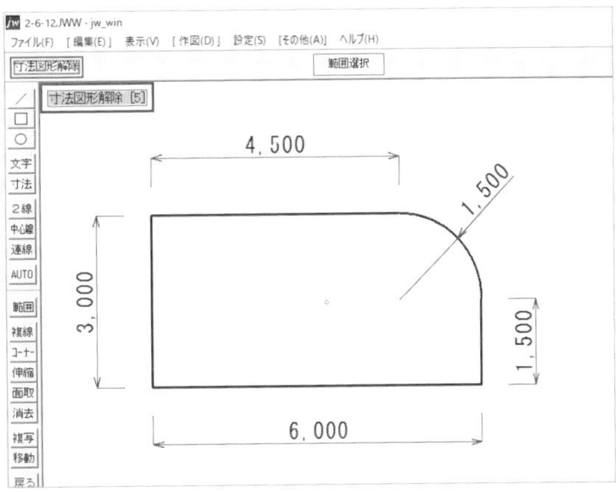

登録選択図形 選図

CD-ROM 2-6-13.jww

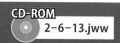

「範囲」コマンドの「選択図形登録」で登録した要素を編集中の図面に配置する

基本操作

1 「範囲」コマンドで、登録対象を選択する。

2 基準点を指定してコントロールバー「選択図形登録」ボタンを㊀(▶p.82)。

➡ 選択した要素が選択図形として登録され、画面左上に《図形登録》と表示される。

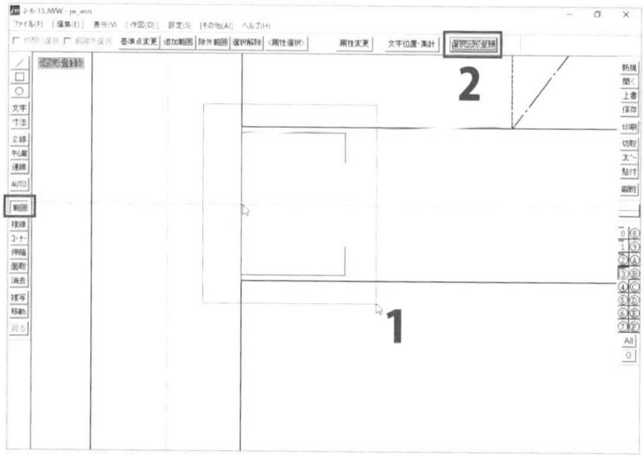

3 メニューバー[その他]−「登録選択図形」(「選図」コマンド)を㊀。

POINT 2を行っていない場合、「登録選択図形」はグレーアウトされて選択できない。

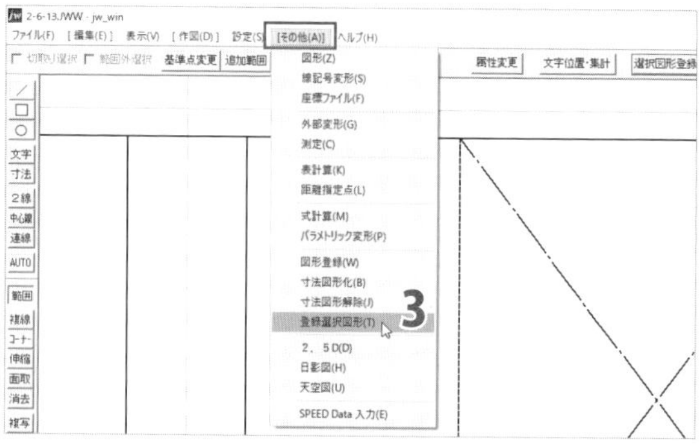

➡ 2の登録選択図形がマウスポインタに仮表示される。

4 必要に応じて回転角などを変更し、図形の作図位置を㊀(または㊀)。

➡ 4の位置に作図される。マウスポインタには登録選択図形が仮表示され、位置を指示することで、続けて作図できる。

POINT 2の登録選択図形は、他の図形を登録するか、Jw_cadを終了するまで有効である。その間、メニューバー[その他]−「登録選択図形」を選択することで、何度でも登録選択図形を作図できる。

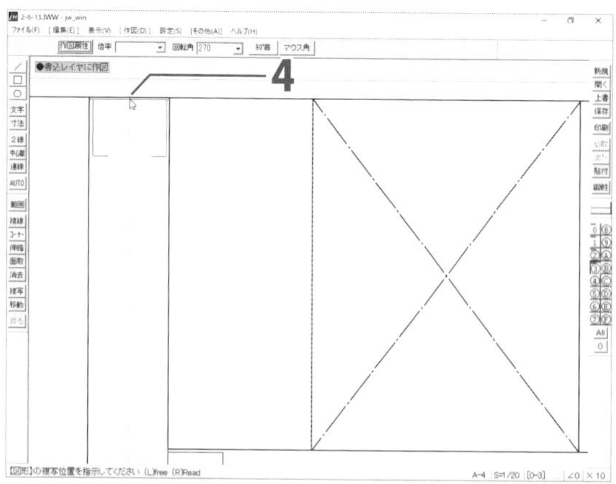

「登録選択図形」コマンドのコントロールバー

「貼付」コマンドのコントロールバーと同じ(▶p.77)。

2.5D 2.5D

CD-ROM 2-6-14.jww／2-6-14a.jww／2-6-14b.jww

ワイヤフレームの透視図、鳥瞰図、アイソメ図を作成する

「2.5D」コマンドで立体図を作成する方法

✣ 高さ定義(▶p.286)で立体図を作成

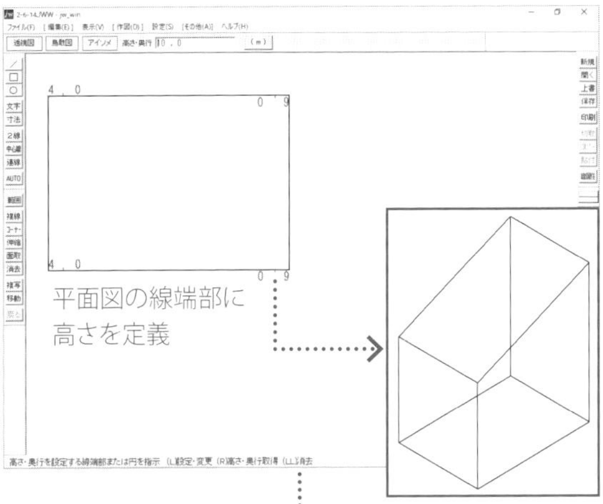

✣ 起こし絵(▶p.292)を指定して立体図を作成

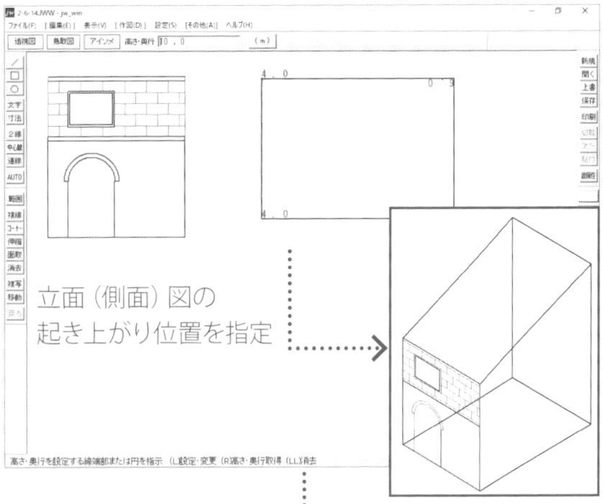

✣「2.5D」コマンドで立体図の作成方法を選択

透視図

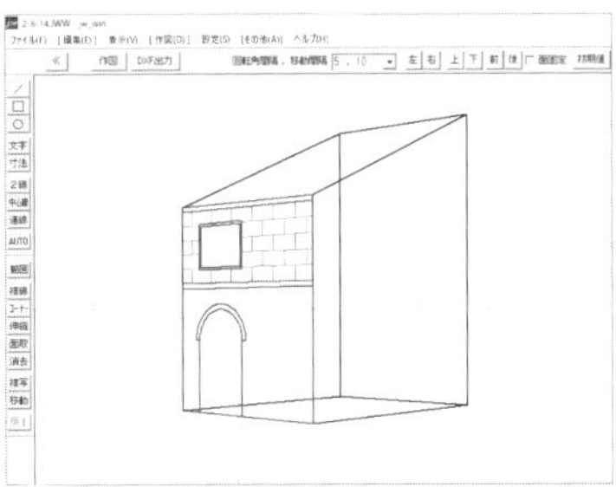

鳥敢図

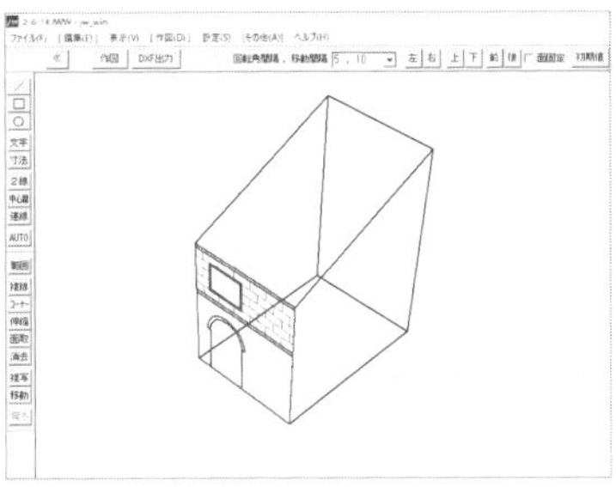

アイソメ

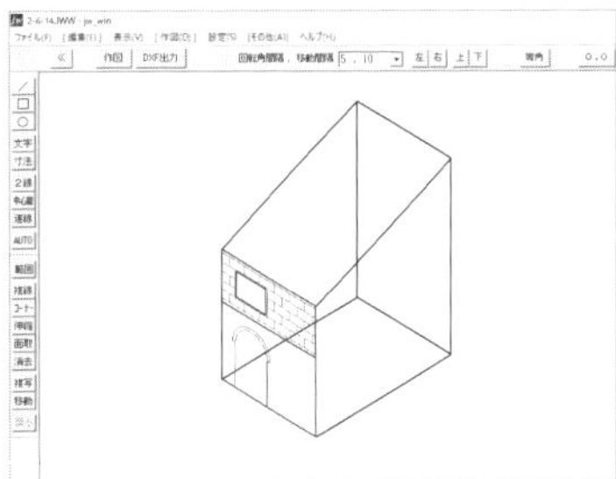

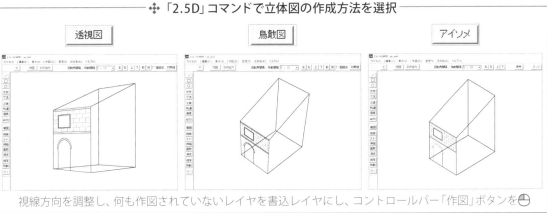

視線方向を調整し、何も作図されていないレイヤを書込レイヤにし、コントロールバー「作図」ボタンを◯

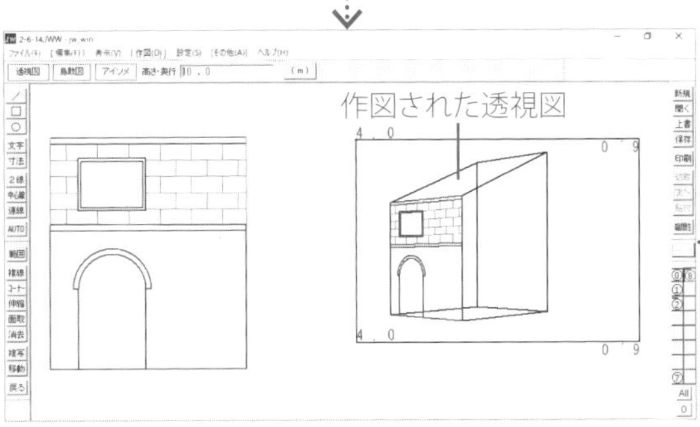

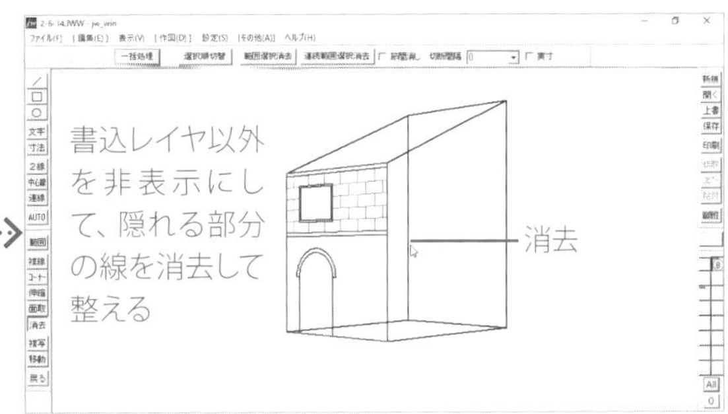

書込レイヤ以外
を非表示にし
て、隠れる部分
の線を消去して
整える
消去

基本操作　高さ定義と確認

1　高さ定義対象の要素が作図されているレイヤを書込レイヤにする（属性取得▶p.230）。

2　メニューバー［その他］－「2.5D」（「2.5D」コマンド）を⊖。

3　コントロールバーの単位「（m）」を確認し、「高さ・奥行」ボックスに「上面の高さ，底面の高さ」を入力する。

> **POINT**　「高さ・奥行」ボックスに入力した「上面の高さ，底面の高さ」の差が立体の厚みになる。コントロールバー「（m）」ボタンを⊖して「［mm］」にすることで、mm単位の指定になる。

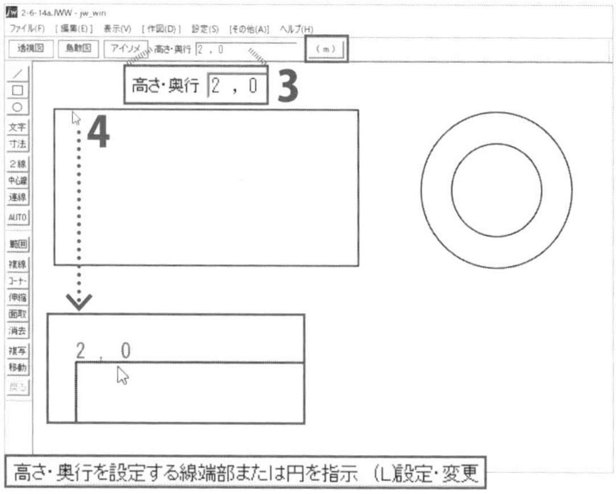

4　高さ定義する左上の角付近で上辺を⊖。

➡ **4**の端点に「2,0」と高さ定義され、上辺に「2,0」の文字が記入される。

> **POINT**　線の端点に高さが定義され、⊖した線上に「2,0」と記入される。同じ端点を共有している上辺、左辺どちらの辺上に記入されても結果に影響はない。高さ定義の文字は、基本設定の「文字」タブの「日影用高さ・ 真北、2.5D用高さ…」（▶p.215の**8**）で指定した文字種と同じサイズで記入される。

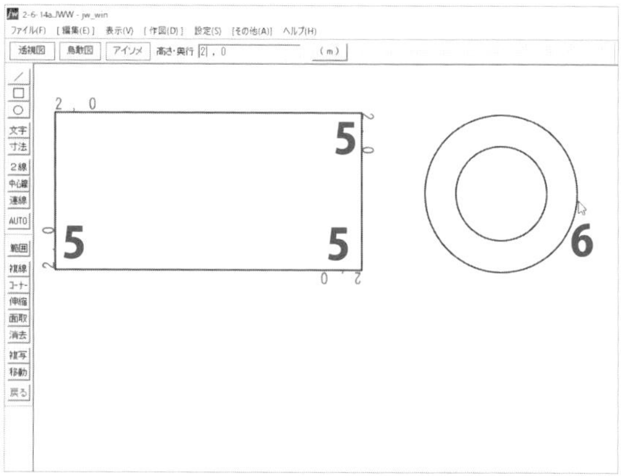

5　同様に、矩形の残り3つの角付近で辺を⊖。

6　円を⊖。

➡ **6**の円の中心に定義文字「2,0」が記入される。

> **POINT**　コントロールバー「アイソメ」ボタンを⊖すると、アイソメで立体の形状を確認できる。すでに定義した高さを変更するには、コントロールバー「高さ・奥行」ボックスに変更後の高さを入力し、高さ定義済みの線端部や円・弧を⊖する。また、高さ定義済みの線端部や円・弧を⊖することで、コントロールバー「高さ・奥行」ボックスに⊖した高さを取得できる。定義済みの高さを消去するには、高さ定義済みの線端部や円・弧を⊖⊖する（「消去」コマンドで高さ定義の文字を消去してもよい）。

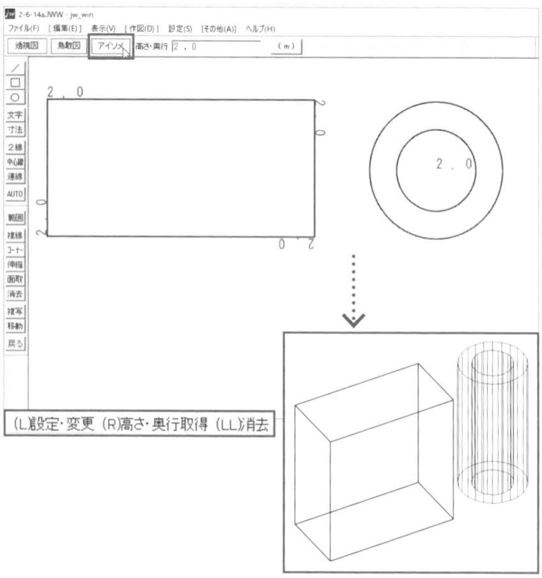

高さ定義の基本規則

高さ定義は、定義対象要素が作図されているレイヤを書込レイヤにして行う。

✣ 平面図上の線の端点（座標点）や円・弧にm（またはmm）単位で「基準面の高さ, 追加面の高さ」を定義する

4本の線で構成されている矩形には、高さ定義を必要とする4つの座標点がある。この座標点を端点とする線を⊖することで高さを定義する。

定義した「基準面の高さ」と「追加面の高さ」の差が矩形の厚みになる。1つの数値だけを定義した場合、厚みのない矩形が指定高さに浮いて表示される。

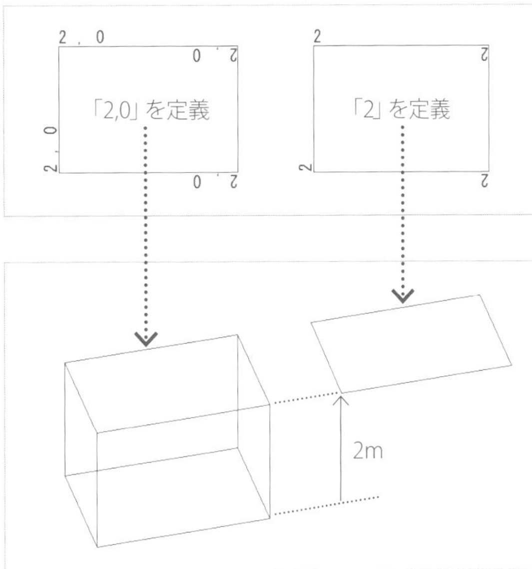

✣ 1つの座標点に対して定義できる高さは1つ

右図の形状では、平面上の点aに対し、**1**と**2**の2つの高さを定義する必要がある。
1つの座標点に定義できる高さは1つであるため、この場合、平面図を高さ別の2つのブロックに分け、それらを異なるレイヤに作図する。

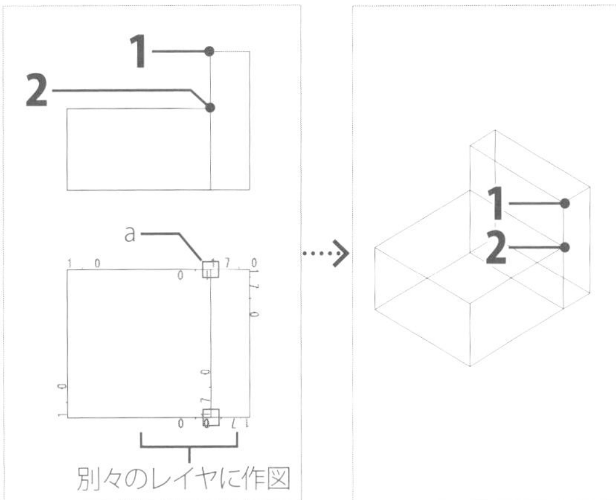

✣ 円・弧は、その中心点に高さが定義される

「基準面の高さ, 追加面の高さ」を円・弧に定義すると、その中心点に高さが定義される。同一レイヤの同心円は、その1つに高さ定義することで、すべて同じ高さになる。
1つの中心点に対して定義できる高さは1つであるため、右図の形状を作るには、それぞれの円を異なるレイヤに作図する。
立体表示時、円周を角度15°で分割した立ち上がり線分で表現される。15°以外の角度を分割角度にするには、「高さ・奥行」ボックスに「基準面の高さ, 追加面の高さ ,分割角度」を入力して高さ定義する。

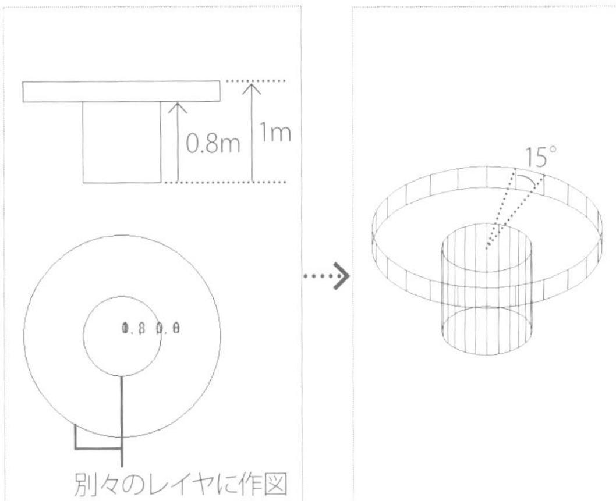

2 メニューバーのコマンド

できる 高さ定義の応用機能

円・弧の高さ定義で指定できる項目

円・弧の高さ定義では、「基準面の高さ, 追加面の高さ, 分割角度」に続けて、追加面の中心ずれ、追加面の円長径／短径、螺旋回転角などを指定することで、傾いた円柱や円錐台、螺旋などを立体表現できる。

0, 1,20,0,0,3,3,720,−1,0.1,5

①　②　③　④（0,0）　⑤（3,3）　⑥　⑦　⑧　⑨

① **基準円の高さ**

② **追加円の高さ**

③ **分割角度**
立体表示で円柱の側面は、その円周を分割角度で分割した立ち上がり線分で表現される。その分割角度を指定する。分割角度を −（マイナス）値にすると、側面の立ち上がり線分のみを表示する。

④ **追加円の基準円からの中心ずれ位置**
X，Y座標で指定する。

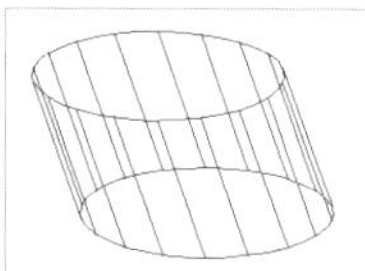

⑤ **追加円の長径, 短径**
基準円と異なる半径を指定すると円錐台になる。

⑥ **螺旋の回転角**
＋（プラス）値は基準円から追加円までの左回りの螺旋である。入力できる角度は、1〜18000°または −18000〜−1°。

⑦ **螺旋の幅**
＋値は外側、−値は内側に、指定の幅を作成する。

⑧ **幅のある螺旋の内外の高さの差**

⑨ **幅のある螺旋の内外の角度の差**

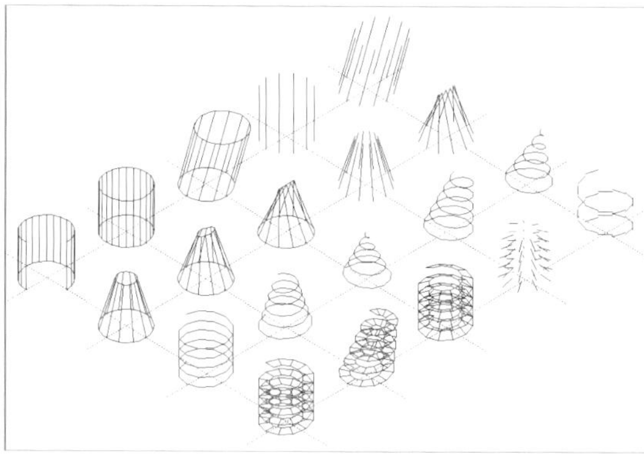

「JWW」フォルダーのサンプル図面「Test6．jww」のFレイヤグループ「円データ例」には、円・弧の高さ定義の事例が作図されている。

球の定義

コントロールバー「高さ・奥行」ボックスに、**「球中心の高さ, 球の軸の角度, 分割角g」**（黒字を省略して「球中心の高さg」でもよい）を入力し、円・楕円を⊕することで、球になる。

> **POINT**　Gキーにコマンドが割り当てられていると「高さ・奥行」ボックスに「g」を入力できない。基本設定の「KEY」タブ（▶p.218）の［G：］ボックスを「0」（割り当てなし）に設定すること。
>
> 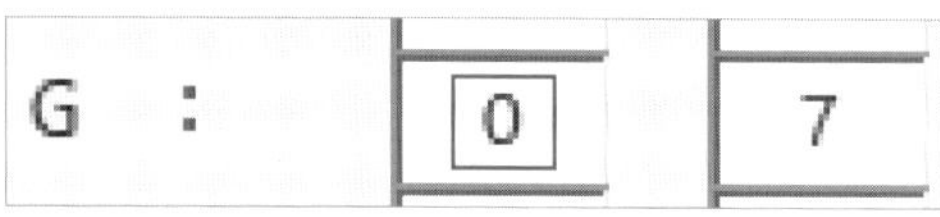
>

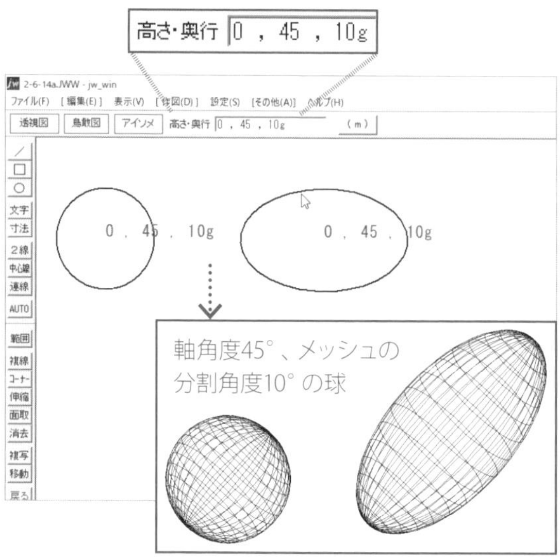

✣ 円筒の定義

コントロールバー「高さ・奥行」ボックスに「**端部中心高さ, 横半径, 縦半径, 円表示分割角, 断面の傾きT**（**または t**）」（以上、黒字は省略できる）を入力し、線の両端部を⊕することで、円筒になる。

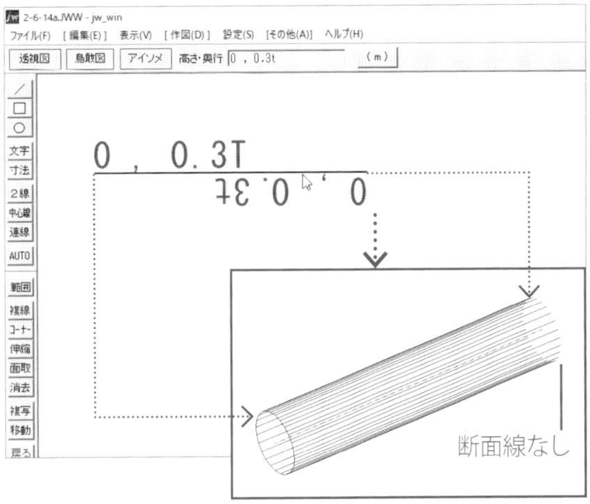

0, 0.3, 0.3, 20, 15T

①　②　③　④　⑤⑥

① 端部中心点高さ
② 円筒の横半径
③ **円筒の縦半径**
　省略すると②と同じになる。②と違う数値を入力すると楕円筒になる。
④ **円表示分割角**
　省略すると15°になる。
⑤ **断面の傾き**
　省略すると0°になる。
⑥ **端部断面線の有無**
　Tは端部断面線ありの円筒、tは端部断面線なしの円筒になる。

✣ 角筒の定義

コントロールバー「高さ・奥行」ボックスに「**端部中心高さ, 横幅, 縦幅, 傾きD**（**または d**）」（以上、黒字は省略できる）を入力し、線の両端部を⊕することで、角筒になる。

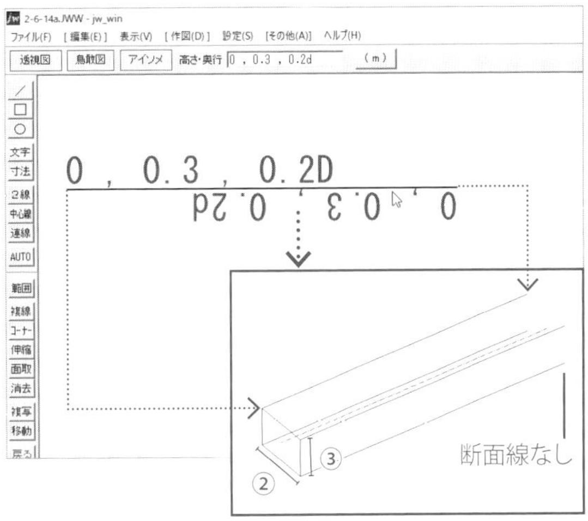

0, 0.3, 0.2, 30D

①　②　③　④⑤

① 端部中心点高さ
② 角筒の横寸法
③ **角筒の縦寸法**
　省略すると②と同じになる。
④ **断面の傾き**
　省略すると0°になる。線の両端点に同じ傾きを指定するとねじれた筒になる。
⑤ Dは端部断面線ありの角筒、dは端部断面線なしの角筒になる。

POINT　Tキーや Dキーにコマンドが割り当てられていると、「高さ・奥行」ボックスに「T」や「D」を入力できない。基本設定の「KEY」タブ（▶p.218）の［T：］［D：］の2つのボックスを「0」（割り当てなし）に設定すること。

D :	0	0	P :	29	0
E :	4	155	Q :	25	17
F :	11	6	R :	14	18
G :	0	7	S :	7	19
H :	2	0	T :	0	0
I : *	9	9	U : *	37	104

2 メニューバーのコマンド

✣ レイヤごとに一括して高さ定義

レイヤ名で高さを定義することで、そのレイヤに作図されている要素に一括で同じ高さを定義できる。
同じ高さを定義する要素を1つのレイヤに作図し、そのレイヤ名に「**#lh 高さ**」を設定する。

参考 レイヤ名設定▶p.35

入力する文字はすべて半角にする。l（エル）とhは半角の小文字で入力する。レイヤ名として、「#lh」に続けて高さを（「2.5D」コマンドで設定の単位で）入力することで、そのレイヤのすべての端点に同じ高さ（「入力した高さ, 0」）を定義したことになる。

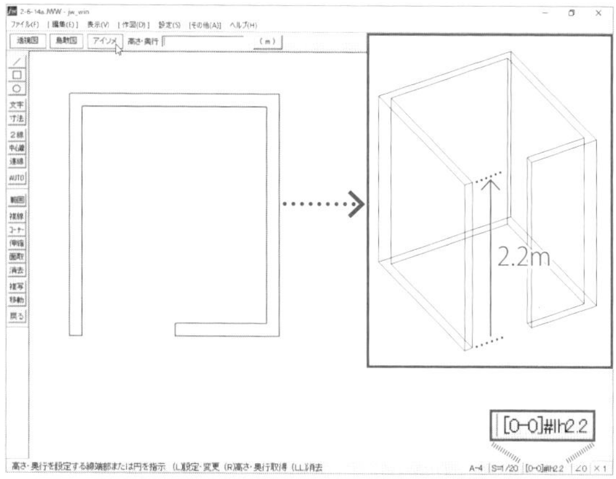

✣ レイヤ・レイヤグループごとに基準高を定義

レイヤ名またはレイヤグループ名で、そのレイヤまたはレイヤグループの基準高を設定できる。基準高を設定したレイヤの要素は、立体表示では、すべて基準高に表示され、個々の高さ定義は基準高からの高さになる。
基準高を定義するレイヤ（またはレイヤグループ）名に「**#lv 基準の高さ**」を設定する。

参考 レイヤ名設定▶p.35

入力する文字はすべて半角にする。l（エル）とvは半角の小文字で入力する。レイヤ名として、「#lv」に続けて高さを（「2.5D」コマンドで設定の単位で）入力することで、その高さがレイヤ（レイヤグループ）自体の基準高になり、立体表示では、そのレイヤの要素が基準高に浮いたように表示される。

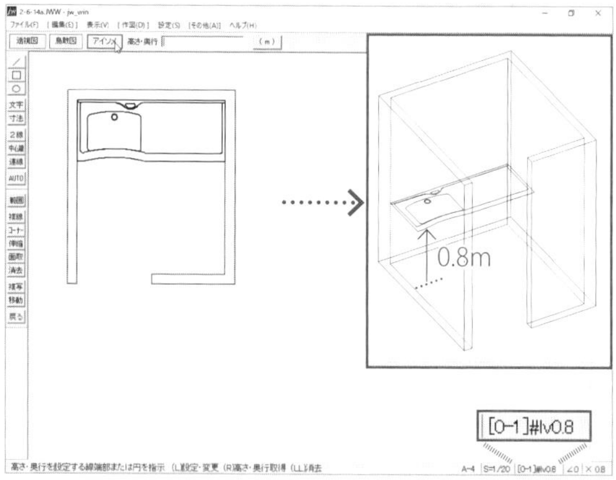

> **POINT**　基準高0.8mを定義したレイヤの線端部、弧に高さ「0,−0.8」を定義することで、右図のように立体表示される。

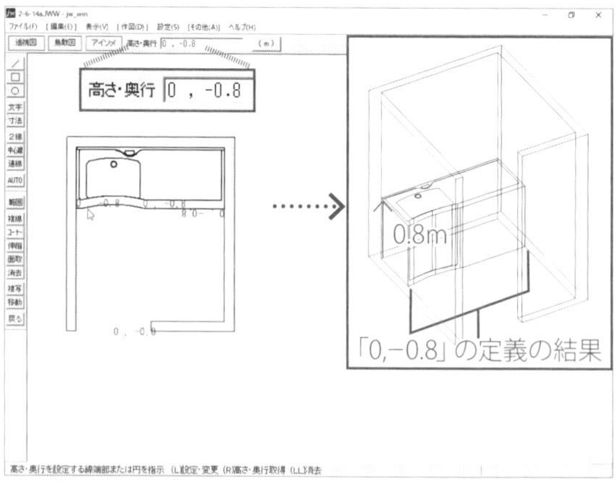

できる ソリッドの立体表示

内部を塗りつぶした線・円・弧や線形・円周ソリッドに高さを定義することで、下図のようにも立体表示される。

面ソリッド：四角形、円の内部を塗りつぶし

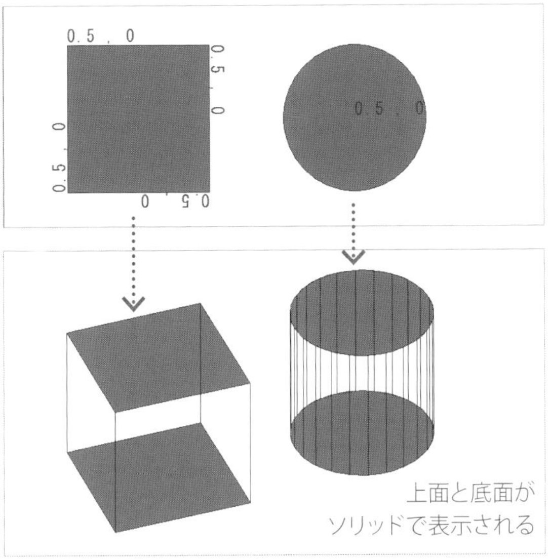

線形・円周ソリッド：外形線、円をソリッド化

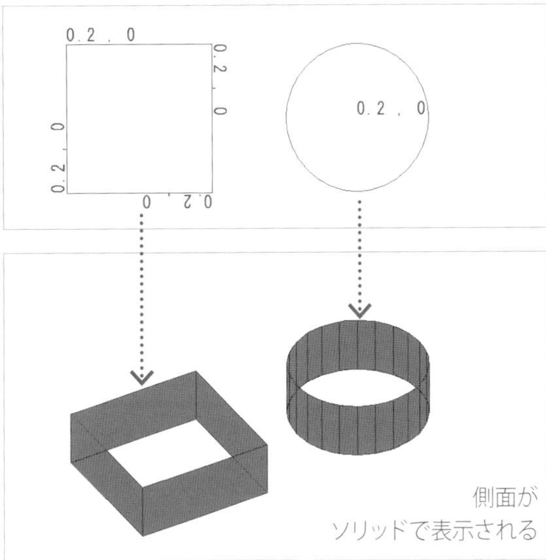

高さ定義したソリッドを起こし絵にした（▶次ページ）場合、面ソリッドは、その基準面（最初に入力した高さの面）のみをソリッドで表示する。線形・円周ソリッドは側面をソリッドで表示する（右図）。

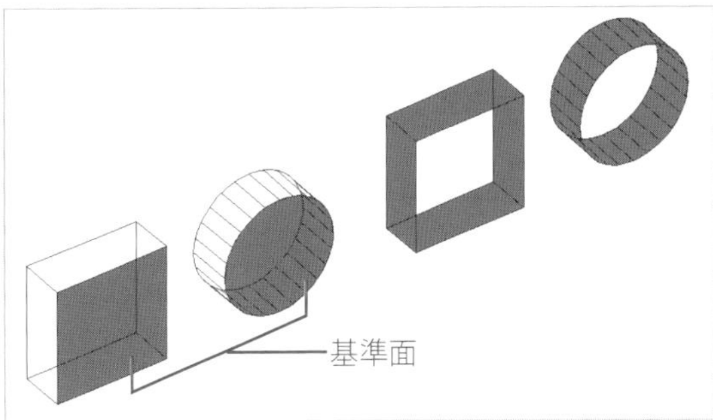

✣ ソリッドに関わる特別な高さ定義

「底（基準）面，上面高 h」

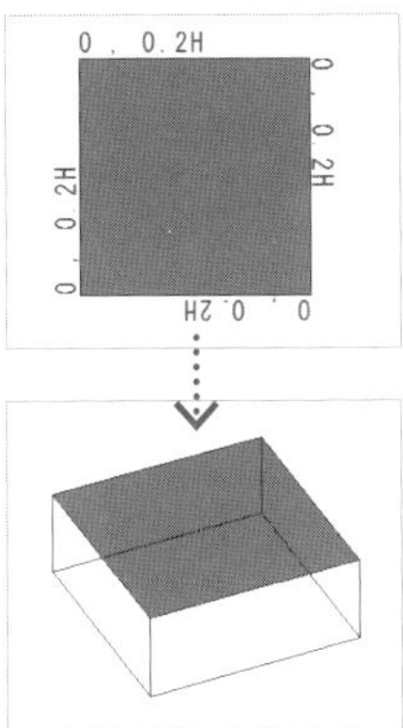

上面のみ
ソリッド表示

「底（基準）面高，上面高 v」

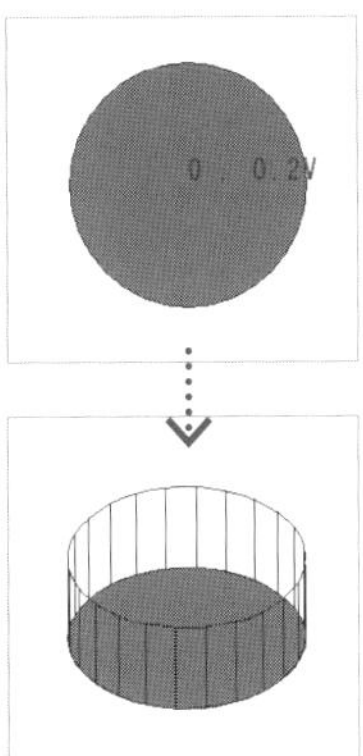

底（基準）面のみ
ソリッド表示

「底（基準）面高，底面高，－分割角度」

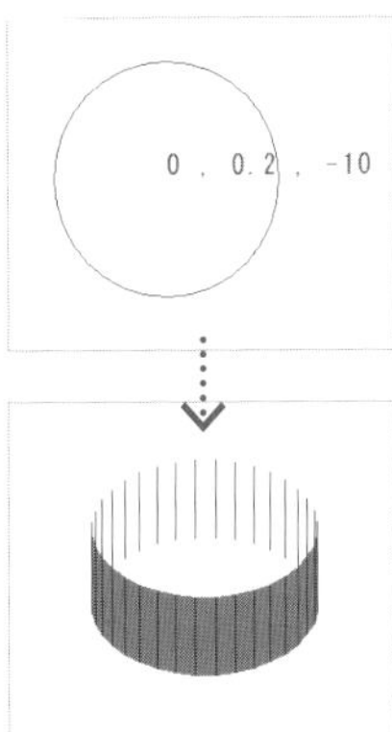

手前の側面のみ
ソリッド表示

POINT Hキーや Vキーにコマンドが割り当てられていると、「高さ・奥行」ボックスに「h」や「v」を入力できない。基本設定の「KEY」タブ（▶p.218）の［H：］［V：］の2つのボックスを「0」（割り当てなし）に設定すること。

2 メニューバーのコマンド

起こし絵の基本規則

1レイヤ1立面図(または展開図)になるように作図し、立面図と同じレイヤに起こし絵指定の線や実点を作図する。

立面図の起き上がり位置の指定

立面図と同じレイヤに、「／」コマンドで、立面図を起こす位置を示す「線色5・補助線種」の線を作図する。
立面図のレイヤのもっとも左下の点を基準点として、補助線の左下の端点に合わせて立面図が起きる。

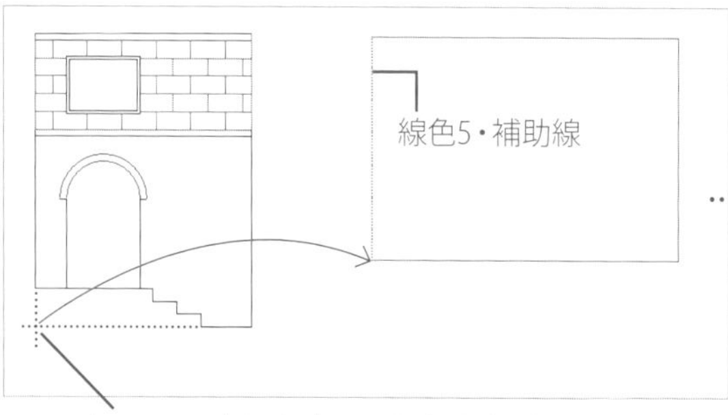

この立面では、左辺と底辺の仮想交点が基準点になる

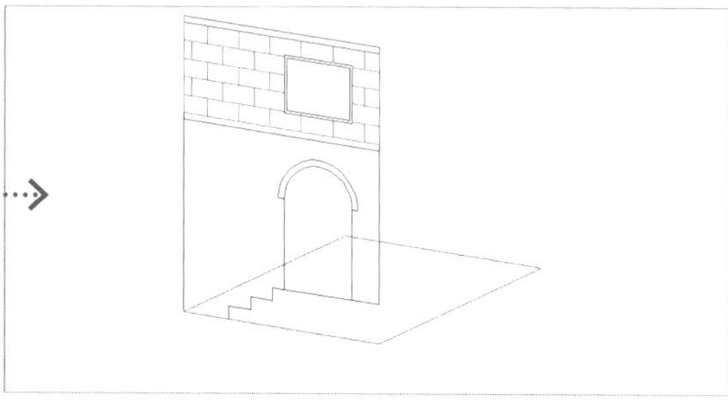

立面の基準点を補助線の左下の端点に合わせて起きる
この例では、立面の左右が逆になった状態で起きる

立面図の基準点を合わせる平面図上の点を指定

通常は、起き上がり位置を示した補助線の左下端点に立面図の基準点を合わせて起き上がる。ただし、「線色5」の実点を作図すると、その位置に立面図の基準点を合わせて起き上がる。

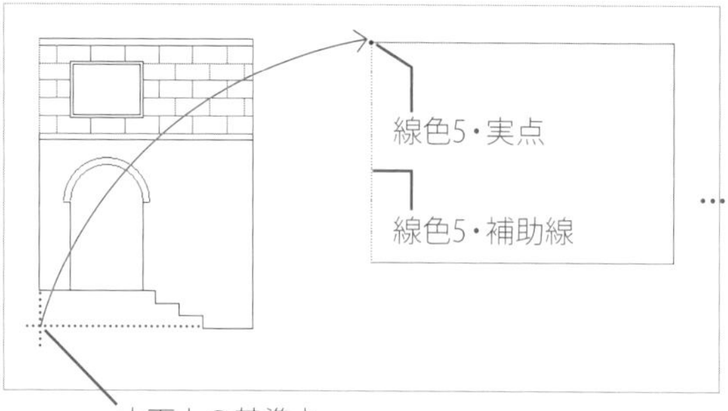

立面上の基準点

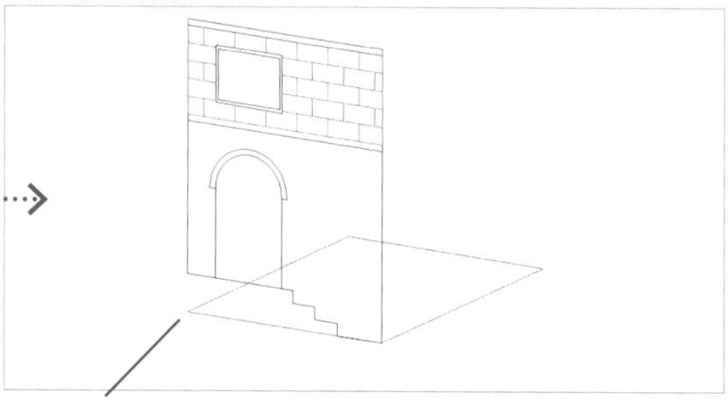

立面の基準点を、線色5・実点に合わせて起きる

立面図の基準点の指定

通常は、そのレイヤのもっとも左下に作図されている要素の点(この例では左辺と底辺の仮想交点)が立面図の基準点となる。ただし、「線色6」の実点を作図すると、その位置が立面図の基準点になる。

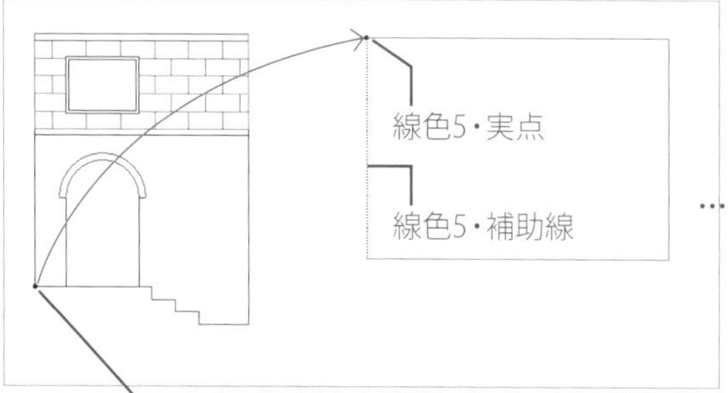

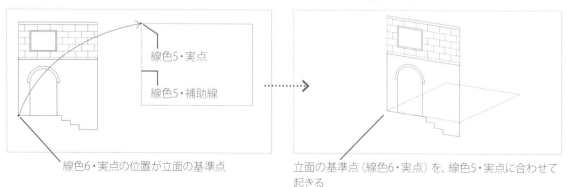

線色6・実点の位置が立面の基準点

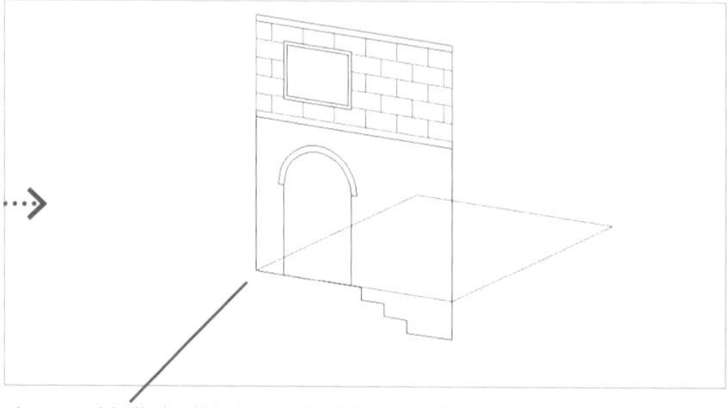

立面の基準点(線色6・実点)を、線色5・実点に合わせて起きる

立面図上の要素の奥行き定義

高さ定義 (▶p.286) と同様の操作で、立面図の要素に奥行きを定義する。
起こす面 (展開図・立面図) への奥行き定義は、起き上がり位置 (壁面) を0とし、手前を＋ (プラス) 数値、奥を－ (マイナス) 数値で指定する。レイヤ名での一括高さ定義 (▶p.290) も行える。

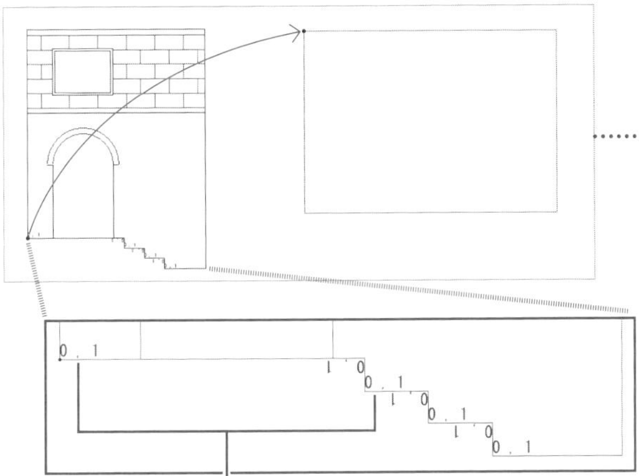

階段は立面を起こす位置 (0) から1mの幅で手前に出るため、各点に「0, 1」を定義

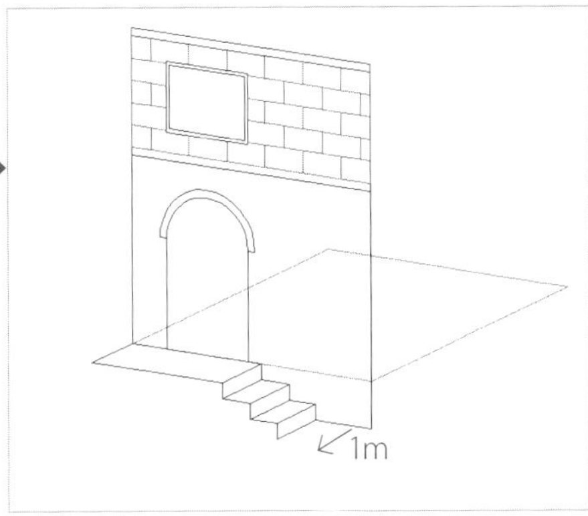

1mの幅で手前に出る

斜面の指定

立面図 (または展開図) の斜面左下角から、傾き (角度) を指定した「線色6・補助線種」の線を作図することで、斜面を表現できる。

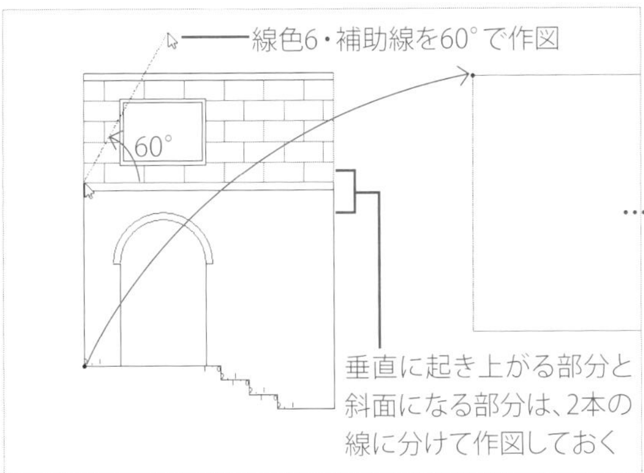

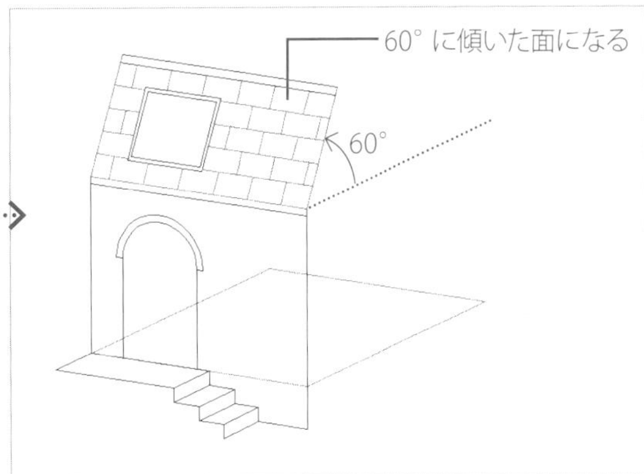

斜面部分の線・円・弧への奥行き定義で「0, 奥行き数値」の後に「V (またはv)」を入力すると、アイソメ表示時、斜面に対して垂直な奥行き線が表示される。

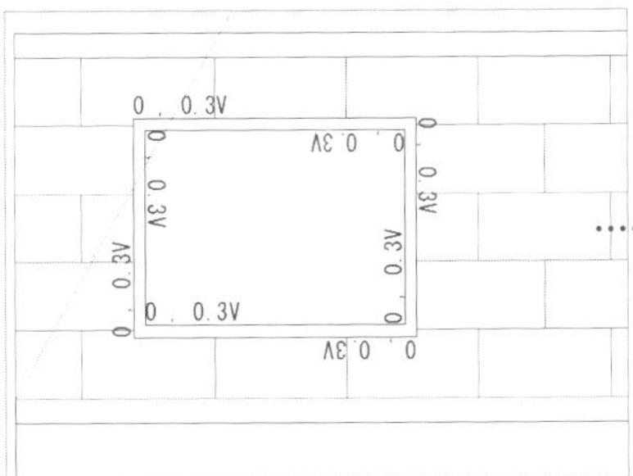

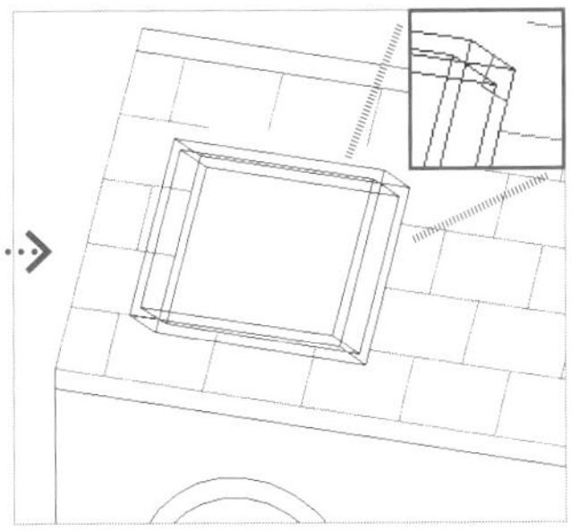

「0, 奥行き数値V」を入力すると、斜面に対して垂直な奥行き線が表示 (アイソメ表示時)

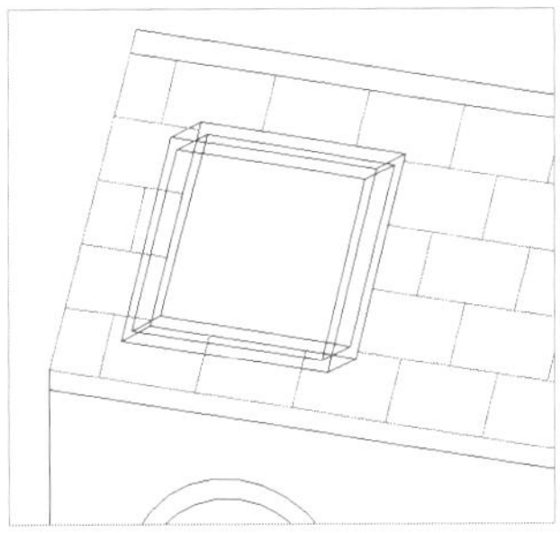

通常どおり「0, 奥行き数値」を入力した場合

立体表示と作図

ここでは「透視図」を例に解説するが、「鳥瞰図」「アイソメ」を選択した場合も手順は同様である。

1　高さ定義、起き上がり指定を行った図面で、「2.5D」コマンドのコントロールバー「透視図」ボタンを⊖。

➡ 透視図が表示される。

> **POINT**　表示のみレイヤ、非表示レイヤの要素は立体表示されない。

2　コントロールバー「前」ボタンを⊖し、建物に近づく。

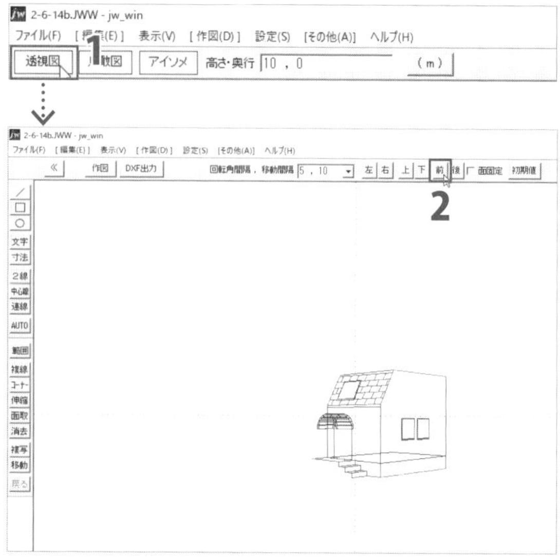

3　コントロールバー「回転角間隔,移動間隔」ボックスを⊖し、「5,0.5」に変更する。

> **POINT**　これにより、「左」「右」ボタンを⊖した時の回転角度が5°、「上」「下」「前」「後」ボタンを⊖したときの移動距離が0.5mに設定される。

4　コントロールバー「左」「右」「上」「下」「前」「後」ボタンを適宜⊖し、透視図を作図する視点を調整する。

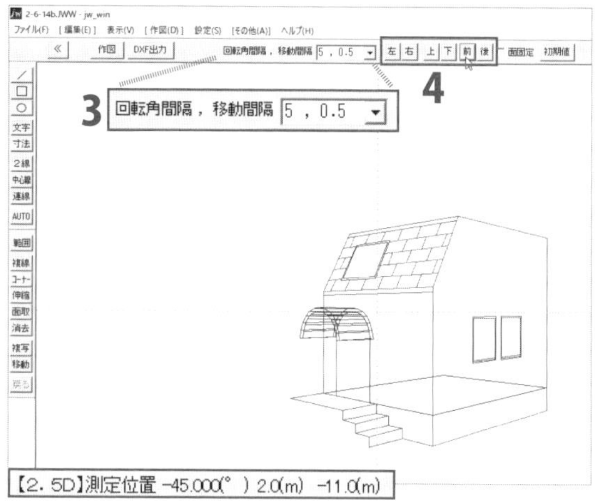

> **POINT**　コントロールバー「前」「後」ボタンで建物から視点までの距離、「上」「下」ボタンで視点高さ、「左」「右」ボタンで建物から見た視点角度を調整する。ステータスバーには、現在の視点角度、視点高さ、視点までの距離が表示される。

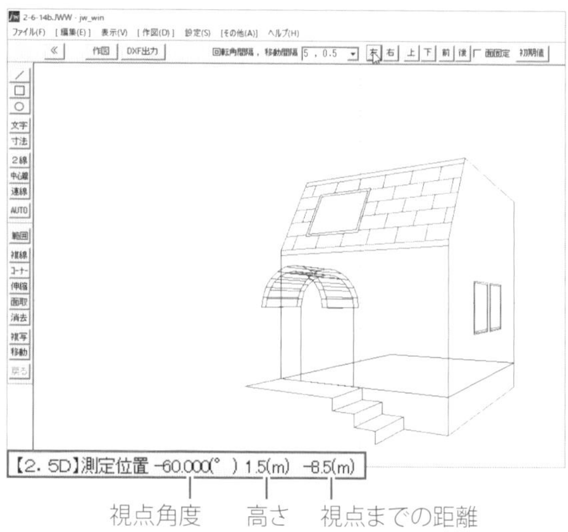

5 何も作図されていないレイヤを書込レイヤにする。

6 コントロールバー「作図」ボタンを⊖。

> **POINT** 「2.5D」コマンドのコントロールバー「透視図」「鳥瞰図」「アイソメ」を⊖して表示される立体図は、そのままでは編集も印刷もできない。編集・印刷をするには、「作図」ボタンを⊖して、X,Yの座標を持つ2次元の線・円・弧要素として作図する。

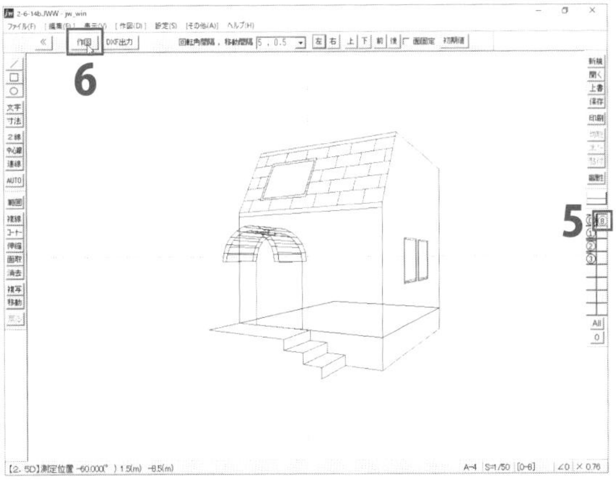

➡ 書込レイヤに透視図が作図される。

7 レイヤバー「All」ボタンを⊖し、書込レイヤ以外を非表示レイヤにする。

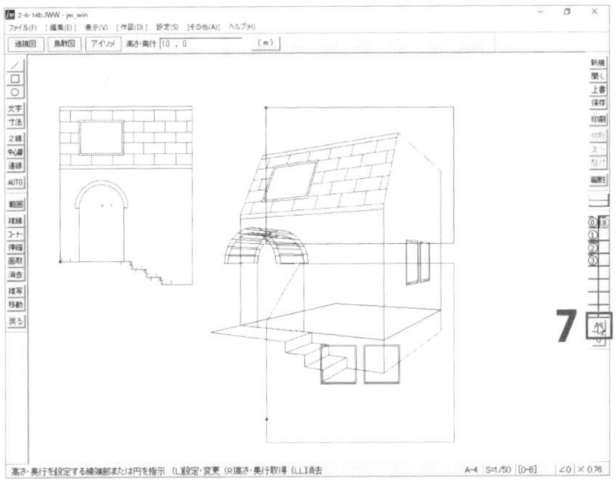

➡ 書込レイヤに作図した透視図だけが表示される。

> **POINT** 手前の面に隠れる線（隠線）を一括で消去する機能はない。「データ整理」コマンドで「重複整理」または「連結整理」（▶p.118）を行った後、「消去」「伸縮」コマンドなどで不要な線を処理する。

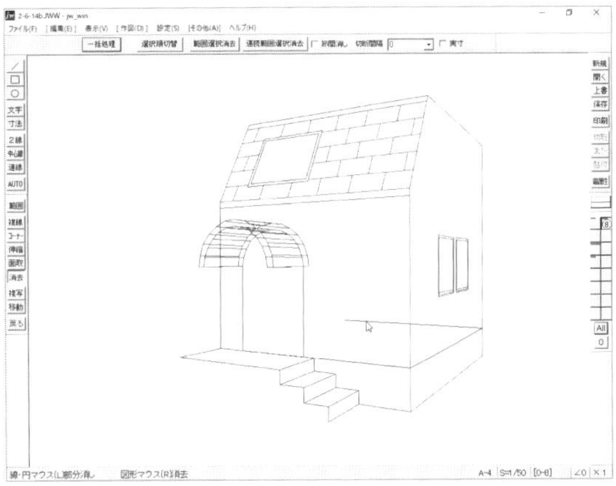

「2.5D」コマンドのコントロールバー

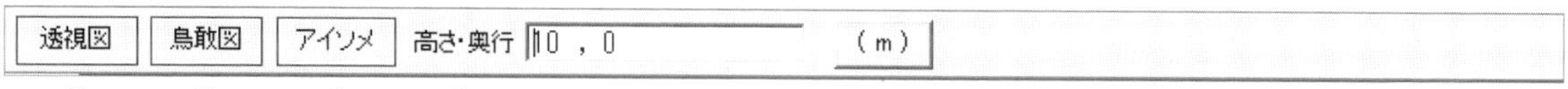

① ② ③ ④ ⑤

① 「透視図」ボタン

透視図での表示・作図を行う（▶p.294）。

② 「鳥瞰図」ボタン

鳥瞰図での表示・作図を行う。

「鳥瞰図」ボタン（①「透視図」でも同じ）を選択すると、下図のコントロールバーに切り替わる。

②−1 ②−2 ②−3 ②−4 ②−5 ②−6 ②−7 ②−8 ②−9

②−1 「<<」ボタン

透視図・鳥瞰図の表示を終了し、1つ前のコントロールバーに戻る。

②−2 「作図」ボタン

表示されている透視図・鳥瞰図を書込レイヤに作図する。

※Ctrlキーと Shiftキーを押したまま「作図」ボタンを⊖すると、書込レイヤグループの元データと同じ番号のレイヤに分けて作図される機能はバージョン8.24aにはない。

②−3 「DXF出力」ボタン

表示されている立体を3DのDXFファイルとして保存する。

「DXF出力」ボタンを⊖で開く「名前を付けて保存」ダイアログで、「ファイル名」ボックスに名前を入力し「保存」ボタンを⊖して保存する。

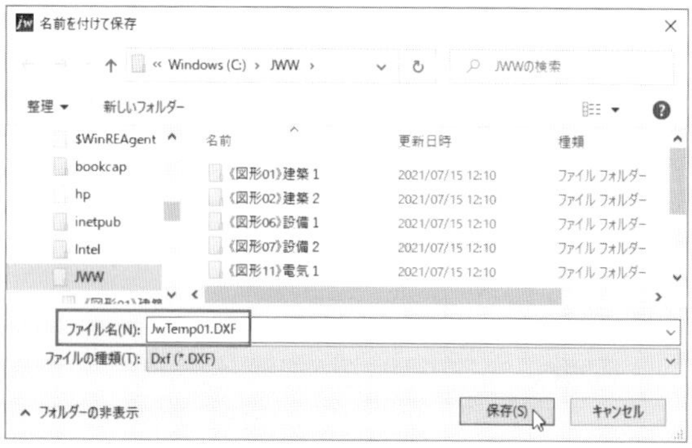

②−4 「回転角間隔, 移動間隔」入力ボックス

以下の②−5〜②−7のボタンの1回の⊖で、回転する角度（「左」「右」ボタン）と移動する距離（「前」「後」「上」「下」ボタン）を、「,」（カンマ）で区切って入力する。

②−5 「左」「右」ボタン

⊖すると、視点が②−4での指定角度だけ左または右に回転する。⊖すると、マウスボタンをはなすまで回転する。

②−6 「上」「下」ボタン

⊖すると、視点が②−4での指定距離だけ上または下に移動する。⊖すると、マウスボタンをはなすまで移動する。

②−7 「前」「後」ボタン

⊖すると、視点が②−4での指定距離だけ前または後ろに移動する。⊖すると、マウスボタンをはなすまで移動する。

上記②−5〜②−7の操作による視点の変化はステータスバーに表示される。

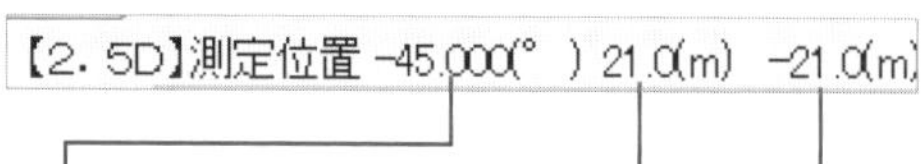

角度：②−5

「右」がプラス、「左」がマイナス

水平位置：②−7　立体の位置が「0」、「後」がマイナス、「前」がプラス

高さ：②−6 「上」がプラス、「下」がマイナス

②−6がマイナスの場合は立体の底面より下からの視点、②−7がプラスの場合は立体を通過して見ている視点になる

②－8 「面固定」チェックボックス

チェックなしの場合は、視点から立体までの距離に比例して投影面が移動するため、視点を前に移動すると立体図の表示サイズも大きくなる。チェックありの場合は、投影面が固定になり、立体図は距離に関係なく同じサイズで表示される。ただし、視点から立体までの距離が立体の最大幅の2倍以下に近づくと、距離に比例して立体図の表示サイズは変化する。

②－9 「初期値」ボタン

視点位置が初期値（角度は－45°、水平位置は用紙縦寸法の2倍、高さは透視図が2m、鳥瞰図が水平位置と同じ数値）になる。

③ 「アイソメ」ボタン

アイソメでの表示・作図を行う。

「アイソメ」ボタンを選択すると、下図のコントロールバーに切り替わる。

③－1　③－2　③－3　③－4　③－5　③－6　③－7　③－8

③－1～③－3

前ページ「透視図」「鳥瞰図」のコントロールバー②－1～②－3と同じ。

③－4 「回転角間隔, 移動間隔」入力ボックス

③－5～③－6のボタンの1回の⊖で、回転する角度を入力する。

「,」の後の移動間隔は無視される。

③－5 「左」「右」ボタン

③－6 「上」「下」ボタン

⊖で、左・右・上・下に、視点が③－4での指定角度だけ回転する。⊖で、マウスボタンをはなすまで回転する。視点の変化は、ステータスバーに表示される。

③－5「右」がプラス、「左」がマイナス　③－6「上」がプラス、「下」がマイナス

③－7 「等角」ボタン

回転角「45°」、上下角「35.264°（≒atan1／√2）」の等角アイソメ図になる。

③－8 「0, 0」ボタン

回転角「0°」、上下角「0°」のアイソメ図になる。

④ 「高さ・奥行」入力ボックス

高さまたは奥行きを入力する（▶p.286）。

⑤ 「(m)」ボタン

高さと奥行きの定義の単位を指定する。

⊖すると「[mm]」ボタンに切り替わる。定義済みのものも含め、すべての高さと奥行きの数値が、ここで指定した単位になる。

日影図 日影

CD-ROM 2-6-15.jww

日影図、等時間日影図、指定点日影計算、壁面日影図を作図する

日影図作成の手順

◆ 準備

1. **敷地図の作図**
三角形を基に作図する（▶p.200の①）。
測量座標から作図する（▶p.256）。
2. **計画建物の作図と高さ定義**（▶p.300）
計画建物の平面外形を作図し、高さを定義する。
3. **真北設定**（▶p.302）
真北を示す線を作図し、真北を指定する。
4. **測定条件の設定**（▶p.302）
測定高、緯度、季節などの測定条件を指定する。

以降は壁面日影図を作図する場合

5. **既存建物の作図と高さ定義**
既存建物（平面）を作図し、高さ定義を行う。建物の作図、高さ定義の方法は、計画建物と同じ。
6. **既存建物壁面を作図し、立ち上げ指示**（▶p.306）
レイヤを変え、壁面日影図を作図する壁面を既存建物平面の壁線上に作図し、その壁面の立ち上がり位置に補助線を作図して壁面の立ち上がりを指示する。
7. **作図対象の壁面指示**（▶p.307）
「日影図」コマンドの「壁面」で、壁面日影作図対象の壁面を指示する。

➡

◆ 日影図の作図

1. **日影図の作図**（▶p.303）
「日影図」コマンドの「日影図」を選択し、日影図を作図する。
「壁面日影図の準備」（▶p.306）と「壁面指示」（▶p.307の**1～3**）を行った場合、対象とした壁面に日影図が作図される。
2. **等時間日影図の作図**（▶p.304）
「日影図」コマンドの「等時間」を選択し、等時間日影図を作図する。
「壁面日影図の準備」（▶p.306）と「壁面指示」（▶p.307の1～3）を行った場合、対象とした壁面に等時間日影図が作図される。
3. **指定点日影計算**（▶p.305）
「日影図」コマンドの「指定点」を選択し、指定点を指示することで、指定点における日影時間の計算を行い、結果を図面上に記入する。
「壁面日影図の準備」（▶p.306）と「壁面指示」（▶p.307の**1～3**）を行った場合、対象とした壁面上で指定点を指示して行う。

参考 具体的な作図手順▶別書『やさしく学ぶJw _cad8』p.233

日影図の計算方法

◆ 日影計算の基本式

1. 測定点の緯度　ψ
2. 測定季節の日赤緯　δ＝「冬至：－23°27'（－23.45°）　春秋分：0°　夏至：23°27'（23.45°）」
3. 太陽位置　$\tau = 15 \times$（真太陽時－15時）
4. 太陽高度　$h = \sin^{-1}(\sin(\psi) \times \sin(\delta) + \cos(\psi) \times \cos(\delta) \times \cos(\tau))$
5. 太陽方位角　$A = \sin^{-1}(\cos(\delta) \times \sin(\tau) \div \cos(h))$
6. 影倍率　$R = \cot(h) = 1 \div \tan(h)$

◆ 影の座標

1. 建物端点の座標値　X_0, Y_0, Z_0
2. 影の座標値　$X = X_0 + Z_0 \times R \times \sin(A)$　$Y = Y_0 + Z_0 \times R \times \cos(A)$

建物ブロックの作成と高さ定義の規則

平面図上の線の端点(座標点)にm単位で高さを定義する

右図の4本の線で構成されている平面図には、高さ定義を必要とする4つの座標点がある。この座標点に対し、高さをm単位で定義する。

※日影計算が行える建物の高さ設定数は、最大で500程度である。

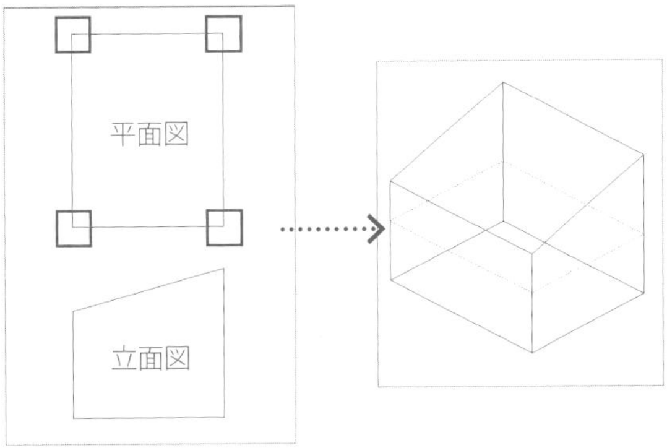

1つの座標点に対して定義できる高さは1つ

右図の建物の場合、平面上の点aに対し、**1**と**2**の2つの高さを定義する必要がある。1つの座標点に定義できる高さは1つであるため、右図のような場合は、平面図を建物高さ別の2つのブロックに分け、それらを別のレイヤに作図し、レイヤごとに高さ定義を行う。

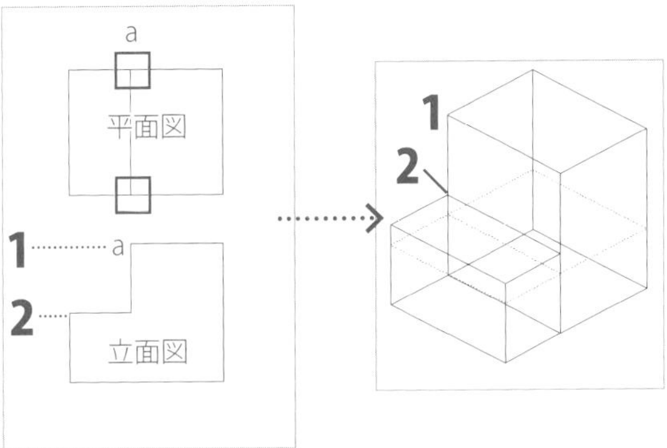

宙に浮いたブロックは「上端の高さ, 下端の高さ」を指定

バルコニーのように宙に浮いたブロックは、その高さとして「上端の高さ, 下端の高さ」を定義する。

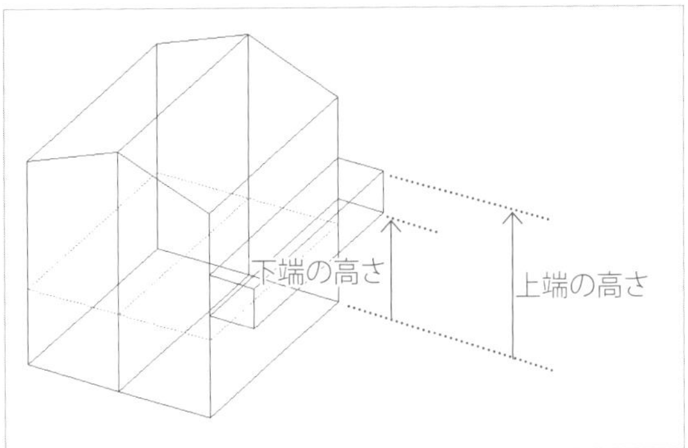

高さ定義できるのは線の端点のみ

円・弧や曲線に高さを定義することはできない。

円・弧部分は、「多角形」コマンドのコントロールバー「中心→辺指定」(▶p.200)で円・弧に外接する多角形を作図し、その多角形の座標点に高さを定義する。

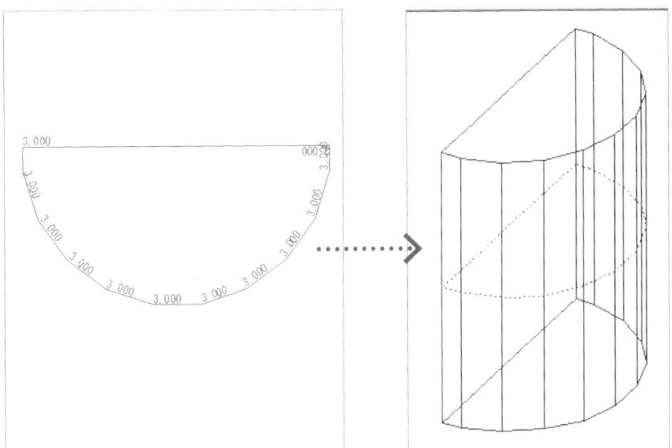

建物ブロックへの高さ定義

例）切り妻屋根の形状を定義する。

1　メニューバー［その他］－「日影図」（「日影」コマンド）を(L)。

2　高さを定義する建物平面図が作図されているレイヤ（右図では「1」レイヤ）を書込レイヤにする（他のレイヤは非表示）。

3　コントロールバー「高さ（m）」ボックスにm単位で高さ（右図では「8.7」）を入力。

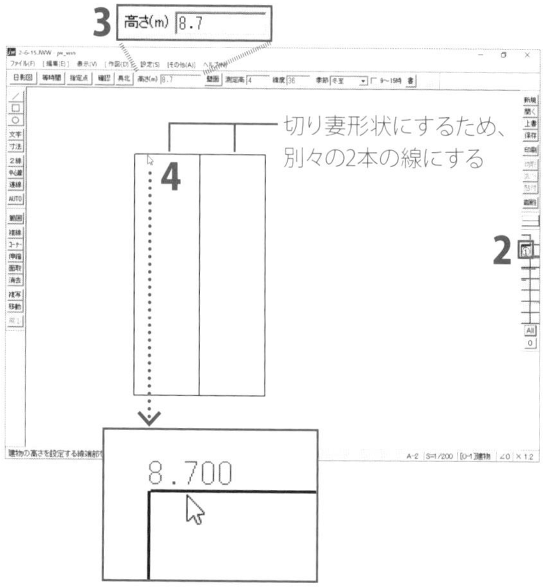

4　高さを定義する左上の角付近で、上辺を(L)。

➡ (L)位置に近い端点に**3**の高さが定義され、線上にその値が記入される。

> **POINT**　点ではなく、その点を端点とする線を(L)する。図の建物の場合、**4**で左辺の左上角に近い位置を(L)してもよい。その場合は、左辺上に高さ数値が記入される。高さ定義文字は、基本設定の「文字」タブの「日影用高さ・真北、2.5D用高さ…文字サイズの種類指定」（▶p.215の**8**）で指定した文字種と同じサイズで記入される。

5～7　同様に、同じ高さを定義する点付近で線を(L)。

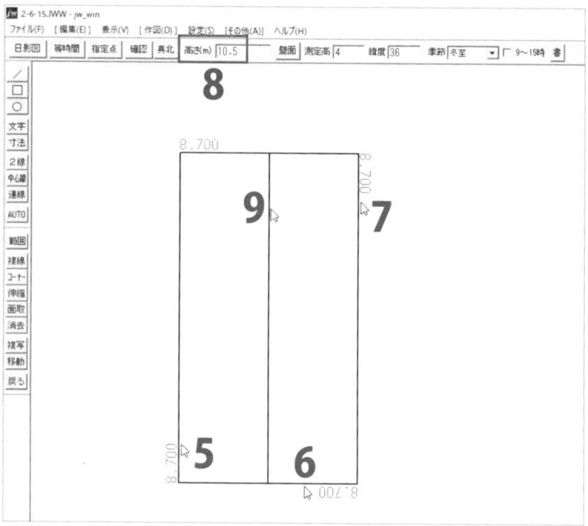

8　切妻屋根の尾根の高さ（右図では「10.5」）をコントロールバー「高さ（m）」ボックスに入力。

9～10　高さ定義する点付近で、尾根の線を(L)。

> **POINT**　すでに定義した高さを変更する場合は、コントロールバー「高さ(m)」ボックスに変更後の高さを入力し、高さ定義済みの線を(L)する。また、高さ定義済みの線端部を(R)することで、コントロールバー「高さ(m)」ボックスに(R)した高さを取得できる。定義済みの高さを消去するには、高さ定義済みの線端部を(LL)する（「消去」コマンドで高さ定義の文字を消してもよい）。

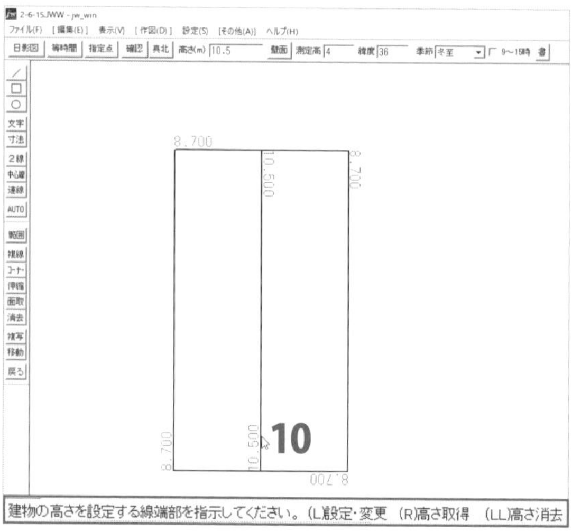

▶ 宙に浮いたブロックの高さ定義と確認

例) 2.5mの高さから高さ1.5mのバルコニーを定義する。

1 高さ定義対象が作図されているレイヤ（右図では「2」レイヤ）を書込レイヤにする。

2 「日影図」コマンドのコントロールバー「高さ(m)」ボックスに、「上端の高さ，下端の高さ」（右図では「4,2.5」）をm単位で入力。

> **POINT** バルコニーのように宙に浮いたブロックは、「高さ」ボックスに「上端の高さ，下端の高さ」を入力する。

3～6 各辺を⊕し、端部4カ所に高さを定義する。

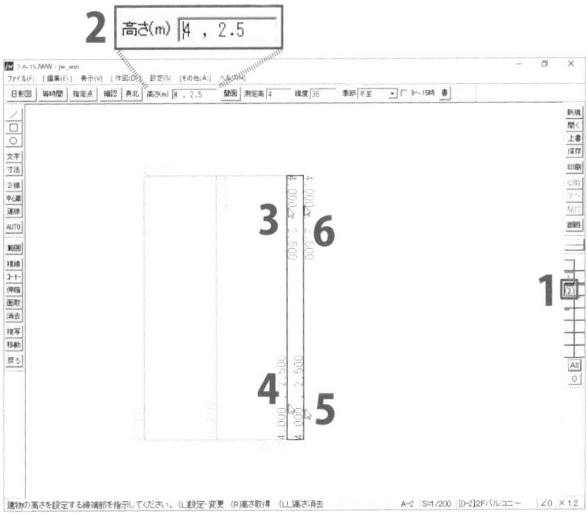

7 形状を確認するため、他の建物ブロックのレイヤも編集可能にし、コントロールバー「確認」ボタンを⊕。

> **POINT** 表示のみレイヤ、非表示レイヤの要素はアイソメ表示されない。

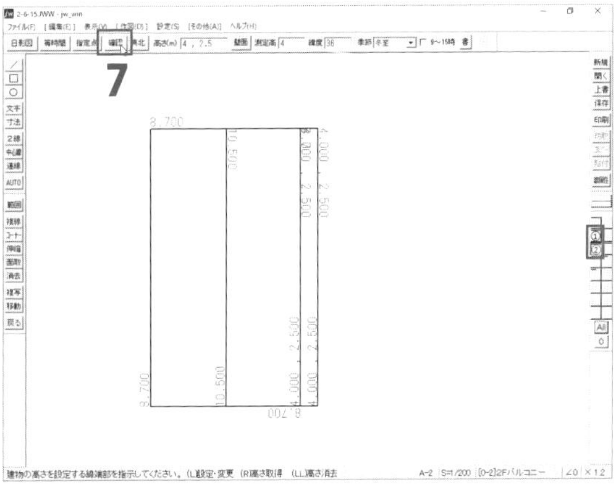

➡ アイソメ図が表示される。

8 コントロールバー「左」「右」「上」「下」ボタンを適宜⊕して視点を変え、形状を確認する。

9 コントロールバー「<<」ボタンを⊕し、「確認」を終了する。

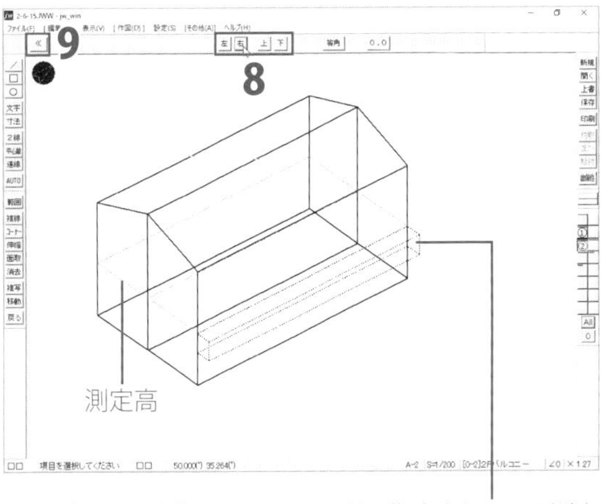

建物ブロックが「日影図」コマンドで指定されている測定高よりも低い場合は、確認画面では点線で表示される

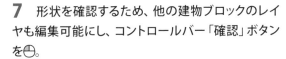

2 メニューバーのコマンド

真北設定

1 「日影図」コマンドのコントロールバー「真北」ボタンを(L)。

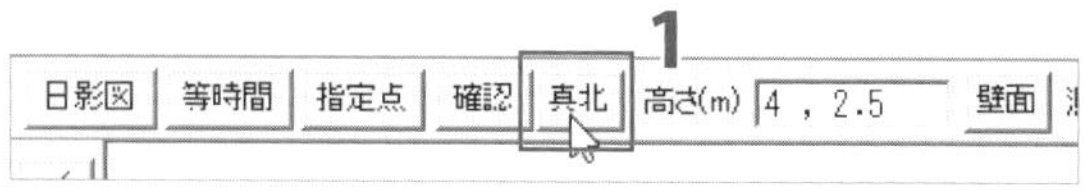

2 真北線が作図されているレイヤを書込レイヤにし、真北線の中心より北側で(L)。

➡ 真北が設定され、方位角が線上に記入される。

> **POINT** 真北線を(L)すると度単位で、(R)すると度分秒単位で、真北線上に方位角が記入される。必ず、線の中心より北側を(L)(または(R))すること。指示を誤って真北設定をした場合は、再度、コントロールバー「真北」を選択し、真北線を(L)(または(R))することでやり直す。

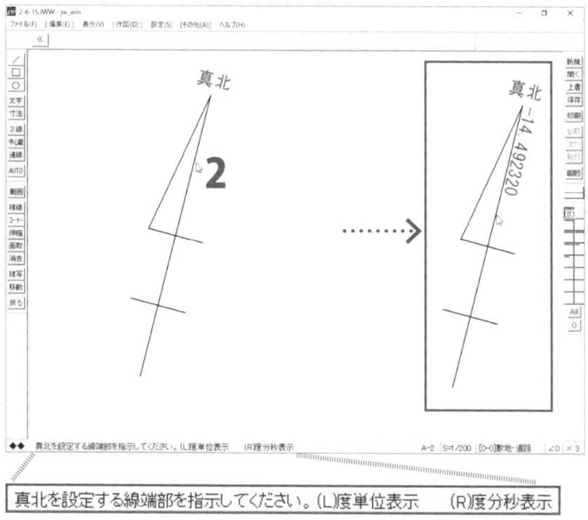

測定条件の設定と記入

1 「日影図」コマンドのコントロールバー「測定高」ボックスにm単位で測定高を入力し、「緯度」ボックスに緯度(25°～46°)を入力して「季節」ボックスで季節を指定する。通常8～16時の測定時間を9～15時に設定する場合はコントロールバー「9～15時」にチェックを付ける。

2 測定条件を図面に記入するため、コントロールバー「書」ボタンを(L)。

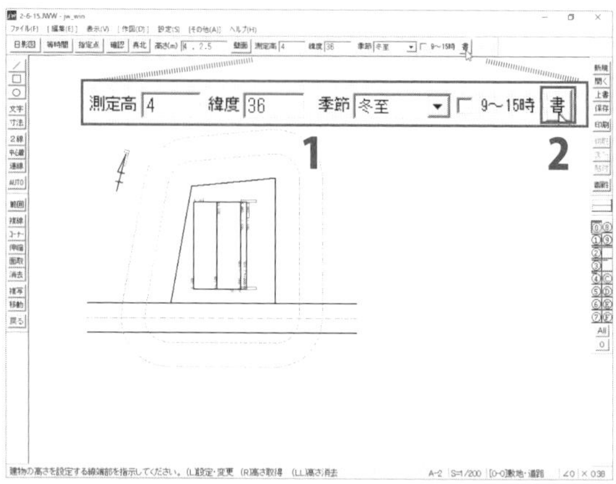

3 条件を記入する位置を(L)(または(R))。

➡ (L)位置に測定条件が記入される。

> **POINT** 測定条件の記入文字は基本設定の「文字」タブの「日影用高さ・真北、2.5D用高さ…」(▶p.215の**8**)で指定した文字種で記入される。

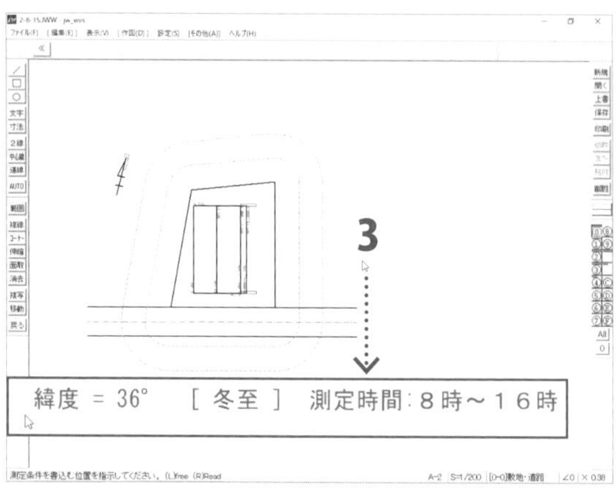

日影図の作図

1 「日影図」コマンドのコントロールバー「日影図」ボタンを㊀。

POINT 真北が設定されていない場合や真北を設定したレイヤが非表示または表示のみの場合、「真北が設定されていません」と記載されたウィンドウが表示される。「OK」ボタンを㊀すると、図面（用紙）の垂直上方向を真北として計算を行う。

2 コントロールバー「30分毎」（または「1時間毎」）ボタンを㊀。

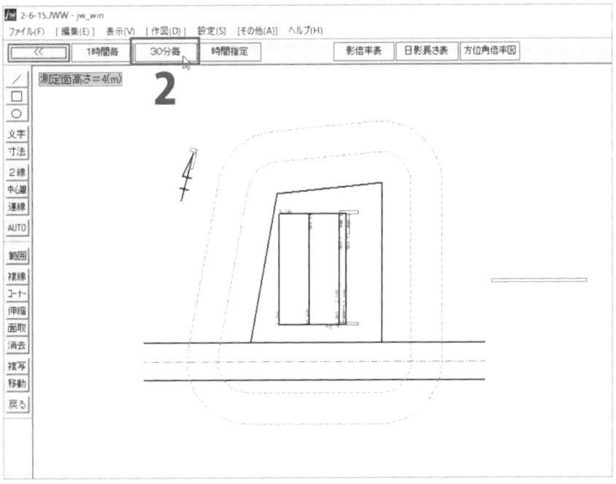

➡ 日影図が書込線色の実線（「30分毎」の線は点線）で作図される。作図される日影線には曲線属性（▶p.16）が付いている。

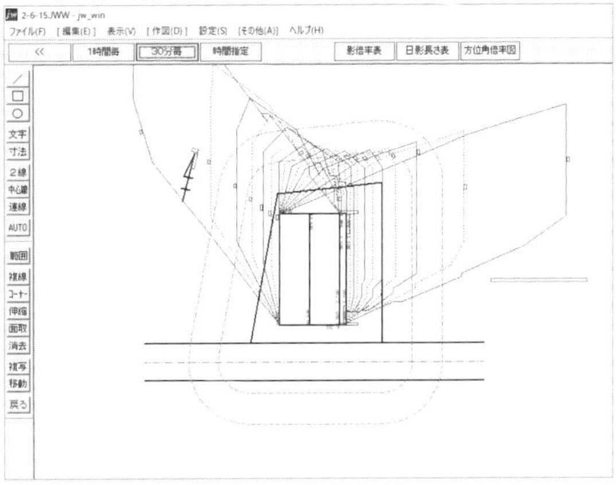

指定した時間の日影図を作図

コントロールバー「時間指定」ボタンを㊀し、「日影」ダイアログに時間を10進数で入力することで、指定時間の日影図を作図する。

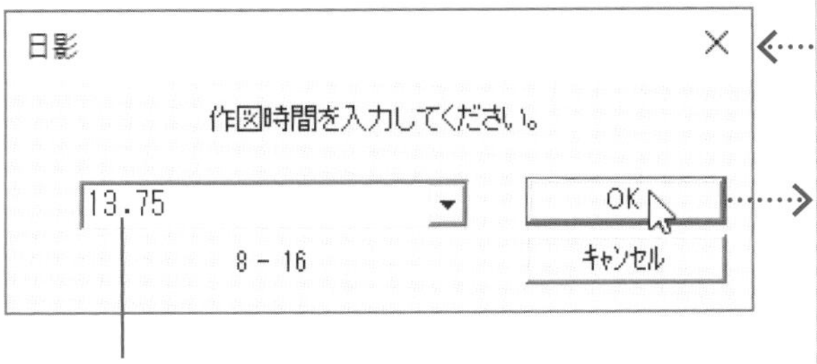

13：45は「13.75」と入力

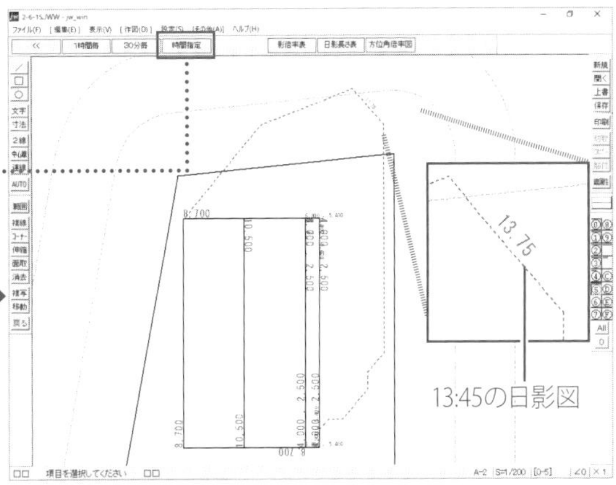

13:45の日影図

■ 等時間日影図の作図

1　「日影図」コマンドのコントロールバー「等時間」ボタンを⊖。

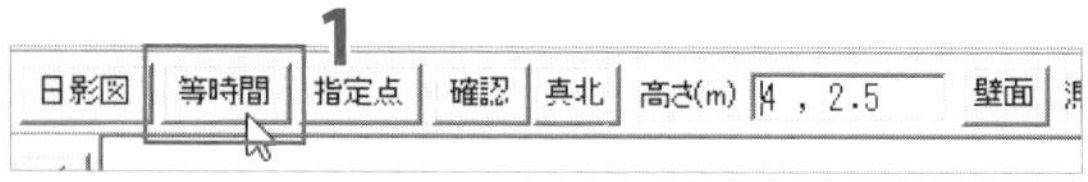

POINT　高さが定義されていない線要素があると 高さが未設定のデータ有 や データが不適当 と表示される。また、「真北が設定されていません」ウィンドウが開いた場合は、前ページの「**POINT**」を参照。

2　作図する等時間日影図の時間（右図では「3.0時間」）ボタンを⊖。

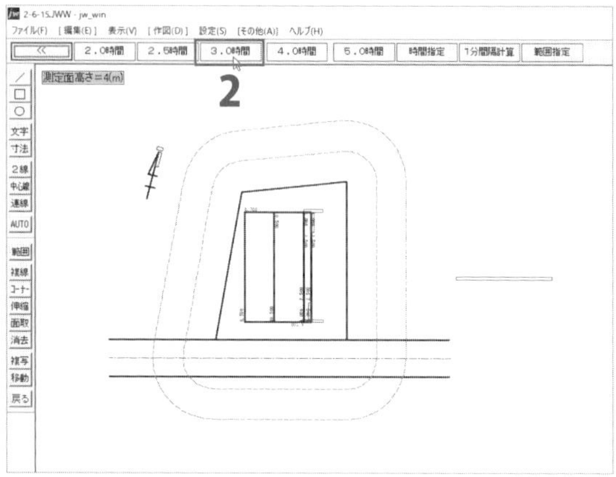

➡ 3時間の等時間日影線が書込線で作図され、画面左上に [測定ピッチ：**m] 文字の位置を指示して下さい と表示される。記入位置を⊖することで測定ピッチを記入する。測定ピッチを記入しない場合、続けて次に作図する時間ボタンを⊖してよい。

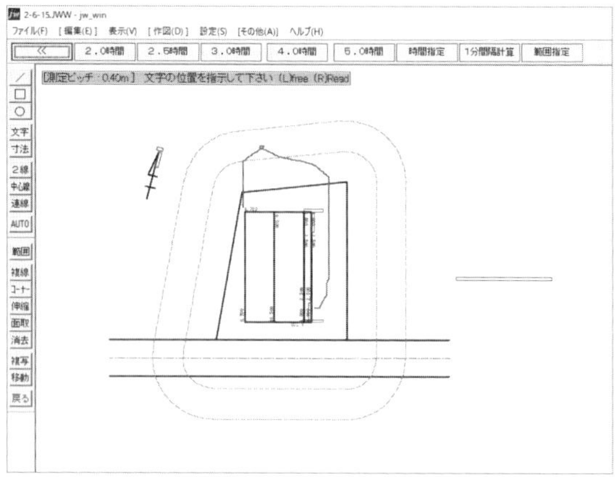

POINT　建物の大きさに対して用紙サイズが小さいと等時間日影図は作図されない。用紙サイズが大きすぎると建物に近い等時間日影図が連続しないことがある。また、建物の出角部分は計算方法と精度の関係で大きな誤差が生じやすいため、等時間日影図が作図されない場合がある。その場合は「範囲指定」で作図する。

できる 指定範囲の等時間日影図を作図

1　上記**2**で、コントロールバー「範囲指定」ボタンを⊖。

2　等時間日影図作図範囲の始点を⊖。

3　表示される範囲枠で作図範囲を囲み、終点を⊖。

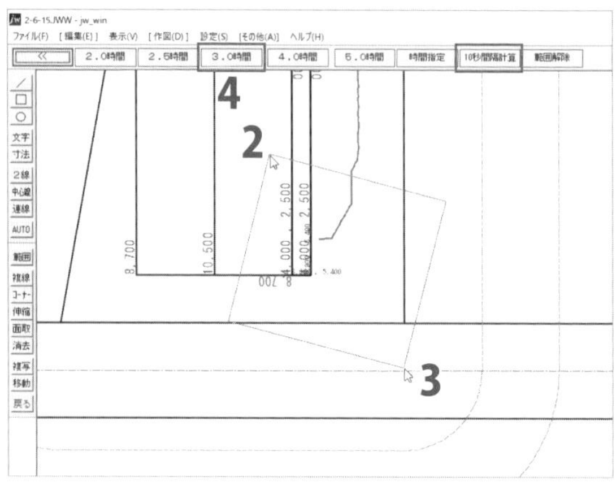

POINT　範囲枠は真北に平行に表示される。枠サイズは終点指示で決まるが、最初に表示される枠が最小サイズである。「範囲指定」選択時に限り、コントロールバーの「10秒間隔計算」ボタンを⊖することでより精度の高い「4秒間隔計算」に切り替えられる。

4　作図する等時間日影図の時間（右図では「3.0時間」）ボタンを⊖。

指定点日影計算

1 「日影図」コマンドのコントロールバー「指定点」ボタンを⊖。

➡ 指定点日影計算のコントロールバー表示に切り替わり、「測定点を設定してください」と操作メッセージが表示される。

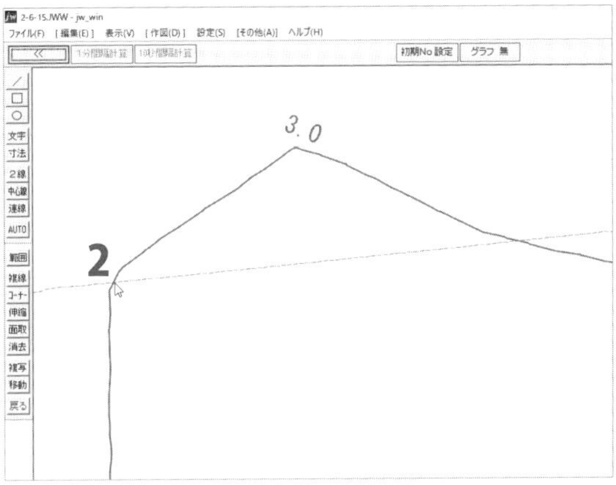

2 測定点を⊖（または⊖）。

➡⊖した点には番号と実点が記入される。

> **POINT** 通常測定No.はNo.1から記入されるが、**2**の前にコントロールバー「初期No設定」ボタンを⊖し、ダイアログで初期No.を指定することで、指定したNo.からの記入になる。1回で計算できる指定点の数は最大100までである。

3～4 順次、測定点を⊖（または⊖）。

5 コントロールバー「10秒間隔計算」（または「1分間隔計算」）ボタンを⊖。

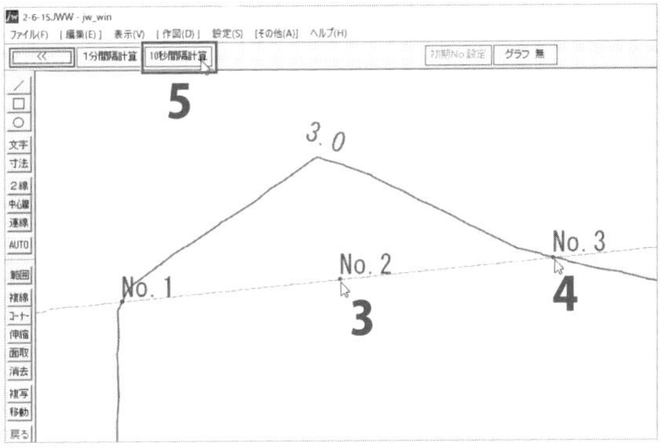

6 計算結果を記入する位置を⊖（または⊖）。

> **POINT** コントロールバー「グラフ無」ボタンを⊖し、「グラフ作図」にしたうえで記入位置を指示すると、指定点日影の結果のグラフも作図される。

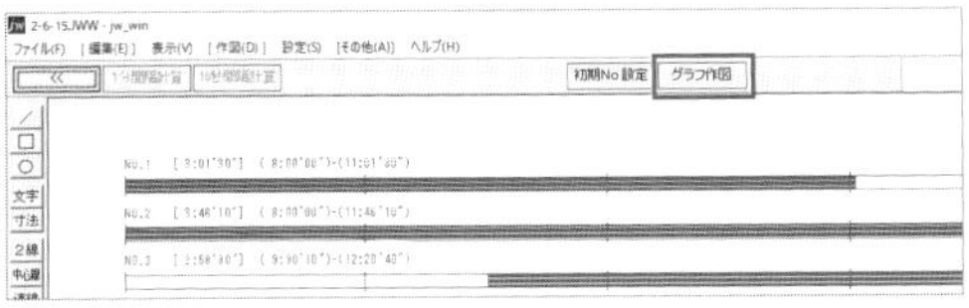

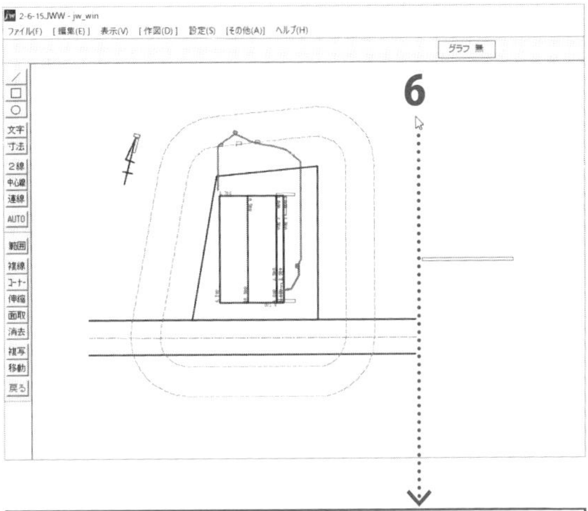

NO. 1	[3:01′30″]	(8:00′00″)-(11:01′30″)
NO. 2	[3:46′10″]	(8:00′00″)-(11:46′10″)
NO. 3	[2:58′30″]	(9:30′10″)-(12:28′40″)

壁面日影図の準備

壁面日影図を作図する場合、計画建物平面図への高さ定義、真北設定、測定条件の設定を行ったうえで、既存建物の作成、対象壁面の作成などの準備が必要である。

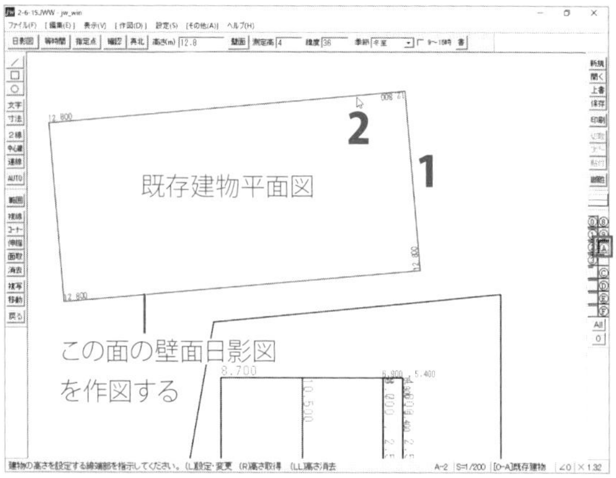

1 既存建物用のレイヤを書込レイヤにし、既存建物の平面外形を作図する。

2 メニューバー［その他］－「日影図」を選択し、既存建物に高さを定義する。

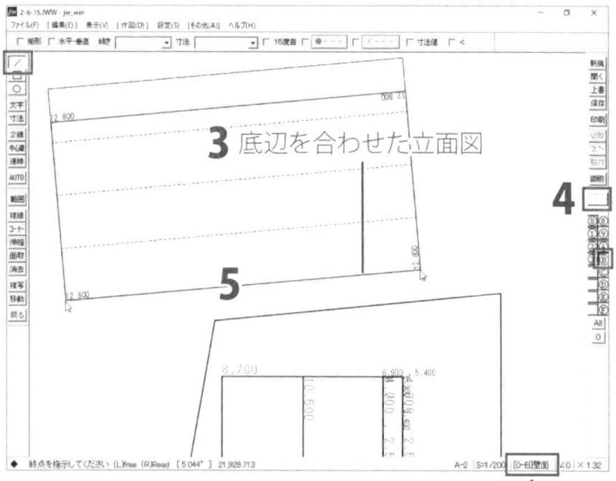

3 既存建物立面用のレイヤを書込レイヤにする。**1**で作図した平面図の壁面日影図を作図する辺に底辺を合わせ、立面図を作図（またはコピー）する。

4 書込線種を「補助線種」にする（線色はどれでもよい）。

5 「／」コマンドを選択し、立面の底辺上に重ねて補助線を作図する。

> **POINT** 立面と同じレイヤの立面底辺上に補助線種で線を作図する。この補助線位置が立面の起き上がり位置になる。

6 ステータスバーの書込レイヤボタンを㊀し、「レイヤ設定」ダイアログの「グループ名」ボックスに「#k」（半角、kは小文字）を入力して、「OK」ボタンを㊀。

> **POINT** レイヤグループ名に「#k」（半角。kは小文字）を指定することで、「2.5D」コマンドの立体表示時に壁面を確認できる（補助線が作図されているレイヤの要素が補助線位置に起き上がって表示される）。**7**での立体表示による確認をしない場合には、**6**の指定は不要である。

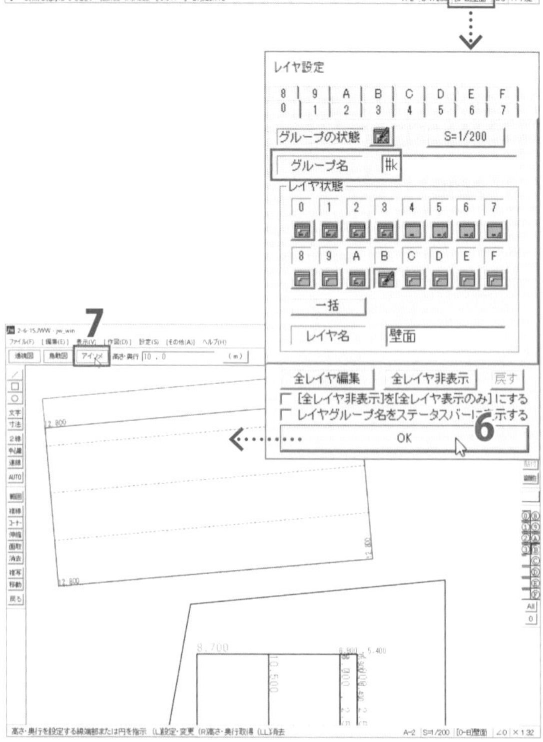

7 既存建物の形状と立面の位置を確認するため、メニューバー［その他］－「2.5D」を選択し、コントロールバー「アイソメ」ボタンを㊀。

➡ 既存建物とその立面がアイソメ表示される。

8　コントロールバー「<<」ボタンを⊖し、アイソメ表示を終了する。

> **POINT**　立面の起き上がりが逆になる場合は、立面図の作図レイヤを書込レイヤにし、立面底辺の建物外部から見て左側の端点に線色5の実点を作図する（「点」コマンド▶p.179）ことで解消できる。

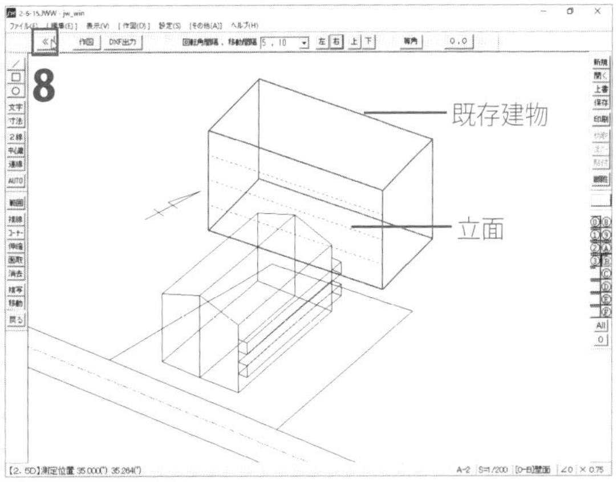

■ 壁面日影図の作図

1　「日影図」コマンドのコントロールバー「壁面」ボタンを⊖。

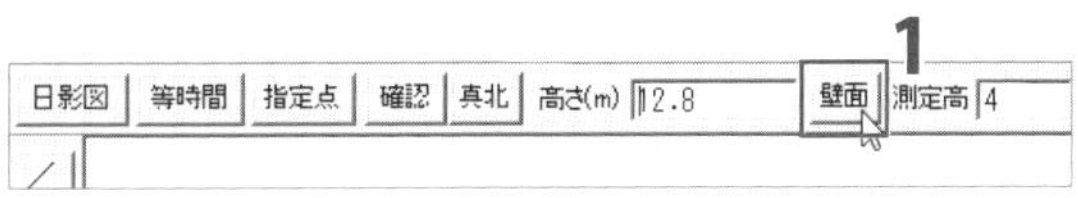

➡「壁面日影　壁線をマウスで指示してください」と操作メッセージが表示される。

2　壁面日影図を作図する壁面の底辺を⊖。

➡ 指示した底辺が選択色になり、操作メッセージが「作図する方向をマウスで指示してください」になる。

3　作図方向として、底辺より上側で⊖。

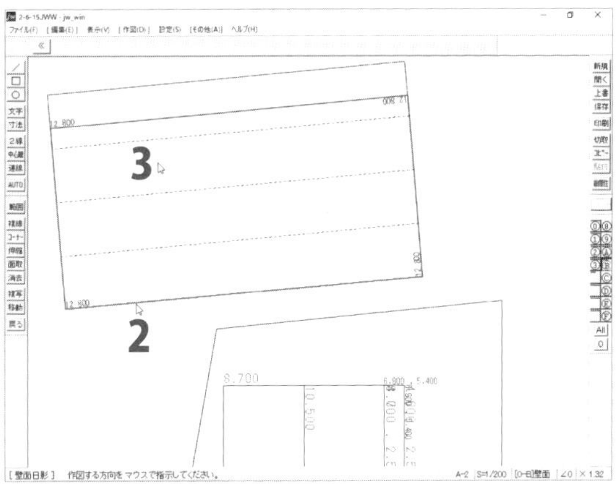

4　コントロールバー「測定高」ボックスが「0」であることと、緯度や季節などの測定条件を確認し、コントロールバー「日影図」ボタンを⊖。

> **POINT**　等時間日影図を作図する場合は「等時間」を、指定点日影時間を計算する場合は「指定点」を選択する。

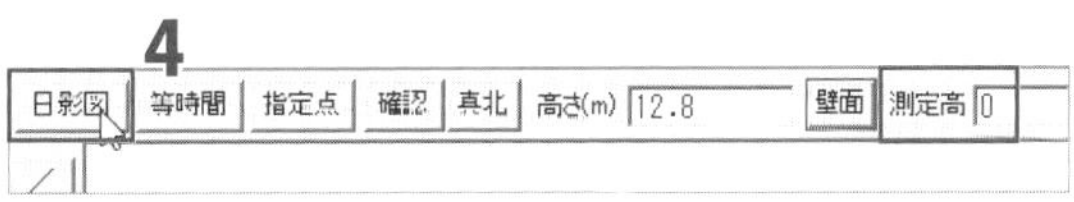

5　コントロールバー「1時間毎」（または「30分毎」）ボタンを⊖。

➡ 指定した壁面日影図が作図される。

> **POINT**　壁面上部に作図制限がないため、壁面の高さを超えて日影図や等時間日影図が作図されることがある。等時間日影図、指定点日影時間では壁面自身の影も日影時間に含まれる。その時間帯の指定点日影時間は、「壁面自身の日影時間」として記入される。**2**で指定した壁面線が、計画建物の外壁を通過している場合や建物の内部の壁面（中庭の壁も含む）の場合は計算できない。

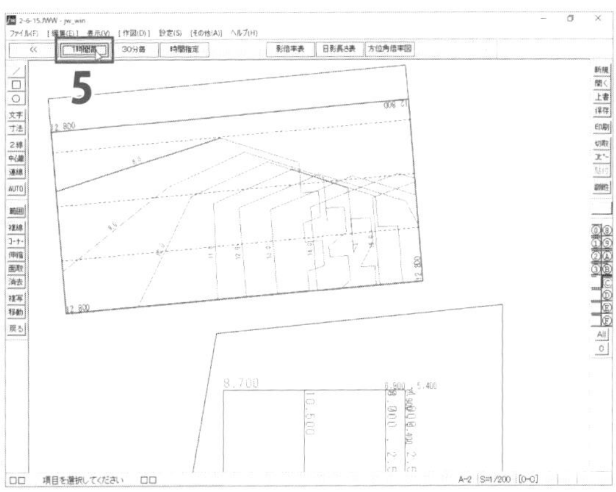

「日影図」コマンドのコントロールバー

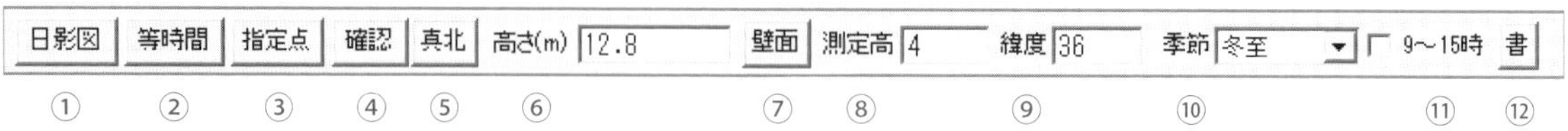

①「日影図」ボタン

日影図などを作図する。⑦「壁面」(▶p.307) 指示をした場合は、壁面上の日影図を作図する。
「日影図」ボタンを選択すると、下図のコントロールバーに切り替わる。

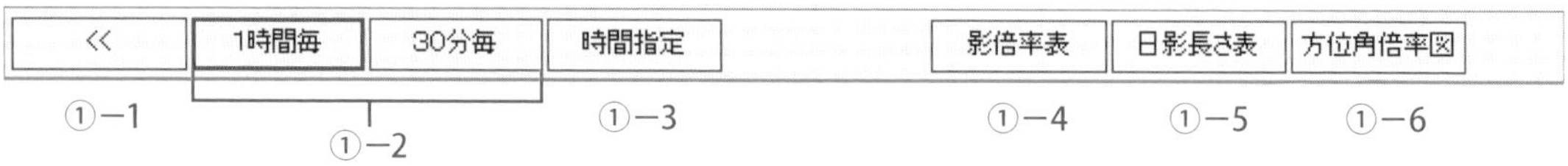

①−1 「<<」ボタン

「日影図」を終了し、1つ前のコントロールバーに戻る。

①−2 「1時間毎」「30分毎」ボタン (▶p.303)

1時間ごと、30分ごとの日影図を作図する。⑦「壁面」(▶p.307) 指示を行うと、壁面上の日影図を作図する。

①−3 「時間指定」ボタン (▶p.303)

指定した時間の日影図を作図する。⑦「壁面」(▶p.307) 指示を行うと、壁面上の指定時間の日影図を作図する。

①−4 「影倍率表」ボタン

指示位置に表の左上を合わせ、30分ごとの影倍率表を作図する。Shiftキーを押したまま作図位置を指示すると、1時間ごとの表になる。

影倍率表 [緯度 = 36°][冬至]

時 刻	太陽 高度	太陽方位角	影長倍率	X 倍 率	Y 倍 率
8:00	7°53'	-53°20'	7.220	-5.791	4.312
8:30	12°35'	-48°13'	4.479	-3.340	2.984
9:00	16°55'	-42°41'	3.289	-2.230	2.417
9:30	20°47'	-36°41'	2.634	-1.574	2.112

①−5 「日影長さ表」ボタン

「日影」ダイアログで、日影長さ計算用の高さを指示後、作図位置を指示することで、30分ごとの影長倍率と日影長さの表を作図する。Shiftキーを押したまま作図位置を指示すると、1時間ごとの表になる。

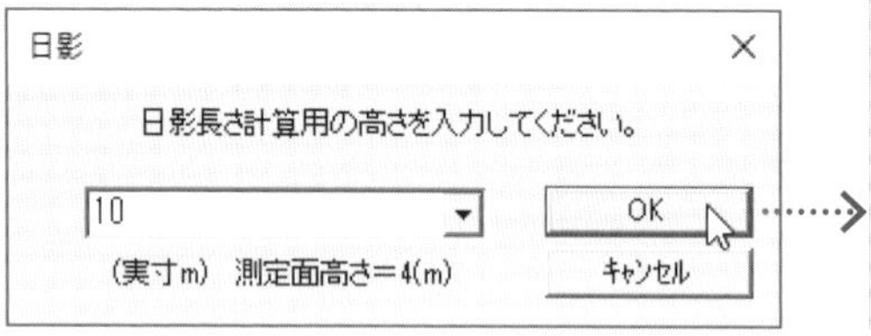

日影長さ表 [緯度 = 36°][冬至]
高さ=10.000(m) 測定面高さ=4(m)
計算高さ=6.000(m)

時 刻	影長倍率	日影長さ(m)
8:00	7.220	43.320
8:30	4.479	26.874
9:00	3.289	19.734
9:30	2.634	15.804
10:00	2.232	13.392
10:30	1.975	11.850
11:00	1.813	10.878
11:30	1.723	10.338

①−6 「方位角倍率図」ボタン

「日影」ダイアログで、方位角線の長さを指示後、作図位置を指示することで、30分ごとの影の方向と影倍率が作図される。Shiftキーを押したまま作図位置を指示すると、1時間ごと (右図) で作図される。

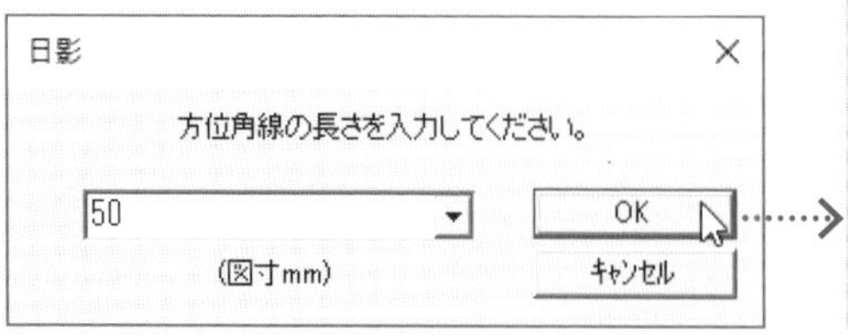

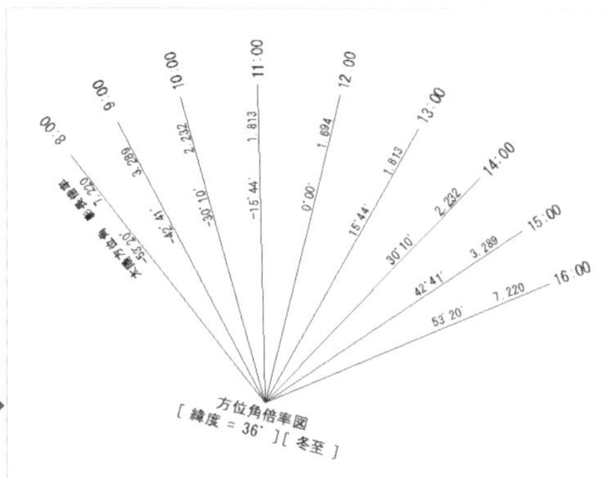

② 「等時間」ボタン

等時間日影図を作図する。⑦「壁面」(▶p.307) 指示を行うと、壁面上の等時間日影図を作図する。
「等時間」ボタンを選択すると、下図のコントロールバーに切り替わる。

②−1　②−2　②−3　②−4　②−5

②−1 「<<」ボタン

「等時間」を終了し、1つ前のコントロールバーに戻る。

②−2 「2.0時間」「2.5時間」「3.0時間」「4.0時間」「5.0時間」ボタン (▶p.304)

選択した指定時間の等時間日影図を作図する。⑦「壁面」(▶p.307) 指示を行うと、壁面上の等時間日影図を作図する。

②−3 「時間指定」ボタン

「日影」ダイアログで指定した時間の等時間日影図を作図する。時間は十進数で入力する。⑦「壁面」(▶p.307) 指示を行うと、壁面上の等時間日影図を作図する。

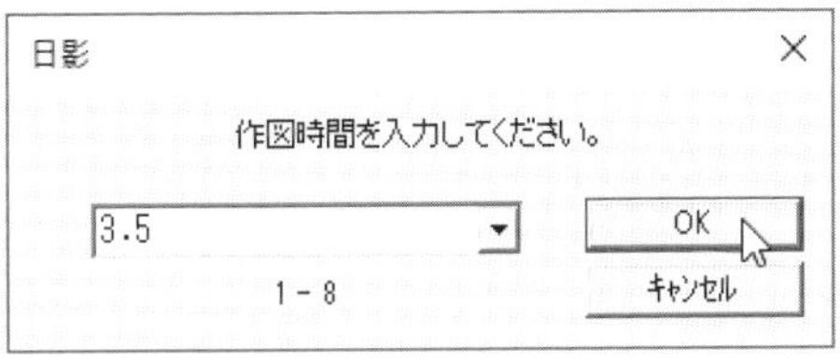

②−4 「1分間隔計算」ボタン

計算精度をより精度の高い「10秒間隔計算」に切り替える。

②−5 「範囲指定」ボタン (▶p.304)

指定範囲内の等時間日影図を高い精度で計算し、作図する。
出角部分や日影規制ラインに近い部分を再計算するときなどに利用する。

③ 「指定点」ボタン (▶p.305)

指定点における日影時間を計算し、計算結果 (グラフ作図も可) を図面上に記入する。⑦「壁面」(▶p.307) 指示を行うと、壁面上で指定した点の日影時間を計算する。
「指定点」ボタンを選択すると、下図のコントロールバーに切り替わる。

③−1　③−2　③−3　③−4

③−1 「<<」ボタン

「指定点」を終了し、1つ前のコントロールバーに戻る。

③−2 「1分間隔計算」「10秒間隔計算」ボタン　※測定点指示後に選択可能になる。

日影計算の間隔 (「10秒間隔計算」のほうが精度が高い) を選択して指定点における日影時間を計算する。

③−3 「初期No 設定」ボタン

通常、測定NoはNo.1から記入されるが、測定点指示前に㊀し、「日影」ダイアログで初期Noを指定することで、指定したNoからの記入になる。

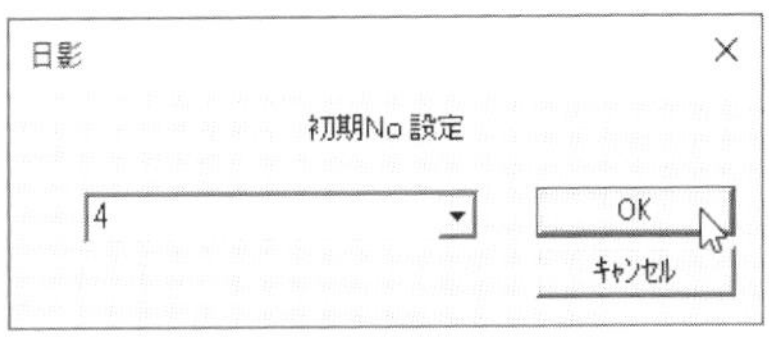

③−4 「グラフ 無」ボタン

㊀で「グラフ作図」に切り替える。
「グラフ作図」では、計算結果と併せて、右図のようにグラフも作図する。

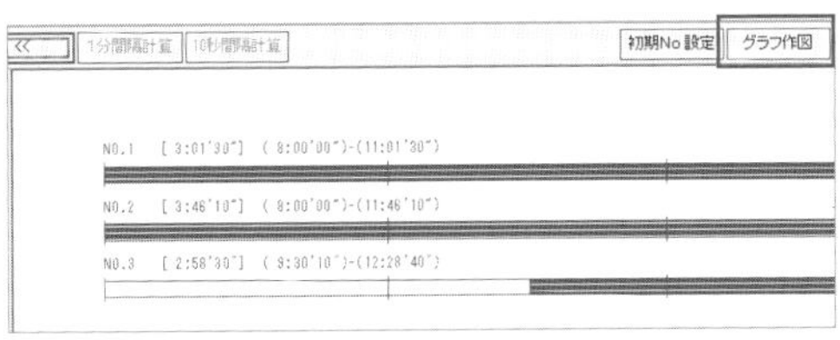

④「確認」ボタン（▶p.301）
高さ定義した建物形状を確認するためのアイソメ図を表示する。
「確認」ボタンを選択すると、下図のコントロールバーに切り替わる。

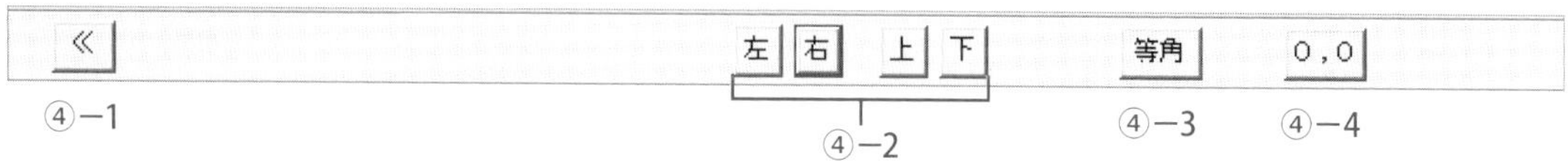

④−１ 「<<」ボタン
「確認」を終了し、1つ前のコントロールバーに戻る。
④−２ 「左」「右」「上」「下」ボタン
⊖すると、アイソメ表示を指定方向に5°ずつ回転する。
⊖すると、マウスボタンをはなすまで回転する。
④−３ 「等角」ボタン
回転角「45°」、上下角「35.264°（≒atan1／√2）」の等角のアイソメ図になる。
④−４ 「0, 0」ボタン
回転角「0°」、上下角「0°」のアイソメ図になる。

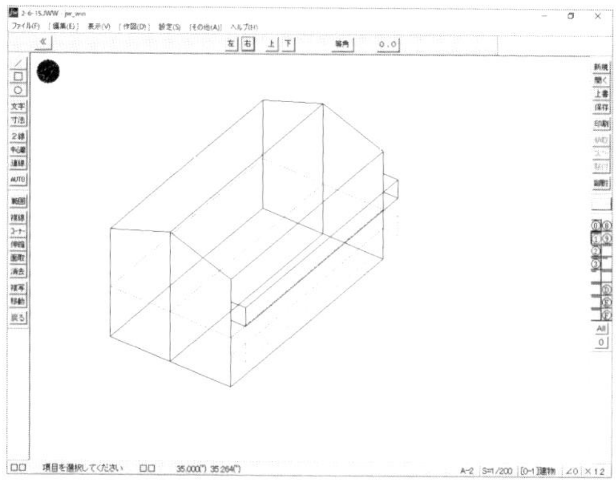

⑤「真北」ボタン（▶p.302）
真北線を指示することで、真北を設定する。
⊖すると度単位で、⊖すると度分秒単位で、真北線上に方位角が記入される。真北を設定していない場合は、用紙の真上を真北として計算される。
⑥「高さ（m）」入力ボックス（▶p.300）
建物の外形（平面）に対して定義する高さをm単位で入力する。
⑦「壁面」ボタン（▶p.307）
壁面日影の作図対象の壁面を指定する。再度、「壁面」ボタンを⊖で壁面線の指定が解除される。
壁面が計画建物の外壁を通過している場合や、建物の内部の壁面（中庭の壁も含む）の場合は計算できない。
⑧「測定高」入力ボックス
測定高をm単位で指定する。
壁面日影の場合は「0」を指定する。
⑨「緯度」入力ボックス
測定位置の緯度を25°〜46°の範囲で指定する。
⑩「季節」入力ボックス
測定時期（冬至／夏至／春秋分）を選択する。
任意の時期を指定する場合は、「任意時期」を選択して開く「日影」ダイアログで測定時期の日赤緯（−23.45°〜23.45°）を入力する。

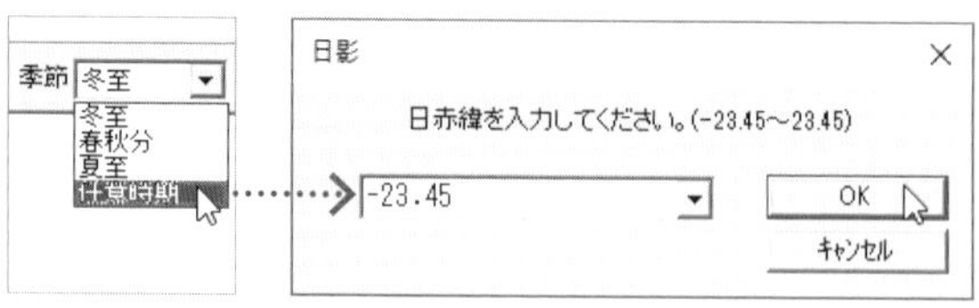

⑪「9〜15時」チェックボックス
通常、8〜16時を測定時間として計算するが、このチェックを付けた場合は9〜15時を測定時間とする。
⑫「書」ボタン（▶p.302）
図面上の指定位置に、現在の測定条件（⑧測定高、⑨緯度、⑩季節、⑪測定時間）を記入する。

天空図 天空

CD-ROM 2-6-16.jww

天空図、太陽軌跡図などの作図と天空率計算を行う

天空図作成の手順

◆ 準備

1. 敷地図の作図

三角形を基に作図する（▶p.200の①）。
測量座標から作図する（▶p.256）。

2. 計画建物の作図と高さ定義（▶p.300）

計画建物の平面外形を作図し、高さを定義する。

3. 真北設定（▶p.302）

真北を示す線を作図し、真北を指定する。

4. 測定条件の設定（▶p.302）

測定高、緯度、季節などの測定条件を指定する。

ここまでは日影図と共通で、日影図で指定したものをそのまま利用可能。

5. 測定点の作図

「分割」コマンド（▶p.116の⑧）で、指定距離以下での等分割ができる。

6. 高さ制限適合建物（基準建物）の作成

計画建物とは別のレイヤに作図し、高さを定義する。下図（サンプル図面）では基準建物として道路斜線制限データを作成している。

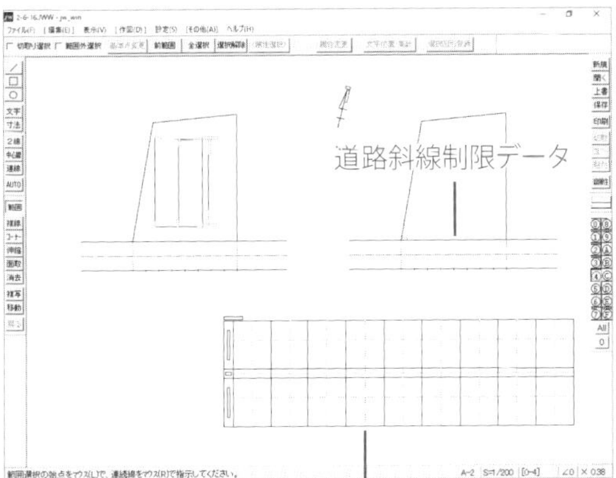

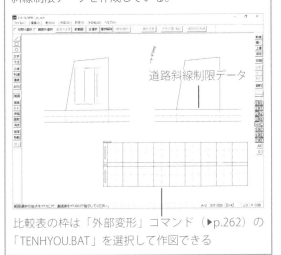

比較表の枠は「外部変形」コマンド（▶p.262）の「TENHYOU.BAT」を選択して作図できる

参考 具体的な作図手順▶別書『Jw _cad日影・天空率完全マスター』

◆ 天空図の作図

1. 太陽軌跡の作図

「天空図」コマンドの「等距離射影」で、測定点における太陽軌跡を作図する。

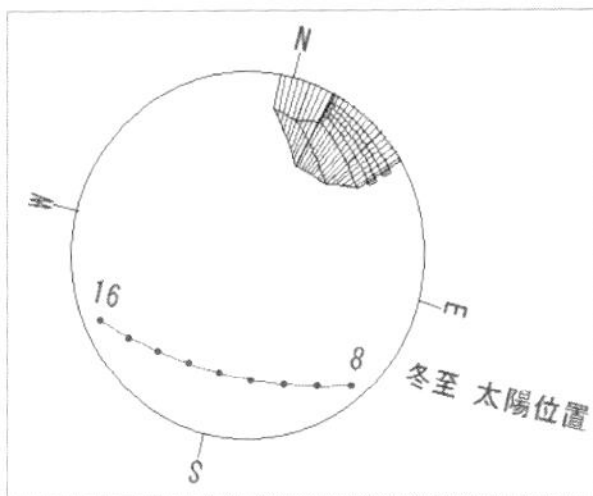

2. 天空率計算と天空図の作図（▶p.312）

「天空図」コマンドの「正射影（天空率）」で、測定点における天空図の作図および天空率計算を行う。

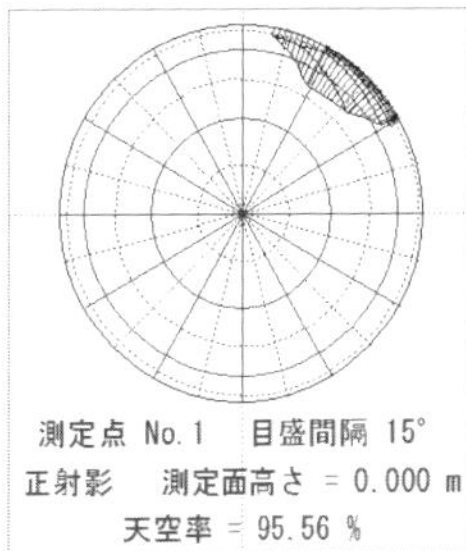

3. 三斜による天空率計算（▶p.313）

「天空図」コマンドの「三斜」で、計画建物と基準建物（道路斜線など）の三斜計算と計算結果を図面上に記入する（▶下図）。

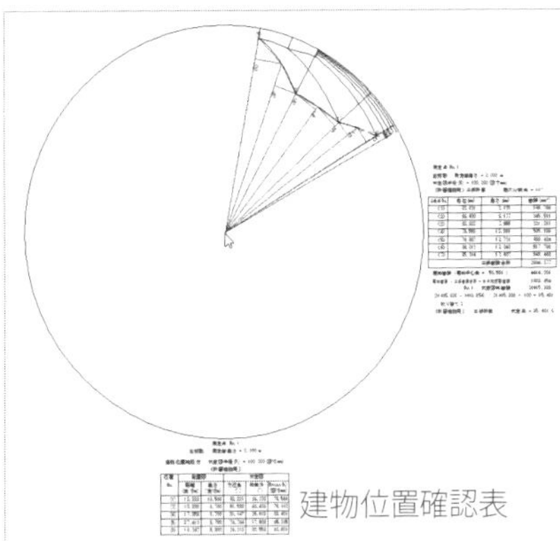

4. 計画建物の建物位置確認表作図（▶p.313）

「天空図」コマンドの「三斜」で、計画建物と基準建物（道路斜線など）の建物位置確認表を作図する（▶上図）。

天空図作図と天空率計算

計画建物を対象にする場合は、基準建物を作成したレイヤを非表示にして行う。基準建物を対象にする場合には、計画建物のレイヤを非表示にして行う。

1 メニューバー [その他] ー「天空図」(「天空」コマンド) を選択し、コントロールバー「正射影 (天空率)」ボタンを㊀。

2 コントロールバー「測定点表示 [No.]」右のボックスに番号を入力し、「測定高」、「天空図半径」(図寸で指定)、「目盛間隔」を適宜指定する。

3 測定点を㊀。

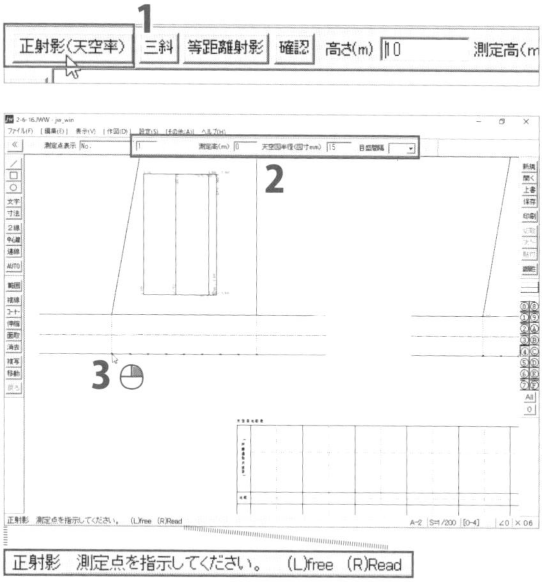

4 コントロールバー「天空率計算」にチェックを付ける。

5 作図位置 (天空図の中心点) を㊀。

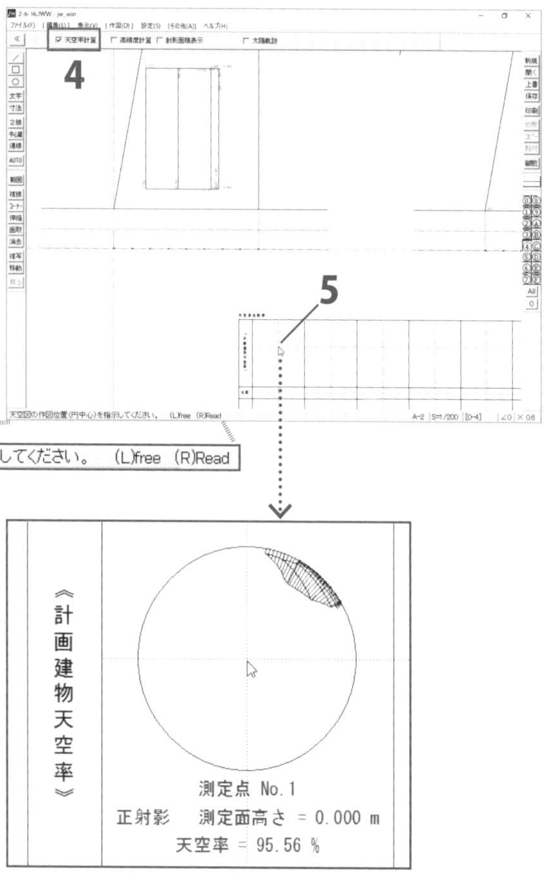

➡ 指示位置に天空図が作図され、次の測定点指示を促す操作メッセージが表示される。次の測定点を指示することで、続けて次の測定点の天空図を作図できる。

POINT 2で「目盛間隔」ボックスの▼を㊀し、角度を選択することで、天空図に指定角度の目盛が作図される。

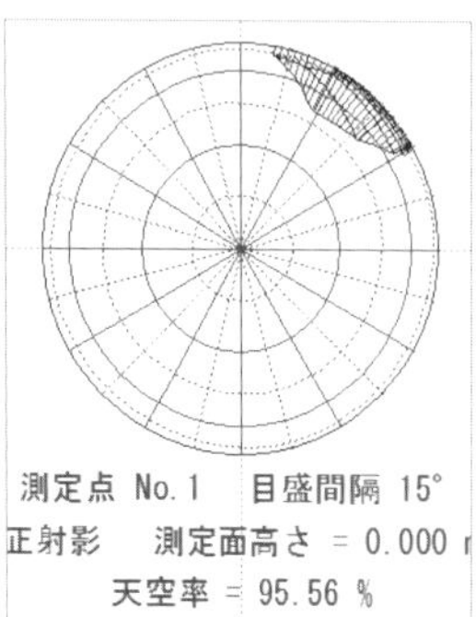

三斜による天空率計算と建物位置確認表

計画建物を対象にする場合は、基準建物を作成したレイヤを非表示にして行う。基準建物を対象にする場合には、計画建物のレイヤを非表示にして行う。

1 「天空図」コマンドのコントロールバー「三斜」ボタンを⊖。

2 コントロールバー「測定点表示 [No.]」右のボックスの番号を確認(または変更)し、「測定高」、「目盛間隔」を適宜指定する。

3 測定点を⊖。

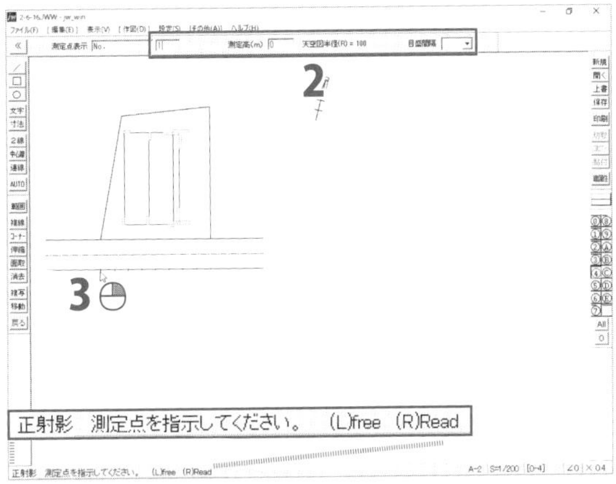

4 コントロールバー「《計画建物用》」を選択する。

> **POINT** 基準建物を対象にする場合は、**4**で「【基準建物用】」を選択する(「《計画建物用》」と「【基準建物用】」の違い▶p.315)。

5 コントロールバー「建物位置確認表」と「三斜計算」にチェックを付ける。

6 天空図の作図位置を⊖。

➡ ⊖位置を円中心として半径100mm (図寸) の天空図・建物位置確認表・三斜計算結果が作図される。

> **POINT** 「天空図半径」は図寸100mm固定だが、環境設定ファイル「TNKZ_SET」(▶JWWトリセツ付録.pdf p.67) の指定で変更可能。**6**で Shift キーを押したまま作図位置を⊖すると、すべての建物位置番号が記入される。Ctrl キーを押したまま作図位置を⊖すると、配置図の建物ブロックにも建物位置番号が記入される(同じ位置に高さの異なる建物位置番号がある場合は高い位置の番号を記入)。

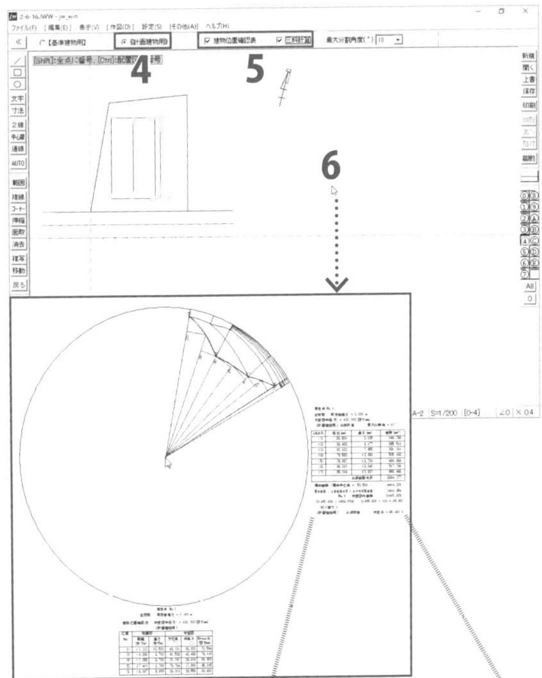

建物位置確認表　天空図半径(R) = 100.000(図寸mm)
《計画建物用》

位置 No.	配置図 距離(実寸m)	配置図 高さ(実寸m)	天空図 方位角(°)	天空図 仰角:h(°)	天空図 R*cos(h)(図寸mm)
(1)	13.333	10.500	42.331	38.220	78.564
(3)	10.208	8.700	61.589	40.439	76.110
(4)	17.359	8.700	31.147	26.619	89.401
(5)	27.413	8.700	79.794	17.608	95.315
(8)	18.397	6.900	29.213	20.559	93.631

測定点 No.1
正射影　測定面高さ = 0.000 m
天空図半径(R) = 100.000(図寸mm)
《計画建物用》三斜計算　最大分割角 = 10°

三角形 No	底辺(mm)	高さ(mm)	面積(mm²)
〈1〉	93.631	3.135	146.766
〈2〉	89.400	8.177	365.511
〈3〉	83.922	7.655	321.211
〈4〉	78.563	12.861	505.199
〈5〉	76.887	12.731	489.424
〈6〉	86.013	12.040	517.798
〈7〉	95.314	13.607	648.468
		三斜面積合計	2994.377

扇形面積 (扇形中心角 = 50.581°)　4414.031
扇形面積 - 三斜面積合計 = 水平円射影面積　1419.654
No.1　天空図円面積　31415.926
(31415.926 - 1419.654) / 31415.926 * 100 = 95.481
切り捨て↓
《計画建物用》　三斜計算　天空率 = 95.481 %

「天空図」コマンドのコントロールバー

① ② ③ ④ ⑤ ⑥ ⑦

① 「正射影(天空率)」ボタン(▶p.312)

指示した測定点の天空図を正射影で作図する(正射影:天球に入射した点を垂直に射影した点による作図)。

天空率計算、太陽軌跡図も作図できる。

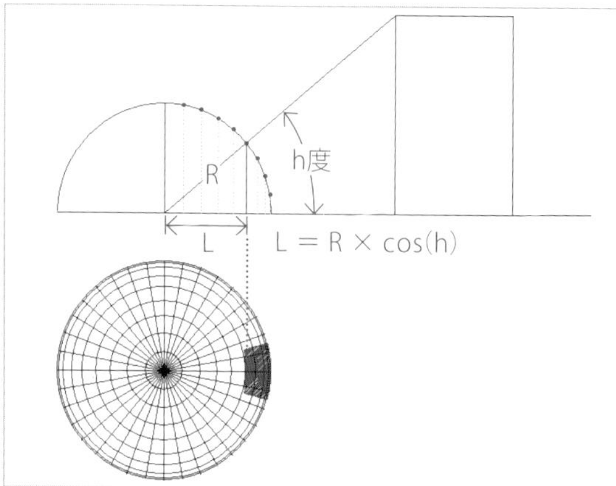

正射影による天空図(射影図)

「正射影(天空率)」ボタンを選択すると、下図のコントロールバーに切り替わる。

①−1 ①−2 ①−3 ①−4 ①−5 ①−6

①−1 「«」ボタン

「正射影」を終了し、1つ前のコントロールバーに戻す。

①−2 「No.」入力ボックス　※下記①−3を入力することで指定可能。

番号の前に記入する文字「No.」を変更できる(日本語入力を有効にして入力すること)。

①−3 「測定点番号」入力ボックス

最初の測定点番号を入力する。

2つ目以降は自動的に次の番号が記入される。番号を入力しない場合、測定点と天空図に番号は記入されない。

①−4 「測定高(m)」入力ボックス

測定高をm単位で指定する。

①−5 「天空図半径(図寸mm)」入力ボックス

作図する天空図の半径を図寸で指定する。

「0」を指定すると、天空率の計算のみを行う。

①−6 「目盛間隔」入力ボックス

「目盛間隔」ボックスの▼を⊖し、角度を選択することで、天空図に指定角度の目盛が作図される(右図)。

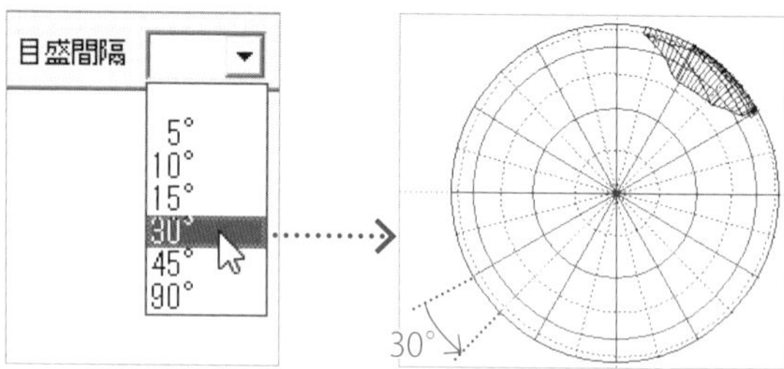

さらに測定点を指示すると、下図のコントロールバーに切り替わる。

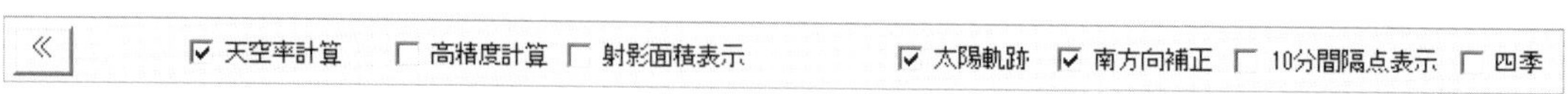

①−7 ①−8 ①−9 ①−10 ①−11 ①−12 ①−13 ①−14

① −7 「«」ボタン

測定点指示前に戻す。

①−8 「天空率計算」チェックボックス

天空率を計算し、結果(小数点以下2桁)を記入する。

※①－8のチェックを付けると、①－9と①－10が表示される。

①－9「高精度計算」チェックボックス

天空率計算結果として小数点以下3桁を記入する。

①－10「射影面積表示」チェックボックス

天空図の円面積と建物の射影面積を記入する。

①－11「太陽軌跡」チェックボックス

天空図に「日影図」コマンドで指定の季節の太陽軌跡を作図する。

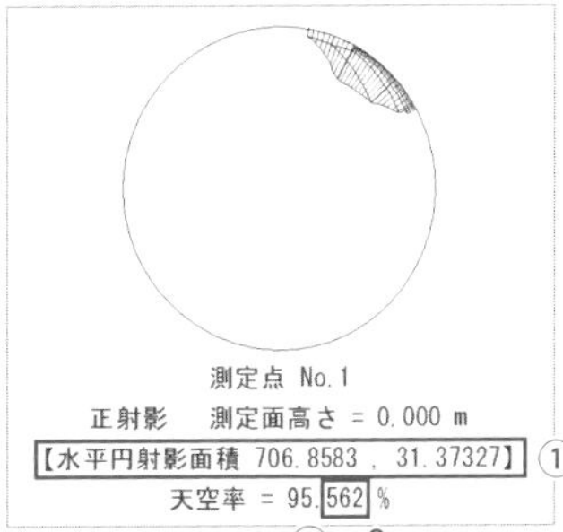

※①－11のチェックを付けると、①－12～①－14が表示される。

①－12「南方向補正」チェックボックス

図面の下方が南になるように天空図を回転して作図する。

①－13「10分間隔点表示」チェックボックス

太陽軌跡に10分間隔の点を作図する。

①－14「四季」チェックボックス

冬至・春秋分・夏至の太陽軌跡を作図する。

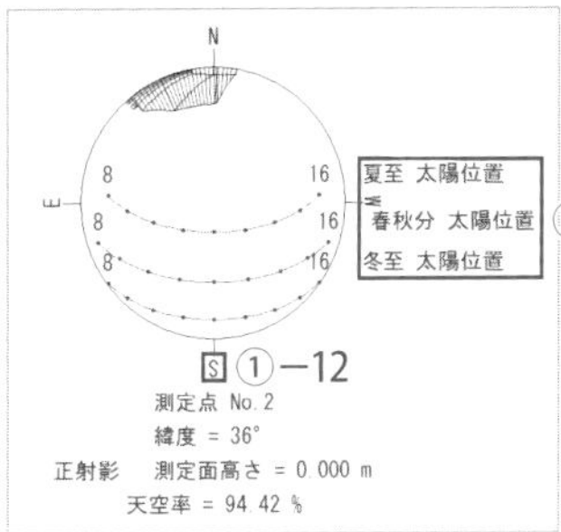

②「三斜」ボタン（▶p.313）

指示した測定点の正射影図を作図し、天空図における計画建物または基準建物の三斜面積計算から天空率を求める。また、建物位置確認表を作成する。

「三斜」ボタンを選択すると、下図のコントロールバーに切り替わる。

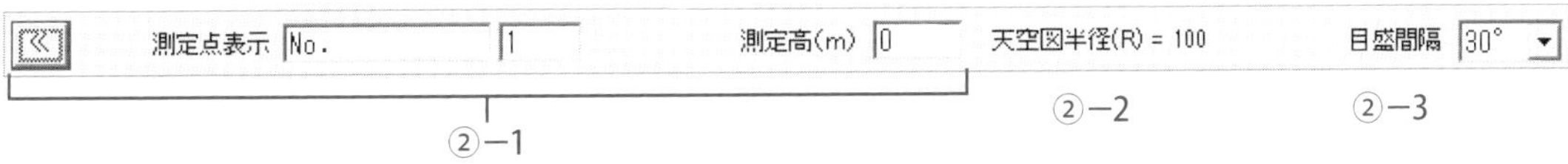

②－1 と ②－3

前ページの「正射影（天空率）」選択後のコントロールバーの①－1～①－4、①－6と同じ。

②－2 天空図半径（R）＝

図寸100mm固定。環境設定ファイル「TNKZ_SET」の指定で変更可能（▶JWWトリセツ付録.pdf p.67）。

さらに測定点を指示すると、下図のコントロールバーに切り替わる。

②－4「<<」ボタン

測定点指示前に戻す。

②－5「【基準建物用】」ラジオボタン

基準建物を対象にする場合に選択する。

三斜計算による建物の正射影面積は、右図のように実際より小さくなるため、天空率は実際より大きくなる（計算上は小数点以下3桁の値を「切り上げ」で求める）。

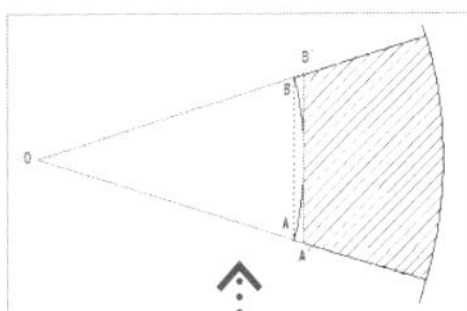

【基準建物用】

②－6「《計画建物用》」ラジオボタン

計画建物を対象にする場合に選択する。

三斜計算による建物の正射影面積は、右図のように実際より大きくなるため、天空率は実際より小さくなる（計算上は小数点以下3桁の値を「切り捨て」で求める）。

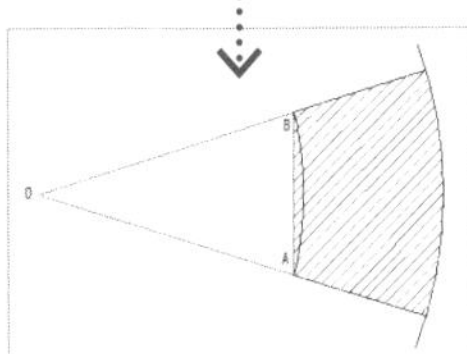

《計画建物用》

②－7「建物位置確認表」チェックボックス

建物位置確認表を作図する。

Shiftキーを押したまま作図位置を指示すると、すべての建物位置番号が記入される。Ctrlキーを押したまま作図位置を指示すると、配置図の建物ブロックにも建物位置番号が記入される（同じ位置に高さの異なる建物位置番号がある場合は高い位置の番号を記入）。

建物位置確認表　天空図半径(R) = 100.000(図寸mm)
《計画建物用》

位置	配置図		天空図		
No.	距離（実寸m）	高さ（実寸m）	方位角（°）	仰角:h（°）	R*cos(h)（図寸mm）
(1)	13.333	10.500	42.331	38.220	78.564
(3)	10.208	8.700	61.589	40.439	76.110
(4)	17.359	8.700	31.147	26.619	89.401
(5)	27.413	8.700	79.794	17.608	95.315
(8)	18.397	6.900	29.213	20.559	93.631

②－8 「三斜計算」チェックボックス

三斜計算による天空率の計算結果が記入される。

《計画建物用》三斜計算　　最大分割角 = 10°

三角形 No.	底辺(mm)	高さ(mm)	面積(mm²)
<1>	93.631	3.135	146.766
<2>	89.400	8.177	365.511
<3>	83.922	7.655	321.211
<4>	78.563	12.861	505.199
<5>	76.887	12.731	489.424
<6>	86.013	12.040	517.798
<7>	95.314	13.607	648.468
		三斜面積合計	2994.377

扇形面積（扇形中心角 = 50.581°）　4414.031
扇形面積 - 三斜面積合計 = 水平円射影面積　1419.654
No.1　天空図円面積　31415.926
(31415.926 - 1419.654) / 31415.926 * 100 = 95.481
切り捨て↓
《計画建物用》　三斜計算　　天空率 = 95.481 %

②－9 「最大分割角度」入力ボックス

※②－8のチェックを付けると指定可能になる。

小さい数値を指定することで、計画建物用と基準建物用の天空率の差が小さくなる。

③「等距離射影」ボタン

指示した測定点の天空図を等距離射影で作図する（等距離射影：天球に入射した角度と像高（中心からの距離）が比例する点による作図）。

天空率計算、太陽軌跡図の作図も行える。太陽軌跡図の作成には、正射影よりも高さが大きく表示される等距離射影が適している。

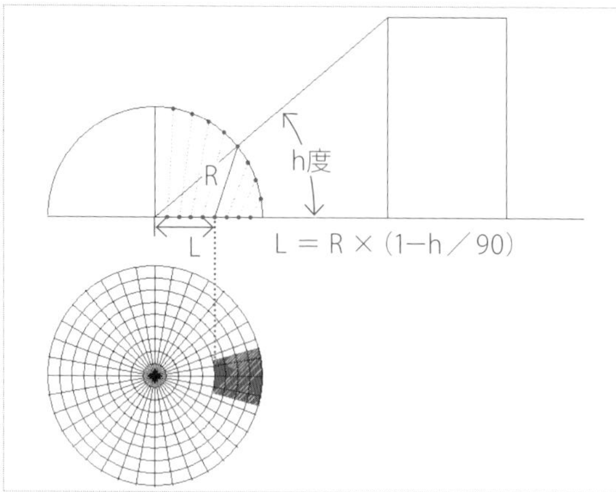

等距離射影による天空図（射影図）

「等距離射影」ボタンを選択すると、下図のコントロールバーに切り替わる。

p.314「正射影（天空率）」選択したときのコントロールバー①－1～6と同じ。

さらに測定点を指示すると、下図のコントロールバーに切り替わる。

③－1　③－2　③－3　③－4　③－5　③－6　③－7　③－8

③－1 「<<」ボタン

測定点指示前に戻す。

③－2 「天空比計算」チェックボックス

天空比を計算し、結果（小数点以下2桁）を記入する。

※③－2のチェックを付けると、③－3と③－4が表示される。

③－3 「高精度計算」チェックボックス
天空比計算結果として小数点以下3桁を記入する。

③－4 「射影面積表示」チェックボックス
天空図の円面積と建物の射影面積を記入する。

③－5 「太陽軌跡」チェックボックス
天空図に「日影図」コマンドで指定の季節の太陽軌跡を作図する。

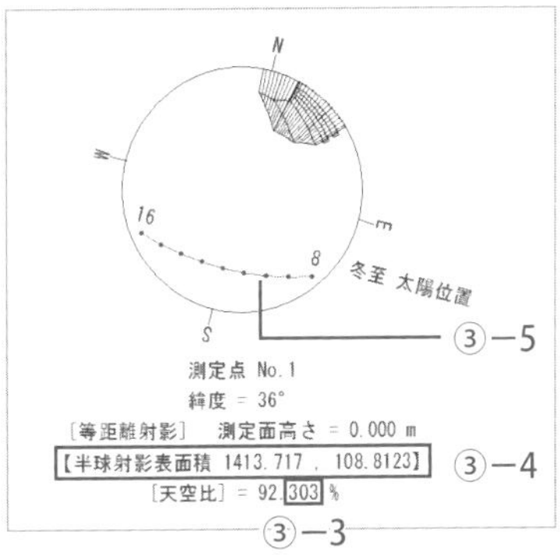

※③－5のチェックを付けると、③－6〜③－8が表示される。

③－6 「南方向補正」チェックボックス
図面の下が南になるように天空図を回転して作図する。

③－7 「10分間隔点表示」チェックボックス
太陽軌跡に10分間隔の点を作図する。

③－8 「四季」チェックボックス
冬至・春秋分・夏至の太陽軌跡を作図する。

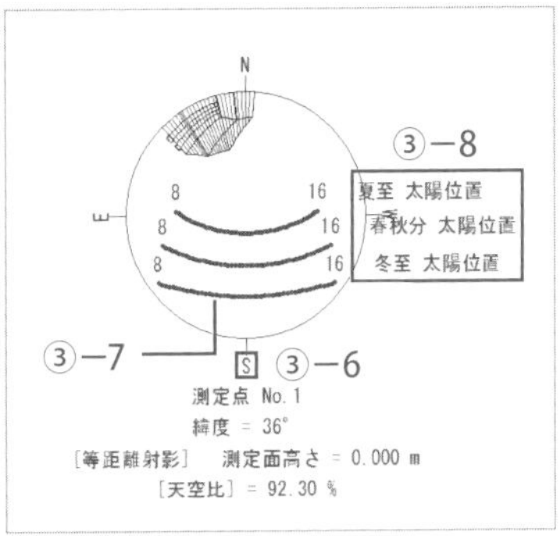

④ 「確認」ボタン
高さ定義した建物形状をアイソメで確認する。
「日影図」コマンドのコントロールバー「確認」ボタンと同じ（▶p.301）。

⑤ 「高さ（m）」入力ボックス
建物に定義する高さをm単位で入力する。
「日影図」コマンドのコントロールバー「高さ」ボックスと同じ（▶p.300）。

⑥ 「測定高（m）」入力ボックス
測定高をm単位で指定する。

⑦ 「天空率比較計算」ボタン
同一測定点の計画建物と基準建物の天空率の差を計算し、計算結果を指定位置に記入する。

1 「天空図」コマンドのコントロールバー「天空率比較計算」ボタンを⊖。

2 計画建物の天空率の数値を⊖。

3 比較する基準建物の天空率の数値を⊖。

4 計算結果を記入する位置を⊖（または⊖）。

POINT 環境設定ファイル「TNKZ_SET」で、書込文字種や比較の差分値による「OK」または「NG」の記入を設定できる（▶JWWトリセツ付録.pdf p.67）。

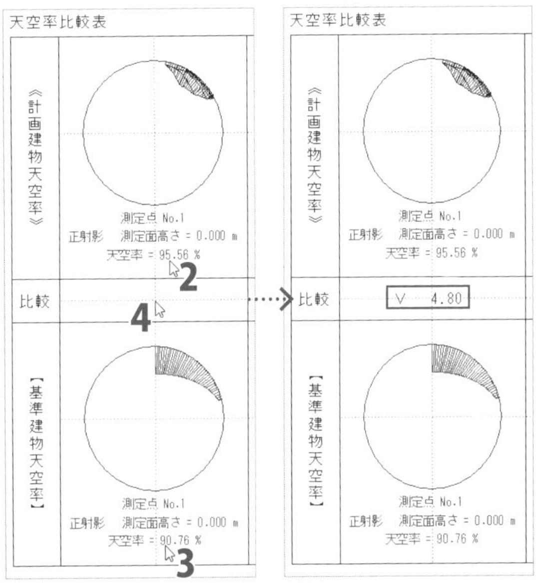

2 メニューバーのコマンド

7 [ヘルプ] メニュー

[ヘルプ] メニューのコマンドの機能と使い方

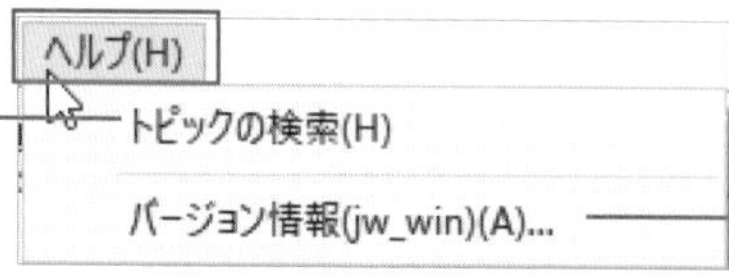

「バージョン情報」ウィンドウを表示する。
Jw_cadのバージョン：数値が大きいほうが新しい。

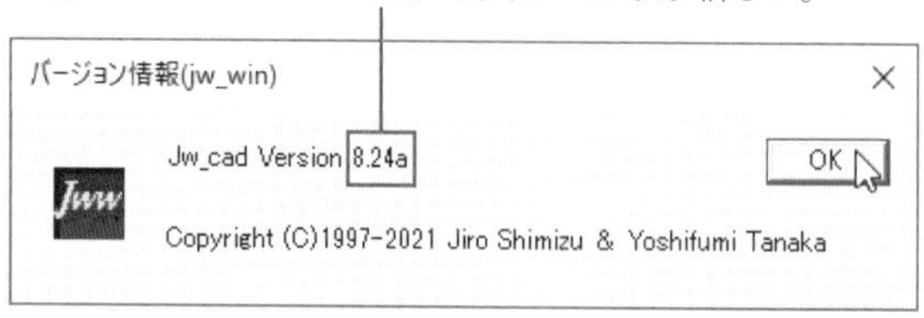

Jw_cadのヘルプを表示する。

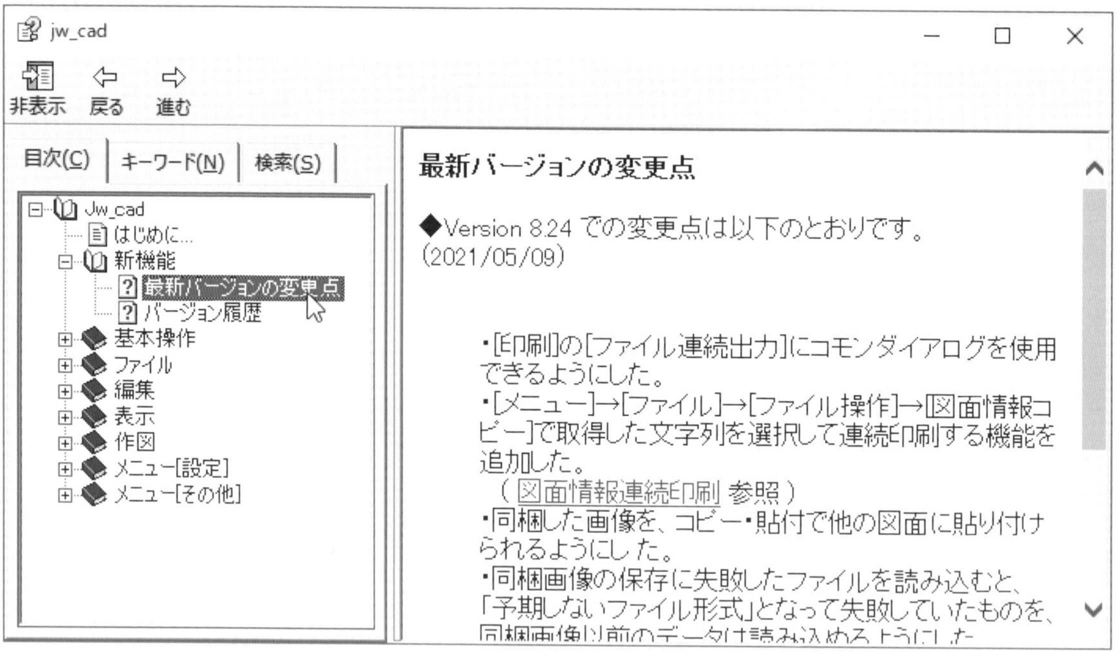

APPENDIX

**付録CD-ROMの使い方とJw_cadのバージョンアップ
およびJw_cadで扱えるデータファイルの種類・用語
について解説する。**

1 付録CD-ROMについて

本書の付録CD-ROMには、Jw_cadのほか、上級者向けの機能解説「JWWトリセツ付録.pdf」(Jw_cad 8のトリセツ【上級編】)、本書の解説と同じ操作を体験できるサンプル図面ファイルが収録されています。次の事項をよくお読みになり、ご了承いただけた場合のみ本書の付録CD-ROMをご使用ください。

付録CD-ROMを使用する前に必ずお読みください

- ◉ 付録CD-ROMは、Windows (Windows 10/8) で読み込み可能です。それ以外のOSでの動作は保証しておりません。
- ◉ 使用しているコンピュータ、ハードウェア、ソフトウェア、ネットワーク等の環境によっては、動作条件を満たしていても動作しない、またはインストールできない場合がございます。あらかじめご了承ください。
- ◉ 収録ファイルは付録CD-ROMからそのまま開かず、お使いのコンピュータのハードディスクにコピーしてから使用してください。
- ◉ 収録されたデータを使用したことによるいかなる損害についても、当社ならびに著作権者、データの提供者(開発元・販売元)は、一切の責任を負いかねます。個人の責任の範囲において使用してください。
- ◉ OSやパソコンの基本操作、記事に直接関係のない操作方法、ご使用の環境固有の設定や特定の機器向けの設定といった質問は受け付けておりません。本書の説明内容に関するご質問にかぎり、p.335に掲載した本書専用のFAX質問シートにて受け付けております(詳細はp.335をご覧ください)。

■ 付録CD-ROMの内容

本書解説のサンプル図面ファイルを章ごとに収録
▶p.321

Jw_cadバージョン8.24aのインストールプログラム
▶p.325

Jw_cad 8のトリセツ【上級編】
本書の内容を補足する上級者向けの解説を記載したPDFファイル
▶p.322

旧バージョンのJw_cadとインストール方法を解説したPDFを収録

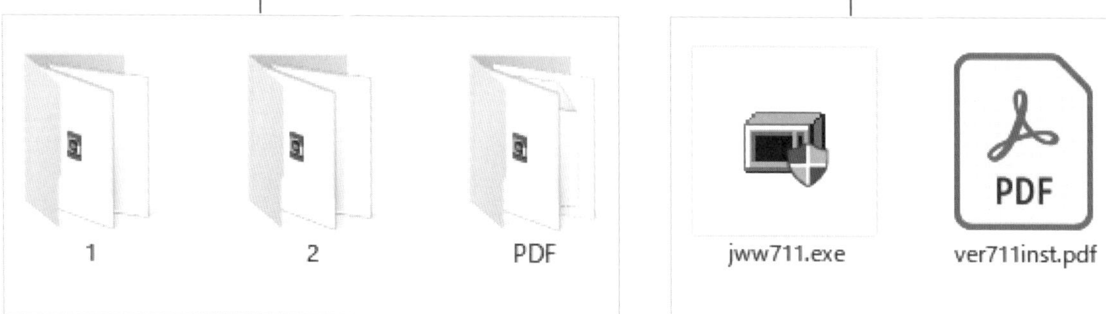

通常は使用しません

サンプル図面について

本書の一部の解説に対して同じ操作を体験できるサンプル図面ファイルを付録CD－ROMの「jww_torisetsu」フォルダーに収録しています。
サンプル図面ファイル名を、本書のタイトル部に右図のように記載しています。
サンプル図面ファイルは、「jww_torisetsu」フォルダーごとCドライブにコピーしたうえで、Jw_cadを起動し、「開く」コマンド（▶p.45）で開いてご利用ください。CD-ROMから直接開いた場合、一部の機能が本書の説明とおりに動作しません。

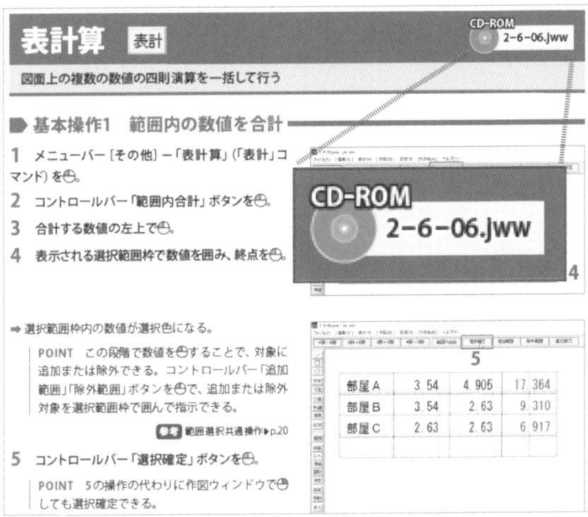

サンプル図面ファイルのコピー

サンプル図面ファイルを収録した「jww_torisetsu」フォルダーごとCドライブにコピーします。

1　CD－ROMに収録されている「jww_torisetsu」フォルダーを⊖。

2　表示されるメニューの「コピー」を⊖。

※Windows11で「コピー」が表示されない場合はp.331を参照。

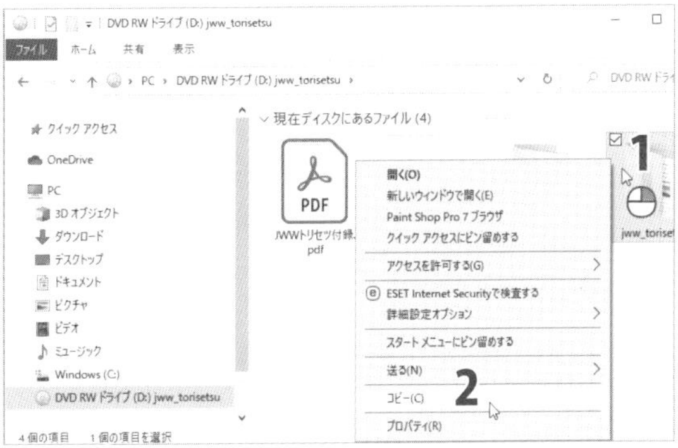

3　フォルダーツリーでパソコンのCドライブ（右図では「Windows（C:）」）を⊖。

4　何もない位置で⊖。

5　表示されるメニューの「貼り付け」を⊖。

※Windows11で「貼り付け」が表示されない場合はp.331を参照。
➡ Cドライブに「jww_torisetu」フォルダーがコピーされる。

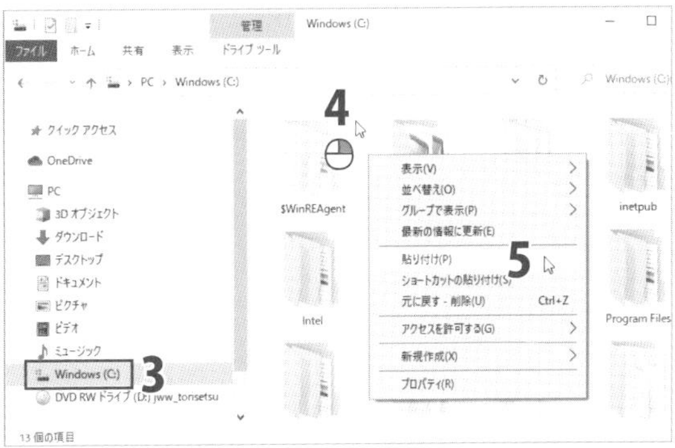

「JWWトリセツ付録.pdf」の内容について

PDFファイル「JWWトリセツ付録.pdf」(Jw_cad 8のトリセツ【上級編】)には、Jw_cadをさらに詳しく知り、深く使いこなすために有益な情報が、A4縦サイズで70ページ分、掲載されています。パソコンの画面に表示するか、あるいは印刷して閲覧してください。

◉ 掲載内容

「JWWトリセツ付録.pdf」(Jw_cad 8のトリセツ【上級編】)の閲覧・印刷

PDFファイルを閲覧・印刷するには、アドビシステムズ社が無償提供する「Adobe Reader」が必要です。PDFファイルが図のアイコンで表示される場合、Adobe Readerがインストールされおり、PDFファイルを⊖⊖することで開くことができます。Adobe Readerはアドビシステムズ社のWebサイト(下記URL)にて提供されています。

アドビシステムズ社のWebサイト → http://www.adobe.com/jp

以下に、Adobe Acrobat Reader DCでの「JWWトリセツ付録.pdf」の閲覧と印刷の手順を解説します。

PDFファイルを閲覧

1　付録CD-ROMを開き、「JWWトリセツ付録.pdf」を⊖⊖。

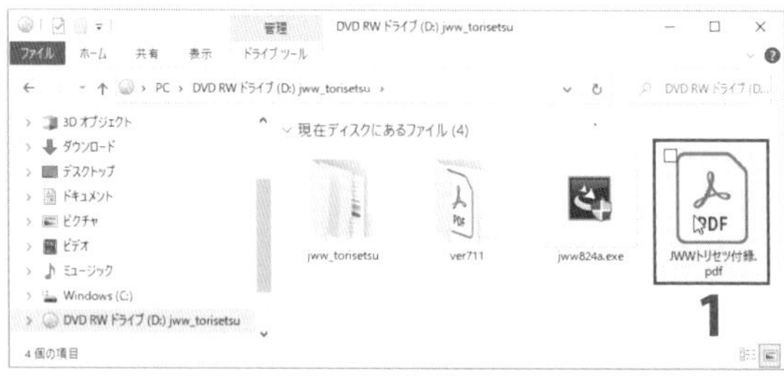

➡ Adobe Readerが起動し、「JWWトリセツ付録.pdf」が開く。

2　「しおり」ツールを⊖。

> **POINT**　「JWWトリセツ付録.pdf」では、目的のページをすぐ閲覧できるよう、見出し、小見出しを「しおり」として設定している。

➡ 次ページのように左側のウィンドウに「JWWトリセツ付録.pdf」に設定されているしおりが表示される。

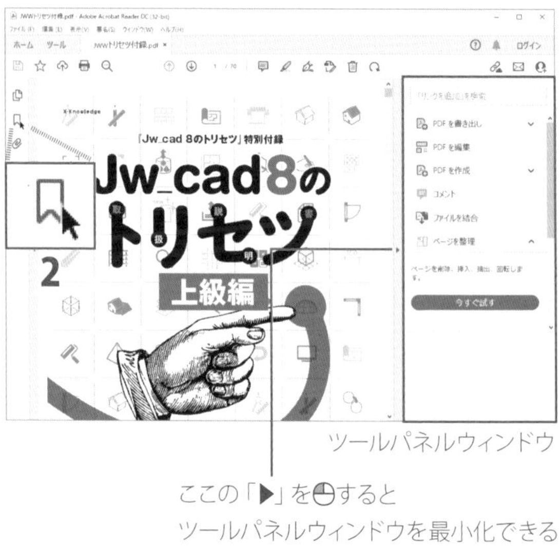

3 表示されるしおり「13 環境設定ファイルの内容一覧」の先頭の 〉マークを㊀。

➡「環境設定ファイルの内容一覧」の下の階層のしおり（小見出し）が表示される。

4 表示された「S_COMM_7」を㊀。

➡ 4で㊀したしおりのページが表示される。

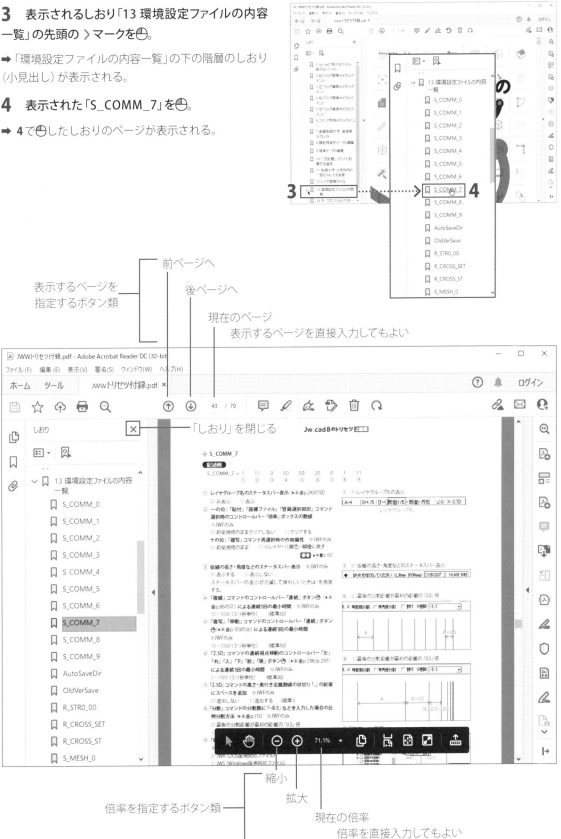

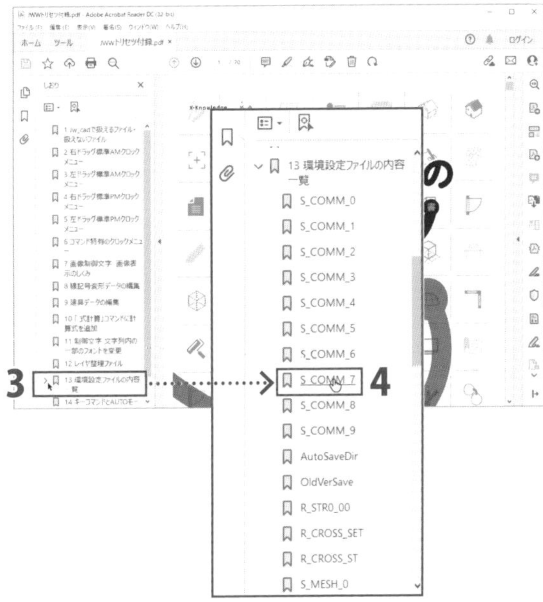

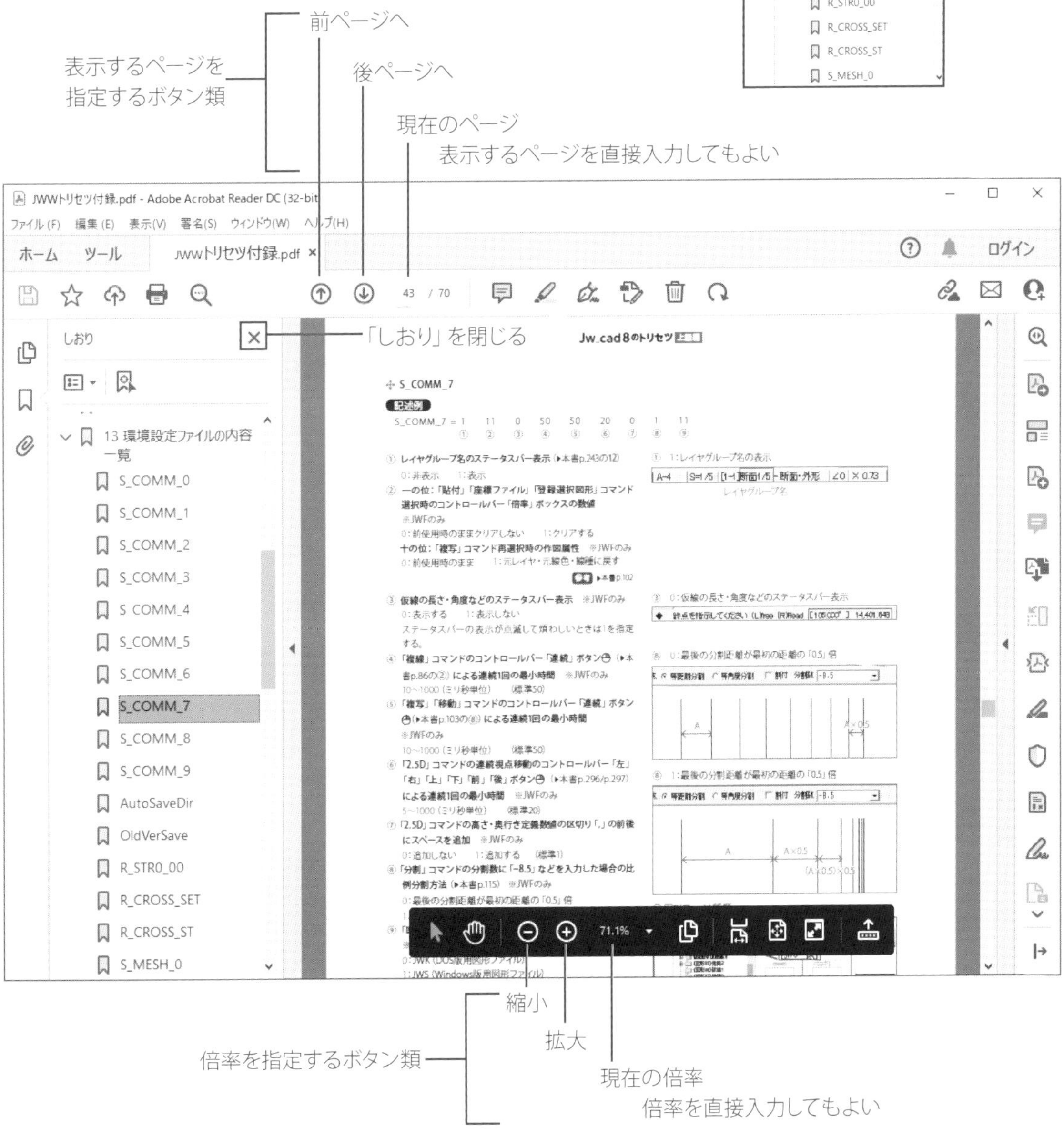

できる👉 単語入力による検索

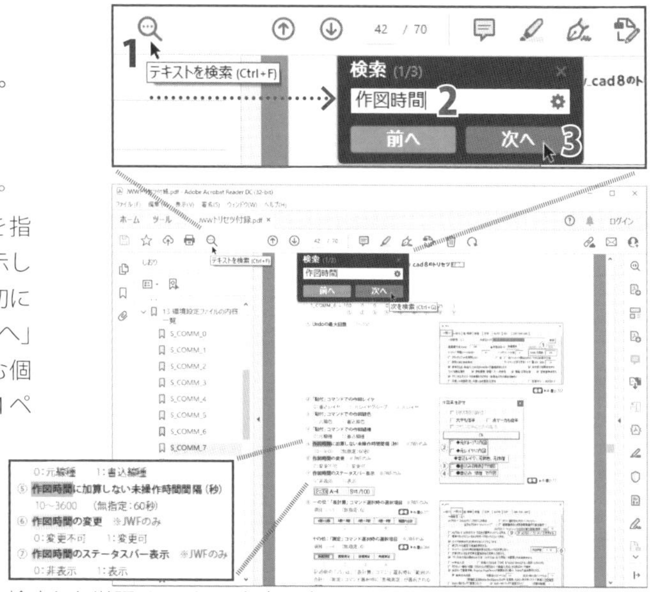

検索した単語はハイライト表示される

1 「テキストを検索」ツールを🖱。

2 「検索」ボックスに検索する単語を入力する。

3 「次へ」ボタンを🖱。

➡ **2**で入力した単語があるページが表示される。

POINT 「前へ」「次へ」ボタンは、検索方向を指示する。**3**で「次へ」ボタンを🖱したため、表示しているページから後ろのページを検索し、最初に**2**の単語のあるページを表示する。続けて「次へ」ボタンを🖱することで、順次、**2**の単語を含む個所を表示し、最終ページまで検索した後は、1ページ目からの検索を行う。

❖ PDFファイルを印刷

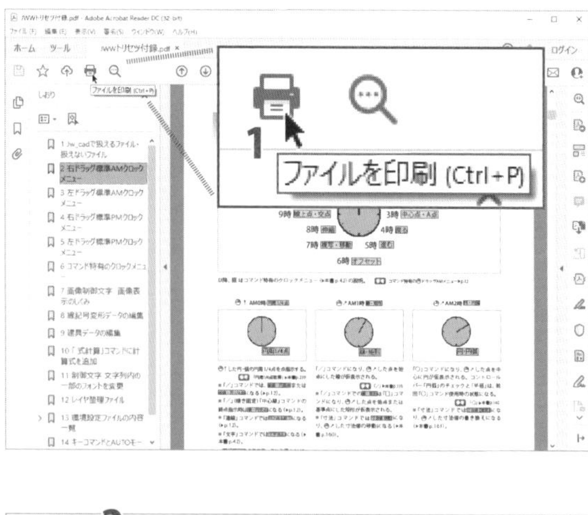

1 「ファイルを印刷」ツールを🖱。

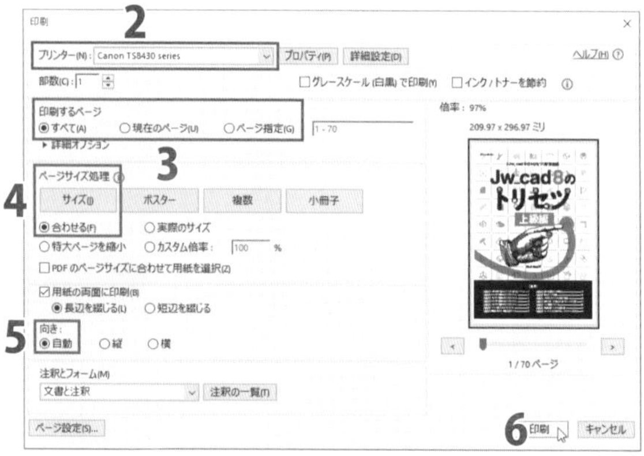

2 「印刷」ダイアログの「プリンター名」を確認する。印刷用紙のサイズは、「プリンター名」右の「プロパティ」ボタンを🖱で開く「プリンターのプロパティ」ダイアログで指定する。

3 印刷するページを「すべて」「現在のページ」「ページ指定」から選択する。

4 「ページサイズ処理」は、「サイズ」を選択し、「合わせる」を選択する。

POINT 「合わせる」では、印刷用紙の大きさに合わせて自動的に大きさを調整する。

5 「向き」は「自動」を選択する。

6 「印刷」ボタンを🖱。

➡ **2**で指定した用紙サイズに収まる大きさで印刷される。

2 Jw_cadのインストールとバージョンアップ

Jw_cadバージョン8.24aの動作環境

Jw_cadバージョン8.24aは以下のパソコン環境でのみ正常に動作する。

OS（基本ソフト）：Windows 10/8/7/Vista

※ただし、Microsoft社がWindows 7/Vistaのサポートを終了しているため、本書はWindows 7/Vistaでの使用は前提にしていない。

※Jw_cadバージョン8.24aのWindows11での動作については、2021年11月現在、Jw_cadのヘルプ「jw_win.txt」の動作環境に記載がないため完全に対応しているとはいえないが、本書に記載の操作についてはWindows11 Homeでの動作を確認している。

内部メモリ容量：64MB以上/ハードディスクの使用時空き容量：5MB以上／ディスプレイ（モニタ）解像度：800×600以上／マウス：2ボタンタイプ（ホイールボタン付3ボタンタイプを推奨）

Jw_cadのインストール（バージョンアップ）

Jw_cadをバージョンアップする場合も、新しくインストールする場合も、操作手順は以下のとおり同じである。

1 パソコンのCDドライブに付録CD-ROMを挿入し、CD-ROMを開く。

2 CD-ROMに収録されている「jww824a（.exe）」を⊖⊖。

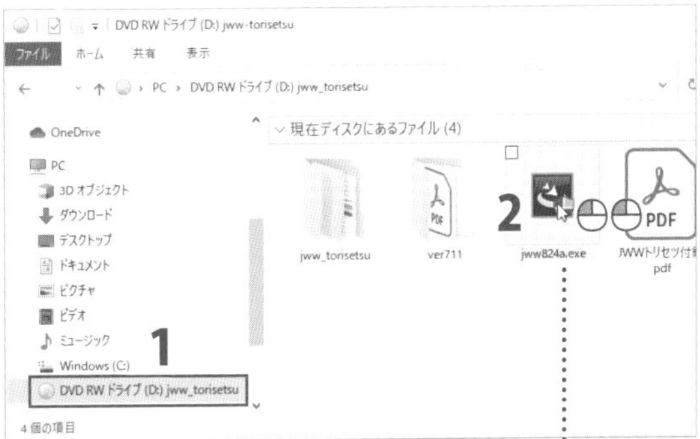

3 「ユーザーアカウント制御」ウィンドウの「はい」ボタンを⊖。

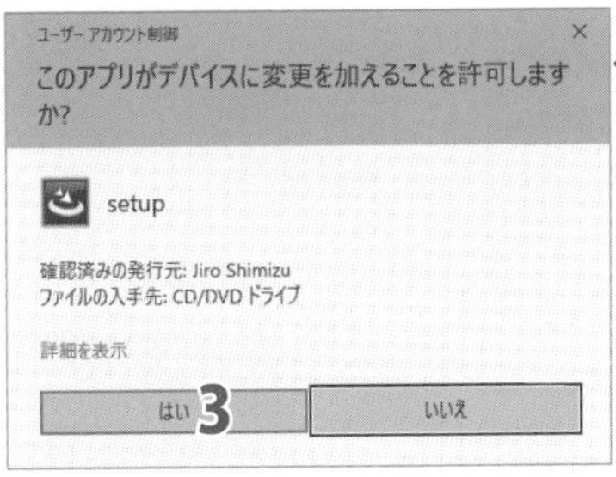

4 「Jw_cad-InstallShieldWizard」ウィンドウの「次へ」ボタンを⊖。

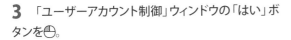

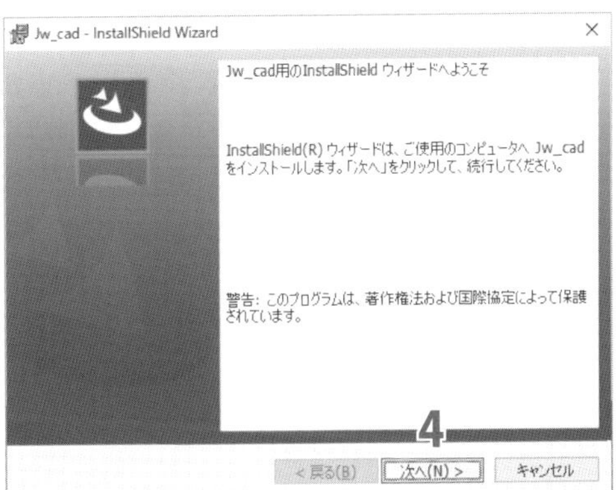

5 使用許諾契約書を必ず読み、同意したら「使用許諾契約の条項に同意します」を⊖して選択する。

6 「次へ」ボタンを⊖。

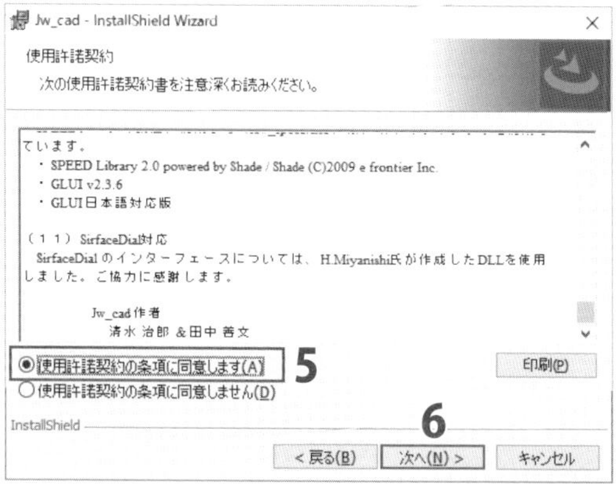

7 「次へ」ボタンを⊖。

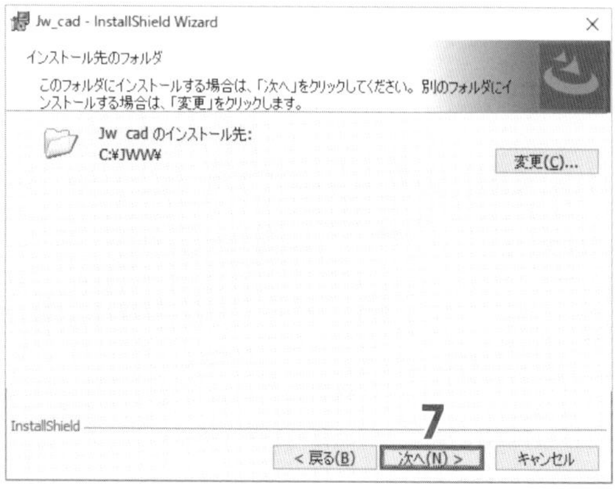

8 「インストール」ボタンを⊖。

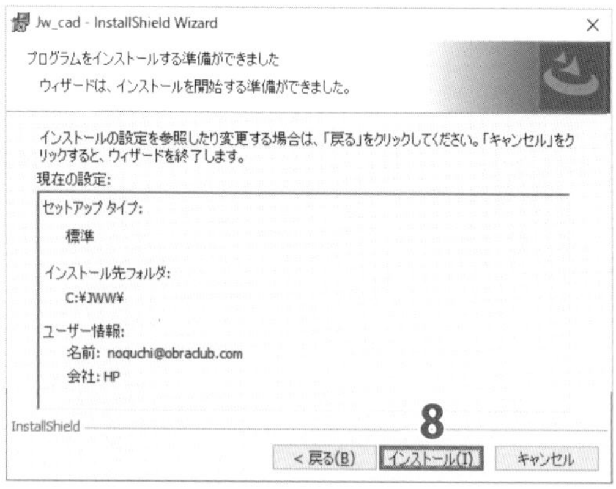

9 「完了」ボタンを⊖。

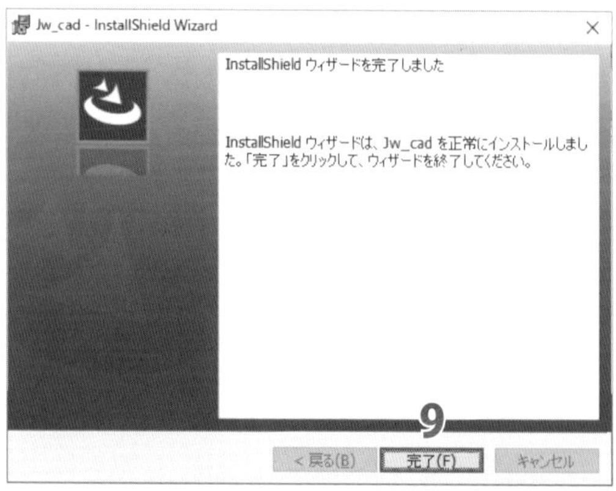

ショートカットの作成

1 「スタート」ボタンを⊖。

※Windows11の場合はp.331を参照。

2 スタートメニュー「J」欄の「Jw_cad」フォルダーを⊖。

3 表示される「jw_cad」を⊖。

4 表示されるメニューの「その他」を⊖。

5 さらに表示されるメニューの「ファイルの場所を開く」を⊖。

➡「Jw_cad」ウィンドウが開く。

6 「Jw_cad」ウィンドウの「jw_cad」を⊖。

7 表示されるメニューの「送る」を⊖。

8 さらに表示されるメニューの「デスクトップ（ショートカットを作成）」を⊖。

➡デスクトップに、Jw_cadのショートカットアイコンが作成される。

9 ウィンドウ右上の［×］（閉じる）ボタンを⊖し、ウィンドウを閉じる。

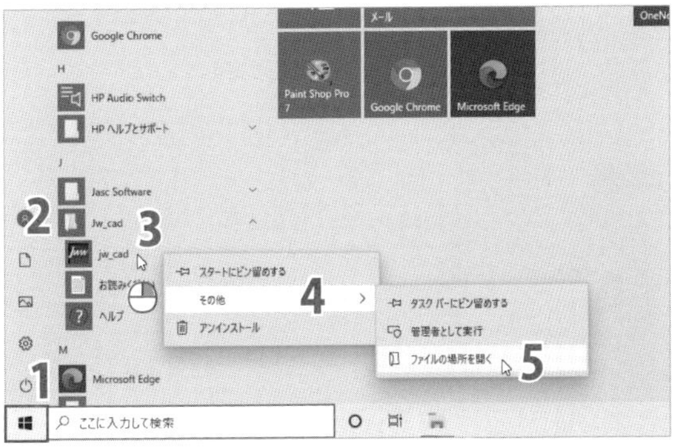

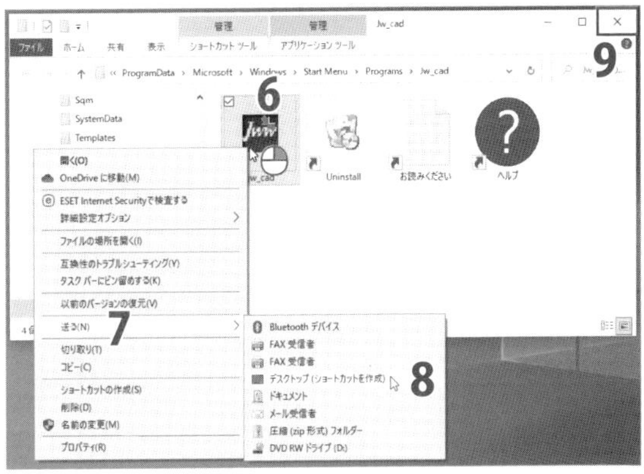

Jw_cadの起動

1 デスクトップのJw_cad起動用ショートカットアイコンを⊖⊖。

➡Jw_cadが起動し、Jw_cad画面が表示される。

Jw_cadをインストールしたパソコンの解像度によって、Jw_cadの画面にある左右のツールバーの配置が図と異なる場合がある。ツールバーの配置の変更は、「ツールバー」コマンド（▶p.128）で行う。
その他の各種設定は、「基本設定」コマンド（▶p.206）で行う。

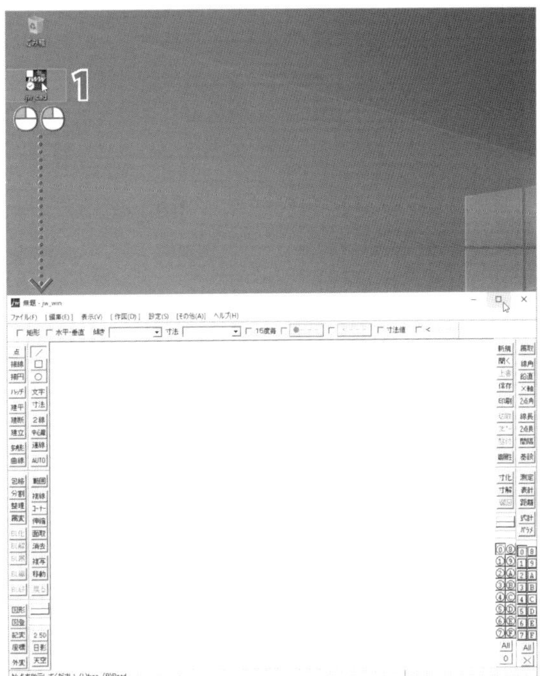

「JWW」フォルダー内のファイル

Jw_cadをインストールすると、以下のフォルダーとファイルを収録した「JWW」フォルダーが作成される。

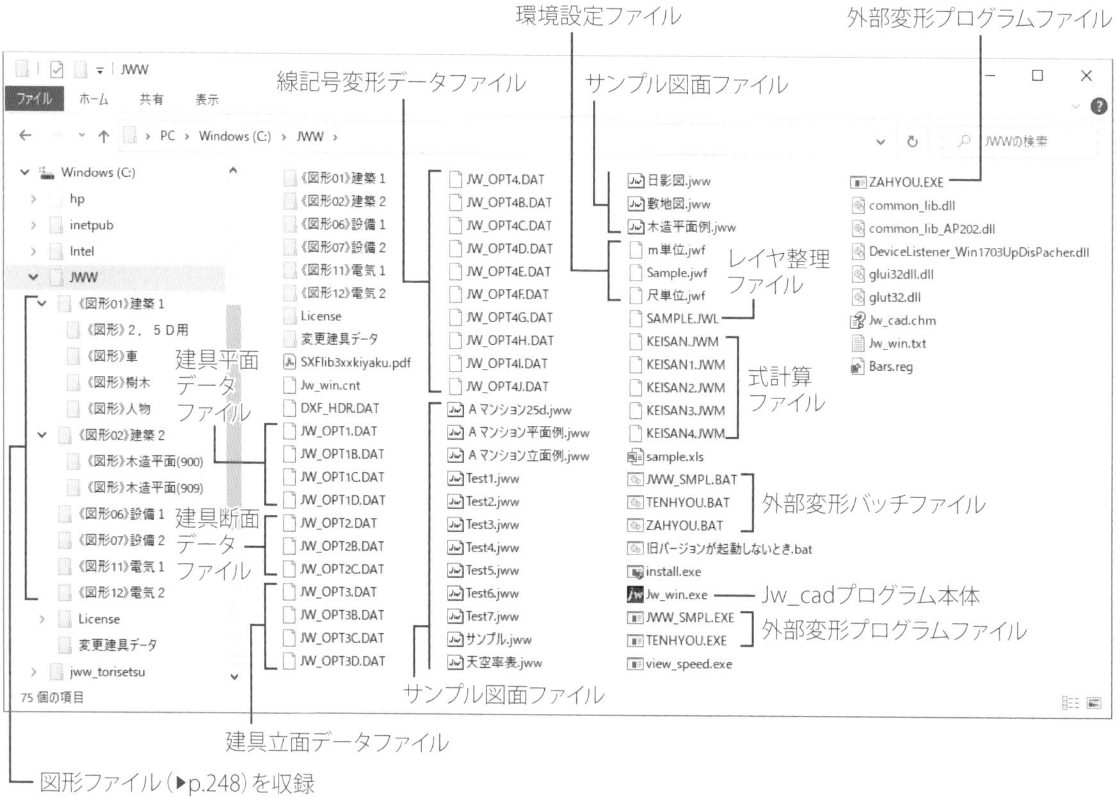

POINT　Jw_cadのアンインストールについて

パソコンにすでに入っているプログラムを削除することを「アンインストール」と呼ぶ。プログラムが不要になったときにアンインストールするほか、プログラムが正常に動作しない場合にいったんアンインストールした後、再度インストールを行うこともある。

Jw_cadのアンインストール手順

1〜3　前ページ「ショートカットの作成」の1〜3を行う。

4　表示されるメニューの「アンインストール」を⊕。

5　「プログラムと機能」ウィンドウが開くので、アンインストール対象の「Jw_cad」を⊕。

6　「アンインストール」を⊕。

アンインストールしても自分で作成したデータファイル、「JWW」フォルダー、デスクトップに作成したJw_cad起動用ショートカットアイコンは消えずに残るので、必要に応じて個別に削除する。

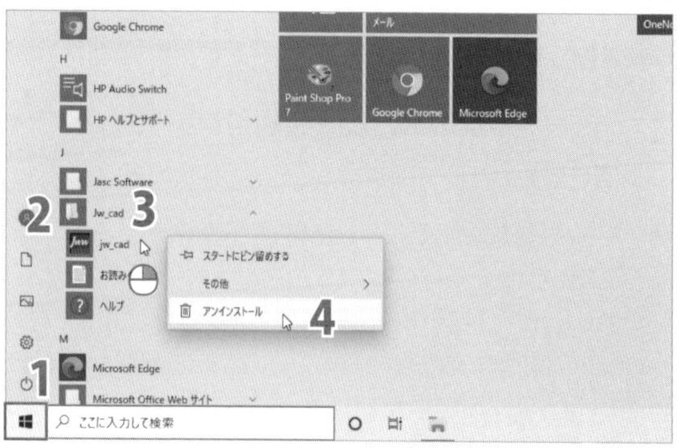

3 用語解説

BAK バックアップファイル

Jw_cadは、上書き保存時に同じフォルダーにファイルの拡張子を「BAK」（またはBK2～BK９）に変更して上書き前の図面ファイルを自動的に残す仕様になっている。そのファイルを「バックアップファイル」と呼ぶ。

初期設定では、作成するバックアップファイルは1つだが、その数を0～９まで設定できる（▶p.207の**6**）。

バックアップファイル数を「2」に設定した場合

誤って上書き保存した場合、そのバックアップファイルを開くことで上書き前の図面を取り戻せる。

バックアップファイルはもとはJWWファイルなので、その拡張子「BAK」（または「BK２」…「BK9」）を「jww」に変更することで、Jw_cadで開けるJWWファイルになる。

Jw_cad以外にも、上書き前のファイルの拡張子をBAKに変えて残すソフトがある。Jw_cad以外のソフトで作成されたバックアップファイルの拡張子「BAK」を「jww」に変更してもJw_cadで開くことはできないので注意する。

JW$ 自動保存ファイル

Jw_cadでは、停電時やパソコンが操作不能になるハングアップに備え、一定の間隔で編集中の図面ファイルを自動的に保存する機能がある。それによって作成されるファイルが「自動保存ファイル」である。

作図途中にパソコンがハングアップした場合でも、再起動後に自動保存ファイルを開くことで、作図途中の図面を取り戻すことができる。自動保存ファイルはもとはJWWファイルなので、その拡張子「jw$」を「jww」に変更することで、Jw_cadで開けるJWWファイルになる。

環境設定ファイルで指定（AutoSaveDir）しない限り、自動保存ファイルは図面ごとに作成され、その作成場所とファイル名は、作業状況によって以下のように異なる。

- 書込可能な大容量メディアから開いた図面
  元の図面と同じ場所（ドライブやフォルダー）に
  【自動保存】ファイル名.JW$
- CD-ROMなどの書き込みできないメディアから開いた図面
  Cドライブの「JWW」フォルダーに
  【自動保存】ファイル名.JW$
- 未保存の図面（無題）
  Cドライブの「JWW」フォルダーに
  【自動保存】.JW$

Susie Plug-in
http://www.digitalpad.co.jp/~takechin/

画像ビューワー「Susie」（たけちん氏作）用の拡張プログラム。BMP以外の形式の画像（JPEGなど）をJw_cadで扱うには必要である。詳しくは別書『Jw_cad 8を仕事でフル活用するための88の方法』p.20を参照。

拡張子

ファイルの名前（ファイル名）の「．」（ピリオド）の後に付いた文字を「拡張子」と呼ぶ。ファイルの種類はその拡張子で識別される。

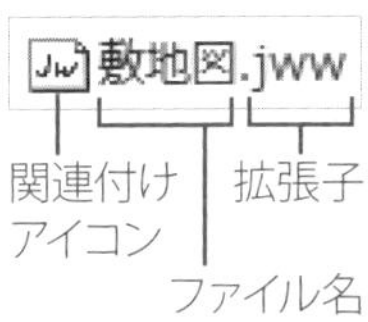

Jw_cadの図面ファイルの拡張子は「jww」。ファイル名の先頭に付くアイコンは、ファイルの種類ごとに関連付けられたソフトによって異なる

クリップボード

パソコンで作業中のデータを一時的に保存するメモリ領域で、複数のアプリケーションで共有できる。Windowsを終了するとクリップボード内の一時保存データも消える。

個別線幅と基本幅

標準線色1～８は、基本設定の「色・画面」タブ（▶p.212の**4**）で線色ごとに印刷線幅を指定することが基本である。ただし、「線属性」ダイアログの「線幅」ボックス（▶p.241の**4**）に線幅を入力することで、同じ線色でも印刷線幅の異なる線を作図できる。この「線幅」ボックスで線幅を個別に指定した線を「個別線幅の線」と呼ぶ。

これに対し、個別に線幅を指定しない（「線属性」ダイアログの「線幅」ボックスは「0」）線を「基本幅の線」と呼ぶ。基本幅の線の幅は、基本設定の「色・画面」タブの線色ごとの印刷線幅を変更することで変わるが、個別線幅の線の幅は変わらない。

✣ 図寸

Jw_cadでは、実寸法に対し、縮尺に関わらず用紙に印刷される長さ（原寸）を「図寸（図面寸法）」と呼ぶ。
文字の大きさを図寸で管理するほか、目盛間隔やハッチング線の間隔なども図寸で指定できる。

✣ 相対パスと絶対パス（フルパス）

「パス（path）」とは、ファイルなどの保存場所を示す住所の役割をする情報である。「絶対パス（フルパス）」は、最上位の保存階層を起点として目的の場所を示す方法である。図の「《図形》人物」フォルダーを絶対パスで示すと

C：¥jww¥《図形01》建築1¥《図形》人物

になる。

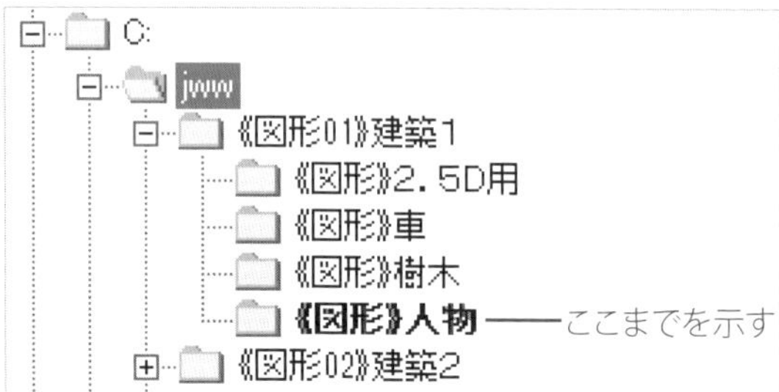

「相対パス」は、カレントフォルダー（現在開いているフォルダー）を起点として目的の場所を示す方法である。現在開いている「jww」フォルダーから「《図形》人物」フォルダーを相対パスで示すと

¥《図形01》建築1¥《図形》人物

になる。

✣ テキストファイル

文字要素だけで構成されたファイルである。文字の大きさやフォントの指定情報なども持っていない。
ソフト、OSの違いに関わらず、共通して利用できる。

✣ 点マーカ

SXF図面（▶p.52）における寸法線端部の矢印や実点などを「点マーカ」（▶p.18）と呼ぶ。
独自にサイズ情報を持ち、縮尺変更や図形の倍率変更指示では、基本的にその大きさは変更されない。

✣ 標準クロックメニュー

選択コマンドに関わらず、共通して0～11時に同じ機能が割り当てられているクロックメニュー（▶JWWトリセツ付録.pdf p.4）。

✣ プロフィールファイル

かつてのJw_cadには、Jw_cad終了時の各設定を記憶しておくファイルがあり、「プロフィールファイル」と呼んだ。現在はレジストリがその役割をしており、ファイルとしては存在しない。

✣ 目盛付きクロスラインカーソル

クロスラインカーソルに目盛が付いたもの。以下の操作で目盛付きのクロスラインカーソルを利用できる。

1 ステータスバー「画面倍率」ボタンから⊖←（右ボタン左方向ドラッグ）し、「用紙サイズ」ボタン上でマウスのボタンをはなす。

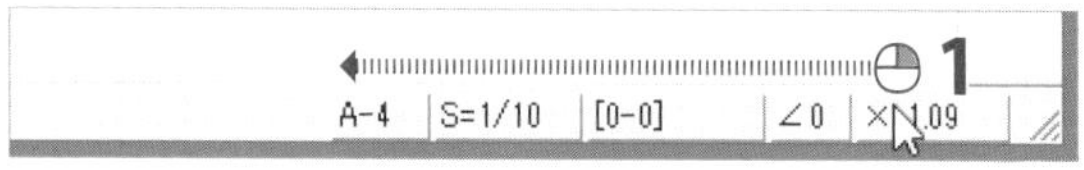

2 「用紙サイズ」ボタン左のステータスバー上で⊖。

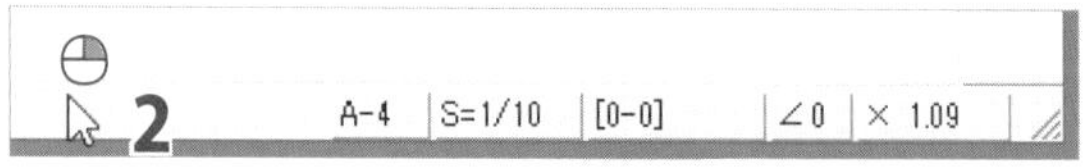

➡ 目盛付きクロスラインカーソルに切り替わり、「用紙サイズ」ボタンが「目盛単位表記」に切り替わる。
再度、ステータスバーを⊖で通常のマウスポインタに戻る。ステータスバーを⊖した場合は、目盛なしのクロスラインカーソルに変わる。

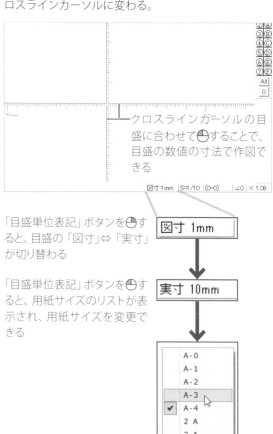

「目盛単位表記」ボタンを⊖すると、目盛の「図寸」⇔「実寸」が切り替わる

「目盛単位表記」ボタンを⊖すると、用紙サイズのリストが表示され、用紙サイズを変更できる

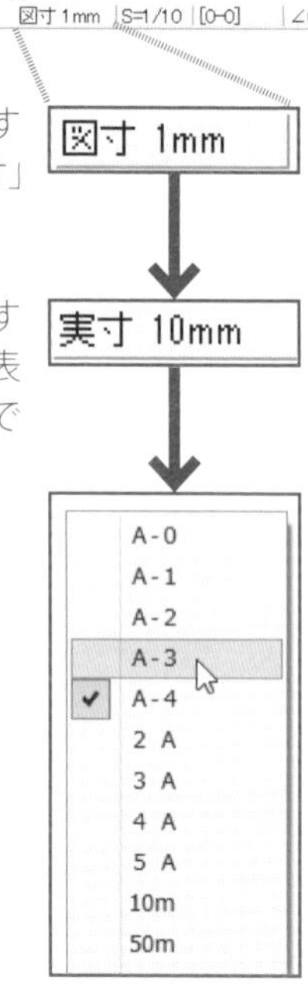

4 本書のとおりにならない場合の対処法

▶ p.52 SFCファイルを開く

「JW_CADでは読み込めないファイルです」「このファイル形式には対応してません」と表示され、SFC（P21）ファイルを開けない。

▶ p.53 SFC形式で保存

SFC（P21）形式で保存したファイルを開いても、何も保存されていない。

いずれの場合も、マイクロソフト社のWebサイト（下記URL）から、「Microsoft Visual C++ 2008 Service Pack 1 再頒布可能パッケージ MFC のセキュリティ更新プログラム」を入手して、インストールしてください。

https://www.microsoft.com/ja-jp/download/details.aspx?id=26368

▶ p.321 サンプル図面ファイルのコピー
Windows 11の場合

2の「コピー」と、**5**の「貼り付け」が表示されない。

⊖で表示されるメニューの「その他のオプションを表示」を⊖し、次に表示されるメニューの「コピー」または「貼り付け」を⊖してください。

▶ p.327 ショートカットの作成
Windows 11の場合

Windows 11では、以下の手順で行ってください。

1 「スタート」ボタンを⊖し、スタートメニュー右上の「すべてのアプリ」ボタンを⊖。
2 「J」欄の「Jw_cad」フォルダーを⊖。
3 「jw_cad」を⊖。
4 「詳細」を⊖。
5 「ファイルの場所を開く」を⊖。
6 「Jw_cad」ウィンドウの「jw_cad」を⊖。
7 「その他のオプションを表示」を⊖。
8 「送る」を⊖。
9 「デスクトップ（ショートカットを作成）」を⊖。

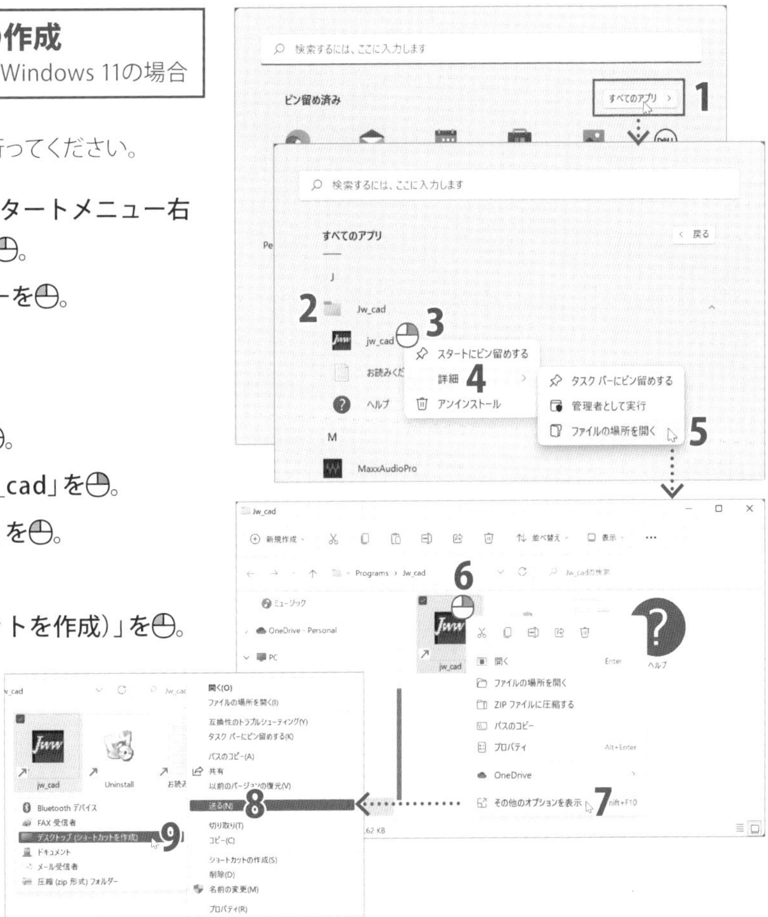

INDEX

※ **赤太数字**は、付録CD-ROM収録の「上級編」のページです。
※ ➡マークのある用語は、以降の用語を参照してください。

送付先 FAX 番号 ▶ 03-3403-0582　メールアドレス ▶ info@xknowledge.co.jp
インターネットからのお問合せ ▶ https://www.xknowledge.co.jp/contact/book/

FAX質問シート

Jw_cad 8 のトリセツ

P.2の「本書をご購入・ご利用になる前に必ずお読みください」と以下を必ずお読みになり、ご了承いただいた場合のみご質問をお送りください。

- 「本書の手順通り操作したが記載されているような結果にならない」といった本書記事に直接関係のある質問のみご回答いたします。「このようなことがしたい」「このようなときはどうすればよいか」など特定のユーザー向けの操作方法や問題解決方法については受け付けておりません。
- 本質問シートで、FAX またはメールにてお送りいただいた質問のみ受け付けております。お電話による質問はお受けできません。
- 本質問シートはコピーしてお使いください。また、必要事項に記入漏れがある場合はご回答できない場合がございます。
- メールの場合は、書名と当質問シートの項目を必ずご入力のうえ、送信してください。
- ご質問の内容によってはご回答できない場合や日数を要する場合がございます。
- パソコンや OS そのもの、ご使用の機器や環境についての操作方法・トラブルなどの質問は受け付けておりません。

ふりがな
氏　名　　　　年齢　　　歳　　　性別　男・女

回答送付先（FAX またはメールのいずれかに○印を付け、FAX 番号またはメールアドレスをご記入ください）

FAX ・ メール

※送付先ははっきりとわかりやすくご記入ください。判読できない場合はご回答いたしかねます。電話による回答はいたしておりません。

ご質問の内容　※ 例）203 ページの手順 5 までは操作できるが、手順 8 の結果が別紙画面のようになって解決しない。

【 本書　　　ページ ～　　　ページ 】

ご使用の Jw_cad のバージョン　※ 例）Jw_cad 8.10b （　　　　）

ご使用の OS のバージョン（以下の中から該当するものに○印を付けてください）

Windows 11　　10　　8.1　　その他（　　　　）

●著者
Obra Club（オブラ クラブ）
設計業務におけるパソコンの有効利用をテーマとしたクラブ。
会員を対象にJw_cadに関するサポートや情報提供などを行っている。
http://www.obraclub.com/

《主な著書》
『はじめて学ぶJw_cad 8』
『Jw_cadの「コレがしたい！」「アレができない！」をスッキリ解決する本』
『やさしく学ぶSketchUp』
『やさしく学ぶJw_cad 8』
『Jw_cad電気設備設計入門』
『Jw_cad空調給排水設備図面入門』
『Jw_cadで神速に図面をかくための100のテクニック』
『Jw_cad 8を仕事でフル活用するための88の方法(メソッド)』
『CADを使って機械や木工や製品の図面をかきたい人のためのJw_cad 8製図入門』
『建築だけじゃない！ だれでもかんたんに図がかける！ いますぐできる！ フリーソフトJw_cad 8』
『Jw_cad 8逆引きハンドブック』
（いずれもエクスナレッジ刊）

Jw_cad 8のトリセツ

2021年 12月 22日　初版第1刷発行

著　者　　Obra Club

発行者　　澤井 聖一
発行所　　株式会社エクスナレッジ
〒106-0032　東京都港区六本木7-2-26
https://www.xknowledge.co.jp/

●問合せ先
編　集　　前ページのFAX質問シートを参照してください。
販　売　　TEL 03-3403-1321 ／ FAX 03-3403-1829 ／ info@xknowledge.co.jp